LA CRITIQUE LITTÉRAIRE

Collection **U**   Lettres Françaises

ROGER FAYOLLE

Faculté des Lettres de Paris

LA CRITIQUE LITTÉRAIRE

Préface de
JACK KOLBERT
University of New Mexico

McGRAW-HILL - ARMAND COLIN

New York ———————— St. Louis ———————— San Francisco

© *Librairie Armand Colin 1964*

PREFACE

In the past, American professors who offered courses on French criticism have as a result of the paucity of truly self-sufficient anthologies and histories been forced to resort to all kinds of improvisations. Most have had to place on reserve dozens of library volumes, each containing one or two indispensable articles. Their students have had to contrive ingenious — and occasionally frustrating — strategies in order to track down the requisite readings in a wide assortment of anthologies of critical prefaces, collections of essays and manifestos, and histories of criticism. In smaller university libraries the essential primary texts have often been lacking, and desirable courses on criticism could either not be given or else were presented with certain lacunae in reading materials. Professor Fayolle's La Critique will help alleviate many difficult situations, for it is a self-contained presentation of the history of French literary criticism from the Renaissance through our contemporary era.

No anthology will ever satisfy every specialist. Some will wonder why certain seemingly minor selections are included here; others will wonder why certain seemingly vital ones were not chosen. Aiming his work at his compatriots who had already been exposed to a strong French literary education in the lycée and at the university, he refused to limit himself to those all too obvious crucial texts which might have proved to be repetitious for French students. Therefore he rounded out his anthology with some less familiar pronouncements by minor authors, most of which are exceptionally pertinent in the history of criticism. American professors will quite readily be able to organize solid courses of criticism built around Professor Fayolle's work and will need to supplement this work with at best a very limited number of outside readings.

Ideally, before enrolling in courses on French literary criticism, the student should be cautioned to read extensively in the primary texts that figure in the usual survey-type and problem-type (centuries, movements, authors, topics) courses. The major trends in the development of French literature, from the middle ages until the present, should already stand out in relief for the student. He should already have formulated a clear understanding of the principal movements, schools, and works of the past and present. One cannot fully appreciate the purport of Boileau's comments on Molière or Racine without having first read Molière and Racine. Nor can Taine's La Fontaine et ses fables be judged intelligently until after prior contact has been established with the Fables themselves. Once the student has completed the prerequisite courses, he will then be able to benefit in various ways from Professor Fayolle's presentation of literary criticism. First, precisely because the history of French criticism and the history of French literature have developed along parallel, even intertwining paths the student will to a surprising degree be able to synthesize and review many of the disparate facts learned in other courses. He will gain a more meaningful and total perspective of the world of letters. Secondly, he will have the distinct pleasure of discovering fascinating new names from among those writers who wrote mainly as critics (men like La Harpe, Brunetière, Sainte-Beuve, Thibaudet). And the familiar names (Du Bellay, Corneille, Anatole France, etc.) will no longer be thought of exclusively as poets, playwrights, or novelists; what they had to say about literary theory and about the creative processes will seem almost as interesting as their works of pure art. Finally, from the methods of professional critics students will learn new techniques of analysis useful in their own confrontation with literature.

There is in Roger Fayolle's La Critique *a twofold* raison d'être. *It is both a history of French literary criticism (Part I) and also an anthology of carefully selected extracts (Part II) designed to illustrate concretely the various men and theories outlined in the historical section. As a history, the work is panoramic and relatively complete in its coverage of the principal developments in the living tradition of criticism. Yet, for obvious reasons no truly exhaustive history of criticism could possibly be written in only two hundred pages. Sainte-Beuve or Paul Bourget cannot be entirely disposed of in three or four pages. Therefore, Part I must be regarded as an* introduction *to the history of French criticism. Like all good introductions, this one stimulates us to explore further into the crevices of a complex and rich field. To help us in this goal Professor Fayolle provides us with a competent bibliography and also with a special table that illustrates graphically and chronologically the high points in literary criticism from 1500 until about 1965.*

The anthological second part contains short extracts taken from the most significant critical writings from Joachim Du Bellay through Jean-Paul Sartre. Most of these samplings are theoretical in nature and define each author's conception of the nature of criticism, his methodology, and his criteria. A few selections (for example, Malherbe's commentaries of Desportes' poetry and the two pieces by Chapelain) represent the practical applications of some of the principal notions. Basically, however, Part II emphasizes critical theories more than applied methodology. To illustrate the latter adequately, Professor Fayolle would have been forced drastically to expand the length of his book. Essays that disclose a critic's method are generally quite long and do not lend themselves to facile truncation. In almost every case, Professor Fayolle's selections are only two or three pages in length.

Parts I and II are tied to each other. In the historical section the author continually refers to the appropriate illustrative texts in the anthology. Similarly each of the readings in the second part begins with a footnote reference to the specific pages of the historical exposition in which these texts are considered as moments within the total framework of their times. It is indeed the tight interrelationship between Parts I and II which makes this work extremely useful as a pedagogical tool. In a single semester course, classes may simultaneously study both the historical development and the major texts of criticism. For example, during the consideration of the eighteenth century as an entity unto itself (chapter entitled " Nouvelles Confrontations: le XVIIIe siècle "), the reader can be directed to examine the texts in the back of the book by Bayle, La Motte-Houdar, Fénelon, Abbé Du Bos, Voltaire, Marmontel, Chénier, and La Harpe.

Professor Fayolle's book demonstrates plainly that France has been the site for almost every conceivable literary and intellectual polemic and literary crisis during the last five centuries. At one moment or other the French have experimented with all kinds of criticisms: rhetorical, grammatical, evaluative, biographical, historical, sociological, scientific, psychological, Marxist, dogmatic, impressionistic, explicative, aesthetic, phenomenological, thematic, structural, and so forth.

In Professor Fayolle's synopsis we learn one particularly significant lesson: the French seem to possess an indefatigable ability to destroy and to renew their critical efforts. So often the polemics and feverish rivalries among men and movements threatened to extinguish the antagonistic parties. So often we seemed to be standing at the brink of the ultimate demise of criticism. Then, as if by spontaneous germination, brilliant new figures march forth with original viewpoints in order to rejuvenate the seemingly tired world of criticism. This capital lesson becomes most eloquent in the title of Professor Fayolle's final chapter: " Vers une révolution critique? ". If I had written this chapter, I should have suppressed the question mark in the title. French literary criticism seems always in the state of undergoing revolutions.

JACK KOLBERT

University of New Mexico

Première Partie

LA CRITIQUE LITTÉRAIRE EN FRANCE DU XVIᵉ SIÈCLE A NOS JOURS

Nous n'avons pas prétendu, dans les pages qui suivent, écrire une histoire de la critique littéraire. Cela n'était pas possible dans les limites d'un tel ouvrage. Nous proposons seulement ici une chronique où sont esquissés les portraits des principaux critiques et définies les principales orientations du genre, si « genre » il y a. Nous tenons, en commençant, à reconnaître notre dette envers M. Pierre Moreau, dont le livre sur La Critique littéraire en France[1] nous a souvent servi de guide.

---

1. Pierre MOREAU, *La Critique littéraire en France*, Armand Colin, 1960.

INTRODUCTION

Est-il légitime de faire une place à la critique dans une collection consacrée à l'étude des différents genres littéraires ? La question est délicate, et même Brunetière, auteur d'une célèbre *Évolution de la critique*, aurait probablement répondu par la négative ; il écrivait en effet au début de son article *Critique* paru dans la *Grande Encyclopédie* :

> La critique littéraire n'est pas un genre à proprement parler, rien de semblable ni d'analogue au drame ni au roman, mais plutôt la contrepartie de tous les autres genres, leur conscience esthétique, si l'on peut dire, et leur juge.

Une telle prudence ne paraît pourtant plus de mise aujourd'hui : les enquêtes portant sur les méthodes et sur l'objet même de la critique se multiplient, et l'on est passé d'une extrême défiance envers un genre réputé inexistant à une inquiétante promotion de la critique qui semble s'annexer toutes sortes de disciplines scientifiques et philosophiques pour apparaître comme l'activité la plus noble du littérateur.

C'est là le signe d'une autre évolution. Longtemps la critique a eu fort mauvaise réputation. On l'opposait traditionnellement à l'art créateur comme l'aisance à la difficulté, la mesquinerie à la générosité, l'impuissance à la force, le pédantisme à la simplicité, la lourdeur à l'intelligence..., et la crainte de passer pour un Zoïle envieux l'emportait dans l'esprit des meilleurs critiques sur l'ambition de devenir un parfait Aristarque. Chacun connaît la pièce dédiée par Musset à Sainte-Beuve dès 1837 : c'est une espèce d'oraison

7

funèbre où il est question d' « un poète mort jeune à qui l'homme survit ». On constate au contraire, dans le champ de la littérature contemporaine, une sorte de pudeur inverse : l'écrivain moderne hésite plutôt à s'avouer poète, et la place qu'occupaient autrefois, aux yeux du public, le poète et le dramaturge, appartient aujourd'hui au romancier et au critique. Sans doute est-ce là un résultat du développement de la presse et de la prodigieuse prolifération de l'imprimé : au lieu d'ajouter *son* œuvre à tant d'œuvres mortes, on préfère s'interroger sur le sens des œuvres passées, expliquer et comprendre. Ainsi la littérature s'est prise elle-même pour objet à travers une vaste entreprise critique dont il est sans doute prématuré de dresser le bilan, mais dont on peut essayer de marquer les différentes orientations.

Les caractères particuliers de la critique littéraire tiennent aux caractères particuliers de l'objet sur lequel elle porte : l'œuvre littéraire, c'est-à-dire un objet purement intellectuel, n'existant que par la rencontre d'une double activité de l'esprit : celle de l'écrivain et celle du lecteur. A cet égard, la critique littéraire diffère des diverses formes de critique d'art (peinture, musique…) : la sensibilité proprement dite n'y joue pas un rôle déterminant. Dans les arts plastiques, le rapport esthétique est d'abord saisi dans la perception. Dans l'art littéraire, il est saisi dans la pensée.

L'œuvre littéraire n'existe qu'au point de rencontre de deux appels : l'appel qui l'a fait naître, qui a poussé l'artiste à la créer ; l'appel qui nous concerne, nous ses lecteurs, et qui nous provoque à donner une réponse. Celle-ci peut être adhésion ou refus, et représente la forme la plus immédiate, la plus élémentaire de la critique. Aussi la critique apparaît-elle déjà dans la mesure où l'œuvre achevée n'existe que pour et par le lecteur qui la lit et la réinvente mot à mot pour son propre usage.

L'objet auquel s'applique la critique littéraire est donc particulièrement ambigu, parce que, dans son œuvre, l'écrivain *s'exprime*, et l'écrivain *s'adresse à nous*. Mais cette œuvre n'est d'abord saisie que sous ce deuxième aspect, comme un objet de compréhension pour notre intelligence, ou comme un objet de plaisir pour notre esprit.

Pendant des siècles, les critiques ont inlassablement mis l'accent sur cette évidence : l'œuvre écrite appartient au public, qui peut en juger à sa guise, quelles que soient les récriminations des auteurs contre l'incompréhension et la sottise. Un Boileau le répète sans cesse dans ses satires. En somme, l'œuvre écrite vient prendre place à la suite des milliers d'œuvres proposées au bon plaisir des lecteurs, et la tâche du critique serait simplement de lui assigner sa plus juste place.

Ainsi se définit une première attitude de la critique en face de l'œuvre littéraire : celle-ci est considérée en elle-même, comme un objet qui se suffit. L'ambition de la critique est alors purement classificatrice : elle distingue entre les œuvres différents *genres*, fixe les *règles* de chaque genre, et propose pour chacun d'eux des *modèles* de la perfection. C'est là une critique idéaliste fondée sur la notion de modèle, et qui intervient dans la création littéraire pour proposer ou pour imposer à l'écrivain *l'imitation* de ces modèles. Elle est organisée autour des notions de *chefs-d'œuvre* et d'*écoles* littéraires, et s'accompagne en ce sens d'une histoire littéraire qui se propose le recensement et l'analyse des chefs-d'œuvre et l'étude comparée des écoles qui se succèdent ou se répondent selon des schémas simples de filiation ou de contradiction (cf. la présentation traditionnelle du schéma classique-romantique).

La contestation des arrêts de cette critique est pour ainsi dire immédiate, de la part des écrivains eux-mêmes. Dans leurs explications, ceux-ci semblent dès lors amenés à parler non pas de ce qu'ils ont fait, mais de ce qu'ils ont voulu faire, non pas de ce qu'ils ont dit, mais de ce qu'ils ont voulu dire. Ainsi le sentiment d'une ambiguïté du langage et d'une relativité des classifications traditionnelles se fait jour à la faveur des débats sans cesse renouvelés entre poètes et critiques. Ainsi est révélée une sorte de distance « critique » entre l'œuvre telle que le lecteur la lit et la même œuvre telle que l'auteur l'a conçue. Un double effort est nécessaire pour réduire cette distance : de la part de l'auteur, pour se faire mieux comprendre — de la part du lecteur, pour chercher à mieux comprendre. Cette crise suscite le développement d'une double littérature critique : celle des *préfaces*, *examens*, *journaux*, etc... dans lesquels les auteurs s'expliquent — celle des études dans lesquelles les critiques s'informent, recherchent, commentent, afin de préparer le public à mieux comprendre : critique philologique qui se propose de suivre les variations du langage ; critique historique et psychologique, qui se propose de mettre en lumière la personnalité de l'auteur et son originalité.

Dès lors, l'œuvre est considérée, non plus comme une sorte d'objet « naturel » parmi d'autres, et qui différerait seulement des autres par certains caractères esthétiques universellement constatables, mais comme le résultat de l'activité d'un esprit. Le critique ne l'étudie plus tant comme un ensemble de signes destinés au public que comme un ensemble de signes par lesquels quelqu'un s'est exprimé. L'intérêt critique se déplace : il ne se concentre plus sur l'œuvre seule, mais s'attache au passage de l'homme à l'œuvre. Dans de telles conditions, l'étude de la biographie des écrivains prend une place de plus en plus considérable dans l'enquête critique ; l'appréciation des circonstances de la création littéraire tend à se substituer aux jugements de valeur de la critique classificatrice. Ainsi s'est développée une critique en quelque sorte relativiste, qui ne dresse plus un catalogue des genres en classant les différents modèles de chaque genre, mais qui s'intéresse aux grands écrivains, et propose au lecteur, pour mieux connaître la littérature des différents siècles et des différents pays, des galeries de portraits.

Dans le premier cas, les fondements de la critique étaient essentiellement esthétiques : il existe différentes expressions littéraires du Beau, et le critique examine dans quelle mesure les œuvres anciennes et nouvelles ont su reproduire ces diverses formes du Beau. Dans le second cas, les fondements de la critique sont essentiellement psychologiques et historiques :

les grandes œuvres littéraires résultent de l'expérience d'esprits éminents : pour les mieux comprendre, il faut chercher à bien connaître l'histoire et la nature de ces esprits, quitte à les classer un jour par familles, tout comme on avait classé les œuvres par genres. La curiosité critique s'est déplacée de l'œuvre vers l'homme, tout en conservant d'ailleurs le plus souvent les mêmes exigences dogmatiques, en particulier des exigences morales : la moralité de l'œuvre était, dans les Arts poétiques, une des conditions essentielles de l'œuvre belle ; la moralité de l'homme devient, chez les auteurs de *Portraits*, un des critères décisifs de la beauté de ses œuvres.

Une telle évolution (très schématiquement retracée) ouvrait la voie à un · développement considérable de la critique littéraire qui, désormais, s'éloigne de plus en plus de sa première ambition : juger et classer, et se livre à des enquêtes de plus en plus approfondies pour mieux répondre au souci de comprendre et d'expliquer.

Depuis la deuxième moitié du XIXe siècle, les progrès de l'histoire, de la sociologie, de la psychologie... ont profondément modifié la conception traditionnelle de l'Homme, chère à la littérature classique. Aussi la façon d'apprécier le rapport unissant l'œuvre à son auteur s'en est-elle trouvée sensiblement transformée, tandis que les progrès de l'esprit scientifique délivrent peu à peu la critique des tabous de la « moralité ». Dans l'œuvre littéraire, ce n'est pas seulement un individu qui s'exprime, individu que l'on pourrait saisir et comprendre à travers les événements de sa vie et les témoignages conscients qu'il nous a laissés de ses expériences et de ses intentions. L'œuvre exprime aussi tout un moment historique ; elle révèle encore toute une personnalité profonde et inconsciente.

Les signes dont se compose l'œuvre littéraire, laissés à la libre disposition d'un public naguère satisfait de les juger selon sa culture et ses goûts, se chargent ainsi d'une signification accrue : l'enquête critique se trouve contrainte à un nouvel élargissement (puisque l'auteur est inséparable de son époque, de sa classe, de son milieu), et à une sorte d'approfondissement (puisque le moi créateur est soumis aux impulsions d'un inconscient qu'il s'agit d'explorer). Les historiens, les sociologues, les psychanalystes, en prenant la littérature comme objet de leur propre science, obligent le critique, dans la mesure où il veut être un lecteur mieux avisé, à tenir compte de leurs conclusions.

Devant de telles transformations de l'antique et rigoureuse République des Lettres, peut-être pourrait-on se demander aujourd'hui : comment peut-on être critique ? l'exercice même de la critique est-il encore chose possible ?

Nous sommes en effet passés d'une critique qui décidait sans doute sommairement de la « valeur » des œuvres à une critique tellement soucieuse de montrer tout ce qu'une œuvre peut exprimer qu'elle finit par ne plus sembler s'occuper de la *qualité* littéraire de l'œuvre. Au point de son histoire où elle se trouve parvenue, la critique ne serait-elle pas toujours partagée entre la tentation d'être une sorte d'esthétique pratique, fragilement idéaliste et dangereusement dogmatique, et celle de se fonder comme une science historique et psychologique, peut-être trop lourdement soucieuse de la seule *vérité* ?

L'AGE CLASSIQUE

1. Naissance de la critique
Premières confrontations : XVIᵉ siècle

**Littérature médiévale
et préhistoire
de la critique**

On pourrait soutenir que la critique est née dès le jour où la première œuvre achevée a été soumise au jugement de son premier public. Mais elle ne s'est, bien sûr, constituée comme genre qu'au moment où la littérature même s'est développée en prenant conscience d'elle-même et de ses diverses formes et a rencontré un public de lecteurs plus nombreux dont il fallait guider l'opinion et interpréter les goûts. Auteurs, lecteurs, critiques : l'apparition de ces trois « classes » dans la « République des Lettres » ne se produit guère en France avant le XVIᵉ siècle ; encore ne sont-elles pas alors différenciées : ce siècle ignore le critique professionnel, et un écrivain comme Montaigne est d'abord un lecteur de qualité avant d'être critique sans le savoir et créateur original.

Notre littérature médiévale n'a donc pas été accompagnée d'une critique qui la codifie et la classe. Pour quelles raisons ? La première tient sans doute à l'absence d'un véritable public de lecteurs. Comme l'indiquait dès 1840 l'un des plus grands critiques du siècle dernier, Biélinski, dans son remarquable

Essai sur la littérature, on ne peut parler de l'existence d'une littérature dans les pays d'Europe occidentale (l'Italie exceptée) avant l'invention de l'imprimerie. Jusque-là les productions littéraires restent toutes proches de la simple tradition orale. Il leur manque l'existence définie et précise que seule peut donner la fixation des textes, la vie plus intense et plus vaste que confère la diffusion dans un public de connaisseurs capable d'exercer spontanément une espèce de contrôle critique. Ce qui prive cette littérature de son accompagnement critique, c'est qu'à vrai dire elle n'est pas encore une « littérature » au sens moderne du mot, mais un simple élément de la vie collective lié aux cérémonies du culte et aux réjouissances des seigneurs ou des bourgeois des villes. Comme, dans cette vie de société, la religion commande dans ses moindres détails l'activité de chacun, on peut admettre aussi qu'elle interdit en quelque sorte d'aborder l'œuvre littéraire avec des préoccupations proprement esthétiques ou historiques. D'autre part, la possibilité même de toute critique suppose un souci des confrontations que le Moyen Age n'avait pas encore. Ce temps ignore, ou presque, les préoccupations individualistes, l'émulation des différents talents et le souci de la gloire personnelle, qui deviendront si importants pour les poètes de la Pléiade. N'oublions pas enfin que, pour les lettrés d'alors, le latin seul convient à la rédaction d'œuvres importantes : la formation des diverses nations européennes, suscitant celle de littératures nationales, provoquera entre elles un esprit de compétition et de concurrence favorable à la critique.

Biographies et critique romanesque

Il est cependant un aspect de l'érudition médiévale qui pourrait apparaître comme une première forme de critique : la place faite aux biographies. Par scrupule religieux, les humanistes du Moyen Age s'interdisent les recherches esthétiques sur les œuvres des littératures antique et chrétienne, mais se montrent volontiers curieux d'érudition purement factuelle : à l'exemple de Plutarque, ils aiment connaître et raconter la vie des hommes illustres et, entre autres, celle des écrivains. Ainsi se multiplient les *De Viris,* biographies qui se confondent d'ailleurs souvent avec l'hagiographie. L'œuvre des contemporains est elle-même parfois abordée dans le même esprit : il en est ainsi pour celle des troubadours du XIIe au XIVe siècle. Quelques-uns des grands recueils de chansons provençales contiennent en effet des *Vies des troubadours,* biographies sommaires et sèches offrant des indications succinctes sur la famille, la patrie et les principaux événements de la vie du poète. Ces biographies s'accompagnent parfois d'une rapide appréciation de l'œuvre du troubadour. Le plus souvent, elles se développent très librement en attribuant aux poètes des aventures romanesques. On a souvent cité la biographie légendaire du poète provençal Jaufré Rudel amoureux de la « Princesse lointaine » :

> Jaufré Rudel fut de haut lignage, prince de Blaye, et s'enamoura de la comtesse de Tripoli, sans l'avoir jamais vue, pour le grand bien qu'il ouit dire d'elle aux pèlerins qui venaient d'Antioche, et il fit sur elle mainte poésie, dont les mélodies sont belles mais les mots pauvres. Et voulant la voir il se croisa et s'embarqua ; et la maladie le prit sur la nef, et il fut déposé en une auberge à Tripoli, comme mort. On le fit savoir à la comtesse, et elle vint à son lit, et

le prit entre ses bras. Et il connut qu'elle était la comtesse de Tripoli, et recouvra le voir, l'ouïr et le sentir ; et il loua Dieu d'avoir soutenu sa vie jusque-là. Et ainsi il mourut entre ses bras ; et elle le fit ensevelir à grand honneur en la maison des Templiers. Et puis, le même jour, elle se rendit nonne, pour la douleur qu'elle eut de sa mort.

L'auteur inconnu de cette poétique notice, écrite au XIIIe siècle, savait sans doute que Jaufré Rudel avait pris la croix en 1146. Pour le reste, il avait été frappé par l'insistance avec laquelle le troubadour célébrait dans ses vers un « amor de lonh ». Le mystère de ces allusions répétées l'a conduit à inventer une belle légende. Mais bien des biographes plus modernes ne sont pas loin d'en faire autant et nous racontent des vies d'écrivains qui ne sont qu'un ingénieux commentaire de leur œuvre ! L'auteur le plus connu de ces *Vies des Troubadours* est Uc de Saint-Cyrc, qui vécut au XIIIe siècle. Nommons-le au passage, comme le premier témoin d'une « érudition » biographique qui, à travers les siècles, marquera la critique littéraire ; et retenons aussi que cette érudition peut s'accommoder de la fantaisie poétique.

L'optimisme critique des Grands Rhétoriqueurs

A la fin du XVe et au début du XVIe siècle, d'importantes transformations matérielles modifient profondément les conditions de la vie intellectuelle en France et favorisent le développement de ce qui sera désigné beaucoup plus tard du nom de « littérature » et de « critique ». Il s'agit :

— de l'invention de l'imprimerie, qui permet une plus grande diffusion et une meilleure connaissance des textes ;

— de la formation de grandes communautés nationales à l'intérieur desquelles s'impose une langue dominante pratiquée par un corps d'écrivains soucieux d'illustrer leur patrie ;

— du développement, dans les centres urbains et autour des seigneurs, d'une société cultivée qui prend conscience de sa force et de son originalité et s'exerce à l'analyse et au libre examen.

La littérature, devenue désormais consciente d'elle-même, se manifeste d'abord, dans les cinquante années qui séparent Villon de Marot, par le travail de remise en ordre entrepris par les Grands Rhétoriqueurs. Ceux-ci, dans leurs *Arts de rhétorique*, se proposent des modèles qu'ils prennent volontiers dans la littérature française antérieure, en affirmant la supériorité des poètes lyriques du XIVe siècle : Guillaume Machaut, Eustache Deschamps, Alain Chartier. Ainsi apparaît une critique qui classe et hiérarchise. C'est ce que fait par exemple Jean Bouchet dans son *Temple de bonne renommée et repos des hommes et femmes illustres* (1516) : on y trouve un tableau de la littérature contemporaine intitulé *Le Tabernacle des arts et sciences et des inventeurs et amateurs d'icelles*. Le rhétoriqueur poitevin y célèbre la langue française et loue les poètes qui la pratiquent.

C'est là une phase optimiste de notre histoire littéraire. Cette critique naissante se montre accueillante et voit plus de qualités que de défauts dans la littérature de langue française. Jean Lemaire de Belges prêche dans sa *Concorde des deux langages* (vers 1511) la fusion des cultures française et toscane, et ne songe pas un instant à l'infériorité possible de la poésie française. Dans le *Grand et vrai art de pleine rhétorique* de Pierre Fabri (six fois réédité entre 1521 et 1544), comme dans l'*Art et science de rhétorique métrifiée* de Gratien du Pont, s'étale la même confiance dans les possibilités d'une langue poétique qui permet, par exemple, d'utiliser trente-sept sortes de rimes différentes !

Mais, vers le milieu du siècle, une crise se développe, provoquée par le jeu des trois éléments énumérés plus haut, et entraîne l'apparition de diverses formes de l'activité critique. Car, pour que la critique se déploie et se donne carrière, il faut qu'il y ait crise et que l'âpreté des polémiques lui permette de s'exercer librement, avec, tout d'abord, plus de fougue que de lucidité.

Imprimerie et critique philologique

L'invention et la diffusion de l'imprimerie permettent une meilleure connaissance des textes. Les éditions d'auteurs anciens se multiplient : les *adnotationes*, les *commentarii*, les *variae lectiones* marquent la naissance de la critique philologique. Les textes, ainsi mieux établis, sont proposés à la curiosité d'un public tout nouveau de lecteurs avertis, qui ont désormais la possibilité de posséder leur « librairie » où rassembler les œuvres de leur choix, pour les mieux goûter en les comparant.

Ce souci de présenter au public de grandes œuvres dans leur meilleur texte ne s'applique pas aux seules œuvres de l'Antiquité. Lorsqu'il entreprend d'éditer Villon en 1533, Marot expose dans sa Préface les difficultés qu'il a rencontrées pour découvrir le texte le plus sûr. C'est déjà une belle page de critique que celle où il explique sa méthode et ses scrupules, et essaye de montrer en quoi Villon mérite ou non d'être pris pour modèle par les poètes futurs (Texte 1).

Esprit national et critique polémique

A la génération optimiste des Jean Lemaire et des Jean Bouchet succède une génération plus exigeante, et qui va se proposer un idéal poétique supérieur en critiquant avec une férocité souvent injuste l'œuvre de ses prédécesseurs. L'opposition des deux attitudes peut se résumer dans l'opposition de deux œuvres : *L'Art poétique français* de Thomas Sebillet (1548) et *La Défense et Illustration de la langue française* de Du Bellay (1549).

Sebillet, admirateur de l'œuvre des Grands Rhétoriqueurs, se déclare persuadé que la poésie française est déjà « parvenue à la perfection ». (Dès 1541, Jacques Pelletier du Mans avait critiqué cette opinion trop flatteuse, dans sa préface à une traduction de *L'Art poétique* d'Horace.) Puis, comme le feront Ronsard et Du Bellay, il proclame la supériorité du vrai poète sur le simple rimeur dont les prétentions à la poésie sont ridicules. Dans sa dédicace *Au lecteur*, il déclare que son livre « n'est autre chose qu'un témoignage de (sa) bonne volonté » : « volonté, dis-je, que j'ai grande, longtemps a, de voir, ou moins d'écrivains en rimes, ou plus de poètes français ». Il faut donc apprendre à devenir poète. Mais pour cela, Sebillet propose des modèles, non seulement parmi les Anciens (« cygnes des ailes desquels se tirent les plumes dont on écrit proprement ») mais parmi les poètes français : Marot, Mellin de Saint-Gelais, Scève, Héroët, sont pour lui de « bons et classiques auteurs ». Dans son chapitre *De l'invention* (I, 3), il conseille au futur poète, pour enrichir son « invention » et son « jugement » : « la lecture des bons et classiques poètes français, comme sont, entre les vieux, Alain Chartier et Jean de Meung ; mais plus lui profiteront les jeunes comme imbus de la pure source française... entre lesquels lira le novice des Muses françaises Marot, Saint-Gelais, Salel, Héroët, Scève et tels autres bons esprits qui tous les jours se donnent et évertuent à l'exaltation de cette française poésie ».

A cette apologie de la poésie française qui aurait déjà ses maîtres classiques, s'opposent, dans la *Défense et Illustration*, la volonté de rivaliser avec l'Italie pour donner enfin à la France une littérature digne d'elle, et la dénonciation véhémente des insuffisances de la littérature française contemporaine représentée par Marot, Héroët, Mellin de Saint-Gelais, etc... : « J'ai toujours estimé notre poésie française être capable de quelque plus haut et meilleur style que celui dont nous sommes si longuement contentés » (II, 1) (Texte 2). L'importance de *La Défense et Illustration*, à la fois art poétique et pamphlet, dans l'histoire de notre critique littéraire, est capitale. C'est le premier manifeste moderne par son allure à la fois dogmatique et polémique. Il exprime, au nom de l'intérêt national, une vive impatience contre les traditions dont se sont encombrées les générations précédentes. Une telle attitude se retrouvera fréquemment désormais dans le cours de notre histoire littéraire.

Comme le remarque Sainte-Beuve, dans un article de 1840 consacré à Du Bellay et dans lequel il montre la nouveauté de *La Défense* et de la querelle qu'elle suscita : pour la première fois « la critique qui échauffe et la critique qui souligne étaient en présence et en armes autant qu'elles le furent depuis à aucun moment ». La critique qui échauffe, c'est-à-dire qui est capable de susciter des beautés nouvelles et qui indique les moyens de les créer : celle que pratiquent Du Bellay et ses amis. La critique qui souligne, c'est-à-dire qui dénonce les défauts des œuvres nouvelles par rapport à un idéal déjà réalisé : celle que pratiquent les adversaires de la Pléiade, et notamment Barthelemy Aneau dans son vétilleux *Quintil Horatian*. La première est tournée vers l'avenir et compare les œuvres existantes à celles qui pourraient exister. La seconde est tournée vers le passé et compare les œuvres nouvelles à celles qui les ont précédées et où la perfection serait déjà atteinte. Critique des beautés et critique des défauts, le conflit de ces deux conceptions se poursuivra à travers les siècles, tant que le critique aura pour premier objet de juger l'œuvre et non de l'expliquer. En tout cas, l'habitude est prise de se montrer exigeant envers la production littéraire nationale : le premier rôle de la critique littéraire en France s'est trouvé être de rappeler à l'artiste que n'est pas poète qui veut. De Du Bellay à Boileau, à Sainte-Beuve ou à Valéry, nos critiques, hantés par l'idée de la décadence, s'en souviendront.

Cependant, après les polémiques suscitées par *La Défense et Illustration*, et une fois l'œuvre de la Pléiade largement accomplie, les lettrés français retrouvent confiance et optimisme. Mais ce n'est plus avec la même largeur d'esprit que ceux du début du siècle : il n'est plus question de « concorde » des « langages », mais de supériorité du « langage français ». Ainsi Henri Estienne, après avoir montré que seul le français peut rivaliser avec le grec, « reine des langues » (1565 : *Conformité du langage français avec le grec*), célèbre en 1579 *La Précellence du langage français*, en montrant la supériorité de la France sur l'Italie et en réhabilitant sans embarras la vieille littérature nationale. La crise de 1548-1550 a été surmontée. A la critique exigeante réclamant la création de beautés neuves pouvait succéder une critique plus mesurée faisant le bilan des acquisitions ainsi réalisées. Ce sont là encore deux attitudes qui se retrouveront fréquemment par la suite.

Aristocratie cultivée et analyse critique

Au cours du XVIe siècle se développe une aristocratie aisée et cultivée qui prend conscience de sa force et de son originalité, et dont les porte-parole s'habituent à l'analyse et au libre examen. Cela conduit à deux séries de confrontations.

On se compare soi-même aux Anciens et à d'autres Modernes, et ainsi apparaît un humanisme critique dont Montaigne est chez nous le meilleur représentant. Ses *Essais* révèlent une nouvelle fonction de la critique littéraire. Il ne s'agit plus ici de s'interroger sur la valeur des œuvres en les comparant les unes aux autres et en les classant. Il s'agit, pour l'écrivain, d'une véritable quête de soi passant par la réflexion sur des œuvres littéraires. En ce sens, Montaigne nous offre un certain type de critique : le lecteur qui lit la plume à la main et se compose des extraits de ses auteurs préférés, puis les accompagne de réflexions personnelles de plus en plus étendues, de plus en plus libres et audacieuses. « Je ne cherche aux livres qu'à m'y donner du plaisir par un honneste amusement ; ou, si j'estudie, je n'y cherche que la science qui traite de la connaissance de moi-même et qui m'instruise à bien mourir et à bien vivre... » (II, ch. x : *Des livres*.) Cette critique n'est critique que par accident et non pas de propos délibéré. Elle est mise au service d'une recherche morale et reste modeste dans ses arrêts, s'avouant naïvement le reflet d'une âme originale (ce que feront moins volontiers des critiques modernes tout aussi impressionnistes) : « Je dis librement mon avis de toutes choses, voire et de celles qui surpassent à l'aventure ma suffisance et que je ne tiens aucunement être de ma juridiction. Ce que j'en opine, c'est aussi pour déclarer la mesure de ma vue, non la mesure des choses... » *(Ibid.)* (Texte 4).

D'autres se montrent soucieux de comparer leur temps aux temps passés, et ainsi apparaissent, dans le dernier tiers du XVIe siècle, les premières manifestations importantes de l'esprit historique dans l'examen des œuvres littéraires. La confiance retrouvée dans la valeur des œuvres nationales conduit à comparer celles-ci, non plus seulement aux œuvres modernes des pays voisins, mais à celles des auteurs anciens eux-mêmes. Ce que Montaigne notait au détour d'un chapitre, et comme une réflexion faite en aparté pour soi-même : « aux parties en quoi Ronsard et Du Bellay excellent, je ne les trouve guère éloignés de la perfection ancienne » (II, XVII), d'autres le reprennent avec plus d'audace et d'esprit de système.

Dans le septième livre de ses *Recherches de la France*, après avoir célébré « la grande flotte de poètes que produisit le règne du roi Henri II, et la nouvelle forme de poésie par eux introduite » (chapitre VI), Étienne Pasquier démontre « que notre langue française n'est pas moins capable que la latine de beaux traits poétiques » (chapitre IX) et « que nos poètes français imitant les latins les ont souvent égalés et quelquefois surmontés » (chapitre X). Il ne se contente pas de ces confrontations flatteuses, et les complète par des considérations sur l'évolution constante des idées et du goût ; on en trouve un bon exemple dans sa longue lettre au chevalier de Montereau (livre I, lettre 5) où il discute la théorie des climats et montre comment « les sciences et disciplines… changent de domicile et d'hébergement selon la diversité des saisons » (Texte 3). Cette « diversité des saisons » correspond souvent à ses yeux à la succession des générations qui lui apparaissent comme autant de « volées » différemment ambitieuses ou de « flottes » différemment chargées. C'est ainsi que l'admiration qu'il déclare éprouver pour Ronsard, ne l'empêche pas de reconnaître les mérites de Marot qui fut « le premier poète de son temps » (livre VII, chapitre VII).

> Ronsard est celui que je mets devant tous les autres, sans aucune exception ni réserve : car, ou jamais notre poésie n'arriva et n'arrivera à sa perfection, ou, si elle y est arrivée, c'est en notre Ronsard qu'il la faut telle reconnaître. Et toutefois pour vous montrer quel état on doit faire de Marot, il fit un panegyrique sur la victoire obtenue par François de Bourbon, seigneur d'Anguien, à Corignan, victoire pareillement depuis trompettée par Ronsard en la septième du premier livre de ses Odes. Je souhaite que le lecteur se donne patience de les lire tous deux pour juger puis après des coups : car encore que le style de Ronsard soit beaucoup plus relevé que celui de Marot, si trouvera-t-il sujet, louant l'un, de ne mettre en nonchaloir l'autre.

Ne pas être exclusif dans ses admirations, ne pas être trop pressé de juger, telle est la précieuse leçon critique que donne ici Pasquier. Ainsi la pensée critique a déjà acquis un sens essentiel : celui du relatif. Dès cet ouvrage de Pasquier se manifeste le souci de ne pas séparer l'œuvre de son auteur, ni du milieu qui l'a fait naître, de remettre chaque objet à sa place et de se défier des appréciations hâtives et trop catégoriques.

Bilan du seizième siècle

En somme, dans notre littérature du XVIe siècle, la critique littéraire a déjà pris à peu près toutes les directions possibles : critique des défauts et critique des beautés, critique de résistance et critique de mouvement, querelle des Anciens et des Modernes, critique de l'honnête homme qui se cherche lui-même à travers ses livres, critique de l'historien et de l'érudit qui se montrent soucieux de comprendre dans quelles conditions chaque œuvre a pris naissance — tout cela se dessine déjà au sein de l'activité intellectuelle multiforme et féconde du siècle des humanistes.

Cependant, toutes ces confrontations critiques accompagnent l'élaboration d'une littérature nouvelle qui se veut digne des grandes littératures du passé et conforme à un idéal de beauté dont les littératures antiques fournissent à la fois les modèles et les règles permettant de le réaliser. Cette littérature est une littérature savante fondée sur l'étude combinée de l'*Art poétique* d'Horace et des *Rhétorique* et *Poétique* d'Aristote inlassablement commentés. Elle se sépare ostensiblement et d'une façon qui paraît de plus en plus provocante des goûts moyens d'un public aristocratique et bourgeois qui voudrait que les artistes le divertissent et lui plaisent. Étienne Pasquier constate ce divorce dans une lettre à messire Jean Nicolaï : il y déplore les innovations ridicules des poètes de la Pléiade forgeant trop de mots éloignés du « commun usage » et place cette formule digne de Malherbe : « Nous devons les mots au peuple, et leur ménage aux belles plumes » (Lettre 2 du livre XXII). Cette opinion devient courante dans les premières années du XVIIe siècle. Dans son *Académie de l'art poétique* (1610), Deimier se prononce contre Ronsard qui avait encouragé les poètes à créer des mots nouveaux : « Inventer des mots là où nous en avons déjà de même force et nature, c'est vouloir être réputé savant pour écrire obscurément et en confusion, et pour courir après l'ombre, au lieu de s'arrêter à la vérité qui est déjà trouvée et approuvée ».

Pour formuler les griefs du bon sens contre les prétentions du génie inspiré, pour reconstruire, en rétablissant l'équilibre entre l'écrivain et le public, il fallait donc que Malherbe vînt.

2. Recherche d'un équilibre et maintien d'une discipline : XVIIe siècle

Comment la critique va-t-elle s'acquitter d'un rôle nouveau : servir d'intermédiaire entre l'écrivain et le public ?

— Il s'agit pour elle d'avertir l'écrivain des goûts et des besoins d'un public qui n'est plus constitué de « spécialistes » : humanistes et érudits, mais du public de la cour, des salons et des ruelles.

— Il s'agit donc aussi de découvrir et de comprendre ces besoins pour pouvoir les interpréter, et, le cas échéant, de redresser le goût de ce public mondain.

DÉLICATESSE MONDAINE, DOGMATISME CRITIQUE ET EXUBÉRANCE BAROQUE

A la critique conquérante du XVIe siècle, indiquant la beauté à atteindre et les moyens de créer cette beauté, succède une critique pointilleuse et sévère des défauts, attentive à dénoncer ce qui ne répond pas au goût des délicats.

Malherbe est le parfait représentant de cette tendance nouvelle. Il occupe dans notre histoire littéraire une place bien plus importante par son rôle de critique que par son œuvre de poète. Sa dénonciation critique vise les notions mêmes sur lesquelles la littérature du siècle précédent s'était fondée. Aux ambitions des poètes de la Pléiade, il oppose le simple souci d'être un « bon arrangeur de syllabes ». Mais sa modestie n'est pas renonciation à toute fierté poétique : pour lui, être poète, ce n'est pas remplir une mission singulièrement prophétique et exceptionnelle, c'est faire avec application un certain métier apparemment futile et pourtant noble entre tous, puisqu'il s'agit de « faire les couronnes » qui assurent aux rois une gloire immortelle. Il conçoit avec la même rigueur la fonction de critique : il la veut exempte de tout souci de propagande, débarrassée de la polémique où excellait la critique militante du siècle antérieur. « Je sais que juger, écrit-il à Balzac en 1625, est un métier que tout le monde ne sait pas faire : il y faut de la science et de la conscience, qui sont choses qui ne se rencontrent pas souvent en une même personne. La cause d'un ami est presque toujours bonne, celle d'un ennemi presque toujours mauvaise... » Son correspondant devait plus tard (dans le *Socrate chrétien*, en 1652), se moquer du « tyran des mots et des syllabes » et dire la pitié que lui inspirait « un homme qui fait de si grandes affaires entre un *pas* et un *point* ; qui traite l'affaire des participes et des gérondifs comme si c'était celle de deux peuples voisins l'un de l'autre et jaloux de leurs frontières ». Mais dans une lettre latine à Silhon il a autrement rendu justice à Malherbe dont il définit ainsi le rôle, devançant Boileau :

> Le premier, ou l'un des premiers, François Malherbe a vu le chemin de la poésie ; au milieu des brumes de l'erreur et de l'ignorance, il se tourna le premier vers la lumière et contenta les oreilles les plus délicates. Il ne supporta pas que les Français se nourrissent des premiers fruits venus. Il enseigna ce que c'était que d'écrire purement et avec scrupule ; il enseigna que dans les mots et les phrases le choix est la source de l'éloquence et qu'une disposition convenable des idées et des mots est souvent plus importante que les idées mêmes et les mots... Il n'y eut personne à qui notre littérature doive davantage.

Telle est bien en effet la portée du vétilleux commentaire de Desportes : il signifie qu'il n'y a qu'une bonne manière et une seule de choisir les mots et de disposer la phrase.

« Le Commentaire sur Desportes »

En annotant minutieusement les *Poésies* de Desportes, Malherbe emploie un procédé que suivra volontiers la critique tout au long du siècle : suivre le texte pas à pas en relevant chaque faute ; c'est ainsi que l'Académie en usera avec *Le Cid* pour exprimer ses *Sentiments*.

Cette critique sans vue d'ensemble se prend aux détails et adopte volontiers le ton hargneux que les humanistes avaient donné à leurs querelles. Elle abonde en invectives ardentes et parfois plaisantes : « mauvais au quatrième degré », « galimatias royal », « la comparaison ne vaut pas un potiron », ou, pour condamner un pléonasme : « Il fait deux morceaux d'une cerise ». Dans sa hâte à reprendre les moindres négligences, Malherbe manque quelquefois d'intelligence ou de bonne foi (Texte 5) et se montre incapable d'accepter une poésie qui ne soit pas conforme à ses propres goûts, c'est-à-dire où il ne retrouve pas de la sécheresse, une certaine froideur et quelque raideur oratoire. Faisant plutôt de la polémique que de la vraie critique, il n'a pas uni dans ses remarques les qualités qu'il demandait lui-même au critique : « la science et la conscience ». Mais un tel désaccord entre la théorie et la pratique n'a rien d'exceptionnel !

Tradition humaniste et goût mondain

Sur tous ces exemples précis, empruntés aux œuvres d'un poète alors illustre, Malherbe cherche à enseigner aux poètes futurs la justesse de l'expression, il montre à ses proches et à ses disciples, aux Racan, Maynard, Colomby..., ce que doivent être les règles fondamentales du beau langage et de la vraie poésie. Ainsi se constitue empiriquement une doctrine qu'il n'est pas nécessaire de rappeler ici, et dont il suffit de souligner un caractère essentiel : elle n'est pas fondée sur l'érudition, sur l'interprétation de l'enseignement des Anciens, mais sur l'usage et sur l'oreille. Elle est donc exactement adaptée aux gens du monde et susceptible de leur plaire. Ronsard écrivait en pensant aux érudits comme Dorat, aux bourgeois forts en grec et en hébreu comme Morel, tout en affectant de s'adresser aux fermières et aux bûcherons de son Vendômois conformément à la tradition de l'*Anthologie* grecque. Malherbe écrit et veut qu'on écrive pour la nouvelle aristocratie issue des guerres civiles, aristocratie mondaine soucieuse de se donner les mêmes plaisirs que l'aristocratie italienne : pour elle la littérature est un jeu, la poésie doit être agréable, flatter l'oreille et ne pas fatiguer l'esprit.

L'histoire de la critique fait ici ressortir l'opposition entre la tradition humaniste : une critique qui enseigne aux écrivains les leçons héritées de l'Antiquité et leur propose des modèles à suivre et des œuvres à imiter, — et l'exigence des mondains : une critique nouvelle qui apprend aux écrivains qu'ils doivent préférer satisfaire le goût des délicats et ne pas se proposer d'idéal trop savant ni trop abstrait.

Ce conflit devient particulièrement aigu dans le domaine du théâtre. Dans les années 1620, la tragédie érudite et scolaire, seule digne de l'intérêt des théoriciens, cède la place à la tragi-comédie et à la pastorale, auxquelles s'intéresse le public mondain qui commence à aller au théâtre. Contentons-nous d'évoquer ici l'exemple de Jean de Schelandre, auteur en 1608 d'une tragédie *Tyr et Sidon* qu'il reprend vingt ans plus tard sous forme de tragi-comédie en deux journées. En 1628 (l'année de la mort de Malherbe) cette pièce est publiée avec une importante préface de François Ogier, remarquable texte critique d'accent tout moderne, où s'exprime le désir de promouvoir une littérature plus soucieuse de plaire aux Français d'aujourd'hui que d'imiter les Grecs de jadis (Texte 6).

Rapide déclin du prestige de Malherbe

Être l'interprète de l'opinion mondaine et cultivée de son temps, tel est bien le rôle que, mieux qu'aucun autre, Malherbe avait voulu remplir avec une sévérité inflexible, mais qui paraît bientôt trop étroitement intransigeante. En effet, ce public qu'il s'agit de satisfaire, n'est pas bien sûr encore de ses préférences, et le goût évolue vite.

Dans une lettre du 10 juin 1640, Chapelain, attentif à suivre les variations de ce goût des mondains, fait part à Guez de Balzac (qui, nous l'avons vu, s'empressa de se mettre à la mode) de son opinion sur Malherbe : « C'était un borgne dans un royaume d'aveugles, et, comme il avait ses lumières fort bornées, je crois qu'un homme de lettres doit bien se garder de le prendre pour guide dans les opinions qu'il doit suivre, s'il ne veut broncher bien lourdement ». Voilà de quel arrêt sommaire le premier critique du temps de Richelieu exécute l'œuvre du premier critique du début du siècle.

Il n'en reste pas moins que Malherbe avait ouvert la voie aux critiques des années 1635-1660, qui se font les interprètes des gens de qualité et des gens d'esprit pour régenter le génie, en bénéficiant de l'audience et de l'appui des salons et des académies.

Influence des salons : l'Hôtel de Rambouillet

A l'époque de Richelieu, en effet, l'effort de critiques comme Balzac, Chapelain ou Conrart, s'appuie sur les cercles mondains, et en particulier sur le plus important d'entre eux : l'Hôtel de Rambouillet. C'est là un phénomène important de l'évolution des mœurs, qui contribue à donner à la critique un caractère nouveau. Les assemblées mondaines ou aristocratiques où l'on se pique de bel esprit et de belles manières ne sont évidemment pas chose nouvelle, et les femmes avaient déjà joué un grand rôle dans la littérature des siècles précédents, mais leur action s'était rarement exercée d'une façon aussi directe et aussi efficace que celle de l'incomparable Arthénice. Désormais, les arrêts de l'érudit, de l'homme de cabinet, n'ont de valeur qu'autant qu'ils sont l'écho des préférences de l'Hôtel de Rambouillet dont l'influence devient prépondérante vers 1630. La critique érudite se met au diapason d'une société qui s'amuse, mais qui a finalement assimilé les doctrines de Malherbe et, forte des principes du maître, considère la littérature comme le plus délicat des divertissements.

Ainsi se développe une critique mondaine, qui prend des formes adaptées aux conditions mêmes de la vie de société. Critique orale : les familiers du salon font assaut d'esprit pour célébrer ou pour condamner l'œuvre nouvelle dont on parle ; critique fugitive, insaisissable, mais qui n'est point pour autant frivole. Sainte-Beuve lui rendra hommage lorsqu'il dira que « la vraie critique de Paris se fait en causant », et Thibaudet, dans sa *Physiologie de la critique*, comptera cette « critique spontanée » au nombre des trois formes vivantes de la critique. Le souci de ne pas rester trop à l'écart du cercle, quand on est obligé de s'en éloigner un temps, donne naissance à la critique par lettres qu'illustre le premier J.-L. Guez de Balzac.

Balzac et la critique épistolaire

Depuis son château de Charente, celui-ci veut rester au courant des dernières nouvelles de Paris ; il prodigue en retour à ses correspondants ses conseils sur l'art d'écrire. Il y met quelque emphase, et se pique d'être plus qu'un simple grammairien et puriste : « La propriété, la régularité, la beauté même du langage, ne doit pas être la fin de l'homme. Il ne faut pas songer aux roses et aux violettes quand la saison de la récolte est venue ». Pour Balzac, le littérateur ne doit donc pas s'en tenir à la superficie des choses ; il est autre chose qu'un amuseur, ou, comme disait Malherbe, qu'un « joueur de quilles » : « un orateur est autre chose qu'un danseur de corde et qu'un baladin. Nous ne devons pas nous jouer de la raison... » (*Dissertation critique*, à propos de la « vraie éloquence »). Balzac se propose une ambition plus haute : « Découvrir des idées fines et secrètes, débiter des originaux [c'est-à-dire : des idées originales] en traitant même de lieux communs, plaire et instruire tout à la fois, savoir distinguer entre le bien apparent et le véritable bien, entre le bien et le mieux, juger de tous les degrés et de toutes les différences du bien, peser jusqu'au moindre grain du mérite et de la valeur des choses, ce serait en ce genre-là que votre très humble serviteur voudrait réussir » (lettre à Conrart, 1651). Il en arrive à dénoncer ainsi celui qu'il appelle « le faux critique » uniquement soucieux de « la structure et la cadence d'une période » et qui s'arrête à « une bagatelle, un jeu de syllabes et de mots, je ne sais quels sons agréables qui plaisent et chatouillent la première fois pour dégoûter la seconde ».

Cette tâche, Balzac entend l'accomplir en toute indépendance, et il ne se soucie pas plus que Malherbe de l'autorité des Anciens et des réputations consacrées. Plus habitué pourtant aux usages du monde, il fait preuve dans ses jugements de plus de douceur et d'urbanité : « Si la vérité nous y oblige, séparons-nous de nos maîtres, mais prenons congé d'eux de bonne grâce ». Il sait aussi, mieux que Malherbe, suspendre son jugement. Dans sa lettre à M. de Scudéry sur la querelle du *Cid* (1637), il déclare : « A mon ordinaire, je doute plus volontiers que je ne résous ». Mais ne serait-ce pas là signe de complaisance ? Il s'en remet volontiers au jugement des gens de goût : l'œuvre qui a du succès auprès d'eux a toutes chances d'être bonne et « savoir l'art de plaire ne vaut pas tant que savoir plaire sans art » (Texte 7). Le critique doit donc simplement savoir exprimer l'opinion de ces gens de goût qui constituent une rare élite : « Nous savez combien il y a de ces gens du commun dans la cour et dans la ville parmi le grand monde, parmi le beau monde, parmi les beaux esprits mêmes » (lettre à Conrart, 1651). Les gens de goût sont supérieurs aux savants presque toujours pédants et ridicules : Balzac voudrait « civiliser la doctrine en la dépaysant des collèges et la délivrant des mains des pédants » (Lettres VII, 49). Ils « savent juger d'une manière agréable et adroite sans avoir l'air d'en vouloir à une personne particulière », comme c'est le cas des Vadius et des Trissotin. Ils sont enfin naturellement distingués et rejettent spontanément ce qui est bas et grossier : Balzac rend ainsi hommage à la judicieuse délicatesse des premières Précieuses.

Aux yeux de ce public, la première qualité de l'œuvre littéraire est la clarté. C'est elle que Balzac recherche par-dessus tout. « Je tâche, tant qu'il m'est possible, de rendre tous mes secrets populaires, et d'être intelligible aux femmes et aux enfants » (lettre à Boisrobert, 1624). Il faut donc savoir dire les choses nettement, en suivant un ordre logique et en veillant à la propriété des termes. C'est-à-dire qu'il importe de satisfaire la raison. Dans ses *Remarques sur les deux sonnets de Benserade et de Malleville*, Balzac reproche à Malleville d'avoir pris en « bonne part » le mot « révolte », ou, s'il l'a pris « en mauvaise part », d'avoir « fait venir de la raison l'appel à la révolte » : « un mot mal employé est cause du tort qui est fait ici à la raison... En de telles rencontres, il vaut mieux être superstitieux que libertin. Dans l'emploi des mots, il ne faut pas toujours se conseiller à l'oreille, qui peut prendre l'un pour l'autre, parce qu'elle juge de leur son et non pas de leur valeur, et fait différence entre les doux et les rudes et non pas entre les propres et les impropres ». Il importe enfin de respecter l'usage, celui de Paris et de la bonne société. Balzac proscrit toute discordance : les provincialismes, les archaïsmes, les mots poétiques mal placés : « Il y a des termes fixes et immobiles dans les vers, incommunicables à la prose, qui ne sauraient y passer sans être reconnus ou pour ennemis ou pour étrangers, sans y mettre du désordre ou y apporter de la bigarrure... Etre poète en prose et se servir de termes étrangers dans le commerce ordinaire, c'est porter des habillements de ballet au palais ou à l'église, c'est se rendre remarquable par une toque ou des brodequins au milieu d'un monde de chapeaux et de souliers » *(Diverses remarques sur divers écrits à M. Conrart)*.

Tels sont donc les principes essentiels de la critique selon Balzac, correspondant fidèle à l'Hôtel de Rambouillet. Cela revient peut-être à conseiller, selon la remarque ironique du P. Bouhours, d'exprimer « de grandes pensées avec de grands mots ». Mais quand on en jugera ainsi, Voiture sera passé par là, et la lettre mondaine aura pris un tour plus vif et une légèreté plus superficiellement spirituelle.

Autre forme de la critique mondaine : le roman

Lettres et petits vers ne sont pas les seuls genres qu'apprécient les salons. Ils se nourrissent aussi de romans, qui ne sont d'ailleurs souvent que le reflet de la vie des salons eux-mêmes. La critique y trouve donc volontiers sa place. Par exemple, la *Clélie* de Mlle de Scudéry ne dessine pas seulement la Carte du Tendre, mais aussi un panorama de la poésie française de Jean de Meung à Malherbe et ses disciples (livre II de la IVe partie, paru en 1660). Amilcar raconte « l'histoire d'Hésiode » et explique comment Calliope transporta Hésiode sur le mont Hélicon pour lui découvrir l'avenir de la poésie en Grèce, à Rome, dans l'Italie de la Renaissance, puis en France. Retenons de cette « prophétie » une appréciation du génie de Ronsard assez différente de celle qu'en fera bientôt Boileau :

> Regarde le Prince des Poètes français : il sera beau, bien fait, et de bonne mine, il s'appellera Ronsard ; sa naissance sera noble ; il sera extraordinairement estimé et méritera de l'être en son temps, car il aura un très grand génie. Il sera même assez savant, mais comme il sera le premier en France qui entreprendra de vouloir faire de beaux vers, il ne pourra donner à ses ouvrages la perfection nécessaire pour être loués longtemps. On connaîtra pourtant bien toujours par quelques-unes de ses hymnes que la nature lui aura beaucoup donné et qu'il aura mérité sa réputation.

Retenons aussi cet éloge de Malherbe, qui montre que les critiques de Chapelain en 1640 n'avaient marqué qu'une éclipse passagère du prestige du « tyran » :

> Redouble ton attention, et regarde avec plaisir un homme qui aura l'avantage d'avoir changé la langue de son pays, et de telle sorte perfectionné la poésie française qu'il sera le modèle des plus parfaits qui le suivront et qu'il servira d'autorité à tous les poètes de sa nation. Il se nommera Malherbe, et sera d'une naissance très noble, mais si maltraité de la fortune qu'il sera toujours malheureux. Ce sera lui qui concevra parfaitement l'idée de la belle poésie française et trouvera l'art de faire des vers qui seront à la fois magnifiques et naturels, qui auront de la majesté et de la douceur, de l'harmonie et de la justesse. Il ne paraîtra pas avoir plus d'esprit qu'un autre, mais la beauté de ses expressions le mettra au-dessus de tous.

Ainsi, aux yeux d'une Précieuse, il n'est pas sans importance que Ronsard ait été « bien fait, de bonne mine » et « de noble naissance », et Malherbe « d'une naissance très noble ». Le bourgeois Boileau sera piqué de ces impertinences ! Et pourtant, ces cercles aristocratiques, apparemment attentifs à ne donner leur admiration qu'à des écrivains titrés, trouvent leur meilleur interprète et leur critique favori en Chapelain, l'avare et sordide Chapelain.

Chapelain : rigueurs et nuances du dogmatisme

Chapelain (1593-1674) a su, mieux qu'aucun autre, être à la fois un docte et un précieux, observer ce qui plaît et indiquer ce qui doit plaire. Dès 1623, il sert d'introducteur au chevalier Marin en donnant une préface à son *Adonis*, poème épique d'un nouveau genre. Le poète italien, bien accueilli à la cour de Marie de Médicis, craignait pourtant, malgré la faveur des mondains, de publier une extravagante épopée (vingt chants, cinq mille vers) qui paraîtrait trop contraire aux règles. Chapelain se charge de montrer qu'elle n'y contrevient pas et déclare péremptoirement : « Je tiens l'*Adonis*, en la forme que nous l'avons vu, bon poème, conduit et tissu dans sa nouveauté selon les règles générales de l'épopée, et le meilleur en son genre qui se puisse jamais sortir en public ». Suit une démonstration minutieuse et dogmatique, qui fait de cette préface, comme l'a dit son dernier éditeur : « le manifeste de la critique systématique en France » (Texte 8).

Cette autorité de Chapelain trouve bientôt à s'exercer avec plus de souveraineté, lorsque la faveur de Richelieu fait de lui le grand homme de l'Académie française. C'est là qu'il tente encore de concilier le succès de la nouveauté et les exigences des règles en rédigeant, sur l'ordre du cardinal, les *Sentiments de l'Académie sur Le Cid*. Rappelons sommairement qu'il s'agissait de mettre un terme à la querelle soulevée par Scudéry avec ses véhémentes *Observations sur Le Cid*. Rien dans la pièce ne trouvait grâce à ses yeux. Se fondant sur « le sentiment d'Aristote et celui de tous les savants qui l'ont suivi », il se faisait fort de prouver « que le sujet (du *Cid*) ne vaut rien du tout — que Le Cid choque les principales règles du poème dramatique — qu'il manque de jugement dans sa conduite — qu'il a beaucoup de méchants vers — que presque tout ce qu'il a de beautés sont dérobées et qu'ainsi l'estime qu'on en fait est injuste ». Après la dédaigneuse et ironique *Lettre apologétique ou Réponse du sieur P. Corneille aux observations du sieur de Scudéry sur Le Cid*, Scudéry en appelle à l'arbitrage de l'Académie et publie ses *Preuves des passages allégués dans les Observations du Cid*, c'est-à-dire une liste de tous les chapitres d'Aristote, de Scaliger ou de Heinsius qui fortifient ses critiques. Il s'agit donc de choisir entre l'arrêt des doctes condamnant une tragi-comédie contraire aux règles et l'arrêt des mondains faisant un triomphe à la même pièce. Mission délicate que seul Chapelain pouvait mener à bien en s'efforçant de concilier des positions aussi opposées. Il y met d'ailleurs tant de diplomatie que son rapport est sévèrement retouché par Richelieu. Mais ce texte, dans sa version primitive comme dans celle qui fut publiée alors, contient, dans ses premiers paragraphes, l'énoncé d'une conception de la critique qui ne sera guère remise en cause avant le XIX\ e siècle (Texte 9). Chapelain y insiste sur l'intérêt qu'il y a à louer ce qui est bon, mais surtout à reprendre ce qui est mauvais. L'exercice d'une telle critique doit se soumettre à certaines conditions, qui sont celles-là même de la courtoisie mondaine : le blâme ne doit pas dépasser les termes de l'équité, le critique ne doit pas prétendre élever sa réputation sur les ruines de celle d'autrui, il doit avoir en vue l'intérêt commun et songer moins à condamner qu'à aider et encourager l'auteur à faire mieux. Dans de telles conditions, la critique peut seule assurer le progrès des lettres : « Il est expédient que sur les propositions qui sont nouvelles et douteuses, il naisse des débats par le moyen desquels la vérité soit éclaircie, et c'est par cette seule voie que tout ce que le monde a de plus belles connaissances est venu à se découvrir, de la même sorte que par le choc du fer et du caillou le feu vient à se produire et à se répandre en étincelles ». Chapelain parle donc déjà de la critique comme de quelque chose d'analogue à la science, comme d'un moyen d'atteindre la vérité, comme d'une activité de l'esprit susceptible de favoriser le progrès de nos connaissances. Forte d'une telle confiance dans l'objet de la critique, l'Académie développe, par la plume de Chapelain, sa conception d'une critique dogmatique, rationaliste, analytique : dogmatique, c'est-à-dire qu'il existe un bien et un mal en matière de littérature, donc des règles, et que le critique en est juge ; rationaliste, c'est-à-dire que les qualités et les défauts peuvent être expliqués par des raisons logiques ; analytique, c'est-à-dire que la beauté se compose de multiples beautés particulières, et que l'on peut juger de la valeur de l'ensemble par la valeur de chacune des parties.

Cela suppose une critique ordonnée, qui procède méthodiquement en répondant point par point à une série de questions précises. L'examen porte d'abord sur le sujet ou « constitution de la fable » : l'invention, la disposition, les habitudes ou passions mises en œuvre. Une seconde partie porte sur le style ou « art de traiter le sujet » : étude des thèmes qui conviennent à l'exécution du sujet et de la diction ou langage poétique. Cet ensemble, qui constitue une argumentation d'une scolastique bien étrange aux yeux du lecteur moderne habitué à une démarche critique toute différente, apparaît tout au long du siècle comme un chef-d'œuvre d'analyse critique. On connaît la réflexion de La Bruyère : « *Le Cid* est l'un des plus beaux poèmes que l'on puisse faire ; et l'une des meilleures critiques qui aient été faites sur aucun sujet est celle du *Cid* » (*Caractères*, I, 30).

A partir de cette affaire, l'autorité de Chapelain ne cesse de grandir. A la confiance de Richelieu succède celle de Colbert pour qui il rédige une « liste des gens de lettres » dignes de bénéficier de la faveur royale. Il faudra les vigoureuses attaques d'un jeune inconnu, Boileau, pour rendre cruellement sensibles les ridicules de l'auteur de *La Pucelle*, et le faire déchoir d'une autorité qu'il exerça souvent avec intelligence et honnêteté. Il répugnait en effet à faire figure de critique ; il écrit à Ménage le 28 janvier 1659 : « Ce n'est pas que ce métier de critique soit le plus honnête du monde, et il est malaisé que ceux qui l'exercent, pour discrètement qu'ils le fassent, puissent éviter le soupçon d'envier la gloire d'autrui ou d'avoir de la malignité dans l'âme ». Plutôt que d'avoir à faire « la censure particulière d'ouvrages qui ont le bonheur d'une approbation presque générale », il préfère « écrire un traité de la scène épique » ou s'occuper de « *la lecture des vieux romans* ».

Dans le curieux dialogue qui porte ce titre, et où il se met en scène avec Ménage et Sarrasin, Chapelain fait preuve d'un sens historique assez inattendu peut-être de la part d'un esprit aussi dogmatique. Il ne craint pas de comparer le *Lancelot* et l'*Iliade* : « La principale différence que nous mettons entre l'auteur du *Lancelot* et Homère n'est guère que dans le style et dans les expressions des sentiments... » « Fables pour fables, je ne sais, à les considérer de près, lesquelles sont le plus ingénieusement inventées ou du moins auxquelles des deux la vraisemblance est la mieux observée... » Et plus loin : « Si Aristote revenait et qu'il se mît en tête de trouver une matière d'art poétique en *Lancelot*, je ne doute point qu'il n'y réussît aussi bien que dans l'*Iliade* et l'*Odyssée* ». L'entretien tombe pour finir sur l'absence de « vraie galanterie » dans les vieux romans, et Chapelain en tire une règle générale de compréhension historique : « Je tiens qu'il faut... regarder les choses dans toutes les circonstances pour en faire un sain jugement. Notre manière de plaire aux dames et de leur persuader que nous les aimons est toute contraire à celle des vieux âges. Estimerai-je pour cela la nôtre seule bonne ? ». Admettons donc que ces théoriciens dont nous ne connaissons souvent que l'image ridicule qu'en a fixée Boileau pour la postérité, n'étaient pas toujours des esprits étroits ni de prétentieux doctrinaires.

La critique dramatique : l'abbé d'Aubignac

Il est remarquable que ce soit surtout le théâtre qui les ait amenés et contraints à faire œuvre de critique et à prendre position sur les succès du jour. En effet les acclamations du public sont au théâtre autrement manifestes que dans les conditions de la simple lecture : un livre vendu à mille exemplaires fait moins de bruit qu'une pièce applaudie par mille spectateurs, et les connaisseurs se sentent plus directement provoqués à rendre compte du succès de celle-ci que de celui-là.

Entre autres docteurs ainsi conduits à disserter surtout sur le théâtre, retenons le principal émule de Chapelain, l'abbé d'Aubignac (1604-1676), qui, contre l'Académie française dont Richelieu l'avait écarté, avait fondé une « Académie des Belles-Lettres ». Lui aussi fait figure de critique de premier plan. Tallemant, après avoir raillé son mauvais caractère et sa méchante humeur, s'écrie : « Mais pour sa critique, patience ! car il en sait plus que personne ! » Ce savoir, il veut le mettre en œuvre en affectant de se garder de tout dogmatisme et de tirer les leçons de l'expérience. Ainsi publie-t-il en 1657 une *Pratique du théâtre* dont il avait entrepris dès 1640 la composition inspirée par la retentissante affaire du *Cid*. Il annonce, par ce titre seul, une œuvre qui ne comporte pas des gloses sur Aristote et Scaliger, mais une étude du théâtre contemporain : un ouvrage, non pas de théorie ni d'esthétique, mais de critique actuelle. Le traité de l'abbé d'Aubignac n'en est pas moins rigoureusement systématique. Si tout le chapitre IV du premier livre est écrit pour démontrer que l'autorité des Anciens ne saurait prévaloir contre la raison et contre le bon sens, l'auteur s'applique en définitive à établir que les règles des Anciens sont « fondées en raison » : si des pièces modernes irrégulières ont eu du succès, c'est à cause de ce qu'il y avait en elles de conforme aux règles, et non pour les parties où elles s'en écartent (Texte 10). Cependant les exigences théoriques de l'abbé ne sont pas fondées sur le rappel dogmatique de règles raisonnables, mais sur l'examen de ce qui peut convenir à la scène : elles se résument en un mot, la « vraisemblance ». « La vraisemblance est, s'il le faut ainsi dire, l'essence du poème dramatique, et sans laquelle il ne se peut rien faire ni rien dire de raisonnable sur la scène » et plus loin : « Le théâtre doit tout restituer en état de vraisemblance et d'agrément » (II, 1).

Cela signifie pour lui le refus de toute extravagance, le souci de représenter dans les limites de la scène et du spectacle ce qui peut vraisemblablement s'y dérouler. Ainsi s'explique la nécessité raisonnable des unités : unité de lieu, car il convient que la scène « dans la vérité de l'action théâtrale » soit « la même exactement en toises carrées que la scène de la représentation » — unité de temps, car il convient que la « durée de l'action représentée en tant qu'elle est considérée comme véritable » soit le plus proche possible de la « durée véritable de la représentation » — ce qui implique naturellement l'unité d'action, c'est-à-dire le recours aux « petits sujets » qui, « entre les mains d'un poète ingénieux et qui sait parler, ne sauraient mal réussir ». Ainsi s'explique aussi la règle des bienséances qui répond au souci de ne pas faire voir trop de dissemblance entre les princes et les rois du théâtre et le public de grands seigneurs, de mondains et de précieuses : c'est en tenant compte de « la générosité de notre noblesse » que l'auteur dramatique doit représenter avec vraisemblance la conduite de ses héros. Engagé dans cette voie, d'Aubignac est conduit à poser avec quelque embarras le problème de la langue propre au théâtre : il condamne comme invraisemblables les stances et les vers lyriques et admet l'emploi des « grands vers de douze syllabes nommés communs », en disant qu' « ils doivent être considérés au théâtre comme de la prose... et ne représentent rien que la prose dont on se sert pour s'expliquer en se parlant ensemble » (III, 10).

La critique de 1610 à 1660   L'étude nécessairement rapide que nous venons de faire de l'œuvre de quelques critiques (en négligeant ceux qui ont été moins représentatifs comme Conrart, Costar, La Mesnardière, ou plus spécialement grammairiens comme Vaugelas) doit nous permettre de résumer l'évolution générale de la critique depuis le règne d'Henri IV jusqu'à l'avènement de Louis le Grand.

Pendant cette période, les critiques se sont, rappelons-le, d'abord montrés soucieux de mettre la littérature, que régentaient des érudits et des pédants nourris d'Antiquité et férus d'Aristote et de ses commentateurs, à la portée d'un public nouveau de mondains assez raffinés pour trouver dans les belles-lettres, dans le théâtre, le roman, certaines formes de poésie lyrique, leur meilleur divertissement. Leur effort tend donc à tenir compte des conditions réelles de l'activité littéraire, en enseignant les limites du goût et de l'usage, en rappelant à l'écrivain que son œuvre est dans tous les cas destinée à se produire sur la scène du monde. Ce monde attend des œuvres où il se reconnaisse : telle est la signification de la notion-maîtresse de cette critique classique naissante, la notion de vraisemblance. Si les Anciens sont évoqués, c'est dans la mesure où l'on peut tirer de leurs « poétiques » et de leurs « poésies » des recettes toujours valables pour composer des œuvres qui plaisent. Deux attitudes sont pareillement condamnables : l'imitation systématique des Anciens, parce qu'ils sont les dépositaires de la seule perfection réalisable qu'il s'agit de tenter de reproduire ; l'abandon à la pure fantaisie, tentation permanente en cet âge d'exubérance baroque.

Voyons donc ce qu'en pensaient les écrivains créateurs eux-mêmes. Dans quelle mesure étaient-ils tous disposés à considérer les critiques dont nous venons de parler comme de bons interprètes du public, comme des intermédiaires nécessaires et utiles entre l'auteur et le lecteur ?

Contre Malherbe   L'opposition à Malherbe de certains poètes de son temps n'est pas simple. Elle représente, soit la fidélité à la tradition humaniste, et c'est le cas de Mathurin Régnier, soit la volonté de rejeter toute discipline, et c'est celui de Théophile de Viau.

Face à Malherbe, le neveu de Desportes : Mathurin Régnier, familier non des tavernes, mais des cabinets des humanistes, se pose en défenseur des Anciens. Sans doute lui reproche-t-il de vouloir imposer au poète des règles indiscrètes qui refroidissent sa verve :

> « Apollon est gêné par de sauvages lois... »

Sans doute accuse-t-il Malherbe de mépriser l'inspiration et les dons naturels. Mais il le fait en invoquant l'enseignement reçu d'Horace et de Ronsard. La fameuse satire IX, *A Nicolas Rapin*, n'est pas un plaidoyer en faveur de l'absolue liberté du poète : le satiriste condamne surtout l'orgueil de son adversaire qui méprise tous ses devanciers et ignore l'exemple des Anciens (Texte 11). Régnier préfère imiter « nos vieux pères » : aux nouveautés imposées par les goûts étroits de l'aristocratie mondaine, il oppose l'autorité des Grecs, des Latins, des Italiens et de la Pléiade, seuls dépositaires du « souverain style ».

L'attitude d'un Théophile de Viau est toute différente de celle de ce défenseur de l'humanisme savant. Moderne, comme Malherbe, il n'hésite pas à railler ce qu'il appelle « la sotte Antiquité ». Dans les *Fragments d'une histoire comique* (1623) il déclare : « Il faut écrire à la moderne. Démosthène et Virgile n'ont point écrit de notre temps et nous ne saurions écrire en leur siècle ; leurs livres, quand ils les firent, étaient nouveaux, et nous en faisons tous les jours de vieux ». Mais il approuve l'œuvre de Malherbe dans la mesure seulement où elle représente une libération. Pour sa part, il revendique une liberté totale et souhaite créer une poésie qui soit toute à lui sans se soucier des écoles :

> « Je me contenterais d'imiter en *mon* art
> La douceur de Malherbe ou l'ardeur de Ronsard. »

Il ne veut pas plus se plier à l'autorité des doctes qu'au goût des mondains. C'est en ce sens qu'il faut comprendre son *Elégie à une Dame* :

> « Malherbe a très bien fait, mais il a fait pour lui...
> ... J'approuve que chacun écrive à sa façon ;
> J'aime sa renommée, mais non pas sa leçon... »

Contre Malherbe, il revendique le droit d'écrire « confusément » (c'est-à-dire sans plan suivi) et d'exprimer simplement et sincèrement ses propres sentiments. A une littérature de cabinet ou de salon, écrite entre des livres ou des éventails, il oppose une poésie qui s'ouvre à la nature, oubliée dans tous ces débats académiques. « Naturalisme » de libertin, vigoureusement combattu par la Contre-Réforme et par un nouvel ordre social fondé sur le respect de la Foi et du Roi.

Contre la littérature libertine : le P. Garasse

Les Jésuites sont à la pointe de ce combat contre un héritage philosophique de l'humanisme, et le P. Garasse en poursuit les moindres traces dans les œuvres de ses contemporains. Sa pesante *Doctrine curieuse des beaux esprits de ce temps ou prétendus tels...* (1623), relève de la critique, car les critères religieux et moraux sont essentiels en critique littéraire tout au long de la période classique. Il est curieux de voir Mathurin Régnier cité dans cet ouvrage comme exemple de bon esprit, ennemi des ivrognes et des « veaux » que sont les libertins, tel « l'impertinent banni de Cour » Théophile, accusé sans preuve d'avoir participé à la publication de l'obscène *Parnasse satyrique* et qualifié d' « un je ne sais qui aussi poltron et lâche en ses rodomontades que Lucilio Vanini son maître ». Dans la section 18 du livre VI, on lit sous le titre : « L'impudence effrontée de nos écornifleurs à publier leurs impudicités horribles par livres exprès » :

> Depuis trois ou quatre mois est sorti au jour un livre en deux parties sous le nom de *Parnasse satyrique* et de *Quintessence satyrique*, le plus horrible que les siècles les plus païens et les plus débordés enfantèrent jamais. Les principaux auteurs qui s'y nomment sont Théophile, Frenicle et Colletet. Pour moi, je pense avec raison pouvoir défier les Diables de luxure, de fornication, de sodomie et

de brutalité, de faire pis qu'ont fait ces trois gosiers de Cerbère, quand ils ramèneraient dans le christianisme toutes les florides et toutes les priapées de l'Antiquité, et toutes les vilenies des Carpocratiens, toutes les hontes des Turlupins, toutes les bestialités des Condormans, toutes les peintures de l'Aretin, tous les maquerellages de Bèze et toutes les brutalités de Gomorrhe.

La section 10 du livre VIII contient de semblables fulminations contre Rabelais. Mais l'abondance dans l'injure de cette critique inquisitoriale n'a rien de commun avec la gravité accusatrice de ceux qui sont à la fois les adversaires des jésuites et des libertins : les jansénistes.

Rhétorique et critique rationalistes de Pascal

Ceux-ci se défient pareillement des plaisirs mondains que procurent les belles-lettres. Pascal s'inquiète des méfaits de la comédie : « Tous les grands divertissements sont dangereux pour la vie chrétienne, mais entre tous ceux que le monde a inventés, il n'y en a point qui soit plus à craindre que la comédie » (*Pensées*, 764). Mais pour Port-Royal, il ne suffit pas de fulminer et de condamner, il convient de rallier les égarés et de les persuader. Aussi Pascal s'interroge-t-il sur « l'art de persuader ». Il fait par là œuvre de critique, tantôt s'appliquant à rechercher l'expression la plus juste, tel Malherbe ou Chapelain (« J'ai l'esprit plein d'inquiétude — je suis plein d'inquiétude vaut mieux », éd. Lafuma, 583. — « Éteindre le flambeau de la sédition — trop luxuriant ; l'inquiétude de son génie : trop de deux mots hardis » (637), tantôt s'interrogeant sur les caractères de la véritable éloquence, sur la beauté poétique et la façon dont il convient d'en juger (667-586). Comme les critiques dont nous avons parlé, il fait preuve en ces matières d'une totale confiance dans les jugements de la raison, et d'un constant souci de l'agrément et du réel. Mais il semble pousser plus loin qu'aucun autre l'élucidation rationnelle des problèmes de la création littéraire. La distinction fameuse entre « esprit de géométrie » et « esprit de finesse » ne signifie pas opposition de deux domaines dont l'un serait étranger à la raison, mais comparaison de deux manières différentes pour la raison d'exercer son activité. Pascal pense que l'agrément, comme la persuasion, a ses règles et qu'il convient de chercher à les énoncer clairement. Là où les écrivains classiques parlent de l'art de plaire comme de l'art suprême, mais sans en dire beaucoup plus et sans examiner ce qui fait que l'agrément puisse relever d'un art, Pascal raisonne et affirme son imperturbable confiance dans la légitimité des règles. Mais il lui paraît que celles-ci ne sauraient être réduites aux codes maladroits et sommaires écrits par les pédants. Pour Pascal, la rhétorique, la poétique, la critique sont à réinventer.

Corneille, ou de l'impatience devant la critique à la critique de soi

A la même époque, un auteur longtemps obstiné à ne s'en remettre qu'à sa seule « fantaisie », s'interrogeait sur les jugements qu'on avait faits de ses œuvres : préparant l'édition de son théâtre complet, Corneille écrit ses *Examens* et ses trois *Discours du poème dramatique*. Au cours de sa déjà longue carrière, il est passé d'une impatience frondeuse et volontiers insolente dans ses premiers

31

avertissements et préfaces à une critique scrupuleuse et lucide, fondée sur sa propre expérience. En pleine querelle du *Cid*, il imprime en 1637, en tête de l'édition de sa comédie de *La Suivante*, une épître dédicatoire où son indépendance s'affirme avec éclat : « Chacun a sa méthode ; je ne blâme point celle des autres et me tiens à la mienne ; jusques à présent je m'en trouve fort bien ; j'en chercherai une meilleure quand je commencerai à m'en trouver mal » (Texte 12). En 1648, écrivant un long avertissement pour une nouvelle édition du *Cid*, il s'applique habilement à invoquer Aristote (« notre Aristote ») et à tirer à lui l'auteur dont on lui avait si souvent opposé les règles. Il dénonce l'erreur de ses partisans qui ont soutenu qu'Aristote avait fait des règles « pour son siècle et pour les Grecs, et non pas pour le nôtre et pour les Français », et admet que « ce grand homme a traité la poétique avec tant d'adresse et de jugement que les préceptes qu'il nous en a laissés sont de tous les temps et de tous les peuples, et bien loin de s'amuser au détail des bienséances et des agréments qui peuvent être divers selon que ces deux circonstances sont diverses, il a été droit au mouvement de l'âme, dont la nature ne change point ». Il adopte ainsi une nouvelle attitude qui consiste à opposer ses critiques à Aristote même en laissant entendre qu'ils le connaissent mal ou l'ont mal compris. Cette attitude dédaigneuse apparaît dans les *Discours* de 1660 dirigés contre d'Aubignac, bien que Corneille ne le nomme jamais. La contradiction porte surtout sur la théorie de la vraisemblance. Pour d'Aubignac, il s'agit d'adapter l'action dramatique aux conditions du spectacle, c'est-à-dire aux exigences de la scène et aux goûts du public. Corneille reste résolument hostile à de telles limitations et défend les droits de la vérité : il ne s'agit pas de ramener de grands sujets pris dans l'histoire ou la tradition légendaire pour les adapter à la mode : « Lorsque les actions sont vraies, il ne faut point se mettre en peine de la vraisemblance, elles n'ont pas besoin de son secours » *(Discours sur la tragédie)*.

En soutenant une telle thèse en 1660, Corneille semble faire figure d'isolé. Il ne faut pourtant pas exagérer son originalité. L'argumentation des *Discours* est d'une scolastique subtile qui ressemble à celle de tous les critiques de son temps. Corneille y reprend les distinctions aristotéliciennes entre « vraisemblable général et particulier » « vraisemblable ordinaire et extraordinaire », et dans ses analyses théoriques, il procède avec la même minutie qu'un Chapelain. En comparant dans le détail la *Pratique* et les *Discours*, on s'apercevrait que les concordances sont multiples entre d'Aubignac et Corneille. Celui-ci est seulement plus indulgent, moins dogmatique, mais il réaffirme souvent les mêmes principes et se montre aussi méticuleux.

L'originalité de l'œuvre critique de Corneille tient plutôt à cet autre aspect qu'il soulignait dans une lettre à l'abbé de Pure le 25 août 1660 : « J'y fais une censure de chacun de mes poèmes en particulier, où je ne m'épargne pas ». Il s'agit de ses *Examens*, dans lesquels il donne le premier exemple de la critique de soi-même : l'écrivain s'interroge sur le sens de son propre travail et s'explique. Il n'a point « accoutumé de dissimuler (ses) défauts » et se pique d'en relever dans *Horace* « deux ou trois considérables », tandis qu'il s'applaudit d'avoir écrit dans *Cinna* une pièce où « la vraisemblance se trouve si heureusement conservée aux endroits où la vérité lui manque qu'il n'a jamais besoin de recourir au nécessaire », et qu'il affirme sa préférence pour *Rodogune*.

Au moment même où paraissent ces aperçus critiques d'une œuvre qu'il croyait achevée, Corneille revient au théâtre. Il s'y heurte à des critiques nouvelles qui attestent une évolution du goût et l'apparition de nouveaux idéaux littéraires : il ne s'agit plus tant du respect des unités que du choix même des sujets.

L'APOGÉE CLASSIQUE ET SA FRAGILITÉ

Nouveaux débats critiques autour du théâtre
L'évolution du goût d'une société également lasse des subtilités romanesques, des raffinements scolastiques des pédants, de la grandiloquence des tragédies, se manifeste, entre autres exemples, par le rebondissement de la querelle entre Corneille et d'Aubignac. C'est alors que les choses se gâtent vraiment entre l'écrivain et son critique : d'Aubignac rogne les éloges de Corneille qu'il avait multipliés dans sa *Pratique* et Corneille lui répond plus directement. Après l'échec de *Sophonisbe* en 1663, d'Aubignac publie une *Dissertation sur Sophonisbe* suivie d'un long échange de libelles entre Corneille et ses partisans d'une part, et d'Aubignac d'autre part. Celui-ci reproche à Corneille d'avoir pris dans ses pièces trop de matière et de sacrifier l'amour. Prenant l'exemple de *Sertorius*, il y dénonce vivement la pluralité des actions qui disperse l'intérêt : « Le plus grand défaut d'un poème dramatique est lorsqu'il a trop de sujets et qu'il est chargé d'un trop grand nombre de personnages... et de plusieurs intrigues qui ne sont pas nécessairement attachées les unes aux autres ». Quant à *Sophonisbe*, il la juge « remplie de plusieurs discours politiques, grands, solides et dignes de M. Corneille ; mais... ils étouffent tous les sentiments de tendresse ou de jalousie et les autres passions ». Corneille relève dédaigneusement ce dernier reproche. Déjà, dans son premier *Discours sur l'utilité et les parties du poème dramatique*, il avait montré que l'amour ne convient pas à la « dignité de la tragédie ». Dans l'*Avis au lecteur* de *Sophonisbe* il refuse nettement de se laisser aller « au goût de nos délicats qui veulent de l'amour partout et ne permettent qu'à lui de faire auprès d'eux la bonne ou la mauvaise fortune de nos ouvrages ».

Mais les temps ont changé. Au théâtre, si révélateur en ce siècle des transformations du goût, le public, détourné et dégoûté des affaires de l'État et de la politique, n'applaudit plus la tragédie héroïque. Bientôt, le P. Rapin, dans ses *Réflexions sur la Poétique* constate et explique le caractère galant de la tragédie française : « Les passions que l'on représente deviennent fades et de nul goût, si elles ne sont fondées sur des sentiments conformes à ceux du spectateur. C'est ce qui oblige nos poètes à privilégier si fort la galanterie sur le théâtre, et à tourner tous leurs sujets sur des tendresses outrées pour plaire aux femmes ». — A l'image d'une grandeur qui ne lui est plus permise, la bonne société préfère même celle de ses propres ridicules. La place est libre pour la comédie de mœurs et pour Molière. La représentation des

33

Précieuses ridicules marque bien la renonciation à la grandeur, au romanesque, au recherché, comme le souligne Ménage :

> J'étais à la première représentation des *Précieuses ridicules* de Molière au Petit-Bourbon. Mlle de Rambouillet y était, Mme de Grignan, tout l'Hôtel de Rambouillet, M. Chapelain et plusieurs autres de ma connaissance. La pièce fut jouée avec un applaudissement général, et j'en fus si satisfait en mon particulier que je vis dès lors l'effet qu'elle allait produire. Au sortir de la comédie, prenant Chapelain par la main : « Monsieur, lui dis-je, nous approuvons, vous et moi, toutes les sottises qui viennent d'être critiquées si finement et avec tant de bon sens, mais, croyez-moi, pour me servir de ce que Saint-Rémy dit à Clovis : il nous faudra brûler ce que nous avons adoré et adorer ce que nous avons brûlé. » Cela arriva comme je l'avais prédit, et dès cette première représentation l'on revint du galimatias et du style forcé.
>
> *Menagiana*, I, p. 251.

L'affaire de *L'École des femmes* montre aussi où va le goût du public. Elle est à la génération nouvelle ce que l'affaire du *Cid* avait été pour la précédente, et cette fois ce n'est pas l'Académie qui tranche en arbitre souverain. La question se règle directement entre l'auteur et son public qu'il appelle à rire avec lui à *La Critique de l'École des Femmes* et à *L'Impromptu de Versailles*. Sans doute la satire sociale occupe-t-elle là encore une place plus importante que la critique littéraire proprement dite. Mais la tragédie héroïque et les glosateurs d'Aristote sont spirituellement brocardés par un écrivain sûr de son succès, fier de son œuvre, et dont l'attitude rappelle curieusement celle de son ennemi du jour : Corneille, le Corneille de l'épître liminaire de *La Suivante*. On relira la scène VI de *La Critique* pour apprécier la virtuosité avec laquelle Molière oppose deux conceptions de la critique.

Bon sens et honnêteté : Simplicité et vérité, telles sont désormais
critique bourgeoise et les marques du bon goût. Après 1660,
critique mondaine l'accord se fait très généralement là-dessus. Qu'elle soit bourgeoise avec Furetière, ou mondaine, en s'assimilant les enseignements de Méré, la critique met l'accent sur le bon sens et l'honnêteté.

En 1658, Furetière décrit sous forme de *Nouvelle allégorique* « l'histoire des derniers troubles arrivés au royaume d'éloquence », c'est-à-dire la guerre entre Bon Sens et Galimatias, qui s'achève évidemment par le triomphe de Bon Sens. Sous cette bannière du Bon Sens, il enrôle les « bourgeois de Paris » dont il chante « les amours et les aventures » dans *Le Roman bourgeois* en 1666. Furetière commence par s'y moquer des auteurs de « fictions poétiques » qui s'appliquent à bien « raffiner pour trouver le merveilleux et le surprenant » et annonce que les personnages de son roman « ne seront ni héros ni héroïnes, ne dresseront point d'armées, ni ne renverseront de royaumes », mais « seront de ces bonnes gens de médiocre condition qui vont tout doucement leur grand chemin ». Il place dans la bouche de l'un d'eux un plaisant résumé de Cinna :

> Un particulier nommé Cinna s'advise de vouloir tuer un empereur ; il fait ligue offensive et défensive avec un autre appelé Maxime. Mais il arrive qu'un certain quidam va découvrir le pot aux roses. Il y a là une demoiselle qui est cause

de toute cette manigance, et qui dit les plus belles pointes du monde. On y voit l'empereur assis dans un fauteuil, devant qui ces deux messieurs font de beaux plaidoyers, où il y a de bons arguments. Et la pièce est toute pleine d'accidents qui vous ravissent. Pour conclusion, l'empereur leur donne des lettres de rémission, et ils se trouvent à la fin camarades comme cochons. Tout ce que j'y trouve à redire, c'est qu'il devrait y avoir cinq ou six couplets de vers, comme j'en ai vu dans *Le Cid*, car c'est le plus beau des pièces.

La raillerie est ici à double entente : Corneille en est la victime, plus encore que le ridicule procureur Vollichon. Furetière, ami de l'abbé d'Aubignac, prend plaisir à raconter, en employant le langage trivial de la conversation quotidienne, la grande histoire de la Clémence d'Auguste. On devine ainsi, à travers ce roman, l'existence d'une critique bourgeoise dressée contre les excès ridicules de la préciosité, du romanesque et du pédantisme doctoral. Son œuvre est complétée par celle des nouveaux mondains qui fixent l'idéal de « l'honnête homme », et qui ont aussi l'horreur du pédantisme et du dogmatisme scolastiques si abondamment illustrés par les œuvres critiques de la période antérieure.

Le maître de cette nouvelle délicatesse mondaine est le chevalier de Méré. Sainte-Beuve lui a consacré un long *Portrait littéraire* en 1848, et a bien mis l'accent sur ses grandes qualités critiques. Dans les œuvres littéraires, Méré veut avant tout de la simplicité : « Les grands ornements nuisent quelquefois à la beauté » ou « quelquefois la négligence a plus de grâce que les plus beaux ornements ». Le cœur, le sentiment et leurs intuitions ont pour lui plus d'importance que la raison et ses jugements catégoriques ; l'essentiel pour un auteur est d'avoir le goût bon et le sentiment délicat : « C'est la délicatesse du sentiment qui fait celle du langage ». Aussi la connaissance et le respect des règles ne sont-ils pas essentiels : « Il ne faut suivre ni règles, ni méthode qu'autant que le bon goût les approuve... On doit préférer son goût aux règles communes, quand on est assuré de l'avoir bon ». Il importe avant tout de plaire : avant Racine, Molière et La Fontaine, Méré souligne que c'est la « règle des règles ». Il n'y a pas de précepte qui vaille celui-ci : « Pour plaire aux gens qu'on entretient il faut leur dire des choses qu'ils soient bien aise d'entendre... et les dire agréablement ». L'art de bien parler ou d'écrire un bon livre ne peut pas plus se mettre en formules que celui de devenir un « honnête homme ». L'essentiel tient dans un « je ne sais quoi » que n'enseignent pas les doctes : « Il faut... je ne sais quel esprit que les livres ni les gens savants ne donnent guère ».

C'est là un caractère essentiel de la critique postérieure à 1660 : admettre que toute une part de l'œuvre d'art échappe à l'analyse logique. Bouhours consacre un de ses *Entretiens d'Ariste et d'Eugène* à ce fameux « je ne sais quoi » auquel on a désormais si volontiers recours pour désigner ce qu'il y a d'inexplicable et d'incertain dans nos passions et nos humeurs. L'un des interlocuteurs voudrait qu'au moins le « je ne sais quoi » soit « renfermé dans les choses naturelles, car, pour les ouvrages de l'art, toutes les beautés y sont marquées et l'on sait bien pourquoi ils plaisent ». Mais Ariste soutient au contraire que « le je ne sais quoi appartient à l'art aussi bien qu'à la nature » :

> Les pièces délicates en prose et en vers ont je ne sais quoi de poli et d'honnête qui en fait presque tout le prix, et qui consiste dans cet air du monde, dans cette teinture d'*urbanité* que Cicéron ne sait comment définir. Il y a de grandes beautés dans les livres de Balzac ; ce sont des beautés régulières qui plaisent beaucoup ; mais il faut avouer que les ouvrages de Voiture, qui ont ces charmes secrets, ces grâces fines et cachées dont nous parlons, plaisent infiniment davantage.

Sur l'importance de ces « charmes secrets » et la défiance — à certains égards surprenante — du grand siècle classique envers la raison, il faut relire aussi un texte essentiel : la préface du *Recueil de poésies chrétiennes et diverses* paru en 1671 (Texte 13).

Boileau, législateur du Parnasse ?

La critique raisonneuse est-elle pour autant mise en déroute ? Après 1660, on trouve en effet moins d'argumentations imprégnées d'aristotélisme, mais c'est alors aussi qu'apparaît le critique le plus prestigieux de l'âge classique : Boileau. C'est à lui que revient le mérite d'interpréter la leçon des critiques qui l'ont précédé, sans rien ajouter d'essentiel à l'enseignement d'un Chapelain ou d'un d'Aubignac, mais en l'adaptant à l'idéal nouveau de « l'honnête homme », avec le souci de satisfaire harmonieusement toutes les facultés.

Son rôle de critique doit être apprécié de deux points de vue différents. Dans quelle mesure l'a-t-il conçu comme celui d'un conseiller contrôlant et dirigeant l'œuvre de ses amis Racine, Molière, La Fontaine ? A-t-il été, en ce premier sens, le « législateur du Parnasse » ? Comment a-t-il employé, d'autre part, ses talents de satiriste au service de ses idées littéraires, en poursuivant inlassablement les défauts et les ridicules des écrivains de son temps ?

Sur le premier point, la controverse ne semble pas près de s'achever. Une longue tradition, que Boileau lui-même s'est employé à forger dans ses derniers écrits, le représentait comme le guide suprême du classicisme français. Il y a une trentaine d'années, les travaux d'érudits comme J. Demeure et E. Magne ont renouvelé cette image du critique souverain. Loin d'avoir assuré la victoire de l'école nouvelle, il serait venu simplement au secours de son triomphe en s'attachant à Molière, à Racine et aux personnages capables de favoriser sa propre ascension. Une fois parvenu aux honneurs et demeuré le seul survivant de la prétendue « école de 1660 », il aurait organisé après coup sa propre légende en exagérant son influence, en laissant entendre que, jusqu'en 1660, la littérature française avait ignoré des lois que lui, Boileau, lui avait révélées. M. Antoine Adam a souligné à son tour que « toute l'interprétation traditionnelle de *L'Art poétique* repose sur une imposture continue, qui n'est point dans le texte, mais qui remonte aux commentaires d'un vieillard vaniteux ». Le même historien a montré comment Boileau n'a fait que résumer les idées qui se débattaient dans le cercle de Lamoignon, entre des critiques comme Pellisson, Rapin et Fleury, en les noyant souvent « en des maximes insignifiantes ». On peut cependant opposer à ces démonstrations, qui prennent souvent la forme de réquisitoires, un certain nombre de faits et de textes qui semblent établir que Boileau connaissait Racine dès 1665 et put avoir quelque influence sur l'évolution de son œuvre.

Quoi qu'il en soit, l'important est de souligner que ce rôle de chef d'école, réel ou supposé, représente pour Boileau la fonction idéale du critique. Il se plaît à imaginer comment les hésitations de l'écrivain créateur, toujours mauvais juge de son œuvre, pourraient être tranchées par les conseils d'un censeur éclairé :

> Faites choix d'un censeur solide et salutaire
> Que la raison conduise et le savoir éclaire,
> Et dont le crayon sûr d'abord aille chercher
> L'endroit que l'on sent faible et qu'on veut se cacher...
> Lui seul éclaircira vos doutes ridicules,
> De votre esprit tremblant lèvera les scrupules.
>
> *L'Art poétique* : chant IV.

Boileau a rêvé d'une critique capable d'inspirer, de susciter des œuvres conformes aux préférences qu'elle indique, et faute d'avoir peut-être pu réellement exercer cette espèce de magistrature, il a voulu se l'attribuer aux yeux de la postérité. C'est d'ailleurs là un regret constant de la critique française : se sentir incapable de provoquer la création de chefs-d'œuvre. Les romantiques y insisteront souvent, en opposant sur ce point la littérature allemande et la nôtre.

Boileau critique et juge de ses contemporains

Le mérite incontestable et réel de Boileau réside dans l'autre aspect de son rôle de critique : il a su formuler sur les écrivains de son temps des jugements qui ont été ratifiés par la postérité, et il a su proposer à l'admiration ceux qui ont été reconnus comme étant de loin les meilleurs. Dans la préface de son édition de 1701, il écrit : « Je ne saurais attribuer un si heureux succès qu'au soin que j'ai pris de me conformer toujours aux sentiments du public, et d'attraper, autant qu'il m'a été possible, son goût en toutes choses ». Voilà qui est parfaitement conforme aux préoccupations constantes de la critique classique, mais, en vérité, le combat de Boileau a supposé des choix et des préférences affirmés au milieu même de polémiques acharnées. Dès 1662, il exalte Molière et célèbre *L'École des femmes* :

> En vain mille jaloux esprits,
> Molière, osent avec mépris
> Censurer ton plus bel ouvrage :
> Sa charmante naïveté
> S'en va pour jamais d'âge en âge
> Divertir la postérité.

En 1665, il écrit, sur La Fontaine, la *Dissertation sur Joconde*. En 1677, il prend parti pour Racine, en pleine querelle de *Phèdre*, et console son ami découragé par la cabale :

> Le Parnasse français, ennobli par ta veine,
> Contre tous ces complots saura te maintenir,
> Et soulever pour toi l'équitable avenir.
>
> Épître VII, v. 76-78.

37

Boileau combat pour ceux qu'il admire, et s'en prend à Chapelain, dès sa VIIe satire (1663), sans redouter l'importance que lui confère son rôle officiel de conseiller de Colbert pour la distribution des pensions :

> J'ai beau frotter mon front, j'ai beau mordre mes doigts,
> Je ne puis arracher du creux de ma cervelle
> Que des vers plus forcés que ceux de *La Pucelle*.

Il y revient avec violence dans un long passage de la IXe satire (Texte 14). Il raille pareillement l'emphase et la prolixité d'un Scudéry :

> Bienheureux Scudéry, dont la fertile plume
> Peut tous les mois sans peine enfanter un volume !

> Satire II, vers 77-78.

la fade galanterie d'un Quinault, opposé à Racine par le « campagnard » du *Repas ridicule* :

> Les héros chez Quinault parlent bien autrement
> Et jusqu'à *Je vous hais*, tout s'y dit tendrement.

Il s'en prend encore, dans la satire X (1694), aux goûts des dernières Précieuses admiratrices de Pradon, Cotin et Chapelain qu'elles osent égaler aux plus grands maîtres de l'Antiquité.

Principes de la critique de Boileau

Ce long combat critique est mené au nom de la raison (« Aimez donc la raison... ») et Boileau revient inlassablement sur des considérations purement intellectuelles : souci de la vérité (« Rien n'est beau que le vrai... »), du bon sens (« Tout doit tendre au bon sens... ») de la nature (« Que la nature donc soit votre étude unique... »), mais aussi de la vraisemblance, de la mesure, de la bienséance, c'est-à-dire des moyens de représenter nature et vérité selon le goût du public. De *L'Art poétique* à l'*Épître IX*, ce sont les préceptes de la critique rationaliste et raisonneuse qui sont repris sans que Boileau cherche à organiser un système nouveau ni une théorie nouvelle. Son originalité est d'avoir énoncé tout cela en des vers bien frappés, amis de la mémoire. Mais on retrouve fréquemment chez les critiques de son temps cette idée que l'on peut affirmer la supériorité de certaines œuvres parce qu'elles nous font voir la vérité et l'expriment de façon telle que le lecteur peut la reconnaître. Ainsi, dans ses *Lettres à Madame la marquise de *** sur le sujet de la Princesse de Clèves*, Valincour écrit : « Il faut avouer que l'auteur est admirable lorsqu'il entreprend de faire voir ce qui se passe dans votre cœur ; l'on ne peut mieux en connaître tous les divers mouvements ».

Cependant Boileau a su concilier cette souveraineté de la raison et les exigences du cœur : il s'accorde ainsi avec les préférences des écrivains et d'un public qui supportaient mal les arrêts d'un dogmatisme trop étroit. Symptomatique est la place qu'il accorde au sublime, c'est-à-dire à ce qui ne peut s'expliquer ni s'exprimer par des raisonnements. La raison permet de distinguer le vrai du faux, de reconnaître dans la peinture des sentiments et des passions ce qui est conforme à la nature ; mais, « le Sublime n'est pas proprement une chose qui se prouve et qui se démontre, mais... un merveilleux qui saisit, qui frappe et qui se fait sentir ». *(Dixième réflexion critique.)* Il n'est donc pas de règles qui permettent d'atteindre ce sublime, capable de procurer les plus belles et les plus fortes émotions esthétiques (parfois par un simple mot comme le *Moi* de *Médée*, cité en exemple par Boileau). Il y faut pourtant de l'intuition et de la méthode, car le sublime n'est sublime qu'en son lieu : le sublime hors de son lieu, non seulement n'est pas une belle chose, mais devient quelquefois une grande puérilité. (Boileau en donne comme exemple le premier vers de l'*Alaric* de Scudéry : « Je chante le vainqueur des vainqueurs de la terre » : « il est ridicule de crier si haut et de promettre de si grandes choses dès le premier vers ».) *(Deuxième Réflexion critique.)* Aussi y a-t-il une bienséance du sublime et convient-il de respecter la juste appropriation du ton au sujet.

En définitive, le critère de la vraie beauté satisfaisant à la fois le cœur et la raison, c'est l'universalité de l'approbation qui salue l'œuvre belle. La succession des générations représente la permanence de la nature humaine qui se reconnaît dépeinte avec vérité dans les chefs-d'œuvre échappant à l'usure du temps. C'est pourquoi Boileau en appelle toujours à la Postérité pour ratifier les éloges qu'il décerne à Molière ou à Racine : ceux-ci ont su, selon lui, peindre l'homme dans ses traits essentiels où les hommes de tous les temps se reconnaissent. On peut rapprocher sur ce point la *Septième Réflexion sur Longin* : « Il n'y a que l'approbation de la postérité qui puisse établir le vrai mérite des ouvrages » (Texte 15), et la préface de l'édition de 1701 : « Le gros des hommes peut bien, durant quelque temps, prendre le faux pour le vrai, et admirer de méchantes choses, mais il n'est pas possible qu'à la longue une bonne chose ne lui plaise... »

« La postérité » ? « Le gros des hommes » ? Il fallait être le critique le plus écouté du siècle de Louis XIV pour prétendre, en toute tranquillité, s'exprimer en leur nom.

Orgueil et sectarisme de la critique classique

Boileau et les critiques de son temps vivent dans la conviction sincère que sous l'impulsion de son roi, la France est devenue la seule digne héritière de la Grèce et de Rome. Ainsi reparaît dans la critique ce nationalisme ombrageux et orgueilleux déjà constaté au siècle précédent. Mais l'exaltation des humanistes était essentiellement intellectuelle ; à la fin du XVIIe siècle, la célébration de la langue et des lettres françaises ne va pas sans celle de Louis le Grand, qui a donné à la gloire française tout son éclat. On trouve par exemple un excellent témoignage de cet état d'esprit dans les *Entretiens d'Ariste et d'Eugène* du P. Bouhours (1671). Le deuxième entretien porte sur la langue française. Ariste constate avec fierté qu' « on parle déjà français dans toutes les cours de l'Europe » et que « tous les étrangers qui ont de l'esprit se piquent de savoir le français ». Eugène remarque même une supériorité du français sur le latin : « La langue latine a suivi les conquêtes des Romains, mais je ne vois pas qu'elle les ait jamais précédées. Les nations que ces conquérants avaient vaincues apprenaient le latin malgré elles, au lieu que les peuples qui ne sont pas encore soumis à la France apprennent volontairement notre langue ». Quoi d'étonnant dès lors si des esprits aussi persuadés de l'universalité et de la supériorité de la langue française sont portés à traiter avec dédain les littératures des pays voisins ? Le quatrième *Entretien* porte sur « le bel esprit », et Bouhours y établit que c'est une qualité typiquement française : « Ce serait une chose singulière qu'un bel esprit allemand ou moscovite !... Le bel esprit ne s'accommode point du tout avec les tempéraments grossiers et les corps massifs des peuples du Nord... Ce caractère est si propre à notre nation qu'il est presque impossible de le trouver hors de France... » Les *Réflexions sur la Poétique* du P. Rapin (1675) sont remplies de jugements sur les œuvres de diverses littératures européennes. Mais, s'il s'agit du poème épique, « Dante a l'air trop profond, Pétrarque l'a trop vaste, Boccace trop trivial et trop familier »... « L'Arioste n'a pas de jugement »... « Le Tasse est plus correct et plus régulier, mais trop galant »... « Camoëns, fier et fastueux, a peu de discernement et peu de conduite »... « Lope de Vega a l'imagination la plus folle qui fût jamais »... Parlant de la tragédie, Rapin veut bien admettre que « les peuples qui paraissent avoir plus de génie pour la tragédie de tous nos voisins sont les Anglais ; et par l'esprit de leur nation qui se plaît aux choses atroces, et par le caractère de leur langue qui est propre aux grandes expressions », mais « notre nation qui s'est plus appliquée à ce genre d'écrire que les autres, y a aussi mieux réussi ».

Rares étaient les esprits plus ouverts ou plus malicieux, comme Ménage (qui l'eût cru !), capable de faire remarquer que le P. Bouhours n'a pas eu « assez d'égard au génie des nations dont il critique les pensées : ce qui est naturel à Paris, paraîtrait plat à Rome, et ce qui nous paraît trop brillant en France, ne paraît que naturel en Italie ». (*Menagiana*, tome II, p. 3.) Il fallait, comme Saint-Evremond, vivre en exil à Londres pour constater (dans sa *Dissertation sur la tragédie de Racine intitulée Alexandre le Grand* (1666) : « Un des grands défauts de notre nation, c'est de ramener tout à elle, jusqu'à nommer étrangers, dans leur propre pays, ceux qui n'ont pas bien, ou son air, ou ses manières. De là vient qu'on nous reproche justement de ne savoir estimer les choses que par le rapport qu'elles ont avec nous ». Pourtant Saint-Evremond lui-même reste peu attentif à la littérature du pays où il passe quarante-deux années de sa vie. Il demeure fidèle aux goûts de sa jeunesse et oppose inlassablement la grandeur de Corneille, dont il ne conçoit pas qu'il ait pu « perdre sa réputation », à ces nouveautés qui sont bien reçues chez nous uniquement parce qu'elles sont des nouveautés. Mais cet attachement sentimental ne l'empêche pas tout à fait de prendre conscience, mieux que quiconque en son temps, des caractères propres aux littératures de chaque pays et de la vanité qu'il y a à vouloir les juger toutes en fonction d'un idéal d' « honnêteté » et de « bel esprit » propre à la cour de Versailles et à Paris. Il se compose une bibliothèque où voisinent Cervantès (*Don Quichotte* est le livre qu'il « aimerait le mieux avoir fait »), Montaigne, Malherbe, Corneille et Voiture (Texte 16). Frappé par les différences entre les comédies anglaises et les françaises, il constate que les premières sont les plus plaisantes. Les auteurs comiques français lui paraissent trop « attachés à la régularité des Anciens » et soucieux de l'unité d'action. Celle-ci est indispensable à la tragédie, « mais la comédie étant faite pour nous divertir, et non pas pour nous occuper, pourvu que le vraisemblable soit gardé et que l'extravagance soit évitée, au sentiment des Anglais, les diversités font des surprises agréables et des changements qui plaisent ». Dans *Bartholomew-Fair*, Ben Johnson paraît à Saint-Évremond égal à « notre Molière », et il ne craint pas d'affirmer que ceux qui aiment le ridicule, qui prennent plaisir à bien connaître le faux des esprits, qui sont touchés des vrais caractères, trouveront les belles comédies des Anglais selon leur goût autant et peut-être plus qu'aucunes qu'ils aient jamais vues. » *(De la comédie anglaise.)*

Premières ouvertures sur l'étranger

Cependant un effort d'information vient corriger peu à peu ce qu'il y a de limité dans cette suffisance française dénoncée par Saint-Évremond. Le 5 janvier 1665 paraît le premier numéro du *Journal des Savants*, fondé par Denis de Sallo, conseiller au Parlement de Paris, qui précise ainsi, pour ses lecteurs, l'objet d'une entreprise sans précédent :

> Le dessein de ce journal étant de faire savoir ce qui se passe de nouveau dans la république des lettres, il sera composé :
> Premièrement, d'un catalogue exact des principaux livres qui s'imprimeront en Europe ; et on ne se contentera pas de donner les simples titres, comme ont fait jusqu'à présent la plupart des bibliographes, mais, de plus, on dira de quoi ils traitent, et à quoi ils peuvent être utiles.
> Secondement, quand il viendra à mourir quelque personne célèbre par sa doctrine et par ses ouvrages, on en fera l'éloge, et on donnera un catalogue de ce qu'il aura mis au jour, avec les principales circonstances de sa vie.
> En troisième lieu, on fera savoir les expériences de physique et de chimie qui peuvent servir à expliquer les effets de la nature ; les nouvelles découvertes qui se font dans les arts et les sciences, comme les machines et les inventions utiles ou curieuses que peuvent fournir les mathématiques ; les observations du ciel, celles des météores, et ce que l'anatomie pourra trouver de nouveau dans les animaux.
> En quatrième lieu, les principales décisions des tribunaux séculiers et ecclésiastiques, les censures de Sorbonne et des autres universités, tant de ce royaume que des pays étrangers.
> Enfin on tâchera de faire en sorte qu'il ne se passe rien dans l'Europe, digne de la curiosité des gens de lettres, qu'on ne puisse apprendre par ce journal.

L'histoire de ce premier journal d'informations littéraires et scientifiques européennes est révélatrice des servitudes qui pèsent alors sur la critique. En effet cette entreprise audacieuse et nouvelle se heurte aussitôt à une vive hostilité des autorités politiques et religieuses. On juge insupportable la prétention de ce censeur d'un nouveau genre qui se pose en arbitre suprême des sciences, de la littérature et des arts, et surtout vient donner une voix publique aux critiques, jusque-là sourdes et cachées, et les révéler à l'Europe. Les jésuites, surtout inquiets de voir s'élever un tribunal philosophique et littéraire indépendant, obtiennent une intervention du nonce apostolique, à la suite de laquelle Sallo dut suspendre sa publication dès avril 1665. Quelques mois plus tard Colbert réorganise cette entreprise et la confie à l'un de ses familiers qui présente le nouveau *Journal des Savants* avec plus d'humilité que ne l'avait fait son prédécesseur :

> Il y a quelques personnes qui se sont plaintes de la trop grande liberté qu'on se donnait dans le journal de juger toutes sortes de livres. Et certainement il faut avouer que c'était entreprendre sur la liberté publique, et exercer une espèce de tyrannie dans l'empire des lettres que de s'attribuer le droit de juger des ouvrages de tout le monde. Aussi est-on résolu de s'en abstenir à l'avenir, et, au lieu d'exercer sa critique, de s'attacher à bien lire les livres, pour en pouvoir rendre un compte plus exact qu'on n'a fait jusqu'à ce jour.
>
> *Avertissement au lecteur* (4 janvier 1666).

Une telle publication contribue en tout cas à préparer de nouvelles confrontations, plus décisives que celles qui rentrent dans le cadre d'une rhétorique commode : les innombrables parallèles si répandus dans les ouvrages de la critique classique, et dont Ménage se moque en reprenant à sa façon l'inévitable parallèle de Corneille et de Racine : « Je ne veux pas juger de leurs tragédies par le plaisir qu'elles m'ont fait : j'étais trop jeune quand j'ai vu celles de M. Corneille, et trop âgé lorsque j'ai vu celles de M. Racine » (*Menagiana*, tome I, p. 383). Cette mode aura la vie dure, et sans parler des dissertations des bacheliers modernes, on peut évoquer ces plaintes de Desfontaines en 1735 : « Nous sommes étourdis de parallèles infinis que les anatomistes du bel esprit font du génie et de la versification de Corneille et de Racine » (*Observations critiques*, tome I, p. 135).

Religion et littérature

Un autre caractère de cette critique classique, et qui en limite la valeur proprement critique, c'est sa soumission constante à des impératifs religieux et moraux. L'art de plaire est inséparable d'un art d'instruire et de former les âmes.

Le théâtre et le roman sont toujours en butte aux condamnations des prédicateurs et des moralistes. Dans la lutte constante que mène Molière contre ses adversaires, il est moins question des qualités esthétiques de ses pièces ou de la vérité des caractères représentés que de leur immoralité et des exemples dangereux qui sont ainsi proposés aux spectateurs. En 1665, Nicole écrit dans les *Visionnaires* : « Un faiseur de romans et un poète de théâtre est un empoisonneur public, non des corps, mais des âmes des fidèles, qui se doit regarder comme coupable d'une infinité d'homicides spirituels, qu'il a causés en effet ou qu'il a pu causer par ses écrits pernicieux. » Corneille ose répliquer avec hauteur dans la préface d'*Attila* et Racine écrire sa *Lettre à l'auteur des Hérésies imaginaires ;* mais condamnations et menaces pèsent toujours sur l'activité de l'écrivain. En 1694, Bossuet publie ses *Maximes et Réflexions sur la comédie* où il dénonce la dangereuse contagion de l'émotion tragique qui rend les spectateurs, comme le héros, « épris des belles personnes » qu'ils « servent comme des divinités » (Texte 17).

Un des grands débats critiques du siècle porte sur la possibilité de traiter des sujets chrétiens. Il est exceptionnel que, tel Saint-Évremond, on explique

que ces sujets ne conviennent pas au théâtre tragique par des arguments tirés des caractères de la tragédie :

> Si un auteur introduisait des anges et des saints sur notre scène, il scandaliserait les dévots comme profane et paraîtrait imbécile aux libertins. Mais posons que nos docteurs abandonnent toutes les matières saintes à la liberté du théâtre ; faisons en sorte que les moins dévots les écoutent avec toute la docilité que peuvent avoir les personnes les plus soumises ; il est certain que, de la doctrine la plus sainte, des actions les plus chrétiennes et des vérités les plus utiles, on fera les tragédies du monde qui plairont le moins. L'esprit de notre religion est directement opposé à celui de la tragédie. L'humilité et la patience de nos saints sont trop contraires aux vertus des héros que demande le théâtre. Le théâtre perd tout son agrément dans la représentation des choses saintes, et les choses saintes perdent beaucoup de la religieuse opinion qu'on leur doit, quand on les représente sur le théâtre.

> *De la tragédie ancienne et moderne*, 1672.

Par contre, le poème héroïque semble offrir un terrain plus favorable à l'emploi du merveilleux chrétien : les exemples ne manquent pas depuis *La Pucelle* de Chapelain (1635) jusqu'au *Saint-Paulin* de Perrault (1675). Desmarets de Saint-Sorlin se fait l'ardent propagandiste de la poésie chrétienne : c'est lui qui s'attire les foudres de Nicole en déclarant dans l'*Avis aux beaux esprits* de ses *Délices de l'esprit humain* (1658) : « Il n'y a ni roman, ni poème héroïque dont la beauté puisse être comparée à celle de la Sainte Écriture, soit en diversité de narration, soit en richesse de matière, soit en magnificence de descriptions, soit en tendresses amoureuses, soit en abondance, en délicatesse et en justesse d'expressions figurées. » Mais l'Église, en 1660, n'avait pas encore besoin des secours d'un Chateaubriand venant montrer les beautés de sa Foi ! Desmarets persévère néanmoins, en mettant en tête d'une nouvelle édition de son *Clovis* en 1673 un *Discours pour prouver que les sujets chrétiens sont les seuls propres à la poésie héroïque*. La condamnation définitive formulée par Boileau au chant III de *L'Art poétique* clôt le débat :

> De la foi d'un chrétien les mystères terribles
> D'ornements égayés ne sont point susceptibles.
> . . . .
> . . . . n'allons point dans nos songes
> Du dieu de vérité faire un dieu de mensonge.

> Vers 199-200 et 235-236.

Une telle profanation serait aussi dépourvue d'agrément que contraire à la véritable instruction du lecteur.

A tout instant, les classiques reviennent en effet sur la nécessité d'instruire : l'agrément n'est qu'un moyen au service de cette fin dernière de l'art, et les beautés d'une œuvre ne sont dignes d'intérêt que si elles servent à quelque enseignement. La théorie de la « catharsis » aristotélicienne et les vers d'Horace :

> *Omne tulit punctum, qui miscuit utile dulci,*
> *Lectorem delectando, pariterque monendo.*

> *Art poétique*, vers 343-344.

servent de caution antique à l'importance donnée aux préoccupations morales. L'accord des classiques est général sur ce point depuis La Fontaine assurant qu'en « ces sortes de feinte il faut instruire et plaire » et l'auteur de *Tartuffe* soulignant que « le devoir de la comédie est de corriger les hommes en les divertissant », jusqu'aux théoriciens comme Rapin montrant dans la Dixième de ses *Réflexions sur la poétique* que « ce n'est que pour être utile que la poésie doit être agréable : le plaisir n'est qu'un moyen dont elle se sert pour profiter, et quand elle est parfaite, elle devient une leçon de bonnes mœurs pour instruire le public » (Texte 18). Même un évêque comme Huet ose prendre là la défense des romans dans la mesure où ils sont des « fictions en prose pour le plaisir et l'instruction des lecteurs ». Toutes les comparaisons et parallèles chers à la critique classique classent les œuvres selon leur portée morale. C'est ainsi que Boileau juge l'*Odyssée* supérieure au *Télémaque* parce qu' « Homère est plus instructif que (Fénelon) » et que « ses instructions ne paraissaient point préceptes et résultent de l'action du roman, plutôt que des discours qu'on y étale » (lettre à Brossette du 10 novembre 1699). Il y a de grands genres : poésie héroïque, tragédie..., qui élèvent l'âme, et des genres mineurs : opéra, comédie, roman... Toute réflexion sur la littérature s'achève enfin par l'affirmation de la dignité indispensable au poète. C'est le dernier chant de *L'Art poétique* de Boileau :

> Auteurs, prêtez l'oreille à mes instructions.
> Voulez-vous faire aimer vos riches fictions ?
> Qu'en savantes leçons votre Muse fertile
> Partout joigne au plaisant le solide et l'utile.
> Un lecteur sage fuit un vain amusement,
> Et veut mettre à profit son divertissement.
> Que votre âme et vos mœurs, peintes dans vos ouvrages,
> N'offrent jamais de vous que de nobles images.
> Je ne puis estimer ces dangereux auteurs
> Qui de l'honneur, en vers, infames déserteurs,
> Trahissant la vertu sur un papier coupable,
> Aux yeux de leurs lecteurs rendent le vice aimable...
>
> (chant IV).

et la dernière des *Réflexions* de Rapin insistant sur la nécessité pour le poète d'être docile et soumis aux avis de la critique et d'illustrer par sa sage conduite une « profession » qui ne devrait être « exercée que par d'honnêtes gens ».

Bilan de la critique du XVIIᵉ siècle

Tel est, dans ses grandes lignes, le code critique de notre classicisme, et l'on sent ici quelle sera sa fragilité lorsqu'il sera soumis à de nouvelles confrontations mettant en cause la signification de la supériorité accordée aux grands écrivains, ou plus sérieusement la juridiction du goût et de la vertu.

La critique classique juge, d'après des règles propres à chaque genre, en relevant les fautes commises contre elles et en indiquant comment le respect des règles permet d'atteindre la perfection. A l'époque des *Sentiments de l'Académie sur Le Cid*, les critiques doivent être surtout experts et doctes, et les auteurs obéir aux règles et travailler selon les indications des critiques considérés comme les interprètes des besoins du public. Dans la préface de la deuxième édition de *La Pucelle*, Chapelain souligne qu' « Homère même a eu besoin de l'instruction de Phémius pour faire valoir son admirable génie et pour réussir un si grand artisan[1] ». Après 1660, on accorde plus de place aux qualités innées des auteurs résumées dans les mots *génie* (dont Boileau nous avertit dès les premiers vers de *L'Art poétique* qu'il ne se confond pas avec le simple « amour de rimer »), *esprit*, et *imagination ;* « pour faire un poète, il faut un tempérament d'esprit et d'imagination », écrit Rapin, convaincu que « l'avantage du génie est toujours préférable à celui de l'art » (*Réflexions sur la poétique*, XII). Le recours à de telles notions vagues, qui sont autant de noms donnés au « je ne sais quoi », marque la domination exercée par la bonne société sur la vie littéraire, et la soumission définitive des doctes, recherchée dès le début du siècle. Un érudit comme Huet déplore amèrement un tel état de choses :

> Comme aujourd'hui parmi nous la galanterie a rendu les femmes arbitres du mérite des choses qui dépendent, non seulement des sens, mais aussi de l'esprit, elles abusent du droit qu'on leur laisse usurper ; et, du plus bas genre de la poésie, qui est de leur ressort (les chansons, madrigaux et épigrammes) elles s'élèvent au plus sublime (le poème héroïque), qui demande avec les talents naturels le secours de l'étude et de la méditation, dont elles sont tout à fait dépourvües, et elles entraînent à leur suite ceux qui, non contents de leur avoir abandonné leur cœur, les font maîtresses de leur esprit. C'est de là pourtant que dépend la fortune poétique, et malheur à ceux qui, faute d'avoir fait ces réflexions, ont travaillé à acquérir l'approbation publique par des poèmes épiques !
>
> HUETIANA, *Pensée LXXIV : Les bons juges de la poésie sont plus rares que les bons poètes.*

Dans de telles conditions, la critique ne parvient évidemment pas à se constituer en technique particulière, sûre de ses moyens et de ses concepts. Elle est soumise aux impératifs de l'honnêteté et prend une forme assez indifférenciée, s'exprimant aussi bien par la voie de la lettre, de la satire, du roman, du traité théorique, ou même de la comédie et de la prédication. Ce que l'on aime ou rejette dans un livre est semblable à ce qu'on apprécie ou condamne dans une conduite morale ou dans un comportement mondain. La façon dont le travail de création littéraire est analysé conviendrait à toutes sortes de conduites. Les termes par lesquels les beautés de l'œuvre elle-même sont caractérisées s'appliqueraient aussi bien à une belle personne qu'à un bel ouvrage, comme le marquait déjà la pensée où Pascal, esquissant une théorie des correspondances poétiques, souligne qu' « on sait mieux en quoi consiste l'agrément d'une femme que l'agrément des vers » et qu'il est commode de juger de celui-ci, d'après celui-là.

---

1. CHAPELAIN, *Opuscules critiques* (éd. Hunter), p. 300.

Il faudrait dire ici comment les grands écrivains de ce siècle se sont comportés en face d'une critique aussi péremptoire dans ses arrêts que mal assurée dans ses principes et dans sa méthode.

La place nous manque pour étudier leur attitude. Rappelons seulement l'extrême liberté de Racine, Molière, etc... qui invoquent volontiers des règles supérieures à toutes les règles écrites. C'est le cas de La Fontaine, pensant qu' « il est bon de s'accommoder à son sujet, et au goût de son siècle » (préface de la première partie des *Contes*), mais qu' « il est encore meilleur de s'accommoder à son génie ».

3. Nouvelles confrontations : le XVIIIᵉ siècle

**La Querelle
des Anciens et des Modernes** L'occasion de la crise d'où naîtront des développements nouveaux de la critique est fournie par la confrontation des œuvres des Modernes et de celles des Anciens, sujet de la fameuse querelle, dont les épisodes ont été mille fois racontés.

La glorification du règne de Louis XIV, lieu commun sous la plume de tous nos classiques, et le sentiment de la supériorité de « l'honnête homme » français, conduisent tout naturellement à la célébration des grands hommes du nouveau grand Siècle. A la séance académique du 27 janvier 1687, Charles Perrault pousse l'éloge au paroxysme : la lecture du *Poème du Siècle de Louis le Grand* scandalise Boileau. Perrault ne craint pas en effet de dénoncer les défauts d'Homère :

> ... Si le ciel, favorable à la France,
> Au siècle où nous vivons eût remis ta naissance,
> Cent défauts, qu'on impute au siècle où tu naquis,
> Ne profaneraient pas tes ouvrages exquis.

La bataille est sévère. Boileau manie l'épigramme contre la sauvagerie de ces « Topinambous » qui osent traiter « d'auteurs froids, de poètes stériles, les Homères et les Virgiles ». Dans sa digne épître à Huet, La Fontaine proclame :

> Homère et son rival sont mes dieux du Parnasse.

mais reconnaît qu'il ne suit plus la mode :

> Ne pas louer son siècle est parler à des sourds.

Cependant il ne faut pas donner trop d'importance, dans le détail, à une polémique où les rivalités de coteries jouaient un plus grand rôle que l'attachement aux opinions littéraires. Chacun s'est plu à exagérer ses positions : Perrault, tout en protestant, dans la préface de son *Parallèle des Anciens et des Modernes*, de son admiration pour les grands poètes de l'Antiquité, s'indigne seulement de l' « espèce de religion » dont leurs œuvres sont aujourd'hui entourées parmi quelques savants qui songent uniquement au moyen de les reproduire et de les imiter. Sa position n'est pas si loin de celle de La Fontaine, qui, dans l'*Épître à Huet*, condamne l'exaltation excessive du mérite des Modernes, mais n'est pas tendre non plus pour le « sot bétail » des « imitateurs ». Dans la lettre de réconciliation qu'il écrit à Perrault en 1694, Boileau reconnaît malicieusement qu'il y avait bien de la passion dans leur dispute : « Il ne reste donc plus maintenant, pour assurer notre accord et pour étouffer en nous toute semence de dispute, que de nous guérir l'un et l'autre, vous, d'un penchant un peu trop fort à rabaisser les bons écrivains de l'Antiquité, et moi, d'une inclination un peu trop violente à blâmer les méchants et même les médiocres auteurs de notre siècle... ». C'est faire ressortir ce qu'il y avait de négatif dans cette polémique où l'on était soit anti-ancien, soit anti-moderne, mais peu sûr de cela même pour quoi l'on combattait.

Les doutes de La Bruyère

L'importance réelle du débat n'est donc pas dans le détail des invectives échangées. Elle vient de ce que la validité des arrêtés d'une critique aristotélicienne se trouve ainsi brusquement contestée : que valent classifications et parallèles, si l'on peut raisonner aussi bien pour établir la supériorité d'Homère que celle de Corneille ? Et les mondains, qu'on a pris l'habitude de considérer comme les maîtres du bon goût, ne seront-ils pas plus sensibles à la beauté d'ouvrages qu'ils connaissent qu'à celles d'œuvres antiques dont des érudits leur ont vanté la perfection ? Dès lors, si la perfection a été atteinte chez nous, par les auteurs de notre siècle, quelle voie nouvelle la critique peut-elle proposer aux écrivains de demain ? Une vague inquiétude se fait jour, après l'orgueilleuse fierté des belles années du début du règne. Elle est sensible par exemple dans le premier chapitre des *Caractères* de La Bruyère : *Des ouvrages de l'esprit*. Sans doute y retrouve-t-on les idées essentielles du code mis en forme quatorze ans plus tôt par Boileau : il s'agit toujours de peindre l'homme dans sa « nature », tel que la postérité puisse le reconnaître et assurer le triomphe d'une œuvre belle parce que vraie. C'était là le secret des Anciens : « Combien de siècles se sont écoulés avant que les hommes, dans les sciences et dans les arts, aient pu revenir au goût des Anciens et reprendre enfin le simple et le naturel ! » (15). Façon, pour La Bruyère, de clore la fameuse querelle : si les Modernes méritent d'être loués c'est justement parce qu'ils ont retrouvé le goût des Anciens. Or « il y a un bon et un mauvais goût, et l'on discute des goûts avec fondement » (10). Le bon écrivain doit avoir un « goût sûr », de la « justesse d'esprit », et toute l'application nécessaire à la pratique de son « métier ». En des termes voisins Boileau ne disait pas autre chose. Mais la première remarque est d'un ton nouveau par sa modestie et même son pessimisme : « Tout est dit et l'on vient trop tard depuis plus de sept mille ans qu'il y a des hommes et qui pensent. Sur ce qui concerne les mœurs, le plus beau et le meilleur est enlevé ; l'on ne fait que glaner après les Anciens et les habiles d'entre les Modernes. » Que nous reste-t-il, si la matière est épuisée ? La recherche de la justesse dans la diction. Les problèmes du style passent au premier plan, et il faut se résigner à penser après Horace et Despréaux « une chose vraie que d'autres encore penseront après (nous) » (69). Le vrai est un bien commun, l'expression seule appartient à l'artiste. Remarquons aussi la vivacité de certaines pensées contre la critique et les critiques : « Le plaisir de la critique nous ôte celui d'être vivement touchés de très belles choses » (20). « Il n'y a pas d'ouvrage si accompli qui ne fondît tout entier au milieu de la critique, si son auteur voulait en croire tous les censeurs qui ôtent chacun l'endroit qui leur plaît le moins » (26). La Bruyère s'interroge sur les conditions de la critique qui, elle aussi, est un « métier » difficile (63). Rares sont les hommes de goût qui soient dignes de l'exercer : « il y a beaucoup plus de vivacité que de goût parmi les hommes ; ou, pour mieux dire, il y a peu d'hommes dont l'esprit soit accompagné d'un goût sûr et d'une critique judicieuse » (11). Et que penser d'une critique dont le chef-d'œuvre consiste dans l'examen des défauts d'une pièce qui est elle-même le chef-d'œuvre de notre théâtre : les *Sentiments de l'Académie sur Le Cid !* (30) (Texte 19).

Curiosité historique et critique de Bayle

Ces doutes sur la valeur des argumentations scolastiques de la critique illustrées par Chapelain conduisent certains esprits libres à donner une orientation différente à leur curiosité critique. Dès 1684, dans cette Hollande que Sainte-Beuve salue comme « le berceau et la patrie de la critique moderne », Bayle commence la publication de ses *Nouvelles de la République des Lettres*. En vérité, il ne s'y occupe guère de « littérature » au sens moderne et limité du mot, mais surtout d'histoire, de philosophie et de théologie. Il n'est guère porté à goûter les poètes et s'étonne que « parmi des créatures qui se glorifient d'être raisonnables comme de leur caractère de distinction, il y ait un métier public dont les principales propriétés sont de nous repaître de fables et de mensonges » (décembre 1686). Il lui arrive pourtant de s'intéresser à ces ouvrages bizarres. En avril 1684, il parle de Molière et trouve curieux que l'on insiste tant sur la « moralité » de son théâtre, ce qui est en effet, nous l'avons vu, une des préoccupations majeures de la critique classique :

> Quantité de personnes disent fort sérieusement à Paris que Molière a plus corrigé de défauts à la cour et à la ville, lui seul, que tous les prédicateurs ensemble ; et je crois que l'on ne se trompe pas, pourvu qu'on ne parle que de certaines qualités qui ne sont pas tant un crime qu'un faux goût ou qu'un sot entêtement... [mais]... pour la galanterie criminelle, l'envie, la fourberie, l'avarice, la vanité et choses semblables, je ne crois pas que ce comique leur ait fait beaucoup de mal.

Légitime étonnement devant une critique qui confond prédication et comédie, et qui préfère les discours aux faits. Bayle, quant à lui, préfère la précision et l'exactitude. Son *Dictionnaire historique et critique*, dont la première édition paraît en 1696, intéresse l'histoire de la critique littéraire parce que Bayle s'y moque de la croyance des Boileau en une beauté immuable et en un goût parfait sur lesquels s'accorderaient tous les hommes instruits et policés : en réalité, il voit là « un jeu de notre imagination qui change selon les pays et les siècles » (article : *Beau*) ; et parce qu'il s'y propose de « faire le portrait du cœur » des hommes illustres « selon les linéaments qui s'en trouvent dans les livres où ils se sont peints eux-mêmes » de façon à plaire à ceux qui souhaitent de les connaître exactement, « *intus et in cute* » (article *Haillan*). A côté de la critique dogmatique qui raisonne sur les œuvres, les classe par genres et décide de leur mérite selon leur degré de ressemblance avec certains modèles, voici que naît une critique historique et biographique curieuse de l'homme qui a inventé ces œuvres. L'article *Molière* nous offre un bon exemple de ce nouveau dessein et de la diversité des curiosités érudites de Bayle (Texte 20).

Argumentations de Modernes Dans la querelle des Anciens et des Modernes, la juridiction de la raison est invoquée par l'un et l'autre camp. Boileau et ses amis déclarent l'autorité des Anciens fondée en raison : la Raison nous enseigne que les œuvres des Anciens ont représenté la nature humaine dans sa vérité comme le prouve l'assentiment de siècles de lecteurs, et qu'il convient donc de s'inspirer de leur exemple pour faire œuvre belle et durable. Un Fontenelle démontre pour sa part que la supériorité des modernes n'est pas moins fondée en raison. Dans sa *Digression sur les Anciens et les Modernes* (1688), il compare, après Bacon et Pascal, l'histoire de l'humanité à celle d'un seul homme passant de l'enfance à la maturité et grandissant en savoir et en sagesse de l'Antiquité aux temps modernes. Avec cette dissertation d'une trentaine de pages, la botanique et les sciences naturelles font irruption dans l'arsenal de la critique : elles lui fournissent pour deux siècles un lot précieux de comparaisons. L'arbre de Fontenelle annonce l'arbre de Taine. C'est en raisonnant sur l'identité des arbres à travers les âges et leur diversité selon les pays que l'auteur de la *Digression* propose une esquisse timide de la théorie des climats, dont nous avons vu qu'elle préoccupait Étienne Pasquier cent vingt ans plus tôt :

> Si les arbres de tous les siècles sont également grands, les arbres de tous les pays ne le sont pas. Voilà des différences aussi pour les esprits. Les différentes idées sont comme des plantes ou des fleurs qui ne viennent pas également bien en toutes sortes de climats.

Il ne faut d'ailleurs pas schématiser la position de ce partisan des Modernes. Pour lui, « l'éloquence et la poésie ne sont pas en elles-mêmes fort importantes », et, dans la suite des générations, il est fort possible d'y exceller très vite. Fontenelle a fait sa rhétorique à bonne école et il raisonne imperturbablement sur les mérites comparés des grands écrivains du passé. Mais il pense justement que, « puisque les Anciens ont pu parvenir sur de certaines choses à la dernière perfection, et n'y pas parvenir, on doit, en examinant s'ils y sont parvenus, n'avoir aucune indulgence pour leurs fautes, les traiter enfin comme des Modernes ». C'est à partir d'un tel examen critique dont sont incapables les adorateurs des Anciens, qu'il tombe d'accord avec eux pour dire qu'il « n'imagine rien au-dessus de Cicéron et de Tite-Live », ou assurer que « la plus belle versification du monde est celle de Virgile » et énumérer les beautés de *l'Énéide*.

La Motte-Houdart, l'adversaire de Mme Dacier, admiratrice et traductrice d'Homère, était aussi un rude raisonneur. Celle-ci avait essayé de sauver la poésie antique, en soutenant que l'art n'est pas tributaire des progrès de la raison : la vraie poésie est musique, elle tient à l'harmonie des vers qu'il n'appartient pas à l'esprit d'apprécier, mais à l'oreille, à la sensibilité ; aussi d'ignorants modernes ne peuvent-ils pas juger des vraies beautés de la poésie grecque. La Motte réplique vivement dans ses *Réflexions sur la Critique* (1715) en démontrant que les vers n'ajoutent rien à la valeur d'un ouvrage :

> Qu'est-ce qui constitue la solide bonté d'un ouvrage, si ce n'est la justesse des pensées, liées entre elles par le meilleur arrangement, la convenance des tours qui expriment les sentiments proportionnés à la nature des choses dont on parle, et le choix des expressions les plus propres à faire passer directement dans l'esprit des autres les idées qu'on veut leur donner ? Voilà la raison ; voilà l'éloquence ; voilà la connaissance parfaite et le seul usage légitime d'une langue. Après toutes ces conditions, que resterait-il à estimer dans un ouvrage du côté de l'intelligence ? C'est pourtant de ces beautés que les tragédies de Racine ne perdraient rien, si on le réduisait en prose comme je l'ai essayé sur une scène. Pourquoi donc nous paraîtraient-elles moins belles ? Pourquoi les estimerions-nous moins ? C'est sans doute que nous ne sentons pas assez leur vrai mérite et que nous apprécions trop le mérite accessoire de la versification.

Voilà comment une critique plus résolument intellectualiste que jamais se débarrasse des complaisances du « je ne sais quoi ». L'approbation confuse d'une opinion qui dit son plaisir ne suffit pas à fonder le mérite d'un ouvrage. La critique a un rôle « légitime » à remplir, distinct de celui du public : le public assure le succès, la critique donne la consécration, à condition de se dépouiller de toute passion et de se distinguer enfin de la basse satire (Texte 21). L'effort de tout un siècle pour faire des critiques les interprètes du goût des mondains suscite la revendication contraire : les critiques veulent être dans leur domaine des espèces de philosophes, plus éclairés que les autres hommes et soumettant les ouvrages de l'esprit à l'examen de la raison. C'est ce qu'affirme par exemple l'abbé de Pons au début d'une *Lettre sur l'Iliade de la Motte* en 1714 :

> Je connais bien des gens qui allient comme vous, Monsieur, à un goût sûr, une raison libre de tout esprit de parti. Qui ne sent que de tels lecteurs devraient seuls faire autorité dans la littérature ? Il y en a peu néanmoins qui aient le courage de lutter contre la multitude..., de penser autrement que des personnages qu'ils révèrent...

Nature et vérité selon Fénelon

Face à ces prétentions nouvelles des premiers pionniers du siècle des lumières, la voix de Fénelon semble bien isolée. Dans son *Mémoire sur les occupations de l'Académie française* (1714), il se montre en effet soucieux de la valeur musicale du langage. Il trouve que Malherbe a trop appauvri la langue et que des mots nouveaux seraient utiles : « Je voudrais plusieurs synonymes pour un seul objet » entre lesquels l'homme

de goût choisirait « celui qui sonnerait le mieux avec le reste du discours ».
C'est résoudre les problèmes du style mis naguère au premier plan par La
Bruyère d'une façon bien différente de celle adoptée par l'auteur des
Caractères. C'est aussi ne guère partager le dédain d'un La Motte pour les
séductions de la forme. Pourtant Fénelon critique également la versification
française : il ose préférer *L'Avare* en prose aux pièces en vers de Molière. Mais
il déplore surtout les difficultés de la rime qui lui paraît souvent plus nuisible
qu'utile à l'harmonie des vers. Il souhaite, non pas l'impossible suppression
de la rime, mais une plus grande liberté dans l'agencement des vers eux-mêmes
à l'exemple des Anciens disposant de « syllabes superflues qu'ils ajoutaient
librement pour remplir leurs vers ».

Admirateur des Anciens, peu disposé à suivre d'audacieux modernes
dans leurs éloges du progrès, Fénelon est pourtant loin de reprendre
l'argumentation par laquelle les critiques classiques justifiaient la supériorité
des Anciens. A ses yeux elle tient en un seul mot : nature, c'est-à-dire non
pas vérité mais simplicité. Fénelon est sévère pour les écrivains du
XVIIe siècle chez qui il trouve trop d'affectation et d'ornements superflus :
nos auteurs tragiques lui semblent avoir dénaturé la tragédie grecque en y
mêlant les fadeurs de la galanterie mondaine ; le même souci de « plaire au
parterre » a conduit Molière à outrer les caractères et à forcer les ridicules
(Texte 22). Enfin le style des Modernes lui paraît ampoulé : « Jamais
douleur sérieuse ne parla un langage si pompeux et si affecté que celui de
certains héros de Corneille ». Racine est tout aussi coupable, et Fénelon
leur oppose à tous deux Sophocle qui avait su faire parler son Œdipe par
des monosyllabes et des interjections ainsi que « parle la nature quand elle
succombe à la douleur ». A ses yeux, les subtilités du « bel esprit » et les
séductions du « je ne sais quoi » ont donc autorisé autant de fautes contre
la vérité : pour des raisons toutes différentes de celles de La Motte, Fénelon
proteste donc lui aussi, à sa manière, contre l'influence que les mondains
ont exercée sur la littérature.

**Un important novateur :
l'abbé Du Bos**

Durant cette période de crise, on ne saurait assez souligner l'importance du rôle
novateur de l'abbé Du Bos. Il lui revient
le mérite d'avoir fondé une critique nouvelle à la fois sur une théorie générale
de l'expérience et sur le sensualisme philosophique. Dans ses *Réflexions
critiques sur la poésie et la peinture* (1719), il fait constamment appel à
l'expérience, aussi bien quand il s'agit d'analyser l'impression individuelle
que lorsqu'il s'agit de démontrer par les jugements du public la supériorité
de l'opéra de Lulli ou de la tragédie de Corneille. Parce qu'il s'efforce d'analyser
le sentiment esthétique et qu'il s'interroge sur la nature du plaisir que procure
l'œuvre d'art, on a trop souvent sommairement indiqué qu'il a créé une
critique de sentiment opposée à la critique rationaliste du siècle précédent.
Mais n'a-t-il pas plutôt enseigné un meilleur usage de la raison dans
l'appréciation des œuvres d'art ? Il ne se satisfait pas de la distinction
sommaire entre ce qui relèverait des jugements de la raison et ce qui serait

le domaine du « je ne sais quoi », et il écarte délibérément l'aspect moral et religieux de la question. Le sentiment esthétique est pour lui une sensation qu'il ne s'agit pas de juger pour la condamner ou l'absoudre, mais de constater, là où elle existe, et d'expliquer, si on le peut. Ce n'est plus une expression du « goût », c'est-à-dire une opération rapide de l'intelligence affinée par l'exercice, mais une émotion physique, une réaction des organes analogues au toucher et à l'odorat, la manifestation d'un « sixième sens ». Le « je ne sais quoi » de l'ancienne critique devient ainsi la plus positive et la première des réalités. Ce sentiment juge et prononce seul : il n'existe pas d'autre autorité en matière de critique que les réactions du « sixième sens », constatées directement sur nous-mêmes, ou historiquement sur le public d'autrefois (Texte 23). Le rôle de la raison critique est donc simplement d'enregistrer ces réactions et de les ratifier ; quand elle cherche à analyser, à distinguer entre la forme et le fond, elle ne fait que dénaturer l'œuvre d'art.

Cela soulève bien des questions nouvelles : de quel public s'agit-il ? quelles réactions le critique considérera-t-il comme révélatrices de l'intérêt d'une œuvre ou de sa valeur ? Du Bos récuse les connaisseurs et les « gens de métier » qui ont des préventions et réagissent en fonction d'habitudes particulières et de formules apprises. Le meilleur public est celui que « forment les personnes qui ont acquis des lumières, soit par la lecture, soit par le commerce du monde » (II, 22) et qui peuvent ainsi juger en confrontant leurs diverses impressions. Mais n'est-on pas, dès lors, condamné à une très grande variété de réactions du sens esthétique ? Du Bos est conduit à développer à son tour une théorie des climats, en exposant comment le sentiment littéraire, tout comme le génie créateur, est soumis à des variations dans l'espace et le temps : il n'est pas le même à Rome qu'à Paris, celui des Anciens n'était pas semblable à celui des Modernes. Ainsi l'essentiel du travail du critique doit être un travail historique : il lui faut étudier les époques, les milieux, les causes physiques et morales, « cette infinité de circonstances qui peuvent agir sur l'œuvre et le public ». Historien lui-même et érudit, Du Bos fait preuve d'un état d'esprit très rare chez les critiques de son temps : il est plein de sympathie pour le passé et sait trouver de l'intérêt aux choses en raison même de leur éloignement :

> Nous devons nous transformer en ceux pour qui le poème fut écrit, si nous voulons juger sainement de ses images, de ses figures, de ses sentiments.

et plus loin :

> Il ne suffit pas de savoir bien écrire pour faire des critiques judicieuses des Anciens et des étrangers : il faudrait avoir encore connaissance des choses dont ils ont parlé.
>
> II, 37.

Le devoir du critique est de se faire contemporain d'Homère pour juger Homère, de se faire Italien s'il veut comprendre Le Tasse, Anglais, s'il veut apprécier Milton :

La prévention où la plupart des hommes sont pour leur temps et pour leur nation, est une source féconde en mauvaises remarques comme en mauvais jugements. Ils prennent ce qui s'y fait pour la règle de ce qui doit se faire partout.

II, 37[1].

Du Bos est l'un des premiers critiques qui aient ainsi substitué le plaisir de comprendre à celui de juger. L'importance de son livre n'avait pas échappé à Voltaire qui en parlait comme du livre « le plus utile qu'on ait jamais écrit sur ces matières dans aucune nation ».

Développement de la presse et critique littéraire   Pourtant, l'influence de cette critique nouvelle n'est pas immédiatement sensible dans ce siècle où les débats critiques ont pris une extension considérable, favorisée par la multiplication des moyens d'expression. Un fait nouveau essentiel est en effet le développement de la presse et surtout d'une presse littéraire abondante et variée dans laquelle chaque publication est immédiatement analysée, examinée, jugée.

Le Journal des Savants continue sa carrière ; il s'interdit toujours de juger et propose seulement des « extraits » (c'est-à-dire des comptes-rendus) qui soient comme l'élixir « de tous les livres » (*Avertissement* de 1724). Il fait figure de doyen et même de suzerain des journaux, jouissant du privilège de percevoir un tribut sur toute publication nouvelle. Aussi les feuilles qui paraissent après lui reprennent-elles d'abord sa méthode. La critique s'y réduit le plus souvent à une exacte et sèche analyse, une sorte de description du livre, et le journaliste se donne pour mission d'informer purement et simplement son lecteur. Il s'agit dans la plupart des cas de *Lettres* adressées à des correspondants plus ou moins imaginaires auxquels on signale tout ce qui se passe dans la vie littéraire et artistique.

C'était déjà le cas, au siècle précédent, de *La Muse historique*, « gazette burlesque » de Loret, chronique en vers destinée à Mlle de Longueville, publiée de 1650 à 1665. Le *Mercure galant* de Donneau de Visé avait repris cette tâche avec plus de sérieux que ne lui en attribue sa détestable réputation auprès des écrivains du temps, attestée par La Bruyère, cruel portraitiste des nouvellistes. En 1721, les rédacteurs auxquels est attribué le privilège du *Nouveau Mercure* annoncent :

> Nous regardons le *Mercure* comme un cirque que nous sommes obligés d'ouvrir, sans préférence, aux athlètes ingénieux qui cherchent à se distinguer par des combats littéraires. Nous nous contenterons d'être les témoins de leurs exploits, nous n'en serons jamais les juges. Le *Mercure* doit être toujours neutre, et ne jamais entrer dans les considérations de la cabale... L'impartialité sera le premier de nos devoirs.

Prenant en 1724 le titre de *Mercure de France*, il devient une sorte de publication officielle, sert des pensions à de nombreux jeunes littérateurs,

---

1. Voir texte 24.

et ouvre ses colonnes aux écrivains les plus illustres. Marmontel est un moment directeur. Panckoucke donne à l'entreprise tout son éclat et s'assure des collaborateurs spécialisés dans diverses rubriques : entre autres, Suard pour la philosophie, les sciences et les arts, La Harpe pour la littérature, d'Alembert, Marmontel, Condorcet pour la morale et la métaphysique. Les philosophes ont donc trouvé dans le *Mercure* une tribune pour faire face aux nombreuses gazettes qui leur sont hostiles.

En effet, en 1701, les Jésuites, dont nous avons dit qu'ils avaient fait échouer le premier *Journal des Savants* de Denys de Sallo, commencent la publication des *Mémoires pour servir à l'histoire des sciences et des arts*, plus connus sous le nom de *Journal de Trévoux* (publié de 1701 à 1767). Après s'être assigné pour premier objectif de rivaliser avec *Le Journal des Savants* en donnant des informations scientifiques et littéraires, ils annoncent bientôt leur intention d' « attaquer sans ménagements les ennemis déclarés de la religion et [de] démasquer ses ennemis cachés » :

> Nous ne pouvons nous dispenser de mêler de la critique dans nos extraits : agir autrement, ce serait manquer à nos devoirs les plus essentiels, ce serait trahir les lecteurs qui nous prennent pour guides dans la connaissance des livres que de les laisser séduire par des titres imposants, que de leur cacher les écueils où ils donneront infailliblement.

Ainsi la presse littéraire cesse-t-elle peu à peu de se limiter à une simple besogne d'analyse et d'information. Elle retentit des échos de la lutte entre les tenants de l'ordre ancien et les propagandistes de l'esprit nouveau, entre les défenseurs du XVIIe siècle et les philosophes.

Les adversaires des « puissances philosophiques » s'expriment surtout par le journal. On a souvent cité le mot de Fréron : « des épigrammes enfouies dans des in-folio ne me piquent guère ; j'ai un plus beau jeu : il n'y a point de parité entre de petites feuilles, misérables à la vérité, mais que tout le monde lit, et un gros dictionnaire très beau, très savant, très sublime, mais qu'on ne fait tout au plus que consulter de temps en temps » (21 mars 1751). C'était là se tromper étrangement sur l'efficacité de cette critique de « guérilla » ! Mais Fréron avait été formé à l'école de l'abbé Desfontaines, qui, dans son *Nouvelliste du Parnasse* avait ouvert la lutte contre la renommée de Voltaire et son influence. Dans ce journal, fondé en 1730, il ne se propose pas de faire de simples « extraits » des ouvrages nouveaux, mais de donner des réflexions sur ces ouvrages :

> Un nouvelliste du *Parnasse* ne doit pas être un gazetier : il doit penser, juger, raisonner... Notre critique est un peu hardie ; mais pourvu que cette hardiesse soit polie, et qu'il règne partout une exacte neutralité, elle ne peut déplaire aux personnes désintéressées.

Cette hardiesse provoqua pourtant l'interruption de cette publication dès 1732. Mais trois ans plus tard, « en récompense, dit-il, des services rendus aux Lettres et à l'État », Desfontaines obtient le privilège d'un nouveau périodique qu'il intitule : *Observations sur les écrits modernes*. En collaboration avec Granet et Fréron, il y mène une lutte sévère contre Voltaire et ses amis, mais doit s'avouer vaincu en 1743 quand le roi révoque son privilège parce qu'il n'a respecté « ni les gens de mérite, ni les corps les plus distingués et honorés de la protection de Sa Majesté ». Après sa mort, survenue en 1745, son élève Fréron reprend la lutte dans ses *Lettres sur quelques écrits de ce temps* qui, connaissant un succès considérable, deviennent en 1752 *L'Année littéraire*. Nous verrons plus loin quel était l'esprit de cette critique conservatrice et antivoltairienne, en particulier chez Fréron, l'un des plus importants critiques du XVIIIe siècle. Poursuivons, pour l'instant, notre revue des principaux moyens d'expression de la critique.

A côté de ces feuilles qui sont à l'affût de l'actualité et passent de la dernière traduction de *La Pharsale* à l'analyse d'un *Traité des Couleurs pour la peinture en émail* ou du dernier tome des *Vies des Pères, des Martyrs et des autres principaux Saints* à l'examen du dernier ouvrage de M. de Voltaire, d'autres ont un horizon plus large que celui de la librairie parisienne et se proposent de reprendre la mission d'information internationale qui était celle du *Journal des Savants*. Ainsi, de 1733 à 1740, dans *Le Pour et le Contre par l'auteur des Mémoires d'un homme de qualité*, l'abbé Prévost s'inspire de la présentation des journaux d'Addison, de Steele et de Johnson. Il s'engage à exposer avec impartialité tout ce qui, dans les sujets qu'il traitera, mérite éloge ou critique en laissant toujours la décision au lecteur. L'originalité de sa feuille tient dans la place consacrée à la vie littéraire anglaise : recevant les publications périodiques de Londres, Prévost en tire informations et jugements sur les écrivains anglais et propose aux lecteurs français des notices sur Rochester, Dennis, Wicherley, Savage, de copieuses analyses de Shakespeare, et même une traduction du *Marc-Antoine* de Dryden et d'une comédie de Steele.

Ce rôle d'initiation aux littératures étrangères est également rempli par des journaux publiés à l'étranger, surtout en Hollande où se rassemblent des gens de lettres contraints à l'exil par la révocation de l'édit de Nantes. Dès 1713, et jusqu'en 1736, paraît à La Haye un *Journal littéraire* rédigé par une société de journalistes de différents pays. Ceux-ci, dans leur *Préface*, s'assignent ouvertement un rôle de critiques : en effet, leur éloignement de Paris et de sa censure leur permet de répudier la pratique prudente des extraits :

> Les journalistes se font ordinairement un devoir de ne pas décider du mérite d'un livre, et de laisser deviner dans leurs extraits à quel degré de bonté un ouvrage doit être mis. Nous croyons cette prudence excessive et inutile, et nous avons résolu de nous expliquer sans détour sur ce que nous trouverons de bon et de mauvais dans un livre. [Ils en exceptent les matières de théologie et les sujets philosophiques touchant à la religion].

On y lit en 1717 une curieuse *Dissertation sur la poésie anglaise*, dont la première partie est consacrée à un parallèle général entre écrivains français et écrivains anglais :

> Si les écrivains anglais doivent céder aux Français du côté du bel esprit, il ne faut pas croire que ce soit faute de génie. Le feu de l'imagination brille autant chez eux que chez le peuple qui se distingue le plus à cet égard ; c'est dommage

que ce feu ne respecte pas toujours les règles que le bon sens lui prescrit et qu'on néglige en Angleterre ces règles dont on a fait une étude si particulière et si utile en France.

La seconde partie propose une analyse d'œuvres diverses, en particulier celle de *Hamlet*, de *Richard III* et d'*Othello*, accompagnée d'un jugement d'ensemble sur Shakespeare, qui ôte beaucoup de son originalité à celui que Voltaire formulera bien des années plus tard :

> Shakespeare avait à coup sûr du génie infiniment ; comme il écrivait pour ainsi dire à tout hasard, il attrapait de temps en temps des traits inimitables, mais souvent accompagnés de choses si peu nobles qu'on peut douter si dans ses écrits la bassesse relève le sublime, ou si c'est le sublime qui fait sentir plus fortement la bassesse.

Pendant toute la première moitié du siècle apparaissent successivement des feuilles destinées à informer le public des diverses manifestations de la vie intellectuelle dans les pays d'Europe. Une *Bibliothèque anglaise* paraît à Amsterdam de 1717 à 1728 : « Son but est d'instruire les étrangers et surtout ceux qui n'entendent pas l'anglais, des livres qui s'impriment dans la Grande-Bretagne. C'est un pays où les sciences et les arts fleurissent autant qu'en aucun lieu du monde : ils y sont cultivés dans le sein de la liberté : il est donc important qu'il y ait quelqu'un capable d'informer de ce qui s'y passe. » Cependant on y accorde la place essentielle aux ouvrages d'érudition et de théologie ; la littérature proprement dite y est assez négligée. Cette entreprise est poursuivie, de 1733 à 1747, par une *Bibliothèque britannique*, et imitée, pour l'Allemagne, par une *Bibliothèque germanique* publiée à Berlin de 1720 à 1740 à l'initiative d'un ministre protestant français : Jacques Lenfant ; et, pour l'Italie, par une *Bibliothèque italique* publiée à Genève de 1728 à 1734. Un effort pour synthétiser ces entreprises limitées à des nations séparées est tenté en 1754 par *Le Journal étranger* auquel collaborent Prévost, Grimm, Arnaud, Suard... Son ambition est de faire connaître en français les découvertes et les chefs-d'œuvre de tous les artistes et de tous les savants du monde. Entreprise difficile, abandonnée en 1762 et reprise quelque temps par Arnaud et Suard qui publient une *Gazette littéraire de l'Europe*.

Très voisines des journaux (mais destinées seulement à un petit nombre de lecteurs princiers ou fortunés), les *Correspondances littéraires* se multiplient vers le milieu du siècle. Citons celle de Pierre Clément, adressée à Milord Waldegrave, de 1748 à 1752, pour le tenir informé de tout ce qui paraît « de nouveau, d'agréable et d'un peu intéressant dans la république des Lettres et sur le théâtre en France », en en jugeant avec la liberté d'un homme « doublement républicain » parce que « né dans la ville de Calvin et dans les lettres ». Celle de Grimm, adressée à des princes et à diverses personnalités étrangères, avec l'aide de Diderot (qui y donne ses *Salons*) et de Mme d'Épinay de 1753 à 1773, puis de Meister de 1773 à 1790. Enfin celle de La Harpe adressée au Grand-Duc de Russie de 1774 à 1789.

Ainsi, pour satisfaire la curiosité d'un public qui a le sentiment d'appartenir à un siècle de progrès dans tous les domaines, la critique s'est mise à l'affût de l'actualité. Son horizon s'est élargi, mais le souci d'être informé de tout ce qui se fait de nouveau la contraint souvent à des réactions hâtives, commandées par les exigences de la polémique entre les philosophes et leurs adversaires, par les rivalités du jour. Critique personnelle, violente, impitoyable, dans laquelle Voltaire et Fréron ne se sont épargné aucune allusion injurieuse.

Diffusion de la critique académique

Cela nous conduit donc bien loin des subtiles discussions théoriques de la critique du siècle précédent. Les progrès de la critique journalistique ne signifient pourtant pas du tout la décadence de la critique académique plus occupée de l'examen des œuvres du passé que des polémiques contemporaines. Dans ce domaine, on assiste également à une décentralisation : l'Académie française n'est plus seule à rendre ses arrêts et à susciter rapports ou discours. C'est à l'Académie de Marseille que Chamfort propose son *Éloge de La Fontaine* (1774) ; c'est pour l'Académie de Berlin que Rivarol écrit son *Discours sur l'universalité de la langue française* (1784). Les sujets proposés par les académies de province prouvent la vitalité de la critique classique et témoignent de l'autorité que conservent les critiques du xviie siècle à travers tout le siècle des lumières : en 1785, par exemple, l'Académie de Nîmes pose la question de *l'influence de Boileau sur la littérature française*. Les discours du marquis de Ximénès et de Daunou, favorables à Boileau, font à cette occasion l'objet d'une petite dispute : Cubières-Palmézeaux réplique par une *Lettre* très hostile à l'auteur de *L'Art poétique*. A une bien moindre échelle, c'est une sorte de nouvelle querelle des Anciens et des Modernes : Boileau lui-même fait désormais figure d'Ancien dont l'imitation paraît insupportable aux jeunes littérateurs désireux de s'émanciper.

Cet épisode est révélateur du grand débat qui domine l'histoire de la critique au cours du xviiie siècle. Quelle que soit la forme adoptée (journal ou discours) la séparation se fait entre les critiques qui font incessamment l'éloge du grand siècle et s'inspirent de ses leçons, et ceux qui considèrent que cet âge est révolu et qui veulent ouvrir des voies nouvelles.

Défense du classicisme par Desfontaines et Fréron

Les premiers sont convaincus de la souveraineté de la critique. Desfontaines la rappelle en ces termes au tome VII de ses *Observations* :

> Rien n'est plus aisé, dit-on, que la critique ; et la meilleure critique d'un bon ouvrage est fort au-dessous de l'ouvrage censuré. Cependant, si cet ouvrage était au-dessous du médiocre, la maxime serait-elle vraie ? Un mauvais peintre est-il préférable à un connaisseur, homme du monde qui se rit de son barbouillage ? Rien n'est plus aisé que la critique, je le veux : mais celui qui critique avec justesse n'a-t-il pas, au moins en cela, des lumières supérieures au plus grand écrivain, qui n'a pu apercevoir, dans ses propres écrits les bévues que l'autre lui fait connaître ? S'il les avait aperçues, que ne les corrigeait-il pas ? Horace, Quintilien, et Longin sont-ils si peu de chose dans la République des Lettres ?

Cette souveraineté s'exerce au nom d'une raison vigilante qui réaffirme en toute matière la nécessité de la rigueur logique : « La logique doit régner partout, et même dans la Poésie, où l'on veut seulement qu'elle soit plus parée, plus brillante, plus libre que dans la prose... Le poète le plus brillant, que la raison ne guide point, n'est qu'un homme qui sait arranger des mots, mesurer des syllabes et ajuster des consonances » (*Observations*, tome XIV). Voltaire apparaît à Desfontaines comme le type même de l'écrivain déraisonnable qui ne sait pas faire bon usage de ses dons : il a « incontestablement reçu de la nature le talent de la poésie » et se mêle malencontreusement de faire de la philosophie ou de l'histoire, qui requièrent bien d'autres qualités.

Cette prétention apparaît aussi à Fréron comme la faute capitale de Voltaire. Son *Année littéraire* s'ouvre, selon la tradition classique, sur le récit d'une vision où la Critique elle-même lui apparaît telle une nouvelle Muse, qui poursuit de ses traits les écrivains « orgueilleux et ignares ». Dans sa feuille, ce n'est pas le philosophe que Fréron, au début, attaque en Voltaire : mal armé pour le combattre sur ce terrain, il le raille plutôt sur sa prétention d'écrivain capable d'exceller dans tous les genres. La lettre du 4 août 1749 contient le compte-rendu d'un ouvrage paru sans nom d'auteur sous le titre *Connaissance des beautés et des défauts de la Poésie et de l'Éloquence dans la langue française, à l'usage des jeunes gens*... Cette œuvre, que l'on croit pouvoir attribuer à Voltaire, se présente comme un recueil de textes comparés sur une série de sujets-types, véritable Poétique par l'exemple. Fréron s'étonne d'y voir Voltaire « préféré à tous les génies que la France a produits » :

> J'y vois M. de Voltaire, seul monté sur le cheval Pégase ; derrière lui, Apollon met une couronne sur sa tête ; les Corneille, les Racine, les Boileau, les Molière, les La Fontaine, les Rousseau, les Crébillon, les Fontenelle, sont enchaînés à ses pieds, comme des rivaux qu'il a domptés par la force de son génie.

Le critique feint de ne pouvoir croire que Voltaire lui-même ait pu écrire ainsi son propre panégyrique :

> Quelqu'un pourra-t-il s'imaginer qu'un écrivain connu veuille se louer lui-même d'une façon si arrogante et si grossière ? On sait assez quelle est la retenue et la modestie de ce grand poète, et sa franchise incapable de pareils détours... Il sera lui-même indigné de se voir mis au-dessus de tout ce que le siècle admire, de tout ce qui doit éclairer la postérité, de tous les maîtres en différents genres, poètes, orateurs, historiens, fabulistes, dramatiques, satiriques.

Prétendre surpasser les grands écrivains du siècle précédent, tel est bien aux yeux des défenseurs du classicisme le crime capital que puissent commettre les auteurs de leur temps.

La dénonciation de la « décadence »

Les zélateurs de Boileau et de ses amis ne manquent pas une occasion de déplorer la décadence des belles-lettres. C'est déjà le cas de l'abbé Prévost dans *Le Pour et le Contre*, vrai bastion du bon goût contre les nouveautés de Marivaux. Prévost s'inquiète de déceler dans les romans de Marivaux les signes d'une décadence : « le bel esprit étouffera tôt ou tard le bon esprit. Nous commençons à avoir le goût usé... Les auteurs du siècle d'Auguste ou de Louis XIV semblent insipides à quelques-uns »[1] (Tome II, 1733 : « nombre 20 », p. 97). Il présente sa *Manon Lescaut* comme un effort pour contrebalancer cet avilissement du goût, et fait l'éloge de son propre roman comme d'un monument du goût classique le plus pur (tome III, p. 139).

Fréron, plus tard, revient sans cesse sur ce thème de la décadence : au théâtre, « les principaux caractères sont épuisés, et l'on glane aujourd'hui où l'on moissonnait autrefois » (1er janvier 1749) ; en poésie « la sphère de notre versification se rétrécit de jour en jour » (8 novembre 1749) ; etc... Il s'emploie à dénoncer dédaigneusement les défauts des œuvres nouvelles, peu soucieux des regrets de l'abbé Trublet qui voudrait une critique moins négative, proposant « un examen raisonné des ouvrages pour en faire connaître également le bon et le mauvais ». Fréron célèbre avec ironie ce « fort beau projet » : « dommage qu'il soit de la nature de ceux de l'abbé de Saint-Pierre » (avril 1755). Pour lui le bon n'existe vraiment que dans les ouvrages des grands classiques, c'est-à-dire les Auteurs « anciens ou du premier ordre dans leur genre » comme les poètes français du XVIIe siècle. Il ne manque pas une occasion de rappeler les beautés d'Homère ou de Sophocle. Il le fait par exemple très longuement en rendant compte de l'*Éloge historique et critique d'Homère* de Pope. Il félicite le critique anglais d'avoir « répondu solidement à toutes les critiques injustes que la présomptueuse ignorance a faites du poète grec » et en profite pour rappeler que, dans son *Essai sur la poésie épique*, Voltaire avait relevé « des fautes grossières dans l'Iliade ». Il veut aussi préserver tout l'héritage de notre XVIIe siècle : le style Louis XIII « compassé et sentencieux » comme l'art du règne de Louis XIV plus « dépouillé et moralisateur ». Il défend Corneille contre les partisans trop résolus de Racine, mais admet que l'amour est nécessaire dans la tragédie et fait l'éloge de *Bérénice* (mai 1752), puis glorifie toute la tragédie française du XVIIe siècle contre Saint-Lambert qui, dans une note des *Saisons*, l'avait dénigrée (novembre 1770). Les préoccupations morales restent pour lui essentielles : il veut « dégoûter le public de ces lectures insipides et dangereuses qui corrompent la pureté des mœurs » (mars 1755), et s'écrie dans sa feuille de juin 1766 : « la littérature est parmi nous une affaire d'intrigue et de coterie. Pour moi, je ne tiens à aucune cabale, à aucun bureau de bel esprit, à aucun parti, si ce n'est à celui de la religion, des mœurs, et de l'honnêteté et malheureusement c'en est un aujourd'hui. » C'est enfin au nom de l'universalité, critère du vrai classicisme, que Fréron s'emploie à rabaisser le talent de Voltaire, qui n'est pas pour lui un auteur classique :

> M. de Voltaire est assurément un des plus beaux esprits de France et le versificateur dont le coloris est le plus brillant. Il a toutes les grâces, toute la vivacité de nos femmes aimables ; mais on lui refuse absolument la beauté romaine. C'est réellement un auteur français, c'est-à-dire qu'il appartient à la nation et à son siècle, au lieu que les vrais poètes sont de tous les pays et de tous les temps. Souvent esclave du goût dominant, il a préféré l'avantage d'être connu de ses contemporains à la gloire d'être admiré de nos derniers neveux. (juin 1750.)

---

1. Dans un article de la *Revue des Sciences humaines* (avril-juin 1962), M. Deloffre a montré que ce jugement n'est pas de Prévost, mais de Desfontaines.

**Le dogmatisme critique
au XVIIIe siècle**

Fréron et les autres apologistes du passé pensent en effet que les auteurs classiques ont défini et fixé à jamais le vrai et le beau « de tous les pays et de tous les temps ». Fidèles à leur enseignement, ils continuent de classer les genres et les œuvres avec un dogmatisme rigide et volontiers sectaire. Un Fréron est pourtant moins dogmatique dans ses principes que dans sa pratique. On trouve sous sa plume des traces de scrupule historique : « Pour bien juger des Anciens, il faut remonter jusqu'au siècle où ils ont vécu : on rapporte tout à ses mœurs, à ses usages ; c'est la source d'une infinité de faux jugements » (1750), ou même l'affirmation d'un cosmopolitisme généreux : « Il y a de l'injustice à fermer les yeux sur les beautés des écrits de nos voisins : cela sent le goth et le barbare ; la république des lettres embrasse tout l'univers, et le génie ne connaît de bornes que les limites du monde » (1759).

Mais, très généralement, dans l'exercice même d'une critique toujours aussi dogmatique, le premier principe reste celui de la distinction des genres. Chaque genre a son domaine et ses convenances, et il faut respecter les différents tons : « sublime », « héroïque », « pathétique » ou « simple ». On juge d'un style selon le mérite ou le défaut de convenance, et la beauté des vers consiste par exemple dans le respect des convenances du discours selon le genre de poésie, joint à l'observation des règles de la versification. Cet examen permet de dresser de véritables classements entre les œuvres, en tenant d'abord compte de la hiérarchie des genres : la supériorité de l'épopée est un lieu commun de la critique depuis un siècle ; elle est réaffirmée même dans *La Poétique* de Marmontel en 1763, parce qu'elle suppose « le génie le plus élevé et le plus de talents réunis ». A l'intérieur de chaque genre, la première place est décernée à l'écrivain qui en a proposé le modèle le plus parfait, et il est indiscutable, qu'il se nomme Homère ou Quinault. Il n'est pas d'autre voie possible pour l'auteur moderne que d'imiter docilement les grands maîtres de chaque genre. Seul le roman peut progresser librement parce qu'aucun modèle absolu n'est proposé aux romanciers. Mais c'est un genre si décrié par la critique classique que les auteurs substituent au titre de roman celui d'*Histoire*, de *Vie* ou de *Mémoires*. Molière règne sur la comédie, comme Racine et Corneille sur la tragédie. Fréron souligne en 1749 la difficulté qu'éprouvent nos auteurs comiques « d'atteindre jusqu'à ce grand écrivain » (Molière). La Harpe lui fait écho dans son *Cours de littérature* en 1799 :

> Quand un artiste tel que Molière aura peint un avare, un faux dévot, un philosophe outré comme le Misanthrope, un bourgeois possédé de la manie de faire le grand seigneur, comme Jourdain, des femmes entichées du bel esprit ; quand il aura peint ces originaux à grands traits, il n'y aura plus à y revenir ; un homme d'un vrai talent ne l'essaiera même pas, et c'est ainsi que les sujets principaux saisis par un homme supérieur ne laisseront plus à ceux qui viendront après lui que le second rang...
>
> Livre XI, chapitre v.

Les auteurs eux-mêmes sont conscients d'être ainsi condamnés à l'infériorité. Dans une *Épître à Clio*, La Chaussée fait dire à la Muse :

> Rien de nouveau ne se pense aujourd'hui,
> Vous n'êtes plus que les échos d'autrui...

Dans le prologue de son *Négligent*, Dufresny met ces mots dans la bouche du Poète :

> Tant pis pour moi de ce qu'il y a eu un Molière, et plût au ciel qu'il ne fût venu qu'après moi !... Molière a bien gâté le théâtre. Si l'on donne dans son goût : bon, dit aussitôt la critique, cela est pillé, c'est du Molière tout pur. S'en écarte-t-on un peu ? — Oh ! ce n'est pas là Molière !...

Les auteurs ont le sentiment d'être traduits devant un tribunal de critiques peu soucieux de comprendre et d'expliquer : ils ne replacent jamais l'œuvre dans son milieu, ni ne se soucient de sa genèse. Elle est considérée comme un devoir bon ou mauvais selon qu'elle respecte plus ou moins les règles. Dans sa *Lettre sur M. de la Motte*, l'abbé Trublet fait ainsi l'éloge du critique : « M. de la Motte est un des meilleurs critiques qui aient encore paru. Personne ne connaissait mieux les règles et les raisons des règles ». Fréron retrace le portrait du critique idéal dans un article de 1750 :

> Pour bien développer les beautés et les défauts d'un livre, il faudrait avoir étudié les préceptes des législateurs, les avoir combinés ensemble, et s'être fait soi-même, d'après les principes généraux, une rhétorique particulière. Ces connaissances coûtent trop à acquérir. Il est bien plus commode et plus simple d'apprécier un objet par l'effet subit qu'il produit sur nous. Les auteurs y trouvent leur compte aussi bien que la multitude.

Cependant les nouveaux « réguliers » ne cessent de raffiner sur l'interprétation des règles. Le P. Buffier, dans son *Traité philosophique et pratique de poésie* (1728), réglemente le détail des actes. Gaullyer publie la même année des *Règles de poétique tirées d'Aristote, d'Horace et de Despréaux* où il fixe en plus de trois cents pages les préceptes du poème dramatique. Mais le comble de la systématisation est atteint en 1746 avec le *Traité des Beaux-Arts réduits à un même principe* par l'abbé Batteux qui explique ainsi son dessein :

> On se plaint tous les jours de la multitude des règles : elles embrassent également et l'auteur qui veut composer, et l'amateur qui veut juger. Je n'ai garde de vouloir ici en augmenter le nombre. J'ai un dessein tout différent ; c'est de rendre le fardeau plus léger et la route plus simple. Les règles se sont multipliées par les observations faites sur les ouvrages ; elles doivent se simplifier, en ramenant ces mêmes observations à des principes communs.

Or l'observation des grands ouvrages de la peinture, de la sculpture et de la littérature nous apprend que la pratique de tous les beaux-arts est finalement inspirée d'un même principe : l'imitation de la belle nature. Il ne s'agit pas de copier « le vrai qui est », mais d'imiter « le vrai qui peut être ». C'est par exemple ce qu'a fait Molière pour composer son *Misanthrope* :

> Quand Molière voulut peindre la Misanthropie, il ne chercha point dans Paris un original, dont sa pièce fut une copie exacte : il n'eût fait qu'une histoire, qu'un portrait, il n'eût instruit qu'à demi. Mais il recueillit tous les traits d'humeur noire qu'il pouvait avoir remarqués dans les hommes : il y ajouta tout ce que

l'effort de son génie put lui fournir dans le même genre, et de tous ces traits rapprochés et assortis, il en figura un caractère unique, qui ne fut pas la représentation du vrai, mais celle du vraisemblable.

Première partie, chapitre III.

L'exemple d'autres génies pareils à Molière doit permettre au connaisseur et à l'écrivain d'aujourd'hui de juger des beautés de l'œuvre qu'ils lisent ou entreprennent, en se formant un modèle idéal de ce qu'elles doivent être :

> Lisons les plus excellents ouvrages... Nous sommes touchés de l'enthousiasme et des emportements d'Homère, de la sagesse et de la précision de Virgile. Corneille nous a enlevés par sa noblesse, et Racine nous a charmés par sa douceur. Faisons un heureux mélange des qualités uniques de ces grands hommes : nous formerons un modèle idéal supérieur à tout ce qui est ; et ce modèle sera la règle souveraine et infaillible de toutes nos décisions.

Deuxième partie, chapitre VIII.

Le principe unique : imiter la belle nature, se ramène donc à une règle pratique, unique elle aussi : imiter les grands classiques.

Ainsi figée dans l'admiration du passé, la critique « néo-classique » s'enferre dans un dogmatisme doctoral et dans la fausse rigueur de raisonnements construits sur des notions confuses. C'est ce que voulait faire ressortir l'auteur anonyme d'un *Voyage au Parnasse* paru en 1762 :

> Une nouvelle compagnie vint nous joindre ; c'était une légion de critiques. Ils n'épargnaient pas les censures aux passants, surtout à ceux qui leur paraissaient faire plus de figure que les autres. On les entendait sans cesse répéter ces mots : *Diction, Goût, Harmonie...* ; ils en accablaient les voyageurs. Je leur demandai ce que ces mots signifiaient ; je les vis embarrassés, ils me lancèrent un regard affreux qui me fit prendre la fuite.

Formalisme de cette critique   Cette critique se caractérise aussi par son formalisme : elle joue avec des idées et ne se prend qu'aux mots. Sainte-Beuve le constate avec étonnement dans un article consacré à Barante en 1843 :

> Chose singulière ! La critique littéraire, à la fin du XVIIIe siècle, de cette époque éminemment philosophique, était devenue, chez la plupart des disciples, purement méticuleuse et littérale : elle ne s'attachait guère qu'aux mots.

Ainsi, l'on regarde tout de suite, dans une épopée, si l'exposition contient bien le début, l'invocation, l'avant-scène ; sinon l'œuvre est condamnée. S'il s'agit d'un drame : les principaux personnages sont-ils montrés ou nommés dès le premier acte ? le même personnage n'entre-t-il pas plusieurs fois en scène dans un même acte ? les actes sont-ils à peu près de la même longueur ? La critique compte les pages et les lignes et n'écoute un ouvrage que la montre à la main.

Le souci essentiel de la « noblesse de la forme » conduit les critiques à considérer que le comble de l'art n'est pas dans la fidélité à la simple nature, en dépit des préceptes de Boileau. Ainsi, Marmontel écrit dans le premier chapitre de sa *Poétique* :

> Le don de feindre est un talent essentiel au poète, par la raison qu'il peut, à chaque instant, avoir besoin d'embellir son objet... Le poète qui, avec les couleurs de la nature, peint le soleil couchant, à demi plongé dans des nuages d'or et de pourpre au-dessus de vagues enflammées, est moins ingénieux que celui qui montre le soleil allant se reposer dans le sein de Thétis après avoir parcouru sa carrière. Celui-ci a sur celui-là l'avantage du génie créateur sur le génie imitateur.

La tâche du poète est en somme de donner un « tour poétique » aux idées communes. Batteux, dans son *Traité*, s'extasie devant des expressions comme : « L'Aurore, fille du matin, qui ouvre les portes de l'Orient avec ses doigts de rose ».

Enfin, comme au siècle précédent, le souci constant des bienséances entraîne la soumission de l'artiste au goût mondain, qui a été lui-même exagérément codifié et édulcoré. L'art de plaire, qui vient s'ajouter à la tyrannie des règles, est devenu lui aussi étrangement tyrannique. Diderot s'en scandalise dans son traité *De la poésie dramatique* :

> Ceux qui ont écrit de l'art dramatique ressemblent à un homme qui, s'occupant des moyens de remplir de trouble toute une famille, au lieu de peser ces moyens par rapport au trouble de la famille, les pèserait relativement à ce qu'en disent les voisins.

La bienséance conduit à revenir sans cesse sur la nécessité d'édulcorer Homère pour le présenter au public français. Une traduction de *Don Quichotte* fait scandale en 1783, et les compliments de Geoffroy, continuateur de Fréron à *L'année littéraire*, sont exceptionnels

> J'avoue que je sais un gré infini au traducteur de son exactitude littérale : j'aime à voir les Anglais, les Espagnols, les Italiens dans le costume de leur pays. Je ne les reconnais plus quand ils sont habillés à la française ; cette manie de mutiler et de défigurer les ouvrages sous prétexte de les ajuster à notre goût et à nos mœurs me paraît extravagante. Notre goût et nos mœurs sont-ils donc la règle du beau ?

Florian avait en effet « habillé » *Don Quichotte* « à la française » dans sa *Galatée*, et s'en expliquait franchement dans la préface : « *Don Quichotte* a des traits de mauvais goût qu'il fallait retrancher sans craindre le reproche de n'être pas exact ».

Autre effet de la bienséance : craignant d'arrêter la pensée du lecteur sur quelque image étonnante ou bizarre, les auteurs préfèrent laisser à chacun le soin de se représenter selon sa fantaisie l'objet dont ils parlent. C'est ainsi, toujours selon Marmontel, que le poète supérieur est celui qui, voulant évoquer la beauté d'une femme, saura dire : « sa beauté eût rendu Vénus elle-même jalouse » ; le lecteur pourra ainsi imaginer le type de beauté qui lui plaira !

En somme cette critique pousse à la périphrase et à l'artifice (abondamment illustrés par l'œuvre de Delille) et se révèle incapable de susciter des productions vraiment nouvelles et hardies.

Avant de parler de ceux qui osent défier ses arrêts, il convient de s'arrêter un instant à Voltaire qui occupe une position moyenne entre les conservateurs et les novateurs en critique, mais dont l'œuvre critique est importante et originale.

Voltaire et
la critique de goût

Pour étudier la critique voltairienne en matière de littérature, il faut se reporter à la thèse de R. Naves, *Le goût de Voltaire*, dont nous reprenons ici les principales conclusions.

Cette critique se présente d'abord comme une critique spontanée : elle est rarement formulée dans des œuvres préconçues et se fait de plus en plus diffuse, de moins en moins systématique à mesure que Voltaire avance en âge. On la retrouve donc, sous des aspects divers, disséminée à travers l'œuvre entière. Une poétique est esquissée dans les Préfaces et les Dédicaces de ses pièces : elle concerne uniquement le théâtre et développe des idées énoncées dès les *Lettres sur Œdipe* en 1719. En d'autres endroits, Voltaire organise de véritables tableaux consacrés à une époque, à un genre, ou à une nation : l'*Essai sur la poésie épique* composé à Londres en 1727 ; le *Temple du goût* (1731-1733), le chapitre *des Arts de l'Essai sur les Mœurs* écrit vers 1745 ; le *Siècle de Louis XIV* (1751) ; les articles du *Dictionnaire philosophique* (1764-1772) ; les *Lettres sur Rabelais* (1767). Mais Voltaire s'intéresse surtout à la critique de détail, à l'analyse, et préfère aux grands traités des commentaires nourris d'exemples : citons *Connaissance des beautés et des défauts...* (1749) ; *Parallèle d'Horace, de Boileau et de Pope* (1761) ; le *Commentaire sur Corneille* (1764) ; la *Lettre à l'Académie française* (1776), auxquels il faudrait ajouter les articles publiés dans *la Gazette littéraire* et la correspondance, riche de conseils et de jugements littéraires.

Exprimée aussi diversement, la critique voltairienne est faite des réactions d'un homme de goût qui n'hésite pas à juger au nom de *son* goût. Dès sa publication, le *Temple du goût* fait scandale, car c'est le premier ouvrage qui soit un essai méthodique de critique de goût. On n'y trouve ni conseils, ni préceptes, ni principes théoriques, mais des jugements rapides fondés sur des exemples, sous la devise : « *nec laedere, nec adulari* ». Voltaire résume son expérience littéraire et artistique et la met en ordre selon les préférences d'un goût qui ne choisit pas arbitrairement, mais reste fidèle à l'idéal des grands classiques du XVIIᵉ siècle. Ceux-ci sont rassemblés dans un « Paradis » où se rejoignent Fénelon, Bossuet, Corneille, Racine, La Fontaine, Boileau, Molière et Quinault. Le choix du goût de Voltaire est donc bien proche de celui que fait la raison chez Batteux. Mais Voltaire fait confiance au sentiment, en particulier pour apprécier la poésie, si méconnue par la critique des raisonneurs et des philosophes, qui ont hérité des préjugés de La Motte et de Fontenelle contre les vers. Dès l'*Essai sur la poésie épique*, il écrit :

> Pour juger des poètes, il faut savoir sentir, il faut être né avec quelques étincelles du feu qui anime ceux qu'on veut connaître, comme, pour décider sur la musique, ce n'est pas assez, ce n'est rien même de calculer en mathématicien la proportion des tons : il faut avoir de l'oreille et de l'âme.

On lit dans l'article *Poètes* du *Dictionnaire philosophique* cette phrase souvent citée comme un des signes du romantisme naissant : « La poésie est la musique de l'âme ». N'exagérons pourtant pas l'originalité d'une telle déclaration. Rapin lui-même n'écrivait-il pas dans ses *Réflexions sur la Poétique* : « Il y a de la poésie de certaines choses ineffables... La véritable poésie doit parler à l'âme » ? Voltaire est avant tout soucieux de rétablir, contre la dictature des règles et les préjugés du moralisme dans l'art, les droits du plaisir esthétique. Il s'insurge contre les prétentions de la raison à vouloir inspirer l'œuvre d'art et la juger selon un cadre préétabli. Dans ses *Remarques sur les pensées de Pascal*, il condamne sèchement (mais en se reportant à un texte mal édité) la façon dont Pascal prétend apprécier les beautés de l'œuvre d'art : « en ouvrage de goût, en musique, en poésie, en peinture, c'est le goût qui tient lieu de montre, et celui qui n'en juge que par règle en juge mal ». C'est pourquoi, « les vers faibles ne sont pas ceux qui pêchent contre les règles, mais contre le génie » (*Dictionnaire philosophique* : article *Faible*).

Si Voltaire va jusqu'à écrire un jour à Thiériot : « J'aime mieux un vers hasardé qu'un vers plat » (27 mai 1756), les réactions du sentiment sont néanmoins toujours guidées chez lui par les jugements du parfait technicien de la langue et de la poésie. Il pense qu'il n'y a pas de règles de l'inspiration, mais il sait qu'il existe des règles techniques utiles à connaître pour parfaire son ouvrage et éviter de céder à des modes éphémères et « barbares ». En 1767, il refuse de modifier ses *Scythes* et écrit à Lekain : « J'aime mieux tomber avec un ouvrage fait selon les règles de l'art que de réussir par un poème barbare » (25 février 1767). Il crie lui aussi à la décadence et veut préserver les principes de convenance, de bienséance et de bon goût légués par le xviiᵉ siècle : « Une pensée fine et ingénieuse, une comparaison juste et fleurie, est un défaut quand la raison seule ou la passion doivent parler... Toute beauté hors de sa place cesse d'être beauté. Le grand art est dans l'à-propos » (*Dictionnaire philosophique* : article *Esprit*, section II).

Si ces appréciations paraissent ainsi parfois contradictoires : tantôt audacieuses et novatrices, tantôt prudemment conservatrices, c'est que la critique voltairienne est toujours passionnée, commandée par l'actualité et les incidents de la polémique. Le souci de réfuter un adversaire ou de répondre à un correspondant dont les propos l'ont irrité, amène constamment Voltaire à exagérer ses propres propositions dans un sens ou dans l'autre. Sa critique ne consiste guère en vues générales précises. Voltaire ne l'a point organisée en vastes synthèses. Elle naît rageusement sous sa plume du dépit de voir le goût méconnu et de la conscience de posséder soi-même ce goût. « Nous sommes en tout dans le siècle du bizarre et du petit », écrit-il à d'Argental le 25 septembre 1770. Parmi tant de « visigoths », rares sont les critiques capables d'un « goût fin et sûr » qui « consiste dans le sentiment prompt d'une beauté parmi des défauts et d'un défaut parmi des beautés » (*Dictionnaire philosophique* : article *Goût*). Voltaire est scandalisé de voir de prétendus connaisseurs juger et condamner en bloc des œuvres entières. La critique, telle qu'il la conçoit et la pratique, est au contraire toute de nuances et de contrastes. C'est ce qu'il conseille à Vauvenargues le 15 avril 1743 : « Il appartient à un homme comme vous de donner des préférences et point d'exclusions », et il montre à son correspondant que Corneille reste en bien des points toujours digne d'admiration ; mais, vingt ans plus tard, le *Commentaire sur Corneille* est plein de critiques minutieuses destinées à mettre le lecteur en garde contre un engouement sans nuances. Le cas de Shakespeare est le plus révélateur de l'attitude de Voltaire : sous sa plume, Shakespeare est d'abord célébré (à l'époque des *Lettres anglaises*), puis vilipendé (surtout au moment des adaptations de Letourneur), mais le jugement définitif et équilibré se trouve sans doute dans la lettre à Walpole du 15 juillet 1768 : « C'est une belle nature, mais bien sauvage ; nulle régularité, nulle bienséance, nul art, de la bassesse avec de la grandeur, de la bouffonnerie avec du terrible ; c'est le chaos de la tragédie, dans lequel il y a cent traits de lumière. »

Toute la critique de Voltaire est donc bien une critique de goût. C'est une critique idéaliste comme toute la critique classique, mais conçue non plus au nom de dogmes et de règles considérés comme universels, mais au nom d'un idéal esthétique personnellement élaboré à partir des belles œuvres des grands siècles et surtout du siècle de Louis XIV. L'expérience et le sentiment collaborent pour susciter la perfection critique : « Un excellent critique serait un artiste qui aurait beaucoup de science et de goût, sans préjugés et sans envie » (*Dictionnaire philosophique* : article *Critique*) (Texte 27). Voltaire a essayé d'être lui-même ce critique idéal, dont il a développé le portrait dans ses curieux *Conseils à un journaliste* (Texte 26).

Il n'en a guère trouvé le modèle autour de lui, sinon peut-être en Vauvenargues dont il célèbre « le grand goût », « dans un siècle où tout (lui) semble un peu petit et où le faux bel esprit s'est mis à la place du génie » (Lettre à Vauvenargues du 7 janvier 1745). Pourtant Vauvenargues n'est pas indulgent pour les grands écrivains du siècle passé. Il ravale Corneille au rang de Jean-Baptiste Rousseau parce qu'il a pris « l'ostentation pour la hauteur et la déclamation pour l'éloquence ». Il en veut à Molière de n'avoir vu que les aspects ridicules de l'homme et de n'avoir traité que les « petits sujets ». Il est sévère pour La Fontaine, dont le « bon sens » et la « simplicité » le rebutent.

L'émancipation de la critique

Vauvenargues serait-il donc plus proche de ceux qui voudraient au moins réformer le code critique hérité du XVIIe siècle et ouvrir des voies nouvelles à la littérature ? La leçon de Bayle et de Du Bos n'a pas été perdue. Dans son *Traité des études* (1726-1728), le sage Rollin demande « au nom de la raison, du bon sens et de l'équité » qu' « en lisant les auteurs anciens, on se transporte dans le temps et dans le pays dont ils parlent ». Montesquieu insiste sur les causes historiques de l'évolution du goût, et plus particulièrement sur le rôle des organes dans le plaisir esthétique, dans son *Essai sur le goût dans les choses de la littérature et de l'art* (1757). Helvétius disserte à son tour de *L'Influence du climat sur le génie poétique* (chapitre XVI du Quatrième Discours *De l'Esprit*, 1758). Toute une tradition philosophique s'insurge contre l'admiration rituelle de l'œuvre exemplaire des Anciens : « admiration empruntée et nullement sentie » (*Réflexions sur le Goût* de Nicolas Gidoyn, 1767). D'Alembert, dans ses *Réflexions sur l'ode*, revendique la liberté de penser en matière littéraire comme dans les autres domaines : « Dans les jugements sur les Anciens..., la liberté de penser paraît encore plus excusable que la superstition. Le temps des hérésies théologiques... est heureusement passé ; celui des hérésies littéraires, moins dangereux et plus paisible, est peut-être venu ; peut-être même, dans ces matières frivoles abandonnées à nos disputes, ce qui serait aujourd'hui hérésie scandaleuse, sera-t-il un jour vérité respectable ? » (*Réflexions sur l'ode*, 1762).

Cette émancipation de la critique est favorisée par un double progrès : celui de la connaissance des littératures étrangères et celui de l'histoire littéraire.

Nous avons vu que la découverte de l'étranger a été facilitée par la multiplication des journaux qui apportent en France des informations sur ce qui paraît en Angleterre, en Allemagne, en Italie. Nous avons souligné aussi qu'il ne faut pas exagérer l'importance que donnent à la littérature ces feuilles plus soucieuses d'érudition, de théologie et de science. Seul *Le Pour et le Contre* de l'abbé Prévost contribue à faire vraiment connaître la littérature anglaise. Mais lorsqu'il paraît, la curiosité du public a déjà été éveillée par les *Lettres philosophiques* de Voltaire, précédées d'ailleurs par celles du Neuchatelois Béat de Muralt qui publie dès 1725 des *Lettres sur les Anglais et les Français*. Cet ouvrage représente un effort original pour saisir le caractère particulier des deux nations et contribue à faire sentir aux Français que leur « nature » n'est pas universelle, en leur apprenant à admettre des différences. C'est sur cette base encore fragile (l'œuvre de Béat fut fort critiquée en France dès sa parution) que se développera peu à peu une véritable anglomanie contre laquelle Voltaire s'insurgera à la fin de sa vie, lorsque Letourneur aura entrepris de traduire Shakespeare et les préfaces de critiques anglais.

Mieux connaître nos voisins ne suffisait pas pour ébranler la confiance des critiques dans la supériorité des classiques français. Il fallait aussi mieux connaître le passé. L'histoire littéraire prend justement son essor au début du XVIIIe siècle et va permettre des confrontations plus sûres. Dès 1685-1686, Adrien Baillet avait recueilli en neuf volumes *Les Jugements des Savants sur les principaux ouvrages des auteurs*, travail de compilation érudite sans grande méthode historique. Mais des œuvres vraiment historiques vont se succéder vers le milieu du siècle : l'abbé Goujet se propose de faire l'inventaire des ressources de la littérature française pour montrer sa richesse et publie de 1740 à 1756 les dix-huit volumes de sa *Bibliothèque française ou Histoire littéraire de la France*. En 1744, Juvenel de Carlencas donne quatre volumes d'*Essais sur l'histoire des belles lettres, des arts et des sciences*. De 1745 à 1749 paraissent les dix-sept volumes de l'*Histoire du théâtre français* des frères Parfaict. L'abbé Irailh retrace en quatre volumes l'*Histoire des querelles littéraires depuis Homère jusqu'à nos jours* (1761). L'entreprise la plus considérable est évidemment l'*Histoire littéraire de la France* publiée par les Bénédictins à partir de 1733, et qui, en 1789, atteint le XIIe siècle. Le sous-titre de l'ouvrage en trace le programme : « L'on traite de l'origine et du progrès, de la décadence et du rétablissement des sciences parmi les Gaulois et parmi les Français, du goût et du génie des uns et des autres pour les lettres en chaque siècle... et de tout ce qui a un rapport particulier à la littérature. Avec les éloges historiques des Gaulois et des Français qui s'y sont fait quelque réputation ; le catalogue et la chronologie de leurs écrits ; des remarques historiques et critiques sur les principaux ouvrages... ». Cette entreprise monumentale, complétée par les travaux de nombreux érudits comme Millot, auteur d'une *Histoire des Troubadours* (1759-1781) et par les savants mémoires dont l'Académie des Inscriptions et Belles-Lettres commence la publication régulière en 1717, contribue à l'avènement d'une mode. La découverte des origines de notre littérature lance le genre « troubadour », tout comme l'étude des institutions et de la littérature anglaises suscite une vague d'anglomanie.

Les Encyclopédistes et la littérature

Cet élargissement des horizons de la vie littéraire contribue aussi à encourager certains auteurs à renouveler les méthodes de la critique elle-même. Les plus grandes audaces viennent de ceux qui ont étendu le projet de dresser des inventaires à l'ensemble des acquisitions et des connaissances humaines : les encyclopédistes. Liés à la bourgeoisie et à ses progrès, ils mènent la lutte avec elle contre toutes les entraves à la liberté, économiques, politiques, philosophiques et religieuses. Face à l'idéologie autoritaire, hiérarchisée et morcelée, héritée du siècle précédent, ils élaborent une idéologie libératrice et encyclopédique, dont les audaces sont sans doute inégales selon les domaines de la pensée, selon qu'ils sont plus ou moins directement liés aux conditions économiques et matérielles de la vie sociale. Les beaux-arts et la littérature ne viennent pas au premier rang dans leurs préoccupations, et c'est un domaine qu'ils abordent avec tout l'encombrant héritage de traditions solidement établies. Aussi leur doctrine est-elle souvent hésitante, sinon contradictoire. On peut tenter de la résumer en prenant comme exemple l'œuvre de Marmontel qui fut l'auteur de la plupart des articles littéraires de l'Encyclopédie, reproduits dans les *Éléments de littérature*.

Marmontel, que nous avons souvent cité pour illustrer le dogmatisme et le formalisme de la critique néo-classique, condamne pourtant la « superstition de l'Antiquité » (article *Anciens* paru dans le *Supplément de l'Encyclopédie* en 1776) et, dans l'avant-propos de sa *Poétique* (1763), il soutient que le critique moderne doit pouvoir juger librement les grands classiques :

> Je me flatte d'avoir quelquefois mieux vu que ces grands hommes, parce que je viens après eux, que je les ai étudiés, qu'aucun n'a vu seul tout ce qu'ils ont vu séparément, et que, tous ensemble, ils m'ont appris à les rectifier l'un par l'autre. J'ai de plus qu'eux encore l'expérience de tous les temps qui se sont écoulés d'eux à moi, et, dans cet intervalle, je compte pour beaucoup un demi-siècle de philosophie...

Il ose aussi se prononcer pour les droits de l'imagination et de la sensibilité, et cela le conduit à attaquer mesquinement Boileau qu'il considère comme un critique de second rang (article *Critique* de l'*Encyclopédie*) (Texte 28). Il élargit d'autre part la conception du beau idéal héritée du XVIIe siècle, en conseillant aux poètes de ne pas se limiter aux objets nobles ; il montre que des idées relatives à d'humbles objets, choisies et exprimées avec goût, peuvent être décentes et gracieuses et développe dans le chapitre IV de sa *Poétique* l'exemple du « Savoyard ». Enfin, et surtout, Marmontel, comme tous les encyclopédistes, défend la thèse de l'art utile. Il ne s'agit pas seulement des préoccupations morales chères à la critique classique : « Le théâtre est pour le vice et le ridicule ce que sont pour le crime le tribunal où il est jugé et l'échafaud où il est puni » (article *Comédie*). Les novateurs veulent satisfaire les aspirations d'un public nouveau et de « mécènes » nouveaux. Comme l'écrit Mercier, en 1769, dans la préface de *Jenneval*, il faut des œuvres pour « cette multitude où repose une foule d'âmes neuves et sensibles qui n'attendent pour s'émouvoir que le cri de la nature ». Diderot réclame de son côté un drame « fait pour le peuple ». Les encyclopédistes veulent donner à l'art, jusque-là considéré comme un amusement pour gens bien élevés, un rôle dans la société ; ils veulent lui rendre l'énergie et la valeur sociale que des bienséances factices lui ont enlevées. Cela les conduit à l'élaboration d'un art « réaliste » qui se manifeste surtout au théâtre par le drame. Mais cet art « nouveau » présente des caractères tout aussi factices que ceux de l'art néo-classique figé dans ses périphrases et ses nobles tournures : l'emphase et le romanesque triomphent sous couleur de vérité. C'est que le public nouveau des années 1760 veut se reconnaître sous les traits de bourgeois vertueux et d'hommes d'affaires philosophes, tout comme celui de 1630 voulait se retrouver en des personnages héroïques et des princes valeureux. Apportant au public l'image idéale de ce qu'il croit être, l'œuvre littéraire reste confite en sa dignité.

Auteurs et critiques bourgeois du XVIIIe siècle sont animés d'une double préoccupation qui reflète celle de leur classe. D'une part, ils veulent faire servir l'Art à l'enseignement d'une morale et d'une philosophie nouvelles, à la diffusion des « lumières » : « L'Art est une espèce d'instruction publique qui est de la plus grande conséquence dans ses effets » (Mercier dans la préface de *Molière*, 1776). D'autre part, ils cherchent à s'approprier, sur des sujets nouveaux, les conventions, les règles et les raffinements d'un art dont le public aristocratique traditionnel a cessé d'avoir le monopole ; et ils veulent montrer par là qu'un public nouveau est capable d'apprécier et de concevoir lui aussi la Beauté. Cette espèce de contradiction entre une volonté de renouvellement et une technique d'appropriation était ressentie par Sainte-Beuve écrivant, toujours dans l'article consacré à Barante :

> Quand je dis que la critique issue en droite ligne de la philosophie du XVIIIe siècle se prenait surtout aux mots, je sais bien que, parmi ces mots, on faisait sonner très haut ceux de *philosophie* et de *raison*, mais sous ce couvert imposant et creux, on était trop souvent puriste et servile.

Diderot critique

Dans le renouvellement des idées littéraires, Diderot joue un rôle important et occupe une place originale. Comme Voltaire, il pense que le critique idéal est des plus rares, et il en trace, dans ses *Réflexions sur Térence* (1762) un portrait qui rappelle les lignes du *Dictionnaire philosophique* citées plus haut. Pour Diderot, comme pour Voltaire, il faut savoir allier le goût et l'expérience :

> Rien n'est plus rare qu'un homme doué d'un tact si exquis, d'une imagination si réglée, d'une organisation si sensible, d'un jugement si fin et si juste, appréciateur si sévère des caractères, des pensées et des expressions, qu'il ait reçu la leçon du goût et des siècles dans toute sa pureté et qu'il ne s'en écarte jamais.

Ces scrupules n'ont pourtant pas empêché Diderot de s'intéresser avec un enthousiasme et une spontanéité qui semblent l'exposer à bien des contradictions, aux problèmes de la création artistique et aux diverses formes de la critique : on sait que ses *Salons* ont donné à la critique d'art un éclat tout nouveau.

Pour bien saisir la position de Diderot, il faut comprendre tout d'abord qu'il a repris la démarche critique de Du Bos et qu'il donne la priorité à la sensation et à l'émotion. Dès l'article *Beau*, rédigé en 1750 pour *l'Encyclopédie*, il se prononce contre les prétentions d'un idéalisme critique qui se nourrit d' « expressions sublimes », et il précise que même les « notions abstraites » dont on se sert pour expliquer ce qu'est le Beau « ont passé par nos sens pour arriver dans notre entendement, de même que les notions les plus viles ». L'œuvre d'art s'adresse donc d'abord aux sens et à la sensibilité. La grande œuvre d'art est celle qui procure les émotions les plus fortes, et Diderot ordonne au poète, comme au peintre : « Touche-moi, étonne-moi, déchire-moi ; fais-moi tressaillir, pleurer, frémir, m'indigner d'abord ! » *(Essai sur la peinture)*. Cette conviction première du caractère nécessairement émouvant de l'art le conduit à regretter que celui-ci ait perdu, dans les littératures modernes, sa force primitive : « Plus un peuple est civilisé, moins ses mœurs sont poétiques » *(De la poésie dramatique)* ; « partout décadence de la verve et de la poésie, à mesure que l'esprit philosophique fait des progrès » *(Salon de 1767)*. Si l'art était plus émouvant dans les temps primitifs ou antiques, c'est qu'il était plus proche des préoccupations des hommes, c'est qu'il avait alors une fonction sociale ; il n'était pas le divertissement passager d'une société désœuvrée et frivole. Les grands héros de l'Antiquité n'ont rien de commun avec les personnages dignes et déclamatoires qui les représentent dans nos tragédies. Les Brutus, les César, les Caton ne se reconnaîtraient plus sur la scène française où ne se produisent que des spectacles édulcorés pour respecter les bienséances. Comme Condillac, Diderot se rappelle les origines de l'art, le temps où « la poésie et la musique n'étaient cultivées que pour faire connaître la religion et les lois, et pour conserver le souvenir des grands hommes et des services qu'ils avaient rendus à la société » (Condillac : *Essai sur l'origine des connaissances humaines*). En somme, le thème de la décadence, si familier à la critique néo-classique, revient aussi très fréquemment sous la plume de Diderot ; mais il ne s'agit plus chez lui de regrets mélancoliques ni d'une contemplation admirative des grandes œuvres du passé, qui ne pourront jamais renaître. Il ne veut pas d'une critique qui se contente de relever aigrement les défauts des œuvres nouvelles :

> Un critique qui ne recueille que les fautes et qui laisse là les beautés ressemble à celui qui se promènerait sur les bords d'une rivière qui roule des paillettes d'or et qui remplirait ses poches de sable. Permis à un Desfontaines, à un Fréron, et à quelques misérables de cette espèce, qui n'ont jamais fait une belle ligne, de critiquer ainsi. Je ferai autrement.

(Essai sur la peinture).

En effet, il fait autrement, qu'il s'agisse d'œuvres littéraires ou de tableaux. Il rappelle avec enthousiasme les beautés des chefs-d'œuvre, et il s'interroge sur les conditions dans lesquelles ils peuvent apparaître. Il y faut avant tout du génie. Les temps modernes ne sont peut-être plus favorables à celui-ci : « N'avons-nous plus de génie ? » se demande avec inquiétude l'auteur du *Discours sur la poésie dramatique*. Mais encore faudrait-il ne rien faire qui puisse entraver son essor. Le génie est rare : il est le privilège des grandes nations, car « il faut la rivalité et l'effervescence de vingt millions d'hommes réunis pour faire sortir de la foule un grand artiste » *(Salon de 1765)*. Rien ne devrait briser cette filiation du génie et de la nation. Pour faire œuvre belle et durable, le génie ne doit pas rencontrer les limitations des bienséances et des règles : il ne se soucie que de reproduire l'énergie de la vie et « l'harmonie de la nature ». Imitation donc, et nous retrouvons là le principe fondamental de la critique classique. Mais cette imitation n'est plus régie par des règles minutieuses, ni enfermée dans des genres immuables. C'est une imitation inspirée, grâce à laquelle l'art moderne pourrait être à la société moderne ce que l'art ancien était à la société antique. Tragédie et comédie sont des formes épuisées : place à la « tragédie domestique », au « drame bourgeois » dans lesquels le public bourgeois d'aujourd'hui puisse se reconnaître ; place à des œuvres qui remplissent un rôle actif dans la cité. C'est ce que Diderot suggérait dans son *Plan d'Université pour le gouvernement de Russie* : « désigner au poète tragique les vertus nationales à prêcher ; désigner au poète comique les ridicules nationaux à peindre ». Ne plus brider l'artiste dans le détail de son travail créateur, en le soumettant à des règles aussi formelles qu'impérieuses, mais en même temps le ramener de la solitude orgueilleuse du Parnasse pour le faire rentrer dans la cité des hommes auxquels il sache proposer une image vraie et instructive de leur propre condition, peut-être n'est-ce pas trop schématiser la pensée critique de Diderot que de la résumer en ces deux propositions essentielles et moins contradictoires que complémentaires. Parler d'un romantisme de Diderot, c'est ne voir que la première : la rébellion contre les règles et la « Raison ». Plutôt qu'un romantique avant la lettre, Diderot reste, quand il s'occupe des beaux-arts comme quand il s'intéresse aux techniques, le philosophe encyclopédiste soucieux des réalités et conscient des progrès et des besoins de la classe qu'il représente.

J.-J. Rousseau contre la « littérature »

Très voisines des préoccupations de Diderot apparaissent celles de J.-J. Rousseau. Mais, chez lui, les idées littéraires sont soumises à une systématisation philosophique plus rigoureuse. Jean-Jacques a commencé par une dénonciation des méfaits qu'engendrent les lettres et les arts, et loin de sembler paradoxal, son premier *Discours* devait exprimer tout à fait les sentiments des petits bourgeois réunis dans la provinciale Académie de Dijon. Dans toute son œuvre, le jugement artistique reste soumis au jugement moral, car il est, comme Diderot, soucieux de la fonction sociale des artistes. Pendant les années 1750, les deux amis échangèrent sans doute leurs vues sur ces problèmes, et tandis que Diderot élabore sa théorie du drame bourgeois, Rousseau lui fait écho dans la seconde partie de *La Nouvelle Héloïse* (lettre XVII), où il montre combien le théâtre élégant et bavard des modernes est éloigné du « spectacle agréable et instructif » que proposait le théâtre antique. Trois ans plus tôt, dans sa *Lettre à D'Alembert* (1758), Rousseau avait développé sa fameuse diatribe contre Molière, en se plaçant délibérément sur le terrain de l'utilité publique. Dans l'*Émile*, au chapitre XXVII du second livre, c'est à La Fontaine qu'il s'en prend, car ses fables « toutes naïves et toutes charmantes qu'elles sont », sont mensongères. Le théâtre est artifice, la poésie, mensonge. Rousseau admettrait l'art à condition qu'il soit vrai, mais à l'inverse de Diderot, il ne croit pas à la possibilité de promouvoir une littérature de vérité. Portés au plus facile, les écrivains préfèrent toujours des maximes et des sentences destinées à abuser le public à l'expression simple et naturelle d'un sentiment. Une note tardive ajoutée à *La Nouvelle Héloïse* (livre II, chapitre XVII, édition de la Pléiade, p. 253) introduit une curieuse exception en faveur de Racine : « Chez Racine, tout est sentiment ; il a su faire parler chacun pour soi, et c'est en cela qu'il est vraiment unique parmi les auteurs dramatiques de sa nation. » Le grand artiste serait donc celui qui dit vrai parce qu'il sent ce qu'il dit : « On ne parle jamais bien que lorsqu'on sent ce qu'on dit » (*Pensées d'un esprit droit*, LII). En ce sens, Rousseau serait volontiers préoccupé, comme Pascal, des règles d'un art de persuader, dont il a d'ailleurs esquissé quelques traits dans les notes intitulées : *Idée de la méthode dans la composition d'un livre.*

André Chénier et l'imitation inventrice

Durant les années qui précèdent la Révolution, André Chénier a ébauché une œuvre critique dans quelques écrits, où il condamne à son tour les fausses élégances de la littérature moderne. Pour lui aussi, l'Antiquité est grande parce qu'alors « les poètes, par leurs peintures animées, les orateurs, par leurs raisonnements pathétiques, les historiens, par le récit des grands exemples, les philosophes, par leurs discussions persuasives, firent aimer et connaître quelques secrets de la nature, les droits de l'homme et les délices de la vertu ». ... « Alors les lettres furent augustes et sacrées, car elles étaient citoyennes » (début d'un livre inachevé sur *les Causes et les Effets de la perfection et de la décadence des lettres*). Il s'indigne de voir aujourd'hui « les lettres prosternées » dans un monde où « l'argent et l'intrigue (sont) presque la seule voie pour aller à tout ». Elles ont perdu l'antique « naïveté » des génies libres et fiers (Texte 29). Il faudrait donc retrouver la manière et la beauté antiques. Ce souhait revient constamment chez André Chénier. Dans une courte *note sur Molière :* « Il faut refaire des comédies à la manière antique. Plusieurs personnes s'imagineraient que je veux dire par là qu'il faut y peindre les mœurs antiques. Je veux dire précisément le contraire. » Dans son *Commentaire sur Malherbe*, il critique l'*Ode à Marie de Médicis ;* il y voit un exemple de littérature décadente, un « insupportable amas de fastidieuse galanterie » sans aucun lien avec la réalité :

> Un poète fécond et véritablement lyrique, en parlant à une princesse du nom de Médicis, n'aurait pas oublié de s'étendre sur les louanges de cette famille illustre, qui a ressuscité les lettres et les arts en Italie et de là en Europe. Comme elle venait régner en France, il en aurait tiré un augure favorable pour les arts et la littérature de ce pays... Il eût peut-être appris à traiter l'ode de cette manière s'il eût mieux lu, étudié, compris la langue et le ton de Pindare, qu'il méprisait beaucoup au lieu de chercher à le connaître un peu.

Dans son discours en vers *De l'invention*, il développe et précise ce qu'il entend par cette « imitation inventrice » :

> O terre de Pélops ! avec le monde entier
> Allons voir d'Epidaure un agile coursier
> Couronné dans les champs de Némie et d'Élide ;
> Allons voir au théâtre, aux accents d'Euripide,
> D'une sainte folie un peuple furieux
> Chanter : Amour, tyran des hommes et des dieux...
> Puis, ivres des transports qui nous viennent surprendre,
> Parmi nous, dans nos vers, revenons le répandre ;
> Changeons en notre miel leurs plus antiques fleurs ;
> Pour peindre notre idée, empruntons leurs couleurs ;
> Allumons nos flambeaux à leurs feux poétiques ;
> Sur des pensers nouveaux faisons des vers antiques.

Vers 173-184.

Que ce soit pour s'insurger contre les œuvres modernes ou pour les admettre en prétendant encore les codifier étroitement, ou pour susciter des œuvres nouvelles dignes d'un antique idéal, la critique au XVIIIe siècle est à peu près unanime à reconnaître et à consacrer le classicisme de l'âge antérieur. C'est par rapport à ces nouveaux Anciens que de nouveaux Modernes vont chercher à se définir et à s'imposer.

Mais ils le font à l'issue de luttes révolutionnaires qui ont profondément bouleversé les conditions de la vie littéraire. Avant la Révolution, la critique du XVIIIe siècle était imprégnée de « philosophie » et mêlée au combat des philosophes contre les traditionalistes. Après la Révolution, la critique est imprégnée de politique et mêlée au combat incessant de la Résistance et du Mouvement.

Cependant, au XVIIIe siècle, la « philosophie » était ouvertement invoquée au milieu des débats littéraires, et il arrivait souvent que, sous de grands thèmes philosophiques, sous de grands mots nouveaux, la « littérature » restât fort traditionnelle et emphatiquement creuse. Au XIXe siècle, au contraire, les implications politiques des discussions littéraires, si réelles et importantes qu'elles soient, ne sont pas clairement avouées : la « littérature » pure reprend le premier rang, et des conflits dont la nature est essentiellement sociale et politique, sont l'occasion d'un renouvellement réel des formes et des thèmes littéraires.

CHAPITRE II

1. Le débat romantique

BOULEVERSEMENTS RÉVOLUTIONNAIRES
ET RESTAURATION CLASSIQUE

Il serait tentant d'écrire qu'après dix années environ d'éclipse totale, correspondant à une période révolutionnaire pendant laquelle il ne lui restait aucune place, la littérature réapparut quand enfin Chateaubriand et Mme de Staël vinrent, comme les annonciateurs d'un nouvel âge littéraire.

Mais la littérature n'est pas une espèce de divinité ennemie des discordes humaines. Elle ne s'est point retirée sur quelque Parnasse ou quelque Olympe pour y attendre qu'on veuille bien à nouveau l'honorer de quelque encens. La vie littéraire est un aspect de la vie sociale. Les idées littéraires ne sont pas séparables des vicissitudes de la vie sociale. A une période révolutionnaire correspond une volonté révolutionnaire en littérature même ; à la contre-révolution, correspond une volonté de mettre un terme aux entreprises nouvelles, y compris en littérature.

Loin de négliger la période 1790-1800, l'historien doit donc au contraire essayer d'y découvrir les bouleversements alors apportés à la conception qu'écrivains et critiques se font de leur fonction et de leur métier. D'une part, ce sont les vies qui sont bouleversées : les événements dont ils sont les témoins conduisent certains à modifier leurs vues ou à changer de convictions. D'autre part la société française est désormais profondément divisée : l'un et l'autre camp veulent d'une littérature qui soit l'expression de ses aspirations.

Audaces et repentirs de La Harpe — La Révolution vient interrompre une entreprise critique originale : celle de La Harpe qui, de 1786 à 1788, avait commencé à professer devant ses auditeurs du Lycée, sorte d'université libre fondée par « quelques amateurs de lettres », un vaste cours de littérature embrassant tous les genres depuis leurs origines jusqu'à l'époque contemporaine. Celui qu'on avait surnommé le « singe de Voltaire » aborde cette tâche dans un esprit très « philosophique », en faisant l'apologie du siècle des lumières. Mais, après avoir quelque temps partagé les enthousiasmes révolutionnaires, La Harpe est emprisonné sous la Terreur, se convertit, et reprend ses conférences en 1794 pour tonner contre les méfaits de la « philosophie » et ses funestes conséquences. En 1797 commence la publication de ce cours, généralement connu sous le titre de *Lycée*. Achevée en 1805, elle constitue un curieux témoignage de ce que pouvaient produire dans un esprit la formation voltairienne et le repentir post-révolutionnaire.

C'est en tout cas une œuvre originale par son dessein : le premier cours suivi d'enseignement supérieur en littérature française. Dans une longue introduction, le professeur explique sa méthode. En se faisant enseignement la critique reste fidèle à ses principes **traditionnels** : La Harpe défend en effet le principe classique de l'universalité du Beau, qu'aucun écrivain ne saurait atteindre sinon en observant les règles de l'art. Il redit même ce que disait déjà un Chapelain : certaines œuvres monstrueuses ont pu obtenir la réputation de chefs-d'œuvre parce que certains détails sont « exécutés selon les principes », et il cite en exemple celles de Milton, Dante ou Shakespeare. Mais il se pique de modération et d'équité pour condamner deux excès : l'abus qu'ont fait des règles « des pédants qui ne savaient que des mots et injuriaient Corneille et Racine au nom d'Aristote », et le travers tout opposé de certains modernes qui ont « rejeté toutes les règles comme les tyrans du génie, quoi qu'elles ne soient en effet que ses guides ».

Il se propose donc d'étudier les œuvres des grands écrivains qui ont su se plier à cette discipline nécessaire, car le génie ne révèle pas lui-même tous ses secrets : il appartient au critique d'essayer de les surprendre, et par exemple de mieux apprécier les beautés du style de Racine qu' « un siècle entier n'a pas encore suffi à découvrir ». Mais comment y parvenir ? La Harpe juge insuffisants tant de « traités généraux » dont les auteurs se contentent d' « aperçus rapides où il y a plus d'éclat que d'utilité ». Pour sa part, il analysera chaque œuvre importante avec application et minutie : « ce qui est vraiment instructif, c'est l'examen raisonné de chaque auteur, c'est l'exact résumé des beautés et des défauts, c'est cet emploi continuel du jugement et de la sensibilité » (Texte 30). Il s'excuse alors par avance de se montrer assez téméraire pour « relever des fautes dans des auteurs consacrés par une longue renommée et par l'admiration générale » : « c'est pourtant cette admiration même qui autorise en nous cette liberté parce que c'est cette même liberté qui fonde l'admiration ; il en résulte que celle-ci n'est ni aveugle ni superstitieuse, et que l'autre n'est ni injurieuse ni maligne ». Telles sont les résolutions de ce juge impartial qui entreprend de dresser un bilan de la littérature française, d'abord à la lumière « d'un siècle entier d'observations et d'expériences », puis à la lumière de la religion.

Cette division, que la Révolution introduit dans la vie et l'œuvre d'un même critique, se retrouve dans la société qui s'intéresse à la littérature et qui est éparpillée par l'épreuve : à Paris, des écrivains, héritiers de l'enseignement de Diderot et de Rousseau, cherchent à organiser une littérature nouvelle, une « littérature citoyenne », inspirée des principes révolutionnaires ; à travers l'Europe, les habitués des anciens salons dispersés par l'émigration, essayent de préserver leurs façons de penser et d'écrire et découvrent peu à peu d'autres littératures.

Le programme littéraire des Idéologues   A Paris, les cadres traditionnels de la vie littéraire se sont effondrés avec la classe qui les avait formés : les salons aristocratiques se ferment ; l'Académie est supprimée le 8 août 1793. Les révolutionnaires pensent qu'ainsi une littérature libérée des entraves des bienséances mondaines et des traditions néo-classiques, pourra retrouver sa fonction première : l'espèce de « ministère public » qu'elle exerçait chez les Anciens. Ils souhaitent en effet l'avènement d'une littérature qui soit avant tout soucieuse d'instruire le peuple de ses devoirs et de ses droits ; qui choisisse ses sujets dans les grands événements de la vie nationale ; qui s'adresse à tous les citoyens et ne soit plus le passe-temps des oisifs, mais une des manifestations de la démocratie nouvelle : pour les fêtes du peuple, les poètes écriront des hymnes et des chants, les orateurs célébreront les vertus des héros, les auteurs dramatiques composeront des pièces faites pour apprendre le patriotisme et le civisme.

De telles audaces sont restées surtout théoriques. Là encore, la volonté d'une rénovation totale s'accompagne d'une simple appropriation des techniques traditionnelles : Lebrun a beau célébrer le vaisseau « le Vengeur », il n'en reste pas moins Lebrun-Pindare, expert en périphrases néo-classiques ; ou bien, ce sont des outrances grossières (en particulier dans les mélodrames qui envahissent la scène), à propos desquelles Mme de Staël invente le mot « vulgarité ». Cependant, si les œuvres nouvelles et belles sont rares, le programme de cette littérature républicaine a été largement esquissé, et cela intéresse l'histoire de la critique littéraire. Ce programme a été surtout diffusé par *La Décade*, « journal philosophique, politique et littéraire », fondé le 10 floréal an II par Ginguené, assisté d'Andrieux, Amaury Duval, J.-B. Say, et, à l'occasion, de Cabanis et de Destutt de Tracy. Le prospectus du premier numéro montre qu'une littérature nouvelle peut venir prendre une juste place dans les préoccupations d'un peuple régénéré :

Ce serait une erreur de croire qu'après cinq ans de révolution l'esprit français est resté le même ; qu'il préfère, comme autrefois, ce qui amuse à ce qui instruit, et qu'avec les productions légères de la Littérature et des Beaux-Arts, on peut intéresser un grand nombre de lecteurs ; mais c'en serait une tout aussi forte de penser qu'il a totalement changé de nature, qu'il a perdu toute sa fleur en venant à maturité, et que les intérêts politiques, placés sans contredit au premier rang, occupent la place tout entière.

Seule une littérature libérée pourra répondre aux aspirations de ce public nouveau :

Toute la littérature doit être en quelque sorte jetée dans un monde nouveau. Les applications de ce qu'elle fut chez les peuples anciens à ce qu'elle doit être chez le peuple français régénéré, ouvrent un nouveau champ aux réflexions de la saine critique, et aux délicates observations du goût. Le goût doit s'agrandir, la critique s'éclairer et s'étendre : ce qu'ils ont de pédantesque et de mesquin doit disparaître. Le domaine de l'esprit doit s'accroître par la destruction des universités et des académies, comme celui du commerce par l'abolition des jurandes.

Une place particulière sera faite aux genres les plus didactiques, par exemple « à la poésie dramatique et aux contes révolutionnaires » qui seront « moraux » en ce sens qu'on s'y amusera surtout « aux dépens de l'ancien ordre de choses qui prête tant au ridicule ». *La Décade* proteste contre l'étroitesse de la littérature du xviiie siècle, limitée à l'horizon d'une classe. Elle fait ainsi une curieuse critique du roman :

En général, nous n'avions guère en français de romans estimables... Les auteurs ne travaillaient que pour la classe nobiliaire. De là résultaient des peintures de ridicules plutôt que de passions, des miniatures plutôt que des tableaux ; on y trouvait peu de vérité, peu de ces traits qui, appartenant à tous les hommes, sont faits pour être reconnus et sentis de tous.

Élargissement, libération, tel semble bien être le mot d'ordre de ceux que l'on a appelés les idéologues. Dans la critique, point de sectarisme religieux : accusés d'athéisme, les rédacteurs de *La Décade* sont en réalité des positivistes tolérants : « Les opinions religieuses doivent être libres » (30 thermidor an II). Point de nationalisme ombrageux : *La Décade* est curieuse des littératures étrangères. Son fondateur, devenu en 1798 ambassadeur de la République à Turin, s'intéresse à la littérature italienne et compose une volumineuse *Histoire littéraire de l'Italie* (publiée en neuf volumes en 1811). La guerre avec l'Angleterre ne détourne pas les idéologues du roman anglais, modèle, à leurs yeux, du roman « philosophique ». Mais ils sont conscients de ce qui doit convenir à chaque nation ; le numéro du 20 vendémiaire an IX contient une longue analyse d'*Hermann et Dorothée* de Gœthe : c'est l'occasion pour le critique d'indiquer qu'une telle idylle domestique ne saurait réussir en France, et d'opposer l'œuvre de Gœthe à *L'Homme des Champs* de Delille pour montrer les caractères contrastés de deux littératures.

Rationalistes optimistes, fidèles à la philosophie des encyclopédistes, les idéologues croient à la perfectibilité du genre humain et s'indignent de voir les philosophes du xviiie siècle rendus responsables des « excès criminels » de la Révolution. *La Décade* signale avec sympathie la nouvelle édition de Condillac parue en 1797, celle des *Œuvres complètes* d'Helvétius, celle des *Œuvres posthumes* de d'Alembert. Elle salue surtout la publication par Naigeon des œuvres de Diderot en février 1798 (pluviôse an VI) :

> Elle est faite au moment où il était à désirer qu'elle parût, c'est-à-dire lorsque le mécontentement, l'ignorance, la sottise et la mauvaise foi, s'appuyant des malheurs inséparables d'une grande révolution, essaient de reconstituer les préjugés et de remettre en question les principes philosophiques.

Pour les idéologues, ces principes philosophiques intangibles, ce sont ceux du positivisme sensualiste, au nom desquels ils luttent partout contre les dogmes. En prônant le culte du fait et la négation de l'a priori, ils ébranlent la critique dogmatique. Il n'est plus question pour eux de juger les œuvres littéraires selon leurs caractères extérieurs et de les classer selon leur conformité aux règles. Seul compte l'effet psychologique : l'œuvre belle est celle qui, voulant toucher la raison, ou l'imagination, ou la sensibilité, y réussit. Peu importent les règles et la distinction des genres : l'essentiel est de parvenir à impressionner l'esprit de l'auditeur, du spectateur ou du lecteur de façon à provoquer son adhésion.

Cabanis et Fauriel — C'est le thème que développe Cabanis dans sa *Lettre à M. T... sur les poèmes d'Homère* : « S'emparer de la faculté sympathique est une condition indispensable à tous les arts » (Texte 31). Cabanis soutient que la beauté de l'*Iliade* et de l'*Odyssée* ne vient pas de ce qu'elles constituent le modèle idéal de l'épopée. Ces poèmes ont forcé l'admiration des Grecs qui y voyaient « retracée de la manière la plus brillante cette époque qui formait pour eux les confins des temps fabuleux et des temps historiques... ». « Leur première grandeur et leur première gloire y étaient célébrées avec une sorte d'enthousiasme religieux. » Ils forcent encore l'admiration des hommes cultivés, parce que « toutes les passions du cœur humain » y sont « mises en mouvement » et que « nous aimons à nous trouver capables des impressions qui forment le véritable lien de l'humanité ». Pour Cabanis, il n'est de critique littéraire possible qu'appuyée sur une philosophie solide. Aussi dédaigne-t-il l'abondant cours de littérature de La Harpe « qui ne contient pas une seule idée propre à l'auteur », et constate-t-il que les « vues très justes » du *Laocoon* de Lessing « demanderaient à être exposées dans un meilleur ordre et modifiées, expliquées, ou quelquefois rendues plus générales par l'indication de leur rapport avec la véritable théorie des sensations ».

L'autre texte fondamental, dans lequel s'exprime la conception que les idéologues se font d'une critique littéraire nouvelle, liée à une philosophie générale des comportements humains, est la préface donnée par Fauriel à sa traduction de *La Parthénéide* de Baggesen, en 1810. La question était posée de savoir si ce poème écrit en allemand par un écrivain danois appartenait au genre héroïque ou au genre idyllique. Fauriel aborde ce problème en prévenant son lecteur que ses idées « n'ont été puisées dans aucun de nos traités de rhétorique ou de nos cours de littérature ». Il déclare ironiquement : « Toutes les définitions générales qu'on a données de la poésie n'ont servi qu'à prouver l'excessive difficulté d'en trouver une bonne. » Classer les œuvres poétiques en les groupant par genres selon les ressemblances ou les différences de leur forme, c'est rapprocher par des similitudes formelles et superficielles des ouvrages qui peuvent être en réalité très différents les uns des autres. Le point de départ de toute définition doit être trouvé dans l'impression produite par l'œuvre poétique sur le lecteur. Fauriel développe à son tour la thèse de la valeur capitale de « l'effet psychologique ». Les seules distinctions véritables que l'on puisse faire entre les œuvres poétiques doivent être fondées sur les différents effets psychologiques qu'elles produisent : « Toutes les manières réellement diverses, réellement distinctes dont l'imagination peut être affectée par la peinture de la destinée de l'homme et des actions humaines, donnent lieu à autant de sortes de compositions poétiques » (Texte 32).

Mais, à l'époque où paraît cette sorte de manifeste, il ne pouvait guère avoir de retentissement. L'Empire avait brisé le courant d'idées représenté par les idéologues : *La Décade* avait été supprimée en 1807 et arbitrairement fondue avec son adversaire : *Le Mercure*. « L'autre France », celle des salons et des hôtels particuliers, après des années d'exil en Angleterre ou en Allemagne, commençait à réintégrer une société restaurée.

L'émigration et la découverte de la littérature allemande

Pendant l'émigration, elle avait transporté ses habitudes de pensée à l'étranger et fondé ses journaux pour défendre la prééminence de l'esprit français. La plupart de ces feuilles restent des journaux de France généralement hostiles aux littératures locales : à Hambourg, le *Spectateur du Nord* de Sénac de Meilhan ; à Brunswick, *l'Abeille ;* à Londres, le *Courrier de Londres* de Montlosier, le *Mercure historique* de Mallet du Pan, et les publications de Peltier dont Chateaubriand a tracé un savoureux portrait dans ses *Mémoires*.

Quelques émigrés, pourtant, tentent de s'initier et d'initier leurs pareils à l'esprit de la littérature du pays où ils vivent. C'est la mission que se donne Charles de Villers, publiant en 1798 son *Idée sur la destination des hommes de lettres sortis de France et qui séjournent à l'étranger*. Il se met à l'étude de la littérature allemande et se plaît bientôt à la comparer à la littérature française en lui donnant l'avantage. Son œuvre principale, *L'Érotique comparée* ou *Essai sur la manière essentiellement différente dont les poètes français et les allemands traitent de l'amour* (1806) oppose les deux littératures sur un exemple particulier : la poésie érotique française est sensuelle et réaliste ; la poésie érotique allemande est idéaliste et morale. Mais Villers ne craint pas de généraliser et d'écrire des remarques comme celle-ci :

> Dans les genres les plus sublimes de l'épopée et de l'ode, les Français n'ont rien ou presque rien qui atteigne à une grande élévation. Les Allemands, au contraire, ont, dans ces mêmes genres, des pièces d'une véritable et haute inspiration.

Pour lui, les Allemands ont reçu en partage le vrai « talent poétique » qui est « un précieux reflet de la puissance de Dieu », tandis que les Français, incapables de cet enthousiasme idéal, se contentent d'une « poésie descriptive et didactique » qui « n'est point du tout de la poésie ». *La Décade* opposait déjà Delille et Gœthe comme représentant deux esprits nationaux très différents ; mais Villers prend parti : il condamne comme antipoétique l'œuvre d'un Delille, il découvre la vraie poésie chez les Allemands et voudrait l'enseigner aux Français.

On voit à quel point les conceptions divergent : les idéologues condamnent la littérature néo-classique parce que figée dans le respect de convenances et de règles formelles, et souhaitent une littérature qui sache inspirer au peuple des émotions patriotiques et généreuses : la poésie doit enseigner les vertus et faire fi des règles de la rhétorique ; les émigrés comme Villers condamnent dans la littérature du XVIIIe siècle sensualisme et sensualité, ou, si l'on préfère, un trop grand souci des réalités, et exaltent la poésie allemande et son idéalité enthousiaste et mystique.

L'Empire et la restauration classique

Cependant, en France même, d'autres s'appliquent à restaurer les pures traditions classiques. C'est l'ambition de Fontanes qui, en messidor an VIII, reprend le titre du *Mercure de France*, naguère organe de la critique philosophique, pour en faire un instrument de la restauration politique et littéraire : il s'agit de « détruire dans les idées et dans le style modernes les traces de la barbarie que l'influence du 18 brumaire efface de jour en jour dans les lois révolutionnaires ». Napoléon lui en donne le pouvoir en le nommant Grand Maître de l'Université et en le chargeant de réorganiser l'Académie française. Prenant à cœur sa tâche de critique, Fontanes s'emploie, au *Mercure*, à « donner des ridicules aux philosophes » avec l'aide agressive de La Harpe, et, considéré par Chênedollé comme « le dernier des Grecs », il prône un retour, qu'il juge souhaitable et possible, au pur classicisme du XVIIe siècle.

Autour de lui s'était groupée « la petite et admirable société du Luxembourg » (Chateaubriand), qui tentait de restaurer l'un des aspects traditionnels de la vie littéraire et mondaine à Paris : la conversation de salon. « L'âme du rond » est Joubert. Après un siècle qui « a cru faire des progrès en allant dans des précipices », il veut employer son discernement critique — « la critique, écrit-il, est un exercice méthodique du discernement » — à distinguer les œuvres qui peuvent servir à la consolidation de la société. Celles-là seules sont vraies pour lui : « Tout ce qui me paraît faux n'existe pas pour moi ». Il n'est plus temps de raisonner sur des règles et de s'occuper de poétique. Il faut faire un bilan de notre patrimoine littéraire en distinguant les « esprits faux » (Rousseau, Diderot, Voltaire même...) et les « esprits justes » (Corneille, Molière, La Bruyère...) : « La connaissance des esprits est le charme de la critique ; le maintien des bonnes règles n'en est que le métier et la dernière utilité. » Enfin, « harpe éolienne rendant quelques beaux sons mais qui n'exécute aucun air », Joubert ramène la critique des éclats de l'orchestre à la discrétion de la musique de chambre : avec lui reparaît la critique orale, improvisée, des salons, qu'il considère lui-même comme très favorable à l'apparition de chefs-d'œuvre : « Épurer son goût en écumant son esprit, est un des avantages de la bonne compagnie et de la société des lettres à Paris. Les idées médiocres s'y dépensent en conversation ; on garde les exquises pour les écrire. »

Dénonciation des erreurs modernes, restauration des valeurs classiques, c'est aussi le but que poursuit, avec moins d'urbanité, un ancien collaborateur de Fréron, Geoffroy, qui reprend en brumaire an IX (novembre 1800) *L'Année littéraire* :

> On s'élèvera surtout avec courage contre les innovations qui tendent à bouleverser la république des lettres sous prétexte de la réformer. Les règles de la poésie et de l'éloquence fondées sur la nature sont immuables comme elle. D'autres peuples ont eu de l'imagination et du génie, d'autres peuples ont cultivé les sciences avec succès, la France seule a du goût ; c'est par le goût que sa littérature est la première de l'Europe. En s'efforçant de conserver ce dépôt de gloire, ce titre national, le rédacteur de *L'Année littéraire* croit remplir les devoirs du citoyen autant que ceux du littérateur.

Geoffroy devient bientôt « le père Feuilleton » au *Journal des Débats*, dont Rœderer définissait ainsi le programme dans un rapport au Premier Consul :

> L'esprit du journal est de faire une guerre ouverte : à la Révolution — aux sciences mathématiques et physiques qui ont corrompu la morale, desséché les âmes et conduit à l'athéisme — à la philosophie du XVIIIe siècle — à la littérature du XVIIIe siècle parce qu'elle s'est associée à la philosophie... ; de faire toujours l'éloge du siècle de Louis XIV, et de la fin du règne où le clergé eut le plus de puissance...

Geoffroy s'emploie en effet à ne pas séparer la critique littéraire de l'étude des mœurs :

> Le seul moyen de répandre de l'intérêt dans les discussions littéraires, c'est d'envisager les lettres dans leur rapport avec les mœurs. La scolastique de la littérature qui consiste dans la nomenclature et les règles des différents genres, est nécessairement très bornée et très sèche. Mais examiner à quel point la religion, le gouvernement, le système social peuvent influer sur le goût et la manière de voir d'une nation, étudier l'esprit d'un siècle dans les écrits du temps, chercher dans les poètes et les orateurs des notions historiques et politiques beaucoup plus sûres que celles qui se trouvent communément dans les histoires et les traités dogmatiques, voilà ce que j'appelle la philosophie de la littérature.

> *Journal des Débats*, 5 février 1804.

Cela le conduit à faire preuve d'un certain sens du « relatif », mais à tout instant contrecarré par le dogmatisme du partisan d'un complet retour au classicisme. A ses côtés Hoffmann, Dussault, de Féletz, font preuve de la même vigilance, et s'en prennent aux innovations, en particulier au goût affiché par certains pour les « sophismes » d'une critique allemande plus métaphysique que littéraire : celle de Schlegel, ce « rhéteur » qui, selon Dussault, ne comprend rien au génie raisonnable du théâtre français.

Ce dernier groupe représente la position officielle de l'Empire : élimination des idéologues, héritiers de la barbarie philosophique du XVIIIᵉ siècle, et opposition aux propagandistes des littératures du Nord, admirateurs de la barbarie allemande ; restauration de l'équilibre et de la pompe classiques. Il est temps de voir maintenant comment se situe, au milieu de ces diverses tendances, l'œuvre critique de Mᵐᵉ de Staël et de Chateaubriand.

L'ŒUVRE CRITIQUE DE MADAME DE STAËL ET DE CHATEAUBRIAND

Madame de Staël   Mᵐᵉ de Staël fut d'abord considérée comme une complice des idéologues, et combattue à ce titre aussi bien par Geoffroy que par Chateaubriand inspiré par Fontanes ; puis, elle apparut comme l'admiratrice passionnée de la littérature allemande et fut à ce titre à nouveau attaquée par les « classiques » du *Mercure* et des *Débats*.

Dans son ouvrage de 1800, *De la littérature considérée dans ses rapports avec les institutions sociales*, elle reprend en effet le thème de la perfectibilité. Un *Discours préliminaire* expose son intention d' « examiner quelle est l'influence de la religion, des mœurs et des lois sur la littérature », et réciproquement de la littérature sur les mœurs. Nous avons vu que c'était là un lieu commun de la critique littéraire « philosophique » sous le Consulat. Mᵐᵉ de Staël insiste sur l'intérêt de pareilles études : « Il me semble que l'on n'a pas suffisamment analysé les causes morales et politiques qui modifient l'esprit de la littérature ». Elle est convaincue que chaque époque doit avoir sa littérature, formée par le climat, les coutumes, les nécessités historiques. Aussi le même schéma ne saurait-il servir pour toutes les littératures et tous les peuples : « l'universalité » classique est nécessairement fausse. Les transformations et le progrès des civilisations à travers les siècles entraînent la formation de littératures profondément différentes. La diffusion du christianisme a par exemple accentué la division entre les peuples du Nord et les peuples du Midi : la littérature des premiers se révèle plus capable d'exprimer les sentiments nouveaux et mélancoliques correspondant à la religion nouvelle. Mᵐᵉ de Staël célèbre alors les beautés des ouvrages écrits par les grands génies des pays du Nord, tout en reconnaissant que ces ouvrages sont pleins de fautes contre « le bon goût ». Mais, ajoute-t-elle, « si l'on demande ce qui vaut mieux, d'un ouvrage avec de grands défauts et de grandes beautés, ou d'un ouvrage médiocre et correct, je répondrai sans hésiter qu'il faut préférer l'ouvrage où il existe, ne fût-ce qu'un seul trait de génie » (Texte 34). Le dernier aboutissement du progrès, c'est la Révolution française, dont l'auteur étudie, dans une seconde partie, les répercussions sur la littérature même : désormais, la poésie courtoise et mondaine n'a plus aucune raison d'être, et, grâce à la morale républicaine que la France finira un jour par acquérir, de nouveaux genres littéraires vont apparaître. Forte d'un nouvel idéal, la littérature française va s'enrichir de nouveaux sujets d'inspiration, inconnus des siècles précédents, durant lesquels elle était abandonnée soit à la solennité des mondains, soit à la licence des oisifs. En 1800, il reste à lutter contre la « vulgarité », rançon provisoire de l'émancipation civique, mais bientôt une littérature régénérée fera l'admiration du monde :

> Il est utile de caractériser les défauts qu'on peut reprocher à quelques prétentions, à quelques plaisanteries, à quelques exigences des sociétés de l'ancien régime, afin de montrer ensuite avec d'autant plus de force, quels ont été les détestables effets, littéraires et politiques, de l'audace sans mesure, de la gaieté sans grâce, de la vulgarité avilissante, qu'on a voulu introduire dans quelques époques de la révolution. De l'opposition de ces deux extrêmes, les idées factices de la monarchie et les systèmes grossiers de quelques hommes pendant la révolution, résultent nécessairement des réflexions justes sur la simplicité noble qui doit caractériser, dans la république, les discours, les écrits et les manières.

> *De la littérature…* — Deuxième partie, chapitre II :
> *Du goût, de l'urbanité des mœurs, et de leur influence littéraire et politique.*

Hélas ! un général victorieux transformé en tyrannique empereur est venu démentir ces belles prophéties, et Mme de Staël, après des années de voyages et d'exil, devient la propagandiste d'une tout autre cause : elle a eu, à son tour, la révélation de la littérature allemande. Son livre *De l'Allemagne*, annoncé en 1808, interdit par l'Empereur en 1810, publié à Londres en 1813, paraît enfin en France en 1814. La seconde partie : *De la littérature et des arts*, développe longuement, pour la première fois, et surtout dans le célèbre chapitre XI : *De la poésie classique et de la poésie romantique*, une critique de la littérature classique et une apologie de la littérature romantique, « celle qui est née de la chevalerie et du christianisme ». L'antithèse schlegelienne « classique-romantique » se substitue à l'antithèse « Midi-Nord » : les considérations de race, de religion, de dispositions morales passent au premier rang et refoulent comme secondaires les considérations géographiques auxquelles l'auteur du traité *De la littérature* s'était d'abord arrêté. A travers l'opposition de deux formes de poésie, Mme de Staël développe l'antithèse du paganisme et du christianisme, des Latins et des Germains, de l'Antiquité et du Moyen Age, des institutions gréco-latines et de la chevalerie. Puis elle choisit :

> … La question pour nous n'est pas entre la poésie classique et la poésie romantique, mais entre l'imitation de l'une et l'inspiration de l'autre. La littérature des anciens est chez les modernes une littérature transplantée ; la littérature romantique ou chevaleresque est chez nous indigène, et c'est notre religion et nos institutions qui l'ont fait éclore…

> La littérature romantique est la seule qui soit susceptible encore d'être perfectionnée, parce qu'ayant ses racines dans notre propre sol ; elle est la seule qui puisse croître et se vivifier de nouveau ; elle exprime notre religion ; elle rappelle notre histoire : son origine est ancienne, mais non antique.

> Deuxième partie, chapitre XI.

Choisissant le romantisme, Mme de Staël adopte la conception idéaliste, subjective, individualiste, que les Allemands se font de la beauté, et oppose à l'idéal classique d'imitation rationnelle de la nature, un idéal romantique de création libre et d'art personnel.

> Les Allemands ne considèrent point, ainsi qu'on le fait d'ordinaire, l'imitation de la nature comme le principal objet de l'art ; c'est la beauté idéale qui leur paraît le principe de tous les chefs-d'œuvre.
>
> Troisième partie, chapitre IX.

Dès lors, le critère de la beauté est la puissance, et la condition essentielle de sa réalisation, la liberté. L'auteur souligne que le goût, l'habileté, le mérite de la difficulté vaincue, sont des valeurs que la critique classique a exagérément surfaites. Il ne faut pas entraver le génie : « La première condition pour écrire, c'est une manière de sentir vive et forte. Les personnes qui étudient dans les autres ce qu'elles doivent éprouver et ce qui leur est permis de dire, littérairement parlant, n'existent pas. » (Deuxième partie, chapitre I). Cette liberté est nécessaire chez les lecteurs comme chez les auteurs : il ne faut pas que les convenances sociales ou les canons littéraires viennent troubler « les fêtes de l'imagination ». Mme de Staël déplore que les Français rapportent tout ce qu'ils lisent à certains types consacrés et « ne veulent jamais être émus, ni même s'amuser aux dépens de leur conscience littéraire », alors qu'en Allemagne, « il n'y a de goût fixe sur rien, tout est indépendant, tout est individuel. L'on juge d'un ouvrage par l'impression qu'on en reçoit et jamais par les règles, puisqu'il n'y en a point de généralement admise... ». Elle appelle donc de ses vœux la libération de la poésie française accablée de « lois prohibitives » par la critique classique : « ... En France, il y a maintenant trop de freins pour des coursiers si peu fougueux » (Deuxième partie, chapitre XIV).

Le « groupe de Coppet » contre la tradition classique

Autour de Mme de Staël se réunissent à Coppet écrivains, historiens, professeurs, critiques qui reprennent les mêmes thèmes et multiplient l'offensive contre la tradition classique.

En 1809, Benjamin Constant, dans ses *Réflexions sur la tragédie de Walstein et sur le théâtre allemand*, critique les dramaturges classiques français contraints par la règle des unités de « négliger souvent, dans les événements et les caractères, la vérité de la gradation, la délicatesse des nuances » : « On sent que ce n'est pas ainsi qu'agit la nature ». Il fait au contraire l'éloge des dramaturges allemands qui savent « peindre une vie et un caractère entiers » : « Ils nous présentent leurs personnages avec leurs faiblesses, leurs inconséquences, et cette mobilité ondoyante qui appartient à la nature humaine et qui forme les êtres réels ».

En 1813, Sismondi publie son cours sur *La littérature du Midi de l'Europe*. Il insiste d'abord sur la nécessité de ne pas « s'arrêter à l'étude de notre seule littérature » et de ne point « confondre des chefs-d'œuvre avec des modèles ». Cette curiosité le conduit à constater que les autres pays européens nous offrent des littératures chrétiennes, chevaleresques, nationales, populaires, c'est-à-dire « romantiques » ; elles répondent au principe, naguère formulé par Bonald — (« la littérature est l'expression de la société » *De la législation primitive*, 1802) — de la fidélité nécessaire de la littérature à la religion, aux institutions et aux mœurs qui constituent une civilisation. Alors que les littératures européennes ont généralement observé cette fidélité, la littérature française n'a été romantique qu'au Moyen Age et, depuis la Renaissance, « s'est complètement séparée de la littérature romantique ». Là où le professeur ne fait que constater une rupture, d'autres ne manquent pas d'appeler à renouer la tradition perdue.

Dans la même année 1813, paraît la traduction française du *Cours de littérature dramatique* de Schlegel, qui insiste sur cette même idée que la Renaissance a rompu l'accord des lettres et de la civilisation : l'esthétique classique est mal appropriée à l'esprit moderne. Schlegel souligne les responsabilités de la critique traditionaliste dans ce divorce entre la littérature et la vie. Elle se renferme en effet dans « l'art de censurer » et « inspire plus de crainte que d'ardeur ». C'est une critique de jugement fondée sur des références à des œuvres anciennes et mortes, et non pas une critique de compréhension. Aussi paralyse-t-elle l'admiration et stérilise-t-elle la création. Le *Cours* définit les principes d'une autre critique libérée des contraintes formelles et des usages artificiels. Le critique doit se détacher des préjugés pour se faire « l'arbitre de tous les goûts » ; il doit aussi essayer d'abjurer toutes les « prédilections personnelles ». Avant de juger, il faut comprendre ; et le but même du critique, c'est de découvrir le principe de vie caché dans l'œuvre d'art. Il ne s'agit pas d'apprécier l'œuvre par référence à une beauté absolue et idéale : la critique moderne s'appuiera non plus sur une esthétique de la beauté, mais sur une esthétique de la vie. Au « jardin », symbole d'une esthétique artificielle, le critique nouveau saura préférer la « forêt », symbole d'une esthétique fondée sur le libre jeu des forces naturelles. Cette véhémente condamnation du classicisme s'accompagne d'un appel à une critique audacieuse « qui éclaire l'histoire et rende la théorie féconde ». Cet appel est ressenti comme une provocation par les critiques du *Mercure de France* ou du *Journal de l'Empire* (substitué aux *Débats* depuis 1805), en particulier par Nodier qui riposte dans un article véhément le 4 mars 1814 :

> Le beau est un point fixe, unique, invariable, qu'on ne déplace point sans en altérer le type. Il y a autant de manières de s'écarter du beau qu'il y a de nuances possibles entre le beau et le mauvais ; mais il n'y en a qu'une seule d'y atteindre. Si l'on autorise par une indulgence coupable un critique ou une nation à modifier la définition du beau en raison de certaines circonstances locales, si chacun a le droit de tirer de sa propre sphère les objets de comparaison sur lesquels cette définition s'établit, et de substituer l'hypothèse d'un homme et d'un moment à des conventions éternelles et unanimes, les arts retomberont dans le chaos.

Citons, pour en finir avec le « groupe de Coppet », son dernier épigone, le Suisse Bonstetten, qui publie en 1824, *L'Homme du Midi et l'Homme du Nord*, ouvrage dans lequel il développe à nouveau l'importance de l'influence du climat, en reprenant les contrastes chers à Mme de Staël et à ses amis.

Chateaubriand : poésie et critique

Le rôle de Chateaubriand dans l'histoire de la critique littéraire est loin d'avoir l'importance de celui de Mme de Staël qui fut au centre d'un groupe essentiellement préoccupé de littérature et d'idées littéraires. Chateaubriand avait d'autres ambitions et son activité critique fut constamment subordonnée à d'autres objectifs : rétablir « les saines doctrines religieuses et monarchiques » ; maintenir « quelques vérités négligées », « dans le silence du monde subjugué » ; forger son propre personnage aux yeux de la postérité. Aussi son jugement de critique n'est-il ni très serein, ni très constant. Il était facile à Sainte-Beuve d'opposer les jugements contradictoires portés sur les écrivains qui, vers 1789, favorisèrent son entrée dans le monde littéraire, par le jeune auteur de l'*Essai sur les révolutions* et par le poète des *Mémoires d'Outre-Tombe*. En tout cas, l'un comme l'autre, ils manquaient de la patience et de l'application nécessaires pour être un vrai critique. Selon un mot rapporté par Sainte-Beuve dans ses *Cahiers*, Chateaubriand ne conçoit l'érudition qu'aidée par l'imagination : « Celle-ci devance et éclaire l'autre…, elle est à l'érudition comme un coureur qui pousse toujours, comme un cosaque qui fait ses pointes ». Il se fie en effet aux lumières de cet éclaireur qui l'entraîne à des rapprochements audacieux à travers les siècles et les pays, à des confrontations insolites. L'auteur de l'*Essai sur les révolutions* disserte allègrement sur Anacréon et Voltaire, J.-J. Rousseau et Héraclite, Kreeshna et Klopstock, et, dans le *Génie du christianisme*, il se plaît à comparer la façon dont les écrivains païens et chrétiens ont traité les mêmes caractères (les époux, le père, la mère…) et conçu le surnaturel (le Tartare et l'Enfer, les Champs-Élysées et le Paradis…). En d'autres occasions, où il n'est pas tenu par le souci de démontrer, poésie et critique se rencontrent sous sa plume en de véritables méditations lyriques : à propos de Venise, « cette ville où les plus hautes intelligences se sont donné rendez-vous », il évoque pêle-mêle Byron, Rousseau, Shakespeare, Otway, Gœthe, Montesquieu (*Mémoires d'Outre-Tombe*, Quatrième Partie, livre VII, chapitres IX et X), et il se mêle à leur cortège, tout comme, à la fin de la deuxième partie de l'*Essai sur la littérature anglaise*, il se sent tout proche des « génies-mères » qu'il célèbre avec la même ferveur : Homère, Dante, Rabelais, Shakespeare. « Persuadé que la critique n'a jamais tué ce qui doit vivre » et « n'a jamais fait vivre ce qui doit mourir » (*Essai sur la littérature anglaise*, troisième partie), Chateaubriand l'a toujours traitée avec quelque dédain. Sans doute a-t-il appelé de ses vœux la « grande et difficile critique des beautés » qu'il opposait à la « petite et facile critique des défauts » dans un article du *Mercure* consacré à Dussault en juin 1819 (Texte 36). Sans doute a-t-il salué, en 1836, les « progrès considérables » de « la critique historique et générale » qui remplace la dérisoire et futile « critique de détail », Ce sont là simples formules d'un écrivain qui, dans le domaine de la critique comme dans bien d'autres, a simplement contribué à introduire un ton nouveau : les pèlerinages passionnés d'un Barrès ne se conçoivent pas sans l'exemple de Chateaubriand.

L'OFFENSIVE ROMANTIQUE

**Littérature et politique
sous la Restauration**
Après l'Empire, la critique littéraire est
de plus en plus liée au journalisme politique : tous les journaux font une place
à la chronique des livres et le grand débat entre classiques et romantiques
se complique de la lutte que se livrent royalistes ultras et libéraux.

Certains royalistes sont classiques par horreur de la Révolution et de
la liberté : fidèles à l'enseignement final d'un La Harpe et aux leçons du
Mercure, ils fondent en 1821 la *Société des Bonnes Lettres* pour rassembler
« les défenseurs de toutes les légitimités, de toutes les vraies gloires, du
sceptre de Boileau comme de la couronne de Louis le Grand ». Mais la plupart
d'entre eux sont au contraire favorables au renouveau qu'introduit une
littérature chevaleresque et chrétienne, propre à guérir la société du
rationalisme philosophique considéré comme responsable de la Révolution ;
tel est l'état d'esprit des jeunes poètes « bien pensants » groupés autour
d'Alexandre Soumet : Hugo, Vigny, les frères Deschamps... Chez les libéraux,
on se proclame plus volontiers classique, justement par fidélité au rationalisme
et pour s'opposer à l'invasion d'un romantisme « historique » d'inspiration
étrangère, qui jette le discrédit sur la littérature française des XVIIe et
XVIIIe siècles : ainsi, à l'Athénée, refuge des maîtres libéraux, Népomucène
Lemercier professe un *Cours analytique de littérature* publié en 1817, dans
lequel la manie classificatrice se donne à nouveau libre cours, tandis qu'est
réaffirmée la supériorité du goût classique :

> Les erreurs des nations dont le goût n'est pas encore formé ne font pas
> autorité contre les principes du vrai beau, dont les anciens nous ont donné des
> exemples admirables.

Cependant, certains milieux libéraux, formés à l'école du romantisme italien
de Manzoni et non à celle de Schlegel, sont aussi désireux de liberté
littéraire que de liberté politique : au salon des Deschamps, rue Saint-
Florentin, s'oppose celui de Delécluze chez qui Rémusat, Stapfer, Stendhal
déplorent le chauvinisme des jeunes libéraux excités par *Le Constitutionnel*
contre les acteurs anglais et contre Shakespeare.

La question nationale est en effet au centre de tous ces débats : la
difficulté majeure pour les romantiques (qu'ils soient libéraux ou ultras)
est qu'ils apparaissent comme les apologistes de théories et d'œuvres
étrangères. Mais les positions vont évoluer assez vite. Les anciens émigrés
ultras ont le souci de faire oublier leurs alliances étrangères et de s'identifier
à la nation réconciliée avec le roi : ils se défient de plus en plus de certains
aspects de la littérature nouvelle. Le royalisme et la « mysticité » des « jeunes
poètes » leur conviennent, tant que ceux-ci ne tombent pas dans une religiosité
vague et un mysticisme confus où la critique adverse a beau jeu de dénoncer

des influences germaniques. Ils veulent bien encourager un renouvellement des genres littéraires, mais seulement pour promouvoir des thèmes nouveaux d'un caractère politique et religieux nettement marqué : pour nous aider à restaurer une bonne société, faites-nous une bonne littérature. Quant aux libéraux, ils se montrent d'abord résolument hostiles à « une école de germanisme et d'anglicisme » et rejettent les thèmes mystiques et moyen-nageux du romantisme royaliste ; cependant, la fidélité au classicisme par fidélité à « l'esprit voltairien » apparaît peu à peu à beaucoup d'entre eux comme une position rétrograde, et *Le Globe*, organe des libéraux doctrinaires, en vient à dénoncer au nom de la liberté et de la vérité, ce qu'il y a de figé et de mort dans une littérature tournée vers l'imitation du passé.

De toutes ces discussions, retenons l'habileté éclectique d'un Villemain, qui disserte de façon à satisfaire l'un et l'autre camp ; le rôle de Stendhal, révélateur en France de l'alliance possible du libéralisme et du romantisme, et celui du *Globe*, devenu bon gré mal gré l'instrument de cette réconciliation, à laquelle un jeune critique, Sainte-Beuve, consacre sa première œuvre importante.

La critique des professeurs : Villemain

Précoce lauréat de l'Académie française, Villemain prononce devant elle, le 21 avril 1814, en présence du tsar et du roi de Prusse, son *Discours sur les avantages et les inconvénients de la critique*. Cette situation d'un jeune orateur de vingt-quatre ans est symbolique de toute sa carrière. Sa vocation de critique est dès lors affirmée, mais la critique restera pour lui l'exercice d'un rhéteur habile à briller devant un public nombreux et divers, et dont les ambitions sont plus politiques que littéraires. Titulaire dès 1815 d'une chaire d'éloquence française à la Sorbonne, il tente dans un premier cours de démontrer que la décadence de l'éloquence française s'explique par « l'influence des mœurs et des fausses doctrines ». Il est alors chef de la division littéraire au ministère de la Police générale, puis directeur de l'imprimerie et de la librairie, confident de Decazes, jusqu'au lendemain de l'assassinat du duc de Berry. Après cette première carrière rapide et manquée, il reprend son enseignement en 1822 sur des bases toutes différentes. Conscient des progrès de l'esprit nouveau, il renonce à reprendre les arrêts d'une critique dogmatique et abstraite. Il accorde une large place à l'étude de la biographie des écrivains, et étudie l'évolution des genres littéraires en prenant garde à l'importance des influences étrangères. C'est donc l'histoire de la littérature qu'il enseigne, avec plus de jugement et de savoir que La Harpe. En 1822, il parle de la première moitié du XVIIIe siècle et affirme ses convictions classiques tout en sachant condamner habilement en une seule phrase les excès de chaque école :

> L'erreur, c'est d'abandonner Virgile pour Calderon, Racine pour Lope de Vega, Corneille pour Shakespeare, quoique Shakespeare ait mêlé dans la barbarie de son génie plus de force immortelle et invincible, plus de vraie durée que les autres drames espagnols.

Ses plus grands cours sont ceux des années 1827-1829 sur le XVIIIe siècle. Idole, avec Cousin et Guizot, des étudiants libéraux, Villemain est régulièrement écouté par douze à quinze cents auditeurs. Il affirme hautement son ambition d' « expliquer » et de « juger » le siècle des lumières, sans se laisser aller à « l'admirer par tradition » ni à « le blâmer par convenance ». Mais la chaire se transforme volontiers en tribune politique, par exemple lorsqu'il s'écrie :

> Voyons si, malgré ce qu'on lui reproche de faux principes et de fausses conséquences, ce n'est pas (de la philosophie du XVIIIᵉ siècle) que sont sortis un meilleur ordre politique, une législation plus équitable, des mœurs plus douces, l'égalité civile et la liberté publique de la pensée, ces grandes choses, en un mot, maintenant obtenues, ou demandées ou souhaitées, par tous les peuples civilisés.

Tout cela ne va pas sans quelque charlatanisme oratoire, plus sensible encore chez Cousin, dont le *Discours d'introduction à l'histoire de la philosophie* (1827) propose ce qui nous semble aujourd'hui une extraordinaire caricature des ambitions futures de la critique scientifique :

> Donnez-moi la carte d'un pays, sa configuration, ses climats, ses eaux, ses vents et toute sa géographie physique ; donnez-moi ses productions naturelles, sa flore, sa zoologie, et je me charge de vous dire a priori quel sera l'homme de ce pays, et quel rôle le pays jouera dans l'histoire, non pas accidentellement, mais nécessairement ; non pas à telle époque mais dans toutes ; enfin, l'idée qu'il est appelé à représenter.

Mais Villemain lui-même semble avoir senti ce qu'il y avait de fragile dans une critique ainsi pratiquée au milieu des applaudissements d'un public complaisant, et, dix ans plus tard, il souffrait de se voir quelque peu dédaigné dans un article de Dubois, l'ancien directeur du *Globe*, auquel il répondait par une lettre finalement plus digne et plus instructive que tous ses précédents discours (Texte 37).

Stendhal contre la critique « triste » des rhéteurs

Loin de ces éclats de la popularité et de l'ambition publique, Stendhal mène une action plus discrète et peut-être plus décisive. Il se moque bien de Villemain, « héros de l'Académie française » et « jeune rhéteur d'assez de talent », qu'il salue, dans une chronique du 1ᵉʳ janvier 1826 au *New Monthly Magazine*, comme « le premier homme de France ... dans l'art de parler pour ne rien dire ».

Dès le retour des Bourbons en 1814, Stendhal avait choisi de se fixer à Milan. Il y reste sept ans, témoin enthousiaste de la naissance du mouvement romantique italien étroitement lié, à l'inverse du romantisme français, aux courants libéraux. Il devient ainsi le propagandiste d'un « romanticisme » qui n'a rien de commun avec le romantisme des poètes de *La Muse française*. Avant toute autre forme d'activité littéraire, c'est la critique qui le tente. Dès son retour à Paris en 1821, il songe à fonder un périodique sur le modèle des magazines anglais : *L'Aristarque, ou l'indicateur universel des livres à lire*. Seul paraît le prospectus, sous l'épigraphe : *la vérité toute nue*, révélatrice de sa volonté de démasquer les fausses gloires de la littérature contemporaine. Faute de pouvoir jouer ce rôle de juge, il se lance dans la bataille, contre le théâtre ennuyeux, et pour un théâtre libéré auquel Shakespeare serve d'exemple et non plus Racine de modèle. C'est dans son *Racine et Shakespeare* (1823-1825) qu'il donne sa définition fameuse du « romanticisme » :

> L'art de présenter aux peuples les œuvres littéraires qui, dans l'état actuel de leurs habitudes et de leurs croyances, sont susceptibles de leur donner le plus de plaisir possible (Texte 38).

Il est contre la littérature ennuyeuse et démodée, comme il est contre la critique triste, dont les discours pédants, inspirés de Schlegel, lui paraissent fournir de pesants exemples. Il voudrait une critique alerte, vive, sans prétentions théoriques, telle qu'il la pratique lui-même, clandestinement, dans divers journaux anglais de 1822 à 1828. Il peut y donner libre cours à son impatience : « Qui nous délivrera de Louis XIV ? Voilà la grande question qui renferme le sort de la littérature française à venir. Les gens de lettres actuels se sont fait un point de doctrine de soutenir le genre à la Louis XIV, et l'Académie française est devenue plus intolérante et presque aussi absurde que la Sorbonne ! ». Mais cette déclaration de guerre aux classiques ne l'amène pas à crier : Vivent les romantiques du Cénacle ! Il s'en prend au contraire à Victor Hugo, « le poète du parti ultra », qui est « toujours exagéré à froid » (chronique du 1-1-1823). Il accueille par des sarcasmes l'*Éloa* de Vigny, « incroyable mélange d'absurdité et de profanation » que l'on ose célébrer à Paris comme « une imitation réussie de Byron » (1-12-1824). Il regrette, le 20 juin 1825, que Lamartine, qui « avait entrepris de faire l'éloge de la liberté » se soit laissé annexer à son tour par le même parti et se contente désormais d'idées « vagues, communes et, de plus, fort obscures ». En somme, il déplore que l'enseignement de Cabanis et de Tracy ait été brutalement rejeté, alors qu'ils ouvraient la voie d'une réelle libération de la pensée et de la littérature. Fauriel est à ses yeux « le seul savant non pédant de Paris », mais les jeunes Parisiens préfèrent écouter « les conférences obscures et mystiques de Cousin ... qu'ils font semblant de comprendre ».

Stendhal accuse volontiers *Le Globe* d'avoir favorisé cette propagation de l'obscurité. Pourtant cette revue se fait bientôt l'instrument de la diffusion d'un romantisme « éclairé ».

Le rôle du « Globe »

Depuis sa fondation en 1824 *Le Globe* a joué un rôle important dans l'histoire et le renouvellement de la critique littéraire. Le premier numéro, paru le 15 septembre 1824, contient une *Profession de foi* où se manifeste l'inquiétude de voir la critique dépérir : « L'on aurait peine à citer une feuille où elle s'exerce à la fois avec indépendance et vérité ». L'auteur énumère les servitudes de la critique : elle est subordonnée à la politique ; elle est limitée à l'horizon de la vie parisienne ; elle est enfin devenue « une spéculation d'auteurs et un commerce de librairie ». L'ambition des collaborateurs de la nouvelle revue (Dubois, Duvergier de Hauranne, Rémusat...) est de « retirer la critique du commerce et des ambitions politiques, ramener la justice avec l'indépendance, et satisfaire à cette sérieuse curiosité de l'utile qui travaille tous les esprits ». Leur premier mot d'ordre pour cette entreprise de régénération est : « Liberté et respect du goût national », ce qui implique un double refus : celui des traditions sclérosées du néo-classicisme et celui des innovations importées du romantisme anglo-allemand.

A l'écart de la querelle entre classiques et romantiques, *Le Globe* cherche donc à apporter un peu de clarté dans le débat. Le 24 mars 1825, dans un bel article, Duvergier de Hauranne dénonce « la critique étroite et arbitraire des classiques », qui jugent toutes les œuvres par comparaison avec les grands modèles du passé ; il souligne ensuite à quelles conditions « ce qu'on appelle le romantique doit triompher » : « pour que sa victoire soit pure et complète, qu'il évite l'obscur, le prétentieux, l'inintelligible ; que surtout il se garde bien d'affecter la phrase anglaise ou allemande ».

Deux ans plus tard ces souhaits semblent à peu près réalisés : la conciliation se révèle alors possible entre romantiques de diverses tendances, et la victoire depuis longtemps prévue par *Le Globe* comme « assurée quoi qu'il arrive » (2 avril 1825) est désormais à leur portée.

La conciliation : l'évolution des poètes

Cette alliance des romantiques libéraux et des romantiques « germanophiles » est favorisée par l'évolution des jeunes poètes romantiques eux-mêmes. Dans les premières préfaces de ses *Odes*, Hugo avait affirmé que « l'histoire des hommes ne présente de poésie que jugée du haut des idées monarchiques et des croyances religieuses » et que « la poésie n'est pas dans la forme des idées, mais dans les idées elles-mêmes » (première édition, juin 1822). Il disait encore son intention de « faire parler (à l'ode) ce langage austère, consolant et religieux dont a besoin une vieille société qui sort encore toute chancelante des saturnales de l'athéisme et de l'anarchie » (deuxième édition, décembre 1822). Dans la préface de 1824, il développe longuement son intention de promouvoir une littérature qui soit « l'expression anticipée de la société religieuse et monarchique qui sortira sans doute du milieu de tant d'anciens débris, de tant de ruines récentes ». En octobre 1826, la préface des *Odes et Ballades* est consacrée à la liberté en littérature : si Hugo reprend la comparaison schlegelienne entre la beauté factice d'un parc à la française et la beauté puissante de la forêt primitive, il souligne néanmoins avec force qu' « en littérature comme en politique, l'ordre se concilie merveilleusement avec la liberté » et que « la liberté ne doit jamais être l'anarchie » ; il conclut que « le poète ne doit avoir qu'un modèle : la nature, qu'un guide : la vérité », et toutes ces formules étaient bien faites pour rassurer *Le Globe*. Enfin, la préface de *Cromwell* (décembre 1827) reprend, avec plus de hardiesse que la préface des *Odes et Ballades*, le thème, cher à Stendhal, de la liberté absolue dans l'art, et cela au nom du respect de la nature et de la vérité : le domaine de la poésie n'est plus représenté comme un « idéal » mystique. Rémusat, dans deux articles du *Globe*, se gausse du fatras pseudo-historique et des vues faussement systématiques que contient la préface de *Cromwell*, mais prend acte, avec satisfaction, de l'évolution raisonnable du poète.

Moins tapageuse et moins grandiloquente, la préface des *Études françaises et étrangères* d'E. Deschamps, publiée un an après la préface de *Cromwell*, représente le même effort des anciens animateurs de *La Muse française* vers un compromis avec la fraction libérale du romantisme. Deschamps y affirme sa croyance dans le progrès par le renouveau : « un grand siècle littéraire n'est jamais la continuation d'un autre siècle ». Il rend hommage à Béranger au même titre qu'à Hugo, Vigny et Lamartine. Il souligne que, riche de tous ces nouveaux grands poètes, la France « n'a plus besoin d'aller chercher des exemples hors de chez elle », sinon pour renouveler le théâtre : Shakespeare a autant de valeur exemplaire que Racine et, comme l'a dit *Le Globe* repris par Deschamps : « Le temps des imitations est passé ; il faut ou créer ou traduire ».

La conciliation : la critique « avant-courrière » de Sainte-Beuve

Une telle déclaration scelle une alliance à laquelle, au *Globe* même, avait travaillé un jeune critique débutant : Sainte-Beuve. Celui-ci, d'abord hostile à « l'école romantique » des poètes « à cause du royalisme et de la mysticité qu'[il] ne partageai[t] pas » (*Ma biographie*, dans les *Nouveaux Lundis*, tome XIII), se fait soudain, en 1827, le défenseur chaleureux des *Odes et Ballades*, tout en formulant quelques réserves sur l'abus des couleurs et la tendance au grandiose. L'année suivante, il devient un véritable propagandiste de la poésie nouvelle en publiant son *Tableau historique et critique de la poésie et du théâtre français au XVIe siècle*, ouvrage dans lequel, avouera-t-il plus tard (*Lundi* du 13-10-1855) il a voulu surtout « chercher dans nos origines quelque chose de national à quoi se rattacher », c'est-à-dire libérer les poètes du Cénacle de l'accusation d'être les imitateurs d'une poésie étrangère. Ainsi commence une curieuse métamorphose de la critique française : elle renonce pour un temps à ses timidités, à ses vétilleuses investigations, à ses prudentes références à un glorieux passé pour se faire « avant-courrière », selon le mot de Sainte-Beuve, et annoncer la venue de génies nouveaux. Période euphorique pendant laquelle critiques et créateurs (et chacun est alors tour à tour l'un et l'autre) travaillent ensemble au triomphe d'un art nouveau. Mais collaboration éphémère et fragile dont se moque Henri Heine dans une lettre célèbre de mai 1837 :

> De même qu'en Afrique, lorsque le roi de Dafur fait une chevauchée officielle, un panégyriste galope en avant, qui ne cesse de crier à haute et intelligible voix : « Voyez là le buffle, le descendant du buffle, le taureau des taureaux, tous les autres ne sont que des bœufs — celui-ci est le seul buffle authentique » — de même il fut un temps où Sainte-Beuve courait en toute occasion en avant de Victor Hugo, quand se produisait en public une œuvre de celui-ci ; il sonnait de la trompe et célébrait le Buffle de la poésie. Ce temps est passé…

Pendant quelques années, Sainte-Beuve n'a en effet que deux soucis :

— « Faire le point » sur l'importance exacte de nos auteurs classiques, en une série d'articles publiés par la *Revue de Paris* (l'article *Boileau* en avril 1829 eut un certain succès de scandale, car il était présenté sous la rubrique : *Littérature ancienne*).

— Célébrer les œuvres nouvelles de Hugo comme autant de chefs-d'œuvre dans lesquels se révèle « une âme complète de poète ». Dans un article de *La Revue des Deux-Mondes* consacré aux *Feuilles d'Automne* (décembre 1831), il oppose longuement cette critique militante, faite pour aider au « triomphe du poète contemporain », à la « critique réfléchie et lente » d'érudits minutieux. Une des *Pensées de Joseph Delorme* développait la comparaison entre la critique et une rivière au cours calme et sinueux : Sainte-Beuve voulait représenter par là la critique comme l'art difficile de faire mieux saisir au public les différents aspects de l'œuvre belle et de relier entre eux les différents génies (Texte 39).

La crise de la « camaraderie littéraire »

Le succès même de l'école nouvelle précipite la brouille des créateurs et de ceux qui ne réussissent à être que des critiques. Les poètes mécontents d'un encens inégalement ou insuffisamment prodigué, et les critiques jaloux de n'être pas admis dans l'intimité des auteurs triomphants multiplient les rancunes et les griefs. La crise commence dès 1829. Henri de Latouche, l'un des anciens familiers du salon des Deschamps, enviant les succès de poètes plus jeunes et mieux inspirés, dénonce dans un article de la *Revue de Paris* (octobre 1829) la « camaraderie littéraire ». Il n'y a plus de critique possible, dès lors que cette « congrégation de rimeurs bizarres est devenue un complot pour s'aduler... » :

> Là donc, on s'est fait de la louange une servitude, un vasselage de tous les instants ; c'est dans la petite église ultra-romantique la prière du matin et du soir. C'est la dîme que toute lecture, confidence d'un projet, révélation d'un hémistiche auquel on travaille, a droit de lever sur les contribuables.

1830 et la consécration du romantisme passent sur ce pamphlet laissé sans réponse jusqu'en décembre 1831 : Gustave Planche essaye alors sa verve aux dépens de Latouche en stigmatisant *La Haine littéraire* de ce plagiaire impuissant et jaloux. Mais la rivalité et l'amertume se glissent bientôt au cœur des amitiés les plus affichées et dans lesquelles la littérature ne servait souvent que de prétexte. En 1834 la brouille entre Hugo et Sainte-Beuve est définitive et publique. Six ans plus tard, le critique rédige, mais laisse dans ses cartons, un article extrêmement violent contre *Les Gladiateurs en littérature* (publié dans *La Revue des Deux-Mondes* du 15 mars 1954) : il y dénonce le mal causé, dans la vie littéraire, par « les admirateurs gloutons de M. Hugo » qui « sont très vite, au besoin, des gladiateurs » ; en brandissant le drapeau du maître, ils ont cherché « à confondre, à troubler, à pervertir les saines notions de la critique, à réduire en industrie ou en fief le domaine des lettres ». Ainsi critiques et poètes se livrent désormais une guerre sournoise. En 1836, parlant des *Amitiés littéraires*, Gustave Planche constate que « jamais plaideurs n'ont maudit leurs juges comme les poètes d'aujourd'hui maudissent leurs critiques ». Un an plus tôt, il avait dressé un curieux bilan des différentes formes de *La Critique en 1835* : la critique marchande des petits journaux, qui « tient boutique sur la place publique : de la boue pour ceux qui la méprisent, de l'encens pour ceux qui la paient » ; la critique « indifférente » qui se contente d'analyser avec minutie et qui

ne se prononce jamais ; la critique « spirituelle » qui se repaît de paradoxes ;
la critique « érudite » qui, « citant la poésie à son tribunal, n'est guère moins
ridicule qu'un musicien se prononçant sur le plan d'un palais » ; et la critique
« écolière » des « Hugolâtres » qui ne sait que célébrer son grand homme et
s'écrier : « Hosannah ! ». Il cherche ensuite à réhabiliter une critique qui
soit « une invention dialectique ... aussi hardie, aussi laborieuse, aussi
individuelle que l'invention poétique », et à définir les rapports possibles
entre le dialecticien critique qui un jour « expliquera la création du poète »
et le poète qui « réalisera les prévisions des dialecticiens » :

> Entre ces deux emplois de l'intelligence, il ne doit y avoir ni jalousie, ni
> haine, ni hostilité, mais bien une émulation fraternelle et paisible, un mutuel
> encouragement à de nouvelles tentatives.

Mais l'heure n'est guère propice à la réalisation de ce qui avait été le
rêve de Boileau et l'ambition des critiques qui, de Du Bos à Cabanis, s'étaient
efforcés de définir des méthodes d'explication de l'œuvre littéraire.

La critique devant la « littérature industrielle »

En effet, plus profondément que par des
susceptibilités d'auteurs, la crise de la
critique après 1830 s'explique par un
événement capital dans l'histoire de notre littérature : le bouleversement
apporté dans les conditions de la production littéraire par le développement
de la presse. C'est un bouleversement qui n'avait pas été prévu : les
écrivains et les critiques, occupés à des discussions théoriques où les
considérations politiques et littéraires étaient étroitement mêlées, sont
surpris par les progrès de la presse périodique et du journal. Sous la
Restauration, le seul mode d'expression et de production vraiment littéraires
reste le livre. Le journalisme est considéré comme étant en dehors de la
littérature. Il est piquant de relever les railleries des romantiques et les
regrets des classiques devant les maigres feuilletons par lesquels on prétend
répondre aux volumineux ouvrages des théoriciens romantiques. La vieille
ambition de Fréron : triompher du livre par le feuilleton, paraît toujours
ridicule. Mais, dans les années 1820, le livre est devenu un luxe. Dans son
Histoire des idées littéraires, parue en 1840, Michiels stigmatise, à partir de
cette période, la main-mise du capital sur la littérature comme sur toutes
les autres activités, et dénonce « l'augmentation fabuleuse des frais
d'impression ». L'organisation des cabinets de lecture représente une tentative
de remédier à cet inconvénient, mais la plus importante est la création de
revues périodiques purement littéraires : *Revue de Paris* fondée par Véron
en 1829, *La Revue des Deux-Mondes* transformée par Buloz en 1831. Ces
publications permettent d'assurer à meilleur compte la diffusion du roman
et surtout de la nouvelle, et font aussi une large place aux articles critiques.
On comprend que les critiques attachés à la fortune de ces revues poussent
de hauts cris lorsqu'à partir de 1836 le journal lui-même s'empare du
roman : ils ne craignent pas (Sainte-Beuve le premier) de condamner le
roman-feuilleton au nom de la pureté du genre romanesque. En effet, plus
audacieux encore que les Véron et les Buloz, Girardin a voulu faire de la
presse quotidienne elle-même la rivale du livre. Jusqu'alors le journal ne

touchait à la littérature que par son feuilleton de critique littéraire et artistique. En juin 1836, Girardin lance *La Presse*, journal dont le prix d'abonnement est de 40 francs, contre 80 francs pour les autres quotidiens. Pour réussir une telle entreprise, il faut s'appuyer sur la publicité et avoir beaucoup d'annonces ; pour avoir beaucoup d'annonces, il faut être assuré que toute une page devenue une affiche passera sous les yeux d'un très grand nombre d'abonnés ; pour avoir beaucoup d'abonnés, il faut trouver une matière qui puisse être commune à toutes les opinions, et substituer un intérêt de curiosité générale à l'intérêt politique : cette matière, c'est le roman-feuilleton. Entrant bientôt en concurrence avec d'autres journaux conçus selon les mêmes principes *(Le Siècle, Le Constitutionnel)*, *La Presse* leur dispute les romanciers à succès à coup de bruyante publicité et de contrats pharamineux : un exemple, la spéculation montée par Girardin en 1844, lorsqu'il double le format de son journal sans augmenter son prix et annonce que *La Presse* a acquis le droit de publier les *Mémoires* de Chateaubriand, *Les Girondins* et *les Confidences* de Lamartine, tous les autres ouvrages que composeraient ces deux écrivains, tout ce que feraient Dumas, Méry, Saintine, et beaucoup d'œuvres de Balzac, Gozlan, Sandeau et Gautier. Cette spéculation échoue, mais elle est révélatrice de l'état de la « littérature » sous la Monarchie de Juillet.

Ces remarques n'étaient pas inutiles pour faire comprendre le cri universel de la critique pendant cette période : « La littérature se meurt ! ». Jules Janin s'en prend au feuilleton comme à un véritable « choléra littéraire ». Sainte-Beuve crée, en 1839, l'expression « littérature industrielle » pour stigmatiser de telles entreprises. Un autre collaborateur de *La Revue des Deux-Mondes*, Chaudesaigues, constate, en 1841, que

> Le mercantilisme littéraire a pris des proportions tellement effrayantes que le temple sacré des vieilles Muses abattu à coups de pioche comme inutile, est décidément remplacé par une boutique, et leur autel par un comptoir.

Il ajoute :

> Au milieu d'un tel désordre, on conçoit que la critique ne joue aucun rôle ; à qui et à quoi s'en prendrait-elle, qui vaille une parole de blâme ou d'encouragement... Je crois le silence de la critique nécessaire pour quelque temps.

Rares sont les auteurs qui, comme Rémusat dans la préface de ses *Critiques et études littéraires* (reprise d'un article paru en 1844), refusent de partager ce « pessimisme critique ». Rémusat s'écrie : « Vraiment la société est plaisante quand elle reproche à la littérature de se faire industrielle ! Qu'est-elle donc elle-même ? »

La critique contre la « décadence » : Nisard

Mais justement beaucoup d'artistes et de critiques de son temps refusent d'admettre cette transformation de la société. Au lieu d'analyser les aspects réels des nouveaux rapports entre littérature et société, ils se réfugient dans les protestations d'une morale outragée ! Le thème de la décadence devient alors le lieu commun de la critique. Planche l'avait abordé dès les premiers mois du règne du Roi-bourgeois en prophétisant dans l'Introduction de son *Salon de 1831* :

> L'avènement du principe démocratique, ajourné par le génie de Napoléon, méconnu par une dynastie impuissante et aveugle, ne restera pas sans influence sur les arts de l'imagination... Sans doute une place plus grande sera-t-elle désormais réservée à l'Art, mais on assistera à un « affadissement inévitable », les artistes subiront l'attrait du « métier » et glisseront « vers la négligence et la vulgarité. »

Avant même l'apparition du roman-feuilleton, Nisard lance en décembre 1833 son *Manifeste contre la littérature facile* dans lequel il dénonce l'importance prise par le roman et la nouvelle :

> Cadre banal de tous les bavardages, où se ruent tous ceux dont la pensée n'est pas encore ferme, qui n'ont de vocation pour rien, qui flottent entre des rêveries qu'ils prennent pour des goûts et des malaises qu'ils prennent pour des antipathies ; bons jeunes gens pour la plupart, qui écrivent en attendant qu'ils aient la force de penser, qui écoutent toutes les petites ébullitions de leur cerveau encore mou, et se croient des poètes individuels depuis qu'on leur a dit qu'il y avait des littératures individuelles, pouvant s'imposer au public par ce raisonnement : « Je sens, donc j'ai raison ! »

L'année suivante, il prend prétexte de ses *Études de mœurs et de critique sur les poètes latins de la décadence* pour affirmer son intransigeance : « J'avoue que mes principes (en critique) sont plutôt exclusifs qu'éclectiques », car « ce temps-ci est mauvais » et il est nécessaire de ne pas saluer des « entrepreneurs de littérature » comme de « grands écrivains » (Texte 40). Il rapproche le XIXe siècle et l'époque de Lucain, toutes deux placées sous le signe de « la décadence » et dénonce la responsabilité des « critiques précurseurs » toujours prêts à célébrer avec enthousiasme « les plus chétives vocations poétiques de l'année ». Dès lors Nisard se réfugie dans le culte de la littérature française du XVIIe siècle dont il affirme l'incomparable supériorité. Il se forme ainsi un idéal littéraire qui s'incarne en Bossuet, « le plus grand de nos écrivains en prose, en qui se résument toutes les grandeurs de l'esprit français », et il se donne pour mission de préserver cette « image la plus complète et la plus pure de l'esprit humain », que l'on trouve dans « les chefs-d'œuvre de l'esprit français ». Dans le dernier tome de son *Histoire de la littérature française* (publié en 1861), il résume sa conception de la critique : il a eu l'ambition d'en faire « une science exacte plus jalouse de conduire l'esprit que de lui plaire » :

> Elle s'est fait un idéal de l'esprit humain dans les livres ; elle s'en est fait un du génie particulier de la France, un autre de sa langue ; elle met chaque auteur et chaque livre en regard de ce triple idéal. Elle note ce qui s'en rapproche : voilà le bon ; ce qui s'en éloigne : voilà le mauvais.

Dogmatisme imperturbable dans sa volonté de maintenir l'héritage classique ; prétention de déguiser les jugements d'un moralisme intransigeant (« ce temps-ci est mauvais, et beaucoup perdent le sens moral à lire vos écrivains ») en arrêts rigoureux d'une « science exacte » ; ce sont là les traits caricaturaux d'une critique qui refuse de suivre l'évolution de la vie

97

littéraire, mais on les retrouve à des degrés divers chez la plupart des critiques contemporains de Nisard. Car (ô paradoxe !), au moment-même où chacun proclame que la critique est devenue impossible, la littérature critique est plus abondante que jamais et fournit une précieuse activité d'appoint aux poètes manqués, aux romanciers sans éditeurs, à tous les gens de lettres ambitieux et déçus. Quelques noms émergent sans peine parmi tant d'obscurs professionnels de l'éreintement ou de l'éloge qui s'accommodent des servitudes d'une critique vénale, dans *Le Voleur* ou dans *Vert-Vert*. Ils apparaissent surtout dans les publications les plus solides, les plus capables de préserver leur « indépendance » : le vieux *Journal des Débats* et la jeune mais vigoureuse *Revue des Deux-Mondes*.

Les critiques du
« Journal des Débats »

Aux *Débats*, la grande peur des bien-pensants s'exprime sous la plume de Saint-Marc Girardin (1801-1873), critique aussi ouvertement dogmatique et moralisateur que Nisard. Moralité et beauté sont pour lui inséparables, et il attend surtout d'un écrivain qu'il « élève l'âme du lecteur ». Dans ses *Essais de littérature et de morale* (1844), il montre comment le critique peut s'appliquer à tirer des œuvres littéraires un enseignement moral en étudiant la façon dont les principales vertus (amour paternel, patriotisme, sentiment religieux, etc...) ont été célébrées dans les chefs-d'œuvre des diverses littératures. Cet examen lui sert de prétexte pour condamner la littérature de son temps : le matérialisme romantique a substitué à la peinture des sentiments la dangereuse représentation des instincts. Le *Cours de littérature dramatique*, publié en cinq volumes entre 1843 et 1863, reprend inlassablement cette prédication morale par le biais de la littérature comparée. Pour évoquer par exemple l'indignation que doit provoquer chez le lecteur le spectacle de l'ingratitude des enfants, il confronte *Œdipe à Colone*, *Le Roi Lear* et *Le Père Goriot*. Il souligne la supériorité de Sophocle et de Shakespeare qui ont « spiritualisé la mort de leur héros autant qu'ils ont pu ». Balzac, au contraire, « a pris soin de matérialiser la mort autant qu'il l'a pu » :

> ... non pas seulement à l'aide des tristes détails qui marquent la dissolution du corps, mais, ce qui est plus matérialiste encore, en montrant dans le père Goriot les dernières convulsions de l'instinct qui meurt. Il a, pour ainsi dire, ôté l'âme à l'homme ; mais, du même coup, et comme par punition, il a ôté l'intérêt à son roman.
>
> *Cours de littérature dramatique*, édition 1843, tome I, p. 255.

Chaque chapitre s'achève ainsi sur la condamnation de la littérature moderne dont « le fond » est composé « de passions effrénées, de caractères hideux, de crimes insolents et goguenards ».

Cuvillier-Fleury (1802-1887), devenu en 1827 le précepteur du duc d'Aumale, étend son rôle de mentor au contrôle de la littérature même. Fidèle soutien de la famille d'Orléans et du nouveau règne bourgeois, il est moins porté que ses confrères du *Journal des Débats* à déplorer la décadence contemporaine. Il est un parfait représentant du « juste milieu » en critique comme en politique. Ainsi, dans l'article qu'il consacre à *Volupté* en 1834, il proteste contre ceux qui condamnent le « sensualisme » de l'époque moderne ; il défend son siècle comme un siècle « sage, positif et raisonneur », qui s'est donné pour mission de « réconcilier la liberté et l'ordre et faire cesser un divorce vieux comme le monde ». A ses yeux, cela est vrai dans la vie littéraire comme dans la vie politique ; il poursuit en effet :

> Je n'aime pas cette intempérance aveugle et irréfléchie qui brise le joug de la tradition ; mais je n'estime pas davantage cette idolâtrie qui se prosterne et s'aplatit devant les modèles. Je veux qu'on tienne compte de l'expérience acquise du passé, mais qu'on n'en fasse pas l'absolue maîtresse de l'esprit humain. Je demande grâce pour nos vieux maîtres, pour nos inimitables devanciers, mais grâce aussi pour le progrès, pour la liberté de l'intelligence, grâce pour ses créations, pour ses découvertes, pour ses conquêtes !

Le grand critique du *Journal des Débats*, c'est Jules Janin (1804-1874) qui tient pendant quarante ans le feuilleton dramatique. Avant d'occuper ce poste redoutable qui avait été celui de Geoffroy, il avait voulu apparaître comme le porte-parole de la « jeune littérature », et c'est à ce titre qu'il répondait au manifeste de Nisard *Contre la littérature facile*. Il dénonce alors en Nisard l'adversaire jaloux des auteurs du Cénacle qui « produisent » sans cesse « avec une facilité désolante » et « amusent leur époque ». Il fait l'éloge des romans de Hugo, de Dumas, de Sue, et s'écrie : « Attention, Nisard ! Tu vas être forcé de chercher une chose qui doit être bien fatigante à trouver et bien ennuyeuse quand on l'a trouvée : la littérature difficile ! » Cependant, dès ce moment-là, il célèbre la toute-puissance du journal et de la critique avec l'impatience d'un homme avide d'exercer la royauté du feuilletoniste :

> Le journal est le souverain maître de ce monde ; c'est le despote inflexible des temps modernes ; c'est la seule souveraineté inviolable...
>
> La critique remplace toute poésie quand toute poésie est éteinte ; la critique, dans les époques de transition, tient lieu fort bien de tout ce qui n'est plus, de ce qui n'est pas encore. La critique alors, c'est tout le poème, c'est tout le drame...
>
> Voilà comment, à de certaines époques, vous voyez le métier de critique, métier secondaire en apparence, s'élever au plus haut point de gloire, de puissance, d'estime et d'utilité...
>
> Préface des *Contes nouveaux* 1833, dans *Œuvres diverses*
> de Jules Janin, p. XLV du tome I.

Cette souveraineté critique, il l'exerce sur le théâtre de son temps dans quelque deux mille cinq cents feuilletons où le lecteur d'aujourd'hui a bien du mal à retrouver l'esprit et la verve qui faisaient l'émerveillement du public d'alors, et rendaient Janin redoutable pour tous les acteurs et tous les auteurs dramatiques. Si on lui décernait le titre de Prince des Critiques, ne serait-ce pas simplement parce qu'il était le plus richement payé d'entre eux : douze mille francs par an pour sa feuille hebdomadaire des *Débats* ? Il reste très peu de chose de ces pages dans lesquelles il a abdiqué son ancien rôle de défenseur de la littérature nouvelle. Il se vante désormais de n'avoir « pas employé dix fois en toute sa vie l'affreux mot : romantique ». Il cherche en vain dans le « désert » de la tragédie historique et du drame un auteur qui soit « un vrai poète dramatique ». Mais il retrouve celui-ci lorsque paraît, en 1842, la *Lucrèce* de Ponsard. Cette pièce lui semble « une de ces œuvres sérieuses et trop rares où la conscience a sa part aussi bien que l'art, le talent et le goût » :

> Ces jours-là, la critique est bien heureuse : elle assiste au développement solennel d'un jeune et vigoureux esprit, elle le protège contre l'envie naissante, contre les contrefaçons misérables, contre les rivalités envieuses ; elle le défend contre les enthousiasmes dangereux ; elle l'aime non pas pour ses succès présents, mais pour ses succès à venir.
>
> *Œuvres diverses de Jules Janin,*
> *Critique dramatique : tome VI, la tragédie.*

Le voici donc pratiquant à nouveau la critique « avant-courrière », mais sous une tout autre bannière que dix ans plus tôt, parce qu'il lui semble que la vieille tradition trop longtemps bafouée est enfin retrouvée. Illusion d'un critique devenu systématiquement hostile à toutes les productions modernes.

Ce désenchantement devant le « cynisme » et la « facilité » de la littérature contemporaine se retrouve chez Alfred Nettement (1805-1869). Il se consacre surtout à la dénonciation des méfaits du « feuilleton-roman » qui « détourne de travaux plus sérieux et plus utiles un grand nombre de jeunes hommes, dont le talent appliqué à des ouvrages de longue haleine et d'un genre plus élevé, eût peut-être servi et honoré leur siècle et leur pays ». Hélas ! « le niveau littéraire descend en même temps que le niveau moral », « la langue française ... perd de plus en plus ces caractères de clarté, de précision, de netteté, d'élévation, de justesse et de convenance qui en faisaient la langue de la raison humaine ».

Le cosmopolitisme de la « Revue des Deux Mondes » La dignité caractéristique du *Journal des Débats* est aussi de règle à *La Revue des Deux Mondes*, mais elle n'y est pas uniquement employée à la dénonciation moralisatrice des malheurs du temps. Fidèle à son titre, la *Revue* se fait l'organe du cosmopolitisme et, à une époque où l'exercice de la critique littéraire lui semble devenu difficile en France même, elle se donne pour tâche de renseigner le public français sur l'état des littératures étrangères. Ses collaborateurs : Philarète Chasles, J.-J. Ampère, Xavier Marmier sont en ce sens plutôt des historiens que des critiques. Mais en fournissant aux lecteurs de nouveaux points de comparaison, ils ont joué un rôle important dans l'histoire de la critique même.

Un long séjour en Angleterre a fait de Philarète Chasles (1798-1873) le spécialiste de la littérature anglaise aux yeux du public français. Mais ses ambitions sont bien plus vastes. Il les exprime dans un *Cours d'ouverture à l'Athénée* publié en janvier 1835 ; ce qu'il veut, c'est étudier la place de la littérature dans la civilisation universelle et en finir avec les préjugés dogmatiques et nationaux :

> Au lieu d'admirer seulement les écrivains comme régulateurs du style et dictateurs de la phrase, c'est comme propagateurs de la civilisation universelle

qu'il faut (les) étudier... Il serait curieux de connaître la part qui leur fut assignée, ce qu'ils tenaient de leurs prédécesseurs, ce qu'ils ont livré à leurs héritiers ; de calculer l'action de la pensée sur la pensée, la manière dont les peuples se sont modifiés mutuellement, ce que chacun d'eux a donné ou reçu, l'altération des nationalités par l'effet de cet échange ; comment le génie septentrional, longtemps isolé, s'est laissé enfin pénétrer par le génie du Midi ; quelle a été la puissance magnétique de la France sur l'Angleterre ; comment chaque membre du corps européen a subi l'action des autres et les a dominés à son tour ; l'influence spéciale de l'Allemagne théologique, de l'Italie artiste, de la France active, de l'Espagne catholique, de l'Angleterre protestante.

Les œuvres littéraires servent donc à comprendre l'histoire des idées et des mœurs, à condition que soit également étudiée et caractérisée la nature du « génie qui reçoit, transforme ... et frappe d'immortalité les idées reçues et transmises ». De même qu'il cherche à définir le caractère particulier de chaque nation, de même Chasles recherche ce que Sainte-Beuve appelle « la qualité secrète et essentielle des esprits » et Taine « la faculté maîtresse » :

> Tous les esprits possèdent un fonds essentiel, comme un point unique auquel se rapportent comme à un centre les divers rayons de leur existence morale. Jeffrey d'Édimbourg était un observateur analytique, Byron un fat passionné, Scott un observateur antiquaire, Coleridge un mystique, Gœthe un artiste dans le plus vaste sens du mot, Thomas Moore, c'est la musique même.
>
> Recueilli dans *L'Angleterre littéraire*, 1876.

Animé de ces vastes ambitions d'historien et d'analyste, Philarète Chasles accumule une œuvre critique énorme, mais trop dispersée, trop hâtive et sans style.

Ancien collaborateur du *Globe*, J.-J. Ampère (1800-1864) apporte à *La Revue des Deux-Mondes* la même curiosité universelle. Il y résume son expérience de grand voyageur parcourant successivement l'Allemagne, la Scandinavie, l'Égypte, l'Amérique du Nord, et de professeur soucieux de fonder ce qu'il appelle dès 1830 (dans un discours prononcé à l'Athénée de Marseille pour l'ouverture de son cours de littérature) la « science littéraire » : « Philosophie de la littérature, histoire de la littérature, telles sont les deux parties de la science littéraire ; hors de là, je ne vois que les minutes de la critique de détail, ou l'étalage des lieux communs ». Mais le lecteur moderne ne peut s'empêcher de sourire des prétentions de cette nouvelle « science » en voyant de quels exemples Ampère illustre sa méthode :

> Il faut, pour goûter un poète, se dépayser entièrement et s'établir par l'imagination dans le cercle d'habitudes au sein duquel il a vécu. Pour cela mémoires, voyages, romans de mœurs sont des secours précieux. Madame de Sévigné est un excellent commentaire de Racine, et le Château de Kenilworth de Walter Scott, une fort bonne préparation à Shakespeare.

Passe pour Mᵐᵉ de Sévigné et Racine, mais Walter Scott et Shakespeare !

Ampère estime que cette science littéraire ne peut se substituer à la critique, mais qu'elle doit lui servir de préface, car il vient un moment où il faut se prononcer sur la beauté de l'œuvre : « Le premier devoir de la critique est de distinguer les œuvres qui sont dignes de prendre place dans l'histoire, et de fixer le rang qu'elles y doivent tenir ». Tel est le rôle que doit remplir

> la critique véritable — non pas cette critique malveillante et aride qui fait une guerre puérile aux détails et ne sait pas s'élever à la considération de l'ensemble ; mais cette critique large et féconde qui met toute chose à sa place, qui, pleine de respect pour le génie et de sévérité pour l'erreur, admire volontiers et condamne avec indépendance.
>
> *De l'histoire de la poésie*, 1830.

Collaborateur du critique, J.-J. Ampère se propose donc de faire de vastes enquêtes qui ne soient pas limitées aux seuls « grands siècles », sources de références pour la critique traditionnelle. Il veut explorer l'histoire de notre littérature depuis ses origines et cherche à définir de grandes « familles naturelles » à partir des œuvres de tous les grands écrivains ; il rejoint d'ailleurs ainsi la préoccupation de beaucoup d'esprits de son siècle marqués par la grande querelle de Cuvier et de Geoffroy Saint-Hilaire :

> Le champ est immense, et pour s'y reconnaître il faut d'abord en faire le tour, en distribuer les diverses portions, en classer les divers produits.
> Il faut les classer suivant leurs analogies véritables, et non d'après des rapprochements arbitraires et forcés. Par là seulement on peut élever la littérature à la méthode et à l'ordre de la science. On doit donc grouper ensemble tous les monuments qui appartiennent à une même famille naturelle, qui font partie d'un même tout, qui sont les effets d'une même cause, les résultats d'un même mouvement de l'esprit ou de la société.
>
> *De l'histoire de la littérature française*, 1834.

Fier de l'œuvre accomplie, Ampère, dans son discours de réception à l'Académie en 1848, dresse le bilan de ses travaux et refuse de voir en son siècle un âge de décadence ; il salue les progrès réalisés dans tous les domaines et en particulier dans la critique : « Toute une école de critiques ... s'est élevée de la discussion des mots à l'intelligence des monuments littéraires de tous les âges ».

Xavier Marmier (1808-1892) appartient à cette école. Collaborateur de la *Revue germanique*, il initie d'abord le public français à la littérature allemande moderne, comme Chasles l'initiait à la littérature anglaise. De ses séjours en Allemagne, il rapporte une meilleure connaissance de la culture germanique, et il publie en 1835 de volumineuses *Études sur Gœthe*. Mais sa curiosité est plus vaste :

> Je voudrais en venir à comprendre sous un point de vue constant de comparaison les diverses littératures modernes. Je voudrais voir à quelle époque l'une s'élève ici à son plus haut période tandis que celle-là décline ; je voudrais suivre dans toutes ses phases de progrès, dans toutes ses transformations, le développement littéraire des peuples modernes.
>
> Lettre à Weiss, 1834.

Grand voyageur comme Ampère, Marmier se rend en Islande, en Scandinavie, en Russie, en Finlande, en Afrique du Nord, en Amérique, en

Europe Centrale. C'est un véritable explorateur des littératures populaires. Malgré les protestations de lecteurs et de critiques attachés à la mythologie gréco-latine, il vulgarise les légendes des littératures du Nord et ses analyses fournissent de nouveaux sujets d'inspiration à Leconte de Lisle et au Victor Hugo de *La Légende des Siècles*.

Ces trois collaborateurs de *La Revue des Deux Mondes* font figure de pionniers : leur œuvre, très dispersée et souvent confuse, vaut plus par les directions nouvelles qu'elle indique que par les résultats immédiats qu'elle propose. Mais, dans la même revue, la juridiction critique proprement dite est exercée par deux chroniqueurs redoutables : Gustave Planche et Sainte-Beuve.

Gustave Planche (1808-1857) est dans la critique, selon Balzac, « l'exécuteur des hautes-œuvres ». Dès son entrée à la *Revue des Deux Mondes* (fin 1831), il se montre en effet très sévère pour la littérature nouvelle : il s'en prend aux drames de Hugo et de Dumas, indignes de remplacer la tragédie qui pourtant est bien « morte » (février 1832) ; aux nouvelles de Balzac dont « le talent ... sent l'opium, le punch et le café » (mars 1832) ; à la poésie facile du « dandy Musset ». Tel Jules Janin, Planche dit sa fierté d'exercer cette « royauté nouvelle » qu'est le journalisme : grâce au feuilleton, l'homme de lettres, comme le politicien ou le comédien, est à la merci d'un rédacteur famélique. Mais cette toute-puissance doit être exercée avec méthode. Selon un mot de George Sand, Planche met dans son métier de critique toute la rigueur de son « impossible raison ». Il étudie les œuvres en analyste raisonneur et impitoyable. S'il reconnaît qu' « en de certaines circonstances, l'homme importe à l'explication de l'artiste » (article sur *Volupté*, juillet 1834), il s'interdit les indiscrétions biographiques auxquelles Sainte-Beuve se complaît dans la même revue :

> On a fort exagéré dans ces derniers temps l'importance des anecdotes littéraires (et) on a souvent cherché dans des circonstances indifférentes, l'explication ingénieuse, mais forcée, d'un poème ou d'un roman dont l'auteur lui-même n'aurait pas pu indiquer la source.
>
> Article sur Vigny, août 1832.

Féru d'idéologie, il s'applique à caractériser le talent des auteurs qu'il étudie, à les comparer et à les classer, ce qui le conduit à des subtilités de ce genre :

> Chez (Vigny) l'homme n'est pas l'artiste entier comme chez Lamartine. Mais l'artiste n'exclut pas l'homme comme chez Hugo. C'est un type intermédiaire qui touche aux *Méditations* par la mélancolie religieuse et les mystiques épanchements, et aux *Orientales* par la grâce divine et coquette du langage.
>
> *Les Notabilités littéraires*, 1834.

Planche s'interroge aussi sur la « moralité de la poésie » et défend contre la poésie romantique, qu'il appelle « la poésie réaliste de nos jours », la grande tradition classique. Mais plus libéral que Nisard dans son classicisme, il ne s'en tient pas au seul « grand Siècle », et il considère Sophocle et Shakespeare comme des modèles au même titre que Racine. C'est en leur nom qu'il mène un combat incessant contre le « réalisme » qu'il considère comme la négation de l'art : le véritable artiste doit en effet savoir mutiler ou compléter la nature « selon les besoins de la poésie ». Par conséquent, le rôle du critique est d'étudier la façon dont les vrais artistes « interprètent » l'univers et de suivre le mécanisme de la création littéraire dans ses étapes successives : « invention, composition, exécution ».

Dans la description de cette démarche du créateur, Planche apporte une rigueur systématique dont son rival Sainte-Beuve n'est pas dupe ; celui-ci note en effet dans ses cahiers : « Ce critique qui fait tant l'inexorable et l'austère est au fond l'homme le plus partial et le plus sujet aux inspirations de son amour-propre dans ses jugements ».

Hésitations et expériences de Sainte-Beuve

Incapable de rendre de tels arrêts, Sainte-Beuve semble n'être encore qu'un amateur. En 1844, une enquête de la *Foreign Quarterly Review* sur la critique française lui accorde seulement la quatrième place et le présente comme une espèce d'amuseur beaucoup moins solide que Saint-Marc Girardin et Jules Janin.

Ses échecs de poète et de romancier l'ont conduit peu à peu à n'être qu'un critique. Après 1830, il a cédé d'abord à la tentation saint-simonienne et rêvé d'une collaboration plus large et plus fructueuse que celle du critique et du poète : celle de l'artiste et du peuple : « Peuple et poètes vont marcher ensemble, ... l'art est désormais sur le pied commun, dans l'arène avec tous, côte à côte avec l'infatigable humanité » (*Le Globe*, octobre 1830). Mais il ne se laisse pas prendre à cette « ratière » : il quitte les saint-simoniens pour se joindre aux disciples de Lamennais. Incertitudes d'un esprit qui se cherche et transpose ses expériences dans le roman de *Volupté* (1834). Rien ne lui réussit : ses anciens amis du *Globe* l'ont oublié dans la distribution des places, et il ne s'impose ni comme poète ni comme romancier aux côtés de Hugo ou de Balzac. Une aventure amoureuse bien connue lui apporte plus de tourments que de consolations véritables et précipite sa brouille avec l'ancien Cénacle. Il rejoint donc les rangs de la critique, hostile dans son ensemble à l'école nouvelle.

Sainte-Beuve cherche d'abord à prolonger la poésie dans la critique même et s'applique à l'art du portrait pour lequel il importe d'être bon peintre autant qu'analyste subtil. Il est lui aussi un disciple des idéologues, comme Planche, soucieux d'étudier le mécanisme des opérations de l'esprit dans la création littéraire et de mettre en lumière les rapports entre l'organisation de l'homme et le talent de l'écrivain. Mais sa méthode est plus souple. Il se prend aux détails, s'attache à des minuties pour attraper « le tic familier, le sourire révélateur, la gerçure indéfinissable » (article sur Diderot, juin 1831). C'est même contre Planche qu'il écrit la préface de ses *Critiques et Portraits littéraires* parus en juin 1836 presque en même temps que les *Portraits littéraires* de celui-ci. Il y souligne que « l'écrivain est toujours assez facile à juger, mais l'homme ne l'est pas également... Dès qu'on cherche l'homme dans l'écrivain, le lien du moral et du talent, on ne saurait étudier de trop près, de trop bonne heure, tandis et à mesure que l'objet vit ». Restituer la vie, telle est l'ambition que conserve l'artiste en s'adonnant à la critique.

Peu à peu le désenchantement s'accentue et Sainte-Beuve en arrive à une sorte de détachement qui se manifeste dans l'article-programme consacré en décembre 1835 à *Bayle* et au *Génie critique :* le génie critique « ne souffre pas qu'on soit fanatique ou même trop convaincu, ou épris d'une autre passion quelconque... »; il est « au revers du génie créateur et poétique, du génie philosophique avec système ». (Texte 42). Curiosité, sagacité, versatilité, tels sont les traits du critique selon Sainte-Beuve. Mais une telle absence de conviction, aussi ouvertement avouée, ne peut que nuire à son autorité et explique la réputation d'amateur qui lui est faite.

Cette autorité, il la trouve pourtant en se faisant professeur, comme Ampère, comme Chasles, comme Nisard. Il enseigne l'histoire de *Port-Royal* à Lausanne (1837-1838) et découvre à son tour la « science littéraire » : il se met à classer les « familles naturelles d'esprits » pour servir à une « histoire naturelle morale » qui serait l'aboutissement de ses enquêtes d'historien et de critique. Cependant une telle ambition scientifique ne peut s'exercer sérieusement dans les conditions de la « littérature industrielle ». Revenu à Paris, Sainte-Beuve souligne maintes fois l'impossibilité où il se trouve de faire dignement son métier de critique. Il confie alors à la *Revue Suisse* de son ami Olivier des *Chroniques parisiennes* anonymes où il livre sa pensée sur une littérature gâtée par l'abus des couleurs, le grandiloquent, le mercantile et le faux. Pourtant, *La Revue des Deux Mondes* publie, sous sa signature, de nouveaux *Portraits* qui sont souvent de véritables palinodies : ainsi, Eugène Sue, anonymement stigmatisé comme le modèle de l'écrivain « industriel », est publiquement encensé. Sainte-Beuve souhaite d'ailleurs que le lecteur prenne ses articles comme de simples essais sans prétention critique, l'auteur n'ayant cherché qu'un prétexte « pour produire (ses) propres sentiments sur le monde et sur la vie ».

LES CRÉATEURS CONTRE LES CRITIQUES

Timidités d'un Sainte-Beuve, raideur d'un Planche ou d'un Nisard, curiosités étrangères d'un Chasles ou d'un Ampère, les poètes ne trouvent donc plus dans la critique cette collaboratrice naguère précieuse et toujours désirée. Rien d'étonnant dès lors qu'ils aient voulu se faire eux-mêmes critiques pour s'expliquer et se défendre.

Hugo contre l'étroitesse du « goût » des critiques
Dès la préface des *Orientales* (1829), Victor Hugo avait lancé une sorte de défi : ou bien les critiques seront avec nous, ou bien ils seront contre nous, ou bien ils nous admireront, ou bien ils nous détesteront, mais en aucun cas ils ne seront les juges des poètes, car

ceux-ci ont droit à la liberté la plus complète : « Le critique n'a pas de raison à demander, le poète pas de compte à rendre. L'art n'a que faire des lisières, des menottes, des bâillons... » (Texte 44).

Durant toute sa carrière, il ne cesse de se moquer de l'étroitesse du goût des critiques toujours prompts à dénoncer les outrances du génie. Il multiplie ainsi, dans son *William Shakespeare* (1864), les diatribes contre ce qu'il appelle « la critique de l'école sobre » et contre ses alliées moralisatrices et hypocrites : « la critique sacristaine » et « la critique doctrinaire » :

> L'ex-« bon goût », cet autre droit divin qui a si longtemps pesé sur l'art et qui était parvenu à supprimer le beau au profit du joli, l'ancienne critique, pas tout à fait morte, comme l'ancienne monarchie, constatent, à leur point de vue, chez les souverains génies... le même défaut : l'exagération. Ces génies sont outrés.

Hugo méprise les critiques qui sont incapables de concevoir ce qu'est un génie, et incapables d'admirer. « Admirer, écrit-il dans *William Shakespeare*, être enthousiaste, il m'a paru que dans notre siècle cet exemple de bêtise était bon à donner. » Il précise même : « L'admiration des grands poètes est le signe des grands critiques » *(Post-scriptum de ma vie)*.

Cette admiration, Hugo lui-même a su la prodiguer à certains écrivains de son temps, et par exemple à Théophile Gautier qu'il célébrait ainsi après la parution de *Mademoiselle de Maupin*, en 1835 :

> Voici de belle prose d'un homme qui fait de beaux vers... Le style de M. Th. Gautier est un des meilleurs que nous connaissions, ferme, fin, souple, solide... On sent à tout moment dans le romancier les hautes et idéales facultés du poète... L'esprit de M. Gautier est doué d'une originalité vraie et qui le met à part...

Création et critique selon Théophile Gautier

De tels éloges s'adressaient à un écrivain lui aussi révolté contre les timidités du bon goût, et qui ne craignait pas, dans ses *Grotesques*, de réhabiliter Scarron, Théophile de Viau, Saint-Amant, et même Villon :

> Le bon goût est une belle chose ; cependant il n'en faudrait pas abuser : à force de bon goût, on arrive à se priver d'une multitude de sujets, de détails, d'images, d'expressions qui ont la saveur de la vie.

La préface de *Mademoiselle de Maupin* n'était d'ailleurs qu'une longue et véhémente satire de l'impuissance et de la sottise des critiques coupables d'attenter à la souveraine indépendance de l'Art : « Une chose certaine et facile à démontrer à ceux qui pourraient en douter, c'est l'antipathie naturelle du critique contre le poète, — de celui qui ne fait rien contre celui qui fait, — du frelon contre l'abeille, — du cheval hongre contre l'étalon » (Texte 45).

Trente ans plus tard, Gautier lui-même évoque en souriant sa charge contre les critiques :

> Nous regardions, écrit-il en 1867, les critiques comme des cuistres, des monstres, des eunuques et des champignons, Ayant vécu avec eux, j'ai reconnu qu'ils n'étaient pas aussi noirs qu'ils en avaient l'air, étaient assez bons diables et même ne manquaient pas de talent.

C'est que, peu de temps après avoir composé son extraordinaire diatribe, il est devenu feuilletoniste. Comme il le rappelle amèrement dans une notice qu'il consacre à Lamartine en 1869, « l'humble poète » a été « contraint à la prose par les nécessités du journalisme ». Traçant son propre portrait pour *L'Illustration* en 1867, Gautier évoque son entrée à *La Presse* comme critique d'art en 1836, puis comme critique dramatique en 1838 :

> Là finit ma vie heureuse, indépendante et primesautière. On me chargea du feuilleton dramatique de *La Presse*, que je fis d'abord avec Gérard et ensuite tout seul pendant plus de vingt ans. Le journalisme, pour se venger de la préface de *Mademoiselle de Maupin*, m'avait accaparé et attelé à ses besognes. Que de meules j'ai tournées, que de seaux j'ai puisés à ces norias hebdomadaires ou quotidiennes, pour verser de l'eau dans le tonneau sans fond de la publicité !

Servitude écrasante en effet, et supportée avec moins de morgue que chez Jules Janin. Gautier déplore souvent d'avoir à rendre compte d'abominables sottises et constate un jour que les feuilletons théâtraux « ressemblent plutôt à des extraits mortuaires qu'à des morceaux de critique ». Cependant, pour peu que le sujet en vaille la peine et qu'il n'ait pas à se limiter à quelques bouts de colonnes, il compose de beaux « morceaux » de vraie critique. Son chef-d'œuvre en ce domaine est peut-être l'essai d'une centaine de pages qu'il consacre à Balzac dans *l'Artiste* en 1858. Il y définit les principaux aspects du génie du romancier mieux que ne l'avait fait aucun critique spécialisé : les pages qu'il consacre au réalisme, puis au style de Balzac, en s'insurgeant contre les idées reçues de la critique traditionnelle, sont d'une remarquable perspicacité.

Nerval, critique de « l'école nouvelle »

L'œuvre critique de son compagnon d'infortune, Gérard de Nerval, mérite aussi d'être évoquée. Avant les « spécialistes » comme Ampère ou Xavier Marmier, il a fait connaître Gœthe par sa traduction de *Faust* en 1827 et par les articles qu'il consacre aux poètes romantiques allemands. Il est un ardent défenseur de ce qu'il appelle « l'école nouvelle » contre les « pointus littéraires », tel Nisard : « Peuples, sachez que le vénérable Desideratus Nisard est l'inventeur de la littérature difficile (à lire) ! ». Contre la critique étroite et vétilleuse des néo-classiques, il en appelle lui aussi à une critique capable de sentir et d'admirer la beauté. Mais il ne s'agit pas de célébrer seulement les beautés nouvelles créées par Hugo et ses émules. La critique de Nerval n'est pas servile. Les plus grands artistes sont à ses yeux les tragiques grecs et il ne manque pas une occasion de rappeler aux auteurs dramatiques dont il analyse les œuvres qu'ils auraient grand profit à s'inspirer librement de Sophocle ou d'Euripide. Mais le dédain systématique des critiques de son temps pour la littérature moderne l'exaspère et, en décembre 1844, il consacre une chronique de

L'Artiste à se moquer de ceux qui crient sans cesse : « la littérature se meurt ! ». « Eh non ! leur réplique-t-il, c'est vous seulement qui mourez ! ».

La critique des conventions chez Musset

Comment ne pas faire une place même à Musset dont on a rassemblé en 1867 des *Mélanges de littérature et de critique ?* Ils contiennent des pages curieuses, par exemple l'article intitulé : « *Un mot sur l'art moderne* », où Musset oppose deux traditions littéraires : l'une sculpturale et froide, illustrée par Racine, Alfieri, Schiller, l'autre « vivante et saignante », celle de Juvénal, de Shakespeare et de Byron. Il appelle les poètes français à s'engager sur la route frayée par ceux-ci et à se soucier enfin de la vérité et de la vie :

> Nos théâtres portent les costumes des temps passés ; nos romans en parlent parfois la langue ; nos tableaux ont suivi la mode, et nos musiciens eux-mêmes pourraient finir par s'y soumettre. Où voit-on un peintre, un poète préoccupé de ce qui se passe, non pas à Venise ou à Cadix, mais à Paris, à droite ou à gauche ? Que nous dit-on de nous dans les théâtres ? de nous dans les livres ?... Nous ne créons que des fantômes, ou si, pour nous distraire, nous regardons dans la rue, c'est pour y peindre un âne savant ou un artilleur de la garde nationale.

Cette protestation contre un art qui, classique ou romantique, se contente de types conventionnels, se retrouve dans les spirituelles *Lettres de Dupuis et Cotonet*. Musset suppose que deux bourgeois de province, avides de littérature, écrivent au directeur de *La Revue des Deux Mondes* et lui exposent leurs inquiétudes devant la toute-puissance du journalisme (Troisième lettre), les extravagances du roman dit « humanitaire » (Deuxième lettre) et surtout les bizarreries du romantisme qui n'a fait que créer de nouvelles conventions plus détestables que les conventions classiques (Première lettre) :

> Plagiat pour plagiat, j'aime mieux un beau plâtre pris sur la Diane chasseresse qu'un monstre en bois vermoulu décroché d'un grenier gothique.

Balzac contre les critiques

Le « créateur » qui fut le plus violent dans sa dénonciation des méfaits de la critique, est certainement Balzac. Dans un épisode de *Béatrix*, il nous présente un « symbole de la critique » : un poignard marquant la page d'un livre. En effet, dans la terrible charge qu'il intitule *Monographie de la presse parisienne*, Balzac souligne que le premier tort du critique est d'être systématiquement destructeur :

> Lui qui sait à peine sa langue, il est puriste ; il nie le style, quand un livre est d'un beau style ; il nie le plan, quand il y a un plan ; il nie tout ce qui est, et vante tout ce qui n'est pas : c'est sa manière. Il examine par où le créateur est fort, et, quand il a reconnu les qualités réelles, il base là-dessus ses accusations en déclarant : cela n'est pas.

Mais la faiblesse de la critique moderne vient aussi de sa vénalité : la collusion des journaux et des éditeurs est cruellement mise en lumière dans la deuxième partie des *Illusions perdues*, et la *Monographie* résume ainsi la situation : « La critique aujourd'hui ne sert plus qu'à une chose : faire vivre le critique ». Inlassablement, Balzac poursuit les critiques de ce mépris excessif : dans *Savarus*, il raille « les critiques qui font les réputations, sans jamais pouvoir s'en faire une » et dans *Splendeurs et misères des courtisanes*, il compare les critiques incapables de créer aux courtisanes incapables d'aimer.

Cette féroce critique de la critique s'accompagne d'une théorie et d'une pratique de ce que devrait être une critique digne de ce nom. Balzac a fondé lui-même la *Revue parisienne* pour y exprimer ses conceptions : trois numéros seulement paraissent en 1840 contenant des *Lettres sur la littérature* où il proclame d'abord la nécessité d'une critique saine pour mettre de l'ordre dans la littérature contemporaine :

> Je crois que si jamais une critique patiente, complète, éclairée, a été nécessaire, c'est dans un moment où la multiplicité des travaux, où l'ardeur des ambitions produisent une mêlée générale et causent en littérature le même désordre que dans la peinture, qui n'a plus ni maîtres ni écoles, où le défaut de discipline compromet la sainte cause de l'art et gêne tout...

Il est temps de fixer « les principes de l'art moderne » en tenant compte des transformations apportées par la nouvelle génération. Pour cela, la vraie critique doit avoir la rigueur d'une science : « Elle est toute une science, elle exige une compréhension complète des œuvres, une vue lucide sur les tendances d'une époque » *(La Muse du département)*, mais elle doit être aussi fondée sur une esthétique au nom de laquelle elle puisse juger les œuvres qu'elle examine : elle exige donc aussi « l'adoption d'un système, une foi dans certains principes ». L'amateurisme hésitant d'un Sainte-Beuve paraît à Balzac incompatible avec l'exercice d'une critique véritable, car le critique doit être de parti-pris, c'est-à-dire savoir en toute circonstance prendre le parti de l'Art sans s'attarder à d'autres considérations. Il doit « lire un ouvrage, s'en rendre compte à (lui)-même avant d'en rendre compte au public, en chercher les défauts dans l'intérêt des lettres et non pour le triste plaisir de chagriner l'auteur » *(Lettres sur la littérature)*. En somme, le vrai critique serait « un écrivain parfaitement instruit, ayant médité les moyens, connaissant les ressources de l'art et critiquant dans l'intention louable d'expliquer, de consacrer les procédés de la science littéraire, ayant lu les ouvrages dont il s'occupe ». « Un pareil homme, ajoute Balzac, est à trouver et ne se trouvera pas de si tôt » *(Lettres sur la littérature)*.

Balzac a pourtant essayé d'être lui-même cet homme-là dans des articles où il fait souvent preuve de clairvoyance et de sagacité et se montre résolument indépendant : ainsi, dès 1830, en plein triomphe romantique, il n'hésite pas à analyser les faiblesses d'*Hernani*, et en 1840 il conseille au poète des *Rayons et des Ombres* de renouveler son inspiration en s'essayant dans un genre plus approprié à son génie : l'épopée. N'est-il pas enfin l'un des très rares critiques qui aient su reconnaître en Stendhal un romancier de premier ordre et célébrer dès 1840 les qualités de *La Chartreuse de Parme* ? Sainte-Beuve a beau prétendre que cette *Lettre sur Beyle* est le résultat d'une pure complaisance de romancier à romancier, toujours est-il qu'il a pour sa part totalement méconnu le génie de Stendhal et que Balzac s'est montré meilleur juge.

La critique de Baudelaire au service d'un art exigeant — Baudelaire constate, comme Balzac, l'anarchie littéraire et artistique de son temps et en appelle à une critique sérieuse, qui soit capable de redonner à l'Art sa force et sa dignité perdues. Un chapitre du *Salon de 1846* est consacré à opposer à « l'unité profonde » qui régnait autrefois « l'absence complète d'unité » d'une époque où se multiplient « les singes artistiques ». Un Sainte-Beuve peut bien déplorer le même désordre : « L'anarchie entre les hommes de talent est complète ; chacun se fait centre, chacun se fait roi », écrivait-il en 1843 dans un article intitulé « *Quelques vérités sur la situation en littérature* ». Mais à quoi sert-il de crier : « Littérature de décadence ! » avec tant de « sphynx sans énigme » incapables d'accueillir et de comprendre les nouveautés ? (*Notes nouvelles sur Poe*, 1857).

A une critique obstinément figée dans le regret du passé et froidement dénigrante, Baudelaire oppose, comme Balzac, une critique encore capable de passion : « Pour être juste, c'est-à-dire pour avoir sa raison d'être, la critique doit être partiale, passionnée, politique, c'est-à-dire faite à un point de vue exclusif, mais au point de vue qui ouvre le plus d'horizons » (*Salon de 1846*, ch. I. *A quoi bon la critique ?*) (Texte 46). Seuls les poètes peuvent concevoir une telle critique : « Je considère le poète comme le meilleur de tous les critiques » (1861). Car seuls ils peuvent prendre résolument le parti de l'Art et montrer que l'Art n'a rien à voir avec la morale, mais qu'il signifie maîtrise de soi, travail, soumission de la nature aux exigences de la Beauté. Baudelaire reprend constamment dans ses notices et dans ses articles sa condamnation de « la grande hérésie poétique des temps modernes ..... l'idée d'utilité directe ». C'est pourquoi il défend Flaubert contre les critiques scandalisés par un roman *(Madame Bovary)* dont aucun personnage ne « représente la morale » :

> Éternelle et incorrigible confusion des fonctions et des genres ! Une véritable œuvre d'art n'a pas besoin de réquisitoire. La logique de l'œuvre suffit à toutes les postulations de la morale et c'est au lecteur à tirer les conclusions de la conclusion.
>
> Article sur *Madame Bovary* paru dans *L'Artiste* le 18 octobre 1857 et repris dans *L'Art romantique*.

En somme, les critiques sont devenus de piètres professeurs de morale, alors que leur rôle doit être au contraire d'étudier et d'expliquer cette « logique de l'œuvre » et de faire comprendre le travail de l'artiste. C'est seulement ainsi qu'ils pourraient reconnaître les véritables créateurs, non pas un Musset, ni un Lamartine, qui « n'ont pas assez de volonté et ne sont pas assez maîtres d'eux-mêmes » (*Notice sur Poe*, 1852), mais un Théophile Gautier en qui Baudelaire salue « l'écrivain par excellence, parce qu'il est l'esclave de son devoir, parce qu'il obéit sans cesse aux nécessités de sa fonction, parce que le goût du Beau est pour lui un *fatum*, parce qu'il a fait de son devoir une idée fixe » (Article sur Th. Gautier, dans *L'Artiste*, mars 1859, repris dans *L'Art romantique*).

Fort de telles exigences, Baudelaire s'en prend à « ces théories, fautrices de paresse, qui, basées uniquement sur des métaphores, permettent au poète de se considérer comme un oiseau bavard, léger, irresponsable, insaisissable et transportant son domicile d'une branche à l'autre » (Article sur Héségippe Moreau, paru dans *L'Art romantique*). Convaincu que la nature seule ne peut rien produire de beau sans l'effort d'une imagination sagement orientée, il souligne l'utilité des rhétoriques et des prosodies auxquelles les critiques modernes n'osent même plus se référer :

> Il est évident que les rhétoriques et les prosodies ne sont pas des tyrannies inventées arbitrairement, mais une collection de règles réclamées par l'organisation même de l'être spirituel. Et jamais les prosodies et les rhétoriques n'ont empêché l'originalité de se produire distinctement. Le contraire, à savoir qu'elles ont aidé l'éclosion de l'originalité, serait infiniment plus vrai.

> *Salon de 1859 : 4, Le gouvernement de l'imagination.*

2. La génération positiviste : de la critique dogmatique à la critique scientifique

Les sarcasmes de Baudelaire contre les critiques attitrés montrent à quel point la crise ouverte par le débat romantique et surtout par le développement de la littérature industrielle a été durable et profonde.

REMISE EN ORDRE ET RÉSISTANCES

Les conditions de la critique sous le Second Empire

Pourtant le coup d'État du 2 décembre 1851 a provoqué une brutale remise en ordre de la vie littéraire. Des décrets draconiens ont décimé la presse, réduite à un petit nombre de journaux contraints à une extrême prudence. Rien ne peut plus s'imprimer en France contre la volonté du gouvernement. Le roman feuilleton est soumis à un droit de timbre spécial destiné à « frapper une industrie qui déshonore la presse ». Une commission est chargée de dresser la liste des livres autorisés et définit ainsi son rôle :

> Les lois divines et humaines sont inviolables et sacrées. Les premières représentent les devoirs de la conscience et la destinée immortelle de l'homme. Les secondes représentent le patriotisme des citoyens, les intérêts de la société et les progrès de la civilisation. Tout ce qui est conforme à ces vérités d'ordre supérieur... la commission l'accepte ; tout ce qui leur est contraire, elle le repousse.

Sont donc condamnés « les ouvrages blessants pour les mœurs, injurieux pour la religion et ses respectables ministres, mensongers envers l'histoire ».

Voilà pourquoi, entre autres victimes moins illustres, les Goncourt sont traduits devant le tribunal correctionnel en 1854 pour avoir représenté « des images évidemment licencieuses », Flaubert est poursuivi pour *Madame Bovary* et Baudelaire condamné à trois mois de prison en 1857.

Que pouvait signifier dans de telles conditions l'exercice de la critique littéraire ? Sous l'Empire autoritaire, elle ne peut que veiller au maintien de l'ordre politique et moral, se faire en quelque sorte l'auxiliaire de cette commission chargée de sanctionner les arrêts de critiques bien pensants par des poursuites judiciaires.

Les colères de Louis Veuillot

Cette police de la littérature, un polémiste comme Louis Veuillot se sent tout disposé à l'exercer, non point d'ailleurs au nom d'un pouvoir impérial éphémère avec lequel il entre bientôt en conflit, mais dans l'intérêt de la religion et de l'Église même. Dès 1850, il mène le combat, dans *L'Univers*, contre la littérature française qui, depuis la fin du siècle de Louis XIV, n'a provoqué que des malheurs : « La littérature proprement dite, en France, n'est pas de bon lieu. Elle est fille du protestantisme, elle a des affinités païennes : le scepticisme, la raillerie, l'impureté sont ses caractères principaux » (Article sur *Le siècle de Voltaire*, janvier 1850). Veuillot salue le 2 décembre comme une victoire décisive remportée sur tous les adeptes de cette mauvaise littérature et, dès lors, en appelle inlassablement aux artistes pour compléter le triomphe de la contre-révolution politique par celui de la contre-révolution littéraire et morale :

> Tout est épuisé, tout est rebattu, tout montre la corde. Classiques, voltairiens, romantiques sont à vau-l'eau. L'impiété radote et le vice même devient imbécile : il n'y a plus qu'un moyen de se relever et de faire du neuf, c'est de penser et d'écrire en chrétien.
>
> Article du 10-2-1852.

Il n'a qu'un seul mot d'ordre : « Hors de l'Église, point de salut pour l'Art ! », et il s'emporte contre les critiques qui ne s'intéressent jamais qu'aux mérites ou aux défauts de la forme :

> Ils blâmeront un vers dur dans *Polyeucte* et ils ne condamneront pas *La Pucelle*, irréprochable sous le rapport de l'Art ! Ils ne savent pas, ils ne veulent pas manier cette critique qui va au fond de l'œuvre et qui, sans s'arrêter au métier, juge l'inspiration.
>
> *Œuvres complètes*, tome 33, p. 309.

Veuillot croit reconnaître un critique capable d'aller ainsi « jusqu'au fond » en Sainte-Beuve qui, après avoir fui à Liège la révolution de 1848, et donné son opinion définitive sur le romantisme dans son cours sur *Chateaubriand et son groupe littéraire*, a rejoint Paris à la fin de l'été 1849 et commencé sa série des *Lundis* au *Constitutionnel* :

> Entre les écrivains du grand parti de l'ordre qui livrent tous les jours tant de grands combats en faveur des grands principes sociaux, écrit Veuillot,

M. Sainte-Beuve... mérite une mention spéciale, et par sa diligence et par la qualité singulière des services qu'il rend à la vertu publique.

.Article du 9-10-1850.

Ambiguïtés de la critique
de Sainte-Beuve
Un tel hommage n'est pas déplacé. Sainte-Beuve considère en effet que la victoire de la réaction politique rend à nouveau possible l'exercice d'une critique jusque-là discréditée dans l'anarchie de la littérature industrielle. En 1850, il écrit dans des notes préparatoires à un article sur la *Critique littéraire sous l'Empire :*

> Aujourd'hui la société est plus disposée à dire *oui* et *non* à certaines choses ; si un peu de critique était possible, elle le serait aujourd'hui. Le peu que je fais, je ne l'aurais jamais essayé il y a cinq ans.

A la même époque, il note dans ses *Cahiers :* « En critique, j'ai assez fait l'avocat, faisons maintenant le juge ».

Son entreprise de causeries littéraires hebdomadaires, poursuivie quasi officiellement au *Moniteur* à partir de 1852, prend ainsi le sens d'une sorte de police littéraire exercée à l'encontre de tout ce qui risque d'attenter à l'ordre et de corrompre la tradition. Désormais, il fait passer le respect de celle-ci avant toute autre considération ; c'est lui qu'il enseigne aux normaliens dans son cours d'introduction en 1858 :

> [La tradition] consiste en un certain principe de raison et de culture qui a pénétré à la longue, pour le modifier, dans le caractère même de cette nation gauloise, et qui est entré dès longtemps jusque dans la trempe des esprits. C'est là tout ce qu'il importe de ne point laisser perdre, ce qu'il faut ne point souffrir qu'on altère — sans avertir du moins et sans s'alarmer comme dans un péril commun.
>
> *Causeries du lundi*, tome XV, p. 358.

Mais que devient, dans ces conditions, l'ambition d'élaborer une « science littéraire » qui serve à fonder une « histoire naturelle des esprits » ? Sainte-Beuve l'avait formulée, en termes assez vagues, dès l'époque du cours sur *Port-Royal*. Il y revient et précise sa pensée, en 1849, mais ce n'est alors qu'une sorte de rêve qu'il confie à ses *Cahiers* en développements fragmentaires utilisés beaucoup plus tard dans un grand article de 1862 où il définit sa méthode (Textes 47 et 48). Pour l'instant, il s'agit avant tout de faire entendre la vérité : « Le critique n'est qu'un homme qui sait lire et qui apprend à lire aux autres ». De quelle vérité s'agit-il ? Ce que Sainte-Beuve veut « apprendre aux autres », c'est la supériorité d'un certain classicisme, ignorant les frontières et les préjugés, mais respectueux de la mesure et du bon sens. Cet idéal conservateur et modéré explique son aversion pour les génies et la place importante qu'il consacre aux écrivains de second ordre plus représentatifs de l'art « vrai », c'est-à-dire d'un art modéré, adapté à un public bourgeois et timoré. Mais il voudrait aussi pouvoir dire la vérité sur les auteurs dont il parle, dénoncer les mythes et les réputations publicitaires, au nom de sa devise : « Le vrai, le vrai seul ». Cela n'est pas toujours possible ; la prudence est nécessaire et le maintien de l'ordre est toujours préférable au souci de la vérité :

> Dans mes portraits, le plus souvent la louange est extérieure et la critique intestine. Pressez l'éponge, l'acide sortira.
> Si l'on se mettait à se dire tout haut les vérités, la société ne tiendrait pas un seul instant ; elle croulerait de fond en comble avec un épouvantable fracas comme le temple des Philistins sous les bras de Samson...

Sainte-Beuve continue donc d'exercer sa critique sur deux registres : les *Cahiers* complètent clandestinement les *Lundis* plus discrètement encore que les *Chroniques parisiennes* complétaient naguère les *Portraits*. Le personnage officiel se dédouble ainsi et prend figure de moraliste à la fois prudent et sceptique qui se plaît à jouer divers rôles. Il poursuit en effet dans ces *Causeries* où revivent chaque semaine des écrivains de tous ordres l'effort de recréation qui faisait à ses yeux le charme des *Portraits* : « La critique telle que je l'entends et telle que je voudrais la pratiquer, est une invention et une création perpétuelles ». Cet aveu apparaît dans les *Cahiers* en 1850, et, trois ans plus tard, Sainte-Beuve affirme encore que le but même de sa critique est de s'identifier à ceux dont il parle : c'est là seulement qu'il voudrait qu'on reconnaisse son originalité.

Voilà donc comment sous le masque du juge apparaît déjà le dilettante plus soucieux de tout comprendre que de condamner, et tel que s'avoueront ouvertement tant de critiques de la fin du siècle. D'ailleurs, chez Sainte-Beuve comme chez la plupart de ceux-ci, le scepticisme « égotiste » s'accompagne tout naturellement d'un profond conservatisme. Pourtant cette défiance envers le parti-pris, si discrète qu'elle fût, ne pouvait pas ne pas être aperçue par les adeptes d'une critique plus résolument militante. Louis Veuillot surprend très vite en Sainte-Beuve un amateur trop indulgent et incapable de combattre au côté des vrais génies : dès 1851, il regrette que « ces connaissances si étendues et maintenant dépouillées de pédantisme, cette habileté sans égale, cette autorité acquise par tant de travaux et de succès » soient employées à restaurer « avec beaucoup de goût et quelquefois avec de belles couleurs de morale tout ce qui a corrompu la morale et perdu le goût ».

Virulences dogmatiques : de Pontmartin à Barbey d'Aurevilly

Un abondant feuilletoniste dont la réputation fut à l'époque presque égale à celle de Sainte-Beuve, exerce lui aussi la police littéraire, mais avec plus d'intransigeance : Armand de Pontmartin (1811-1890), auteur de *Causeries du Samedi*, parallèles aux *Causeries du Lundi*, et poursuivies onze ans encore après la mort de Sainte-Beuve.

Successeur de Gustave Planche à *La Revue des Deux Mondes* dont il tient la chronique dramatique de 1847 à 1852, Pontmartin est ensuite le critique attitré des journaux royalistes. Il s'est assigné pour tâche « la réparation sociale et morale de la littérature » et déplore que la critique enrichie de toutes les conquêtes de l'histoire et de l'érudition, ait « perdu le plus essentiel de ses privilèges : l'autorité » (*Causeries du Samedi*, tome I : *La littérature et les honnêtes gens*, p. 4). Son autorité critique, Pontmartin l'emploie à dénoncer les « fétiches littéraires » : Voltaire, Lamartine, Balzac, Hugo sont à ses yeux les objets d'un culte funeste au progrès de la saine littérature. Il regrette que trop de critiques aient favorisé le développement d'une telle idolâtrie, et il les dénonce dans ses *Jeudis de Madame Charbonneau* (1860) où Sainte-Beuve est représenté sous les traits de Caritidès : « Caritidès aurait pu être la plus irrécusable des autorités, il n'est que la plus friande des curiosités littéraires ». Sedan et la Commune ne font que confirmer les sombres pronostics de Pontmartin : il souligne les responsabilités de la littérature dans les malheurs du temps et dénonce la faillite de la critique :

> La critique, sans point d'appui, sans croyance, sans autorité morale, sans autre instrument qu'un scalpel, sans autre doctrine que le néant, manque à ses attributions véritables. Elle fera peut-être admirer sa dextérité, son aptitude à pulvériser l'idée, à escamoter la vérité, à enjoliver le mensonge, à échanger la vieille férule de La Harpe contre un gobelet et une muscade ; mais elle n'aura jamais ni l'utilité d'un conseil, ni la valeur d'un jugement, ni la portée d'une leçon.
>
> *Nouveaux Samedis*, tome VII, p. 50.

Au service de la même cause, Barbey d'Aurevilly (1808-1889) emploie plus de talent et de fougue, et moins d'ignorance systématique des vraies qualités de l'artiste. Après avoir été l'un des dandies les plus illustres des années 1835-1840, « Sardanapale d'Aurevilly », « le roi des Ribauds », est obligé de se faire journaliste et de se plier aux servitudes de « l'entomologie littéraire ». C'est aux publications royalistes, souvent effrayées de son « talent d'enragé », qu'il confie une longue suite de feuilletons réimprimés dans la série *Les Œuvres et Les Hommes*. Il y affirme sa volonté d'instaurer une critique qui ne soit « ni la description, ni l'analyse, ni la nomenclature, ni la sensation morbide ou bien portante, innocente ou dépravée, ni la conscience de l'homme de goût, c'est-à-dire le plus souvent la conscience du sentiment des autres, toutes choses qu'on nous a données successivement pour la critique » (*Les Œuvres et Les Hommes*, tome I, p. x et xi). La vraie critique suppose une doctrine ferme, au nom de laquelle soient énoncés des jugements selon un critérium que « tous les critiques, depuis Gœthe jusqu'à Sainte-Beuve..., nient et méprisent » (*Les Œuvres et Les Hommes*, tome IX, *Journalistes et polémistes*, p. 123). Dans un volume spécialement consacré aux critiques, sous le titre éloquent des *Juges jugés*, il s'en prend à Villemain, Nisard, Sainte-Beuve, Jules Janin, etc... et précise ce qu'il attend du critique :

> Pour faire (de la critique), il faut un sens profond, métaphysique et rare. La critique s'exerce en vertu d'une théorie morale plus haute qu'elle. Elle n'est point, comme celle de tant de gens, la bâtarde de l'esprit, née de ses jouissances et de ses manières de sentir. C'est la fille légitime de l'intelligence savante et réglée et, dans une société chrétienne et française, elle a pour blason la croix, la balance et le glaive.
>
> *Les Œuvres et Les Hommes*, tome VI, p. 12.

Il faut donc juger les œuvres à la lumière du catholicisme en dehors duquel « il n'y a ni philosophie, ni poésie », mais sans faire preuve pourtant du sectarisme d'un Veuillot qui « fourre une tonsure sur toutes les questions, même sur la perruque de Molière... ». Il faut ensuite exercer une justice rigoureuse en s'interdisant les douceurs des « chats littéraires » comme Sainte-Beuve, et en faisant « de la critique sans mitaines, sans souliers feutrés, sans cache-nez et sans les trente-six attirails de la prudence, de cette prudence qui est si contente d'elle quand elle a pu parvenir en se tortillant à se faire appeler la finesse » : la critique « doit la vérité à tous sur tout en tout lieu et en tout moment » (*Les Œuvres et Les Hommes*, tome I, p. IX). Elle doit enfin savoir combattre pour sa vérité et châtier les beautés coupables ; jamais la beauté d'une phrase ou d'une image ne doit servir d'excuse à l'immoralité d'une œuvre : Barbey prône une « critique personnelle, irrévérente et indiscrète, qui ne s'arrête pas à faire de l'esthétique frivole ou imbécile à la porte de la conscience de l'écrivain dont elle examine l'œuvre, mais qui y pénètre, et quelquefois le fouet à la main, pour voir ce qu'il y a dedans » *(loc. cit.).*

Résistance à la critique dogmatique

En face d'une telle prétention des critiques à régenter et à châtier l'artiste au nom de l'ordre, de la morale et de la foi, on comprend mieux l'obstination avec laquelle les poètes de ce temps ont célébré l'Art pour l'Art. C'est contre eux qu'un Baudelaire dénonce « la grande hérésie poétique des temps modernes : l'idée d'utilité directe » et affirme la nécessité de poétiques qui se contentent d'énoncer les règles de l'art seul. C'est contre eux que Victor Hugo lance les vigoureux anathèmes de son *William Shakespeare* en 1864.

Aussi est-il curieux de voir comment cette critique plus ou moins officielle se fait l'interprète d'une société qui refuse de se reconnaître dans les œuvres qui la dépeignent et se réfugie dans l'apologie du passé. Il est également plaisant de constater que ces critiques, défenseurs de l'ordre, se détestent réciproquement et s'estiment chacun mieux placé que quiconque pour remettre la littérature dans le bon chemin. Cela suffit à indiquer l'égarement d'une critique succombant une fois de plus à la tentation du dogmatisme et de la prédication.

Le critique « secrétaire du public » : Francisque Sarcey

Le maître de la critique dramatique, Francisque Sarcey (1827-1899), se garde bien d'une telle tentation. Entré à *L'Opinion nationale* en 1859, puis au *Temps* en 1867, il y rend compte chaque semaine de la production théâtrale avec une grande modestie et un parfait conformisme (voir les quatre volumes de *Quarante ans de théâtre* où sont rassemblés ses principaux feuilletons). Le premier volume contient un curieux article du 12 juillet 1860 sur *Les Droits et les devoirs du critique* (p. 45 sqq.). Sarcey s'y interroge sur les difficultés de sa tâche et s'interdit certaines mauvaises habitudes : le dogmatisme (« il est bon de rappeler les grands noms, mais sans jeter leur ombre sur les œuvres modernes »), l'impressionnisme (« vous êtes homme, mon cher critique, c'est-à-dire faible, et ni les acteurs, ni les auteurs que vous jugez, ni le public qui lit vos jugements ne doivent souffrir de vos faiblesses »). Son idéal est de se faire l'interprète des goûts du public :

> Rien n'est plus aisé que de démolir pièce à pièce *Le Duc Job* de Léon Laya. Il est plus difficile, et peut-être aussi plus vraiment profitable, de chercher dans cette comédie ce qui a pu flatter les goûts passagers du public... Un journaliste ne doit pas lutter contre le courant du jour ; il faut qu'il s'y abandonne, en le dirigeant du mieux qu'il peut.
> Le public a des caprices et des engouements dont quelques-uns ne nous semblent pas fort justes ; ils ont pourtant leur raison d'être, c'est à nous de la trouver et de l'expliquer. Nous n'avons point à lutter contre ces entraînements au nom des règles éternelles du beau ; laissons ce rôle à ceux qui écrivent dans les revues et qui font des livres.
> ... Nous sommes les moutons de Panurge de la critique ; le public saute et nous sautons ; nous n'avons d'avantage sur lui que de savoir pourquoi il saute et de le lui dire.
> Je dis la vérité du jour, car j'écris dans un journal. La mode change tous les dix ans en France, pour les ouvrages de l'esprit comme pour tout le reste. Il est clair que, dans dix années, et plus tôt peut-être, mon jugement sera faux ; mais les raisons sur lesquelles je l'ai appuyé seront encore justes. Il est vrai que personne alors ne s'en souciera : pièces et feuilletons seront tombés dans le plus profond oubli...

Remarquable modestie de « l'Oncle Sarcey », peu soucieux de manier la férule, comme tant de ses voisins du feuilleton littéraire hebdomadaire.

Tentatives originales : Jules Vallès

Il faudrait ne pas se limiter à tous ces critiques qui ont en quelque sorte « pignon sur rue ». L'importance du journal dans lequel il écrit ne garantit pas forcément l'importance du critique. Une véritable histoire de la critique devrait tenir compte des chroniques publiées dans la presse d'opposition si fragile sous l'Empire et dans de multiples et éphémères revues dites « littéraires » qui échappaient plus facilement à la législation frappant la presse politique. Les limites de cette étude nous interdisent de dresser un tel bilan. Évoquons au moins Jules Vallès, dont certains articles de critique littéraire, dispersés dans *Le Progrès de Lyon*, *Le Courrier du Dimanche* ou *Le Figaro*, méritaient d'être « redécouverts ». En février 1864, Jules Vallès commence sa collaboration au *Progrès* et annonce son intention de s'intéresser au roman, négligé par la critique traditionnelle au profit du théâtre.

> On donne une fois par semaine, dans les grands journaux, un feuilleton dit du lundi, qui tient le public au courant du mouvement dramatique. Eh bien, ce que l'on fait pour le théâtre, je voudrais le faire pour le roman. Il a droit, ce me semble, autant que la pièce, à une critique régulière et sérieuse, parce qu'il est aussi bien, sinon mieux, un interprète exact des passions et des mœurs d'une société.
>
> *L'Œuvre de J. Vallès*, éd. du Club français du Livre, page 1088.

Bousculant les habitudes de la critique, Vallès veut donc s'intéresser au genre littéraire le plus important de son siècle qui « a pour ennemis deux races impitoyables, les pédants et les dévots : les premiers l'accusent de n'être rien et crient à la frivolité, les seconds crient au secours et dénoncent

ces conteurs impies comme des adversaires de la vertu et du Bon Dieu ».
Il examine ainsi avec sympathie les romans de Barbey d'Aurevilly ou des
Goncourt, célèbre Balzac et Sand, mais il met au-dessus de tous Charles
Dickens, auquel il consacre deux importants articles en septembre-octobre
1865 : il souligne surtout sa « simplicité » si différente de « l'éloquence »
des romanciers français qui ont la « manie moralisatrice et prédicante ».
Détestant tout enrégimentement de la critique, il refuse de célébrer les
gloires consacrées de la presse libérale et éreinte Victor Hugo, mais applaudit
les « francs parleurs » qui, quel que soit leur drapeau, savent aller « droit au
but » : il compte parmi eux Pontmartin, Barbey et Sainte-Beuve ! Cependant
il n'en est pas moins lui-même aveuglément partisan et il dédaigne
Baudelaire qu'il considère comme un « cabotin, catholique, réactionnaire
et clérical ».

La défense du Beau : Leconte de Lisle

Quel contraste ne trouverait-on pas aussi
entre les lourds volumes de feuilletons
d'un Pontmartin ou d'un Barbey, et, par
exemple, l'œuvre critique de Leconte de Lisle qui tient en six courtes études
de poètes contemporains publiées dans *Le Nain Jaune* en 1864 et précédées
d'un avant-propos où le poète expose sa « théorie critique ». Il s'en prend
à la critique courante qui, « pleine de regrets stériles, de désirs impuissants
et de rancunes inexorables, traduit au public indifférent et paresseux ce
qu'elle ne comprend pas..., explique gravement ce qu'elle ignore et n'ouvre
le sanctuaire de sa bienveillance qu'à la cohue banale des pseudo-poètes ».
Incapable de comprendre l'Art, elle est « contrainte de choisir pour criterium
d'examen la somme plus ou moins compacte d'enseignement moral contenu
dans les œuvres qu'elle condamne ou qu'elle absout ». Leconte de Lisle
s'oppose résolument à ces critiques qui ne savent pas ce qu'ils disent :
« Les théories de la critique moderne ne sont pas les miennes. J'étudierai
ce qu'elle dédaigne, j'applaudirai ce qu'elle blâme ». Il ne tiendra compte
que du Beau qui « n'est pas le serviteur du vrai » et cherchera seulement
à savoir si le poète qu'il étudie a su « réaliser le Beau » (Texte 49). C'est
pourquoi il condamne Béranger et prédit que la postérité ne comprendra
pas le « curieux enthousiasme attendri qu'excitent ces odes-chansons qui ne
sont ni des odes ni des chansons ». Il est moins sévère pour Lamartine auquel
pourtant « a manqué l'amour et le respect religieux de l'Art » et qui est
seulement « le plus fécond, le plus éloquent, le plus lyrique, le plus extraordinaire
des amateurs poétiques du XIXe siècle ». Mais il réserve son admiration à
Hugo dont il célèbre le tout-puissant génie, à Vigny, imperturbable dans
sa fidélité à la « religion du Beau », et à Baudelaire, qui est un véritable
amant du Beau, original sans doute, mais savant et réfléchi.

Paul de Saint-Victor

A côté de Leconte de Lisle, faisons une
place à un critique « professionnel » qui
mène la même lutte pour le Beau : Paul de Saint-Victor (1825-1881), ami
de Théophile Gautier auquel il succède comme feuilletoniste à *La Presse* en
1855. Celui-là sait admirer : ses éloges des *Misérables*, puis des *Travailleurs
de la mer* lui valent en 1866 cet emphatique compliment de Hugo :

Vous créez sur une création, vous êtes le magnifique explicateur ; vous écrivez le poème du poème, le mot du sphynx, le cri des profondeurs. Cette grande critique que vous faites est, en même temps, une grande philosophie ; elle marque dans notre temps comme une traînée de flammes au milieu de l'ombre. Vous êtes un des sauveurs de l'idéal.

Lettre de Hugo à Saint-Victor, 4-4-1866.

Peu soucieux des interdits des « moralistes », il a le rare courage de faire l'éloge des Goncourt et, en 1860, il ose qualifier *Renée Mauperin* de « chef-d'œuvre ». Ses feuilletons ont été rassemblés en 1867 et publiés sous le titre *Hommes et Dieux*. A partir de 1872 il tient la chronique dramatique du *Moniteur* et en tire un recueil de critique théâtrale que Thibaudet met au nombre des « chefs-d'œuvre de la critique » : *Les Deux Masques*.

POUR ET CONTRE UNE CRITIQUE SCIENTIFIQUE

Renouveau de la critique :
Taine et Renan

Cependant, deux écrivains, étrangers par leur formation et par leurs curiosités au monde littéraire proprement dit, poursuivent pendant la même période des travaux qui les amènent à s'occuper avec plus de sérieux de cette « science littéraire » jusque-là timidement évoquée par Ampère ou par Sainte-Beuve : Taine (1828-1893) et Renan (1823-1892).

Taine est un philosophe que la réaction de 1850 jette hors de l'Université et réduit à la pratique de la critique littéraire. Admirateur de Hegel, il doit remplacer une thèse sur les sensations par un *Essai sur La Fontaine et ses fables* (1853). Il apporte à l'étude de la littérature des habitudes de pensée différentes de celles des critiques de son temps : le positivisme et le rationalisme intégral d'un esprit rigoureusement systématique. C'est un théoricien qui cherche à vérifier autour de lui des idées : les faits servent à prouver, et les œuvres littéraires sont des faits parmi d'autres. « Un roman », par exemple, « n'est qu'un amas d'expériences » qui peuvent servir à sa démonstration.

Taine conçoit en somme la critique littéraire comme le moyen de fonder sérieusement cette « histoire naturelle des esprits » que Sainte-Beuve croyait avoir entreprise. Mais au lieu de s'appliquer à la description minutieuse des variétés individuelles, il se préoccupe surtout de classer des espèces. En philosophe attiré seulement par les idées générales, il ne se soucie guère des auteurs de second ordre et ne s'arrête qu'aux grands écrivains. Ainsi, dans son *Histoire de la littérature anglaise* (commencée en 1863), il ne s'intéresse qu'aux auteurs principaux, esprits caractéristiques qui, rapprochés les uns des autres, lui permettent de dégager les traits à la fois généraux et particuliers du type anglais. La conclusion de l'ouvrage résume la pratique de son système : « J'entreprends d'écrire l'histoire d'une littérature et d'y chercher la psychologie d'un peuple ». Dans ses études littéraires, Taine est toujours pressé de découvrir les caractères de la psychologie d'un écrivain ou d'une nation. Aussi simplifie-t-il le questionnaire minutieux que Sainte-Beuve applique à chaque cas avec une curiosité souple et jamais satisfaite. Il ne s'attarde pas à étudier la formation d'un talent et à préciser les nuances d'une personnalité. Il veut donner la formule totale de tel ou tel esprit : pour cela, il reconnaît en lui les traits propres à telle ou telle race, qui subissent dans l'œuvre de l'écrivain une simple accommodation produite par les circonstances du moment et par le milieu. Dans son enquête, il reste absolument indifférent à la beauté des œuvres qui n'est qu'une qualité accessoire, et il les examine toutes sans aucun préjugé moral ni esthétique :

> Le critique est le naturaliste de l'âme. Il accepte les formes diverses, il n'en condamne aucune et les décrit toutes. Il juge que l'imagination passionnée est une force aussi légitime et aussi belle que la faculté métaphysique ou que la puissance oratoire ; au lieu de la déchirer avec mépris, il la dissèque avec précaution ; il la met dans le même musée que les autres et au même rang que les autres.
>
> *Essais de critique et d'histoire : Michelet.*

Une critique vraiment scientifique ne doit se soucier ni du beau ni de l'utile, qui « ne sont pas le vrai » *(Essais de critique et d'histoire : Jean Reynaud)*. Elle ne doit pas non plus se contenter de décrire : il est temps de substituer à « la critique qui peint » (c'est-à-dire à celle de Sainte-Beuve dont Taine définit la méthode dans un important article du 24-1-1858) une critique « qui essaye de philosopher », qui sache, pour caractériser un homme ou une époque, « séparer ce qui est important de ce qui ne l'est pas » :

> L'essentiel est de trouver la forme d'esprit originelle d'où se déduisent toutes les qualités de l'homme et de l'œuvre.
>
> Préface des *Essais de critique et d'histoire*, 1858.

Pour connaître un auteur, « ce ne sont pas des remarques qu'il faut entasser, mais une force qu'il faut démêler » *(ibid.)*. La tâche du critique consiste donc essentiellement à désigner pour chacun cette « faculté maîtresse », déterminée par des conditions de race, de milieu, de moment, et à partir de laquelle on peut tout comprendre : « Une fois qu'on a saisi la faculté maîtresse on voit l'artiste entier se développer comme une fleur » *(Histoire de la littérature anglaise*, à propos de Shakespeare) (Textes 50 et 51).

Mais comment Taine découvre-t-il cette fameuse « faculté maîtresse » ? Il est curieux de voir qu'en définitive cet édifice « scientifique » repose sur un fragile impressionnisme. C'est en effet une espèce d'intuition qui fait trouver le premier et le dernier mot. Taine avoue lui-même que le critique, après avoir lu et analysé les œuvres d'un auteur, « verra venir au bout de sa plume une phrase involontaire, singulièrement forte et significative, qni résumera toute son opération et mettra devant ses yeux ..... un certain état psychologique, dominateur et persistant, qui est celui de son auteur » (préface de la troisième édition des *Essais...*, 1866). Une telle simplification n'est-elle pas abusivement qualifiée de scientifique ? La porte reste grande ouverte non seulement aux préférences du goût, mais aussi aux arrêts d'un dogmatisme moralisateur. Les audaces positivistes du philosophe ont longtemps masqué au public le profond conservatisme de Taine qui ne se dévoile vraiment qu'après 1871. A l'époque des *Origines de la France contemporaine* et des *Derniers Essais de critique et d'histoire*, il déplore souvent l'influence d'une littérature malsaine sur une société délabrée :

> Tout opium est malsain ; il est prudent de n'en prendre qu'à petites doses et de loin en loin. Depuis *Werther* et *René*, nous en avons trop bu, de plusieurs sortes, et nous en buvons chaque jour davantage ; par suite, la maladie du siècle s'est aggravée, et, en littérature, en musique, en peinture, en politique, quantité de symptômes prouvent que le dérangement de la raison, de l'imagination, de la sensibilité et des nerfs va croissant.
>
> *Derniers Essais de critique et d'histoire :*
> article sur Marcelin, 3 mai 1888.

Cependant, dès ses articles de critique d'art (pour la plupart postérieurs à ses grands ouvrages de critique littéraire), il s'est déjà montré, comme les critiques bourgeois de son temps, très soucieux de la « bienfaisance » de l'œuvre d'art. C'est en particulier le cas dans un essai de 1867 intitulé *De l'idéal dans l'art*. A cet égard, le dernier mot de Taine sera aussi celui de Bourget et de Brunetière : l'œuvre « bienfaisante », c'est celle qui s'inspire des leçons du christianisme.

C'est à partir de ses études d'exégèse que Renan se fait une conception définitive de la critique comme recherche minutieuse de la vérité : « La critique, c'est-à-dire la discussion ultérieure et transcendante de ce qui avait d'abord été admis sans un examen suffisant, pour en tirer une vérité plus pure et plus avancée » (*L'Avenir de la Science* — écrit en 1848 — publié en 1890). Le critique ne doit donc pas juger les œuvres au nom d'un modèle idéal ou d'une beauté abstraite qui n'existent pas. Il lui faut tout accepter et tout comprendre, en considérant les œuvres comme autant d'expressions diverses d'une société ou d'une époque :

> La grande critique devrait consister à saisir la physionomie de chaque portion de l'humanité. Louer ceci, blâmer cela sont d'une petite méthode. Il faut prendre l'œuvre pour ce qu'elle est, parfaite dans son ordre, représentant éminemment ce qu'elle représente, et ne pas lui reprocher ce qu'elle n'a pas. L'idée de faute est déplacée en critique littéraire.
>
> *L'Avenir de la Science*[1].

Fidèle à de tels principes, Renan se montre lui-même très accueillant. Dans l'article qu'il consacre à Victor Hugo au lendemain de sa mort (23 mai 1885 — repris dans *Feuilles détachées*, édition des Œuvres complètes — tome II, p. 1100), il explique les défauts de cet écrivain

---

1. Cf. texte 54.

121

« extraordinaire » comme des « défauts nécessaires » : « il n'eût pas existé sans eux ; ce furent les défauts d'une force inconsciente de la nature, agissant par l'effet d'une tension intérieure ». Dans une lettre à Flaubert à propos de *La Tentation de Saint-Antoine*, écrite le 8 septembre 1874 (ouvrage cité, p. 1137), il souligne que « tout ce qui n'est pas commun doit être accueilli avec bienveillance » :

> Il ne faut arracher à la lyre esthétique aucune de ses cordes. C'est en vibrant toutes ensemble qu'elles font ce plein accord qu'on appelle une belle œuvre, un beau siècle.

Tolérant et compréhensif, le critique doit aimer la vérité et la vérité seule :

> Nous lisons dans la *Vie de saint Thomas d'Aquin* que le Christ lui apparut un jour et lui demanda quelle récompense il voulait pour ses doctes écrits : « Nulle autre que toi, Seigneur » répondit le docteur angélique. Le critique est plus désintéressé encore, et, si la Vérité lui adressait la même demande, il serait tenté de répondre : « Nulle autre que de t'avoir cherchée. »
>
> *Essais de morale et de critique* : M. Cousin, 1858,
> édition des *Œuvres complètes* : tome II, p. 85.

Chercher cette précieuse vérité, c'est ne rien faire qui puisse compromettre sa manifestation, et se garder de toute prévention et de toute passion :

> Le premier devoir de l'homme sincère est de ne pas influer sur ses propres opinions, de laisser la réalité se refléter en lui comme en la chambre noire des photographes, et d'assister en spectateur aux batailles intérieures que se livrent les idées au fond de sa conscience...
> La production de la vérité est un phénomène objectif, étranger au moi, qui se passe en nous sans nous, une sorte de précipité chimique que nous devons nous contenter de regarder avec curiosité.
>
> *Examen de conscience philosophique* publié dans la
> *Revue des Deux-Mondes* en août 1889 et repris dans
> *Feuilles détachées, loc. cit.*, p. 1162.

Spectateur attentif de cette production de la vérité, le critique n'a plus qu'à se laisser séduire par les diverses formes qu'elle peut prendre.

La méthode de Renan conduit au dilettantisme et à l'impressionnisme critique comme celle de Taine provoque de nouvelles tentatives de fonder la critique littéraire comme science. Ils ont tous deux exercé une influence considérable sur la dernière génération du siècle : Brunetière a raison d'indiquer que ses contemporains n'ont conquis leur originalité qu'en se définissant par rapport à ces deux maîtres.

Les réserves de Montégut et de Scherer

Les prétentions de la critique scientifique, telle que Taine la souhaitait, suscitent de nombreuses réactions de défiance.

Ainsi Montégut (1825-1895), fidèle collaborateur de *La Revue des Deux Mondes* de 1847 à 1890, veut que le critique soit toujours un juge. Il se montre un farouche adversaire du réalisme (celui du Feydeau de *Fanny* ou celui d'Alexandre Dumas fils, plutôt que de Flaubert dont il admire *Madame Bovary*), car « c'est une littérature où il n'y a aucun souci de la grandeur morale, nul rayon de poésie » (article du 15 décembre 1859). Curieux de littérature anglaise, il préfère à la brutalité des réalistes et des naturalistes français le réalisme poétique de George Eliot. Il fournit ainsi un alibi commode à de nombreux critiques qui reprendront complaisamment l'éloge des beautés du *Moulin sur la Floss* pour condamner sans plus d'examen les laideurs des *Rougon-Macquart* !

Cependant, s'il est ferme dans ses arrêts, Montégut ne limite pas absolument la critique à l'exercice d'une telle juridiction. Il la conçoit aussi comme une des formes possibles de la création littéraire. Il rêve d'une critique lyrique où l'imagination puisse se donner carrière, non pas suivant le mouvement de l'égoïste sensibilité romantique, qui s'assimile tout, mais suivant le mouvement contraire, où l'on reconnaît l'un des aspects de la critique beuvienne :

> (Pour l'imagination critique) créer, c'est surtout comprendre, et comprendre, ce n'est pas seulement saisir les traits principaux et les caractères sommaires d'une chose ou d'une œuvre, c'est participer à la vie même de cette chose ou de cette œuvre, se mêler à son âme et à sa substance, n'avoir momentanément d'autre personnalité que la sienne, s'imprégner d'elle si intimement que de ce commerce étroit et presque voluptueux puisse naître une image qui soit non seulement sa ressemblance physique, mais ce qu'on appelle en magie son *diaphane*... Loin de s'assimiler les choses, c'est elle qui se laisse assimiler.
>
> *Poètes et artistes de l'Italie*, 1881, p. 112.

Edmond Scherer (1815-1889), ancien pasteur genevois, s'affirme contre Taine en disciple de Sainte-Beuve. A partir de 1870, il fait d'ailleurs figure de successeur de ce dernier en devenant critique attitré du *Temps* auquel l'auteur des *Lundis* avait collaboré dans la dernière année de sa vie. Dès 1866, dans un article recueilli dans ses *Études de littérature contemporaine* (4e série, p. 253 sqq.), Scherer rend hommage au talent de Taine, mais souligne avec force les inconvénients de sa méthode. Il reproche d'abord à l'auteur de l'*Histoire de la littérature anglaise* d'appliquer lui-même sa méthode à rebours en procédant constamment par déduction et non par induction. Il n'analyse pas « le caractère des hommes, des siècles, des races » pour découvrir la faculté maîtresse, mais il part de celle-ci : « Il commence par nous donner une formule, puis il en tire les conséquences qu'il y croit renfermées ». D'autre part, la faculté maîtresse est surtout considérée comme une faculté génératrice : « La disposition dominante (pour Taine) n'est pas celle qui tient le plus de place, mais celle qui produit les autres ». Scherer souligne ce qu'il y a de factice dans une telle représentation mécaniste de la psychologie d'un artiste : Taine a eu tort de se représenter « ce qu'on appelle l'âme humaine sous la ressemblance d'un mécanisme dans lequel le mouvement de tous les rouages dépend d'un seul ressort ». Quant à la « théorie des milieux », Scherer croit pouvoir affirmer dès 1870 qu'elle a échoué « parce qu'elle ne nous donne que ce qu'il y a de plus général, de plus vague, de plus abstrait dans la littérature, c'est-à-dire ce qu'il y a de plus étranger à la littérature même » (article sur Balzac recueilli dans les

Études de littérature contemporaine, 4ᵉ série, p. 64). Il veut plutôt s'inspirer des efforts de Sainte-Beuve qui a « mieux réussi à faire comprendre et goûter l'œuvre littéraire » en en cherchant « le secret dans la personne de l'auteur, dans les circonstances de sa vie, dans les particularités de son éducation dans l'analyse en un mot de son caractère et dans le récit de ses destinées ». Il nous propose donc à son tour une série de portraits dans lesquels la biographie et une investigation psychologique prudente tiennent la plus grande place, mais où il défend aussi une sage tradition classique : l'art doit représenter une nature choisie. « L'idéalisme et le réalisme ne sont pas deux manières d'entendre l'art : ce sont deux pôles entre lesquels tout art se meut, ... mais en dehors desquels il n'y a plus qu'abstraction stérile ou non moins stérile représentation » (article sur *L'Éducation sentimentale*, 7-12-1869). Au nom d'un tel idéal le critique condamne sans appel le réalisme de Flaubert et le naturalisme de Zola. Ses réserves devant les tentatives de Taine ne l'ont donc pas conduit à tenter de le dépasser : il se contente lui aussi de maintenir la tradition d'une critique essentiellement dogmatique et rebelle aux nouveautés.

Au-delà de Taine : Émile Hennequin

Une vingtaine d'années plus tard, l'attitude d'Émile Hennequin (1858-1888) est toute différente. Ce jeune polyglotte d'origine suisse, traducteur à l'agence Havas, donne à la *Revue contemporaine* une suite d'essais rassemblés, après sa mort accidentelle, sous le titre : « *La critique scientifique* ». Il accueille avec beaucoup de réserve la méthode préconisée par Taine, mais il ne la combat que pour la dépasser et la perfectionner, car elle lui semble marquer une date décisive dans l'histoire de la critique. Jusque-là les critiques se contentaient de faire une « besogne presque judiciaire » et s'attachaient à juger, « à prononcer catégoriquement sur la valeur de tel ou tel ouvrage ». Avec les études de Taine, la critique tend à devenir un « travail de science pure » où s'impose « un ordre de recherches où les œuvres d'art sont considérées comme les indices de l'âme des artistes et de l'âme des peuples ». Hennequin se réjouit d'une telle évolution et voudrait contribuer à faire progresser cette critique nouvelle qu'il appelle « esthopsychologie » : « l'esthopsychologie est la science de l'œuvre d'art en tant que signe » (*Critique scientifique*, p. 22). Dans son traité, il s'applique à montrer comment le critique pourrait étudier l'œuvre littéraire à la fois en tant que signe destiné à produire des émotions esthétiques (analyse esthétique), en tant que « signe de l'homme qui l'a produite » (analyse psychologique), et en tant que signe d'un certain milieu qui se reconnaît en elle (analyse sociologique). Retenons-en surtout que ce jeune théoricien se défie de l'importance prise en critique par la biographie, l'ethnologie, l'étude de l'hérédité et de l'influence des milieux ; il souligne combien de telles recherches sont fondées sur « des lois incertaines et présomptives » et demande qu'on ne néglige pas l'examen de l'œuvre même : « C'est de l'examen seul de l'œuvre que l'analyste devra tirer les indications nécessaires pour étudier l'esprit de l'auteur ou de l'artiste qu'il veut connaître » (*op. cit.*, p. 64). Il doute en effet de la rigueur des théories de Taine qui ne lui paraissent pas « d'une certitude telle dans l'application

qu'on puisse en tirer comme une méthode d'investigation historique »
(p. 104). Il croit impossible l'étude des influences qui présideraient à la
genèse d'une œuvre, et rejette les trois principes de Taine : race, milieu,
moment. Là encore il préfère partir de l'œuvre même et la mettre en rapport
avec le public qui l'admire : « Il n'existe en effet aucun rapport fixe entre
un auteur et sa race ou son milieu », tandis qu'il en existe un « entre ses
œuvres et certains groupes d'hommes que celles-ci attirent par l'effet d'une
affinité » (p. 151). Cela admis, « ce n'est donc point une assertion inexacte
de prétendre déterminer un peuple par sa littérature ; seulement il faut le
faire, non en liant les génies aux nations, mais en subordonnant celles-ci à
ceux-là, en considérant les peuples par leurs artistes... » (p. 161). Hennequin
propose ainsi aux critiques un vaste programme de recherches qui prenne
toujours l'œuvre pour point de départ et pour centre et non pas pour
prétexte. Mais il eut à peine le temps de l'appliquer lui-même dans quelques
études d'écrivains contemporains réunies en 1890 sous le titre : *Études de
critique scientifique*. Beaucoup de critiques modernes ont, peut-être sans le
connaître, poursuivi son entreprise (Texte 55).

L'exemple d'Hennequin montre bien qu'une question est clairement
posée aux critiques de la fin du XIXe siècle : la critique peut-elle ou non être
scientifique ? Selon leur réponse, positivistes et impressionnistes s'opposent.
Mais là encore les étiquettes sont souvent trompeuses et il est de faux
positivistes comme de faux impressionnistes.

Nouveauté et tradition chez Brunetière

Positivisme suspect par exemple que celui
de Brunetière (1849-1906). Sa conception,
d'allure scientifique, de l'évolution des
genres recouvre en effet un dogmatisme très traditionaliste. Malgré
l'admiration qu'il professe alors pour Taine, Renan et Darwin, Brunetière
fait d'abord figure de pamphlétaire et commence sa collaboration à *La
Revue des Deux Mondes* en 1875 par une violente campagne contre le
naturalisme (articles recueillis en 1883 dans *Le Roman naturaliste*). Il
condamne Zola dont « les grossièretés révoltantes et malsaines » ont dépassé
« tout ce que le réalisme s'était encore permis d'excès », et il n'est guère
plus indulgent pour Balzac et Flaubert qui ont été des « peintres vigoureux
de la réalité palpable, mais les explorateurs moins que médiocres de la
réalité qui ne se voit pas » (*op. cit.*, p. 223). De tels arrêts le disposent à
bien accueillir la tentative des symbolistes qui, contre le naturalisme, ont
voulu ramener la poésie « à une conception d'elle-même plus libre, plus
large et plus haute ». Mais il est bien vite effrayé par la « corruption » et
« l'incompréhensibilité » des Mallarmé, Verlaine et Rimbaud, héritiers
suspects de ce « mystificateur doublé d'un maniaque obscène » qu'était
Baudelaire (*Nouvelles Questions de critique*, p. 309). Nous voici donc à
nouveau en présence d'un critique qui rejette absolument les formes prises
par la littérature de son temps et, tel Nisard et Pontmartin, ne fait que
réaffirmer la supériorité du XVIIe siècle. Apologiste fervent du classicisme,
Brunetière en définit les caractères dans la troisième série de ses *Études
critiques* : « Ce qui constitue proprement un classique, c'est l'équilibre en

lui de toutes les facultés qui concourent à la perfection de l'œuvre d'art ». Mais pour cela, il ne suffit pas à l'écrivain « d'apporter en naissant les aptitudes qui font le classique » ; il faut encore « que ces aptitudes soient comme invitées ou sollicitées au développement par la faveur d'une rencontre heureuse » avec divers éléments : le « point de perfection » de la langue, la période d'indépendance de sa littérature à l'égard des littératures étrangères, le « temps de perfection » du genre dont l'écrivain se sert. En France, toutes ces conditions n'ont été vraiment réunies que pendant le règne de Louis XIV. Ainsi la théorie de l'évolution des genres, formulée dans son Cours à l'École normale supérieure en 1889, permet surtout à Brunetière de fonder une hiérarchie : si les genres évoluent, certaines œuvres appartiennent à la « perfection du genre » et les suivantes ont dégénéré :

> Les genres littéraires ont leur fortune et cette fortune est changeante. Comme toutes choses de ce monde, ils ne naissent que pour mourir. Ils s'usent à mesure qu'ils enfantent leurs chefs-d'œuvre... et quelque effort que l'on fasse, dès qu'ils ont atteint un certain degré de perfection, ils ne peuvent plus que déchoir, languir et disparaître.
>
> Article sur A. Vacquerie, 15 juillet 1879.

Si Brunetière se réclame de Taine, c'est seulement dans la mesure où il approuve celui-ci d'avoir assimilé l'étude des œuvres littéraires à la science naturelle. Mais il lui reproche bientôt d'avoir subordonné le point de vue esthétique au point de vue documentaire et de « traiter les chefs-d'œuvre comme des documents d'archives » (L'Évolution des Genres, p. 272). Il se défie également des tentatives d'explication par la race et le milieu. Soucieux de sauvegarder l'importance de l'individualité des écrivains, il voudrait n'expliquer qu' « avec le moment ... tout ce qu'il y a dans l'œuvre littéraire de réellement explicable par des causes générales ». Car « la grande action qui opère est celle des œuvres sur les œuvres » (L'Évolution des genres, p. 263). Il insiste sur ce point dans une conférence faite aux États-Unis en 1897 :

> Ce sont les Shakespeare, les Beethoven, les Hugo qui, mieux doués que leurs contemporains, font école. On les imite... Leurs qualités deviennent banales et la musique ou le théâtre en sont révolutionnés jusqu'au jour où, dans le même genre, on voit apparaître un autre individu.
>
> Fragments manuscrits publiés par J. Clark dans : La Pensée de Brunetière, pp. 82-83.

En somme, Brunetière ne croit guère à la possibilité d'une critique scientifique, mais il est convaincu de la nécessité d'une critique objective capable d'expliquer, de classer et de juger les œuvres. C'est cela qui l'oppose aux adeptes d'une critique purement impressionniste, tel Anatole France :

> En ne nous donnant pas ses opinions comme vraies mais comme siennes, la critique impressionniste se ménage le droit d'en changer — et l'on sait qu'elle ne s'en fait point faute. Elle dispense avec cela d'étudier les livres dont on parle et les sujets dont ils parlent, ce qui est parfois un grand point de gagné.
>
> La Revue des Deux Mondes, article du 1er janvier 1891.

Mais quelle est cette vérité dont Brunetière se réclame et qu'il reproche à France de méconnaître ? La violente polémique qui oppose les deux critiques en 1889 à propos du *Disciple* de Paul Bourget, permet d'en juger. Il est curieux de voir à cette occasion le dilettante proclamer qu'il n'est rien au-dessus de la vérité scientifiquement établie et que « les droits de la pensée sont supérieurs à tout », tandis que Brunetière s'effarouche et affirme qu'il y a des limites à l'audace de la spéculation philosophique » dans la recherche de la vérité, car une théorie moralement dangereuse est nécessairement fausse. Dogmatisme moral, voilà donc bien ce que recouvrent les théories critiques de Brunetière. Cet ancien admirateur des « audaces » de Taine et de Renan couronne sa carrière par des manifestes contre le scientisme et des ouvrages d'apologétique.

De l'analyse psychologique à la prédication morale : Paul Bourget

L'évolution de Paul Bourget (1852-1935) est assez analogue. Bien que dès ses premiers articles il reproche à Taine de « croire trop entièrement à la logique » (article du 15 janvier 1880 dans *Le Parlement*), Bourget apparaît comme un adepte de la critique scientifique, dans la mesure où il montre une complète indifférence en matière d'esthétique et de morale. Encouragé par Taine lui-même à tracer le portrait psychologique de son temps (lettre de Taine du 9 mai 1881), il publie dans *La Nouvelle Revue* en novembre 1881 son étude sur Baudelaire précédée d'une introduction intitulée *De la Critique psychologique* :

> Le psychologue ne s'inquiète guère du bien ou du mal, formules mal définies qui supposent une métaphysique tout entière. Il se défie du mot Beauté, sachant que notre langue, peu subtile, étiquette ainsi une sensation indéterminée et flottante qui varie du tout ou tout avec les climats, les races et les moments. Son affaire à lui est de démonter pièce à pièce le rouage compliqué de nos associations d'idées.

De 1881 à 1885, Bourget publie dix études sur des écrivains de son temps (Baudelaire, Renan, Flaubert, Stendhal, Taine, Dumas fils, Tourgueniev, Leconte de Lisle, Amiel, les Goncourt). Elles constituent ses *Essais de psychologie contemporaine*. Il n'a pas choisi ces dix écrivains-là pour apprécier la valeur de leur œuvre, mais pour étudier l'influence qu'ils ont pu exercer sur leurs lecteurs. Il se réclame de la formule de Taine : « La littérature est une psychologie vivante » et considère surtout celle-ci comme un moyen de transmettre certaines « façons de goûter la vie ». Il s'agit donc pour le critique de mettre en lumière « l'héritage psychologique » que les grands écrivains modernes lèguent aux générations nouvelles. Pour cela il cherche à découvrir quelle est la forme de sensibilité caractéristique de chacun d'eux :

> La première question à se poser sur un auteur est celle-ci : quelles images ressuscitent dans la chambre noire de son cerveau lorsqu'il ferme les yeux ? C'est l'élément premier de tout son talent. C'est son esprit même. Le reste n'est que la mise en œuvre.
>
> *Essais...*, p. 271.

Chez Taine, ces images fondamentales prennent la forme d'une série de raisonnements abstraits caractéristiques de l'imagination philosophique. Chez Dumas fils, ce sont des dialogues et des crises qui naissent dans son esprit, comme il convient à un auteur dramatique, etc... On pressent ce qu'il peut y avoir d'aventuré et de factice dans une telle démarche. Reconnaissons pourtant là une préoccupation voisine de celle d'Hennequin : ne pas exagérer l'importance de ce qui est étranger à l'œuvre ; et plus ambitieuse aussi : rechercher ce qui l'a suscitée dans les profondeurs d'une sensibilité :

> Dans l'arrière-fond de toute belle œuvre littéraire se cache l'affirmation d'une grande vérité psychologique.
>
> *Essais...*, *Flaubert*, p. 116.

> Les œuvres d'art ne sont pas le produit artificiel d'un travail de la réflexion. Des hommes vivants les ont composées, pour lesquels elles étaient un profond besoin, une intime et nécessaire satisfaction de tout l'être.
>
> *Études et Portraits*, tome I, *Réflexions sur la critique*, p. 305[1].

On ne saurait donc distinguer des qualités et des défauts, car « ce que l'ancienne critique appelait l'imperfection d'une œuvre apparaît alors comme une condition de la vie même de l'œuvre » *(ibid.)*.

Pourtant Bourget lui-même reconnaît bientôt que plus encore que des œuvres belles et des œuvres laides, il est des œuvres bonnes et des œuvres mauvaises, et qu'il existe une responsabilité morale de l'écrivain et du critique. Le problème qu'il traite dans *Le Disciple* l'entraîne à abandonner son indifférence de pur psychologue. Dans un article du 17 juin 1896 il affirme :

> Après avoir analysé les maladies morales, il est du devoir de l'écrivain d'indiquer le remède ; et, d'après moi, il n'y a pas de remède à ces maladies morales hors de Dieu.

En 1899, il réédite les *Essais* et publie une préface toute nouvelle dans laquelle il souligne que le critique ne doit pas s'en tenir à « un diagnostic sans prescription ». Après avoir observé les maladies morales de son temps dans les grands écrivains qui l'ont formé (pessimisme, scepticisme, dilettantisme...), il prescrit le remède : « le christianisme... condition unique et nécessaire de santé ou de guérison ». Mais, devenu critique militant, Bourget n'hésite pas à modifier certains de ses diagnostics antérieurs : Flaubert, qualifié de « haut moraliste » en 1883, n'a plus droit qu'au titre de « grand psychologue », et diverses appréciations élogieuses de Hugo ou de Chateaubriand sont fort adoucies... Ainsi les « vérités » découvertes par le critique « au fond de l'âme » des écrivains qu'il étudie, changent au gré des convictions du critique même.

Pourtant Bourget était, comme Brunetière, un adversaire résolu de l'indécise critique impressionniste que pratiquaient alors Anatole France (1844-1924) et Jules Lemaître (1853-1914).

---

1. Cf. Texte 57.

**L'impressionnisme
et les Goncourt**

Avant Renan, ce sont peut-être les Goncourt qui avaient rouvert cette voie, en publiant en 1866 des fragments de leur *Journal* sous le titre : *Idées et Sensations*. On y trouvait par exemple cette affirmation de la subjectivité du sentiment esthétique :

> La séduction d'une œuvre d'art est presque toujours en nous-même, et comme dans l'humeur du moment de notre œil. Et qui sait si toutes nos impressions des choses extérieures ne viennent pas, non de ces choses, mais de nous ?
>
> *Op. cit.*, p. 67.

Les impressions peuvent seules servir de point de départ non seulement à l'appréciation critique, mais à la création même :

> En littérature, on ne fait bien que ce qu'on a vu ou souffert.
>
> *Op. cit.*, p. 169.

La première édition du *Journal* des Goncourt paraît en 1887 avec une préface où s'exprime crûment la volonté de juger les hommes et les œuvres au gré de ses propres passions :

> Nous ne nous cachons pas d'avoir été des créatures passionnées, nerveuses, maladivement impressionnables, et par là quelquefois injustes. Mais ce que nous pouvons affirmer, c'est que si parfois nous nous exprimons avec l'injustice de la prévention, ou l'aveuglement de l'antipathie irraisonnée, nous n'avons jamais menti sciemment sur le compte de ceux dont nous parlons.

**Épicurisme et critique :
Anatole France**

Anatole France, pour sa part, ne semblait pas avoir d'autre passion que la lecture même.

Pourtant il avait partagé lui aussi l'enthousiasme rationaliste et scientifique des années 1860. Puis, à l'exemple de Taine qu'il remercie de l'avoir délivré du « philosophisme hypocrite » de « l'abominable Cousin et de son abominable école » (article du 12 mars 1913), succède celui de Renan :

> M. Ernest Renan, notre maître, qui plus que tout autre a cru, espéré en la science, avoue lui-même, sans renier sa foi, qu'il y avait quelque illusion à penser qu'une société pût aujourd'hui se fonder tout entière sur le rationalisme et sur l'expérience.
>
> *La Vie littéraire*, quatrième série, p. 43.

Entré au *Temps* en 1875, France y publie des chroniques qui deviennent hebdomadaires de 1886 à 1893 : trois cents articles dont la moitié environ a été recueillie dans les quatre volumes de *La Vie littéraire*. Déçu par la science, il poursuit de son ironie les érudits et les spécialistes, et professe un subjectivisme absolu : « Nous sommes enfermés dans notre personne comme dans une prison perpétuelle » (*La Vie littéraire*, III, p. IX). Il se garde cependant de tomber dans le scepticisme parce que,

> si l'on doute, il faut se taire ; car quelque discours qu'on puisse tenir, parler, c'est affirmer. Puisque je n'avais pas le courage du silence et du renoncement,

j'ai voulu croire et j'ai cru. J'ai cru du moins à la relativité des choses et à la succession des phénomènes.

En fait, réalités et apparences, c'est tout un. Pour aimer et pour souffrir en ce monde, les images suffisent, il n'est pas besoin que leur objectivité soit démontrée.

La Vie littéraire, III, p. x-xi.

La critique consiste donc pour lui à dire le plaisir que lui procurent les « images » offertes par les œuvres littéraires, et les libres réflexions qu'elles lui inspirent.

Nous ne posséderons jamais... pour étudier les œuvres d'art que le sentiment et la raison, c'est-à-dire les instruments les moins précis qui soient au monde. Aussi n'obtiendrons-nous jamais de résultats certains et notre critique ne s'élèvera-t-elle jamais à la rigoureuse majesté de la science. Elle flottera toujours dans l'incertitude. Ses lois ne seront point fixes, ses jugements ne seront point irrévocables.

La Vie littéraire, II, p. 30.

Sur quoi la fonder en effet ? L'esthétique n'est que bavardage : « En esthétique, c'est-à-dire dans les nuages, on peut argumenter plus et mieux qu'en aucun autre sujet... » (*La Vie littéraire*, IV, p. iv). Il est vain d'espérer que la critique puisse un jour avoir « la rigueur d'une science positive » (*La Vie littéraire*, III, p. xvi. Texte 59). Elle ne peut même pas se réclamer de la tradition et du consentement universel, car « il est invraisemblable que dans le même pays deux hommes sentent absolument de la même façon tel vers de Virgile » (*La Vie littéraire*, III, p. xiii) et « chaque génération d'hommes cherche une émotion nouvelle devant les ouvrages des vieux maîtres » (*Le Jardin d'Épicure*, p. 100). En somme, « la critique est, comme la philosophie et l'histoire, une espèce de roman, à l'usage des esprits avisés et curieux ..... Le bon critique est celui qui raconte les aventures de son âme au milieu des chefs-d'œuvre. Il n'y a pas plus de critique objective qu'il n'y a d'art objectif, et tous ceux qui se flattent de mettre autre chose qu'eux-mêmes dans leur œuvre sont dupes de la plus fallacieuse illusion » (*La Vie littéraire*, I, p. iii-iv) ; ou bien encore : « La critique ne vaut que par celui qui la fait, et la plus personnelle est la plus intéressante » (*La Vie littéraire*, II, p. 176). Dans de telles conditions, la voie est ouverte à toutes les interprétations. Qui pourrait prétendre connaître le sens exact d'une œuvre ? Il n'y a pas de vérité d'une œuvre d'art, pas même pour celui qui l'a faite, et « le spectateur le mieux doué est celui qui trouve, au prix de quelque heureux contre-sens, l'émotion la plus douce et la plus forte » (*Le Jardin d'Épicure*, p. 100).

Cela dit, Anatole France n'en est que plus à l'aise pour nous communiquer ses préférences et ses aversions. Il admire la Grèce, Racine, André Chénier. Il goûte la Renaissance et « ces marquis et ces philosophes du xviiie siècle qui découvraient en souriant le néant des choses » (*La Vie littéraire*, I, p. 53). Il n'a guère de sympathie pour les romantiques et n'aime pas Hugo. Mais il déteste surtout le naturalisme : « Il mène à une irrémédiable grossièreté, à la ruine de tout ce qui fait le charme et la grâce de l'existence » (*La Vie littéraire*, I, p. 345.) Cependant, s'il fait figure, lui aussi, de classique égaré en son temps, s'il va jusqu'à s'écrier : « Soyons naturels, soyons vrais » (*La Vie littéraire*, II, p. 200), n'oublions pas, bien sûr, qu'il s'agit là de la simple expression d'un goût personnel, et non point d'une nouvelle résurgence du dogmatisme critique !

Pourtant, ce dilettante, cet épicurien, n'est pas un indifférent. Il tient plus à la science qu'un Brunetière ou un Bourget, et il le montre bien au moment de la querelle du *Disciple* : « Nous voulons savoir ; il est vrai que nous ne saurons jamais rien. Mais nous aurons du moins opposé au mystère universel qui nous enveloppe une pensée obstinée et des regards audacieux... » (*La Vie littéraire*, III, p. 77-78). On sait aussi qu'au moment de l'Affaire Dreyfus, il choisit contre les tenants de mystiques nationalistes et conservatrices (parmi lesquels tous les principaux critiques littéraires du temps) le parti de défendre l'universalité du Droit et la souveraineté de la Raison.

De l'impressionnisme à l'action morale : Jules Lemaitre

C'est une voie bien différente qu'a suivie Jules Lemaitre, celle qui conduit du dilettantisme à l'action morale, à la défense de « la Patrie française ».

Après une rapide, brillante et décevante carrière universitaire, il demande, à trente et un ans, sa mise en congé pour se consacrer entièrement à « la littérature ». Il commence sa collaboration régulière à *La Revue bleue* par trois articles irrespectueux et retentissants consacrés à Renan, G. Boissier et ...Ohnet. Ce tapage fait de lui le critique à la mode. Mais il s'assagit bien vite et définit la modestie de ses ambitions :

> C'est dans un esprit de sympathie qu'il convient d'aborder ceux de nos contemporains qui ne sont pas au-dessous de la critique. On devra d'abord analyser l'impression qu'on reçoit du livre, puis l'impression que lui-même reçoit des choses. On arrive alors à s'identifier complètement avec l'écrivain qu'on aime et à excuser ses fautes.
>
> *Les Contemporains.*

Rien d'étonnant dès lors, si, dans le court avant-propos de la première série de ses *Contemporains*, il reprend à son compte la « définition » de la critique proposée par Sainte-Beuve dans *Les Pensées de Joseph Delorme* et ajoute : « Ce ne sont là que des impressions sincères notées avec soin » (écrit en 1887). Il polémique lui aussi avec Brunetière et veut montrer que la manie de classer les œuvres d'art d'après des principes immuables n'est qu'un préjugé, que tout jugement ne fait que refléter une préférence subjective. Loin de prétendre juger, le critique devrait avant tout faire preuve de sympathie pour l'œuvre nouvelle soumise à son étude : la critique des défauts « est trop aisée et a de grandes chances d'être stérile... » ; il faudrait plutôt « commencer, autant que possible sans idée préconçue, par une lecture sympathique de l'œuvre, afin d'arriver à une définition de ce qu'elle contient d'original et de propre à l'écrivain » (*Contemporains*, I, p. 244). De telles dispositions ne conduisent pourtant pas Lemaitre à se montrer très favorable aux représentants des écoles nouvelles : il rejette les naturalistes parce qu'ils ne sont pas vrais, et les symbolistes parce qu'ils ne sont pas clairs. Mais il feint de ne pas tenir à ces sévérités qui ne sont que des impressions passagères :

> Puisqu'au surplus, tout est vanité, aimons les livres qui nous plaisent sans nous soucier des classifications et des doctrines et en convenant avec nous-même que notre impression d'aujourd'hui n'engagera point celle de demain.

Les Contemporains, II, « Anatole France », p. 85[1].

Ce mot d' « impression » est donc bien le leit-motiv de cette critique. Lemaitre le reprend pour rassembler les chroniques qu'il donne aux *Débats* sous le titre : *Impressions de théâtre* (1888-1898). Il y met la même coquetterie à se défendre d'être un « critique » et à souligner qu'il est impossible de classer les œuvres et de les juger.

Malgré tant de précautions, il fait bien figure de critique auprès de ses lecteurs et ses avis sont écoutés. Ses allures de dilettante sont d'ailleurs faites pour plaire au public mondain qui l'applaudit. C'est pour rassurer le même public qu'il les abandonne peu à peu afin de stigmatiser des maladies modernes plus dangereuses que le « décadisme » et le « pessimisme » littéraires : la démocratie et le socialisme. A la tête de la Ligue de la Patrie française, il combat Anatole France et ses amis « dreyfusards ». Plus tard, il succède à Brunetière à la Société des Conférences où il rosse les républicains sur le dos de Rousseau :

> J'ai adoré le romantisme et j'ai cru à la Révolution. Et maintenant, je songe avec inquiétude que l'homme qui, non tout seul assurément, mais plus que personne, je crois, se trouve avoir fait chez nous, ou préparé la Révolution et le romantisme, fut un étranger, un perpétuel malade et un fou.

Rousseau, 10e leçon, p. 356.

et les pacifistes sur le dos de Chateaubriand et des critiques trop curieux de littératures étrangères :

> Ce n'est pas le moment, quand tous les peuples se resserrent sur eux-mêmes et nous observent d'un œil haineux, ce n'est pas le moment de nous piquer de leur rendre justice ni de nous épancher sur eux en considérations sympathiques. Je ne suis cosmopolite ni par ma vie, ni par mon esprit et mon cœur.

Ainsi, que ce soit le directeur de *La Revue des Deux Mondes* (Brunetière), le romancier mondain (Bourget), le conférencier à la mode (Lemaitre), tous les interprètes du public aristocratique et « grand-bourgeois » se retrouvent bientôt, par delà les différences entre « objectivité », « psychologisme » et « dilettantisme », parmi les militants de l'Action morale et les défenseurs intransigeants de la Pensée française : la critique littéraire n'est plus autre chose qu'une arme utile dans ce combat et il ne s'agit plus en réalité de savoir si elle peut ou non être « scientifique ».

---

1. Cf. Texte 60.

Inquiétudes fin de siècle　　　　Cet itinéraire est aussi celui de Barrès (1862-1923), venu du culte du Moi au culte de la terre et des valeurs nationales. Pour lui la critique littéraire n'était d'abord qu'une sorte d'exercice spirituel : moralistes et poètes devaient lui servir d'intercesseurs et lui inspirer des règles de conduite. Ses premiers maîtres furent encore Taine et Renan, qu'il s'amusa à pasticher plaisamment, le premier dans une supposée *Préparation à la mort*, le second dans les interviews imaginaires de *Huit jours chez M. Renan*. Cette admiration déguisée de frivolité prélude à la recherche d'autres modèles : Benjamin Constant, Sainte-Beuve, Baudelaire sont tour à tour invoqués dans les méditations de son *Homme libre* soucieux d'échapper aux « Barbares ». Ferveur passionnée qui reste caractéristique de la critique barrèsienne : à vrai dire, les pages qu'il consacre à un Chateaubriand ou à un Pascal tiennent plus de la rêverie lyrique que de la critique proprement dire ; l'œuvre ou l'auteur évoqués sont surtout l'occasion d'exprimer ou de calmer une inquiétude voulue subtile et raffinée.

A cette inquiétude, Eugène-Melchior de Vogüe (1848-1910) apportait d'autres aliments et proposait d'autres remèdes. Attaché d'ambassade à Saint-Pétersbourg de 1867 à 1882, il découvre les grands romanciers russes contemporains et se donne pour tâche de les révéler au public français dans *Le roman russe* (1886). Mais s'il fait l'éloge du réalisme russe, c'est dans la même intention que Montégut faisant quelques années plus tôt l'éloge du réalisme anglais. Il veut sauver la littérature française de la décadence dont il rend responsables nos écrivains réalistes : « Le réalisme devient odieux dès qu'il cesse d'être charitable » (Avant-propos, p. xxiv). Les grands romanciers russes ont su animer leur œuvre d'une « inspiration morale qui peut seule faire pardonner au réalisme la dureté de ses procédés ». Vogüe déplore que, depuis quinze ans, malgré « la catastrophe », « la littérature n'ait pas varié ses recettes ». Il constate que, dans le roman russe, « la jeunesse a trouvé l'aliment spirituel que notre littérature d'imagination ne lui donne plus ». Il souhaite enfin que Tolstoï, Dostoïevski, Tourgueniev exercent « une influence salutaire pour notre art épuisé » en l'aidant à « reprendre du vol, à mieux observer le réel tout en regardant plus loin ».

C'est à une telle renaissance morale qu'appelle Paul Desjardins (1859-1940), qui voudrait faire servir une meilleure connaissance des écrivains classiques à une refonte des caractères contaminés par le nihilisme et le pessimisme (*Méthode des Classiques français*, 1904). Après avoir fondé en 1892 l'Union pour l'action morale, il organise les entretiens de Pontigny où l'exercice de la critique permette, par la discussion de grandes œuvres, la redécouverte de « valeurs » oubliées : les « décades » réunissent des écrivains venus de tous les points du monde en des confrontations où chacun s'attache à tirer de la littérature un enseignement moral et philosophique.

Nouvelles dénonciations
de la critique　　　　Où va donc la critique ? On la croyait fortifiée par les leçons de la psychologie et de l'histoire, et prête à favoriser une meilleure compréhension des œuvres et du mécanisme de la création

littéraire. Mais, loin de devenir vraiment un instrument de connaissance, elle reste une idéologie stérile où se reflètent toutes les inquiétudes d'une société menacée. Elle semblait avoir renoncé à juger les œuvres, mais, annexée par la morale, accaparée par la politique, elle devient l'organe de multiples Cassandres prédisant aux artistes les pires catastrophes et les conviant à écrire des œuvres agréables aux dieux qui sont, bien sûr, les lecteurs assidus de *La Revue des Deux Mondes*, du *Journal des Débats* ou du *Temps*.

Aussi les chroniqueurs déplorent-ils à nouveau la disparition de la critique. C'est l'habitude en ce siècle. Le moraliste académicien Edme Marie Caro, après avoir doctement analysé en de longs ouvrages les méfaits du pessimisme et du positivisme, se charge de dresser l'acte de décès, dès février 1882, dans un article de *La Revue des Deux Mondes* qui fait quelque bruit : « *La critique contemporaine et les causes de son affaiblissement* ». Il y affirme notamment : « Ce qu'il y a de plus rare à rencontrer aujourd'hui, c'est quelqu'un qui juge bien, qui sait et dit pourquoi il juge ainsi ». Paul Bourget, alors à ses débuts, se charge de défendre les critiques ainsi pris à partie dans des *Réflexions sur la critique* publiées en juillet 1883 (reprises dans le premier tome de ses *Études et portraits*) : oui, dit-il, la vieille critique est « bel et bien défunte », mais une jeune critique a pris sa place, non plus soucieuse de condamner mais de comprendre (Texte 56).

Quelques années plus tard, l'historien socialiste Georges Renard (1850-1940) s'en prend aux *Princes* de cette *Jeune Critique* (1890). Il raille le dilettantisme superficiel de Jules Lemaître, le conservatisme étroit de Brunetière, le scepticisme destructeur d'Anatole France, la partialité des analyses de Paul Bourget. S'il reproche aux nouveaux critiques leur dilettantisme ou leur pseudo-positivisme, ce n'est pas pour préconiser un retour à l'ancien dogmatisme. Il veut une critique « mobile » et militante qui permette d'en finir avec « le pessimisme, le décadentisme, le mysticisme, l'exotisme, toutes façons de penser, de sentir ou d'écrire qui ont fait leur temps et leur œuvre », et qui ouvre la voie à des œuvres sérieuses « en qui se trahit la préoccupation des grands problèmes de notre temps ». Cette profession de foi figure dans l'avant-propos des trois volumes où sont recueillies ses chroniques de la *Petite République* et de la *Revue socialiste* sous le titre de *Critique de combat* (1894). G. Renard y déplore que la presse « avancée » ait trop négligé la critique littéraire alors que « la presse bien pensante et bien payante » lui a ouvert une large place :

> Elle est devenue, pour l'étranger comme pour tous les lettrés du pays, le bureau de renseignements où l'on est obligé de s'adresser quand on veut suivre l'évolution littéraire en France. Et alors (conséquence inévitable) les jugements portés et propagés d'un bout de l'Europe à l'autre ont été plus que cléments à ceux qui défendent l'ancien ordre social, plus que sévères à ceux qui rêvent une société meilleure. En un mot la critique a été conservatrice.

Pour de tout autres motifs, romanciers et poètes ne sont guère plus contents de la critique moderne. La façon dont celle-ci se flatte de comprendre les écrivains ne les satisfait pas plus que la manière dont la critique ancienne se contentait de les juger. Dès 1869, Flaubert déplorait l'incompatibilité entre la critique et l'art, dans une lettre à George Sand, souvent citée depuis par tous ceux qui croient avoir enfin trouvé la « vraie critique » :

> Du temps de La Harpe, on était grammairien ; du temps de Sainte-Beuve et de Taine, on est historien. Quand sera-t-on artiste, rien qu'artiste, mais bien artiste ? Où connaissez-vous une critique qui s'inquiète de l'œuvre en soi d'une façon intense ? On analyse très finement le milieu où elle s'est produite et les causes qui l'ont amenée, mais la poétique insciente ? d'où elle résulte ? sa composition ? son style ?
>
> Lettre du 2 février 1869.

Plus tard, naturalistes et symbolistes sont plus fondés encore à se plaindre de l'ostracisme dont ils sont frappés par les critiques des grands journaux et des grandes revues. Aussi font-ils eux-mêmes œuvre de critiques pour se défendre, se définir et commenter leurs propres ouvrages.

Ainsi Zola affirme ses propres goûts sous le titre agressif : *Mes haines*, recueil où il s'en prend aux impuissants, aux railleurs, aux pédants, aux dédaigneux, et dit sa confiance en l'avenir d'un art injustement méconnu. Puis, dans le *Roman expérimental* et les *Romanciers naturalistes* (1881), il définit sa conception du roman et analyse l'œuvre des romanciers qu'il admire, en particulier celle de Flaubert. Celui-ci est également célébré par Maupassant dans une belle étude servant de préface à *Bouvard et Pécuchet* (1884). L'introduction de *Pierre et Jean*, parue aussi en 1884, contient d'importantes réflexions de Maupassant sur le roman et un appel au « critique intelligent » qui « doit rechercher tout ce qui ressemble le moins aux romans déjà faits et pousser autant que possible les jeunes gens à tenter des voies nouvelles ». La même année, dans *À rebours*, Huysmans fait choisir à Des Esseintes, pour sa bibliothèque, tous les écrivains rejetés par la critique officielle. La même année encore, Verlaine célèbre ceux qu'il appelle les *Poètes maudits* dans un recueil où il présente et commente des pièces de Corbière, Rimbaud, Marceline Desbordes-Valmore, Villiers de l'Isle-Adam, Mallarmé. Ce dernier consacre à son tour quelques pages de critique fervente à quelques élus : Verlaine, Rimbaud, Banville, Poe... et donne en 1889 son extraordinaire conférence sur Villiers de l'Isle-Adam : « Sait-on ce que c'est qu'écrire ? une ancienne et très vague, mais jalouse pratique, dont gît le sens au mystère du cœur... » (*Œuvres* de Mallarmé, édition de la Pléiade, p. 481).

Le développement du mouvement symboliste s'accompagne d'une floraison de revues littéraires nouvelles plus ou moins éphémères où se multiplient manifestes et professions de foi. On y fait fi, allègrement, des arrêts de la « grande critique ». Dans le *Décadent*, Anatole Baju se moque de tous ces « ronds de cuir de la pensée ». Dans *Le Mercure de France*, Verhaeren déplore la constante et stupide ignorance des critiques :

> Ce qu'ils reprochent aux écrivains d'aujourd'hui a été lancé à la tête de leurs maîtres à eux ; le même paquet de linge sale d'articles a été ouvert devant les nez successifs de Hugo, de Musset, de Vigny, qui ont tous été déclarés poètes

d'égoûts, rimeurs incompréhensibles, gageuristes habiles, insulteurs de la langue et du bon sens français...

Article repris dans *Impressions*, 2e série, p. 103.

Ainsi revit une critique violente liée au mouvement de la vie littéraire, plongée dans la polémique, au moment même où la littérature ne semble plus intéresser les critiques professionnels sinon comme un phénomène historique, psychologique ou moral. Ces jeunes poètes veulent s'affirmer contre « ce metteur en vers des contes de ma mère l'oie et des historioles de la morale en action, cet abracadabrant puffiste : Victor Hugo ! ». (*Un point de critique*, par E. Raynaud, dans *Le Décadent* du 15 juillet 1888), et contre la « littérature » des « vulgaires marchands » comme Zola (*Le Décadent* du 1er novembre 1888).

Situation de la critique à la fin du XIXe siècle

La division s'accentue donc entre les jeunes écrivains et la critique, mais elle se complique d'un autre désaccord entre critiques qui se piquent de ne point avoir de méthode et adoptent la forme libre de l'essai, sous le titre révélateur de *Promenades*, de *Prétextes*, ou d'*Approximations*, et critiques qui cherchent laborieusement à comprendre et à expliquer l'œuvre littéraire en s'aidant des documents de l'histoire et des leçons de la psychologie. D'un côté, critique d'auteur et critique d'amateur, de l'autre, critique de professeur ou de professionnel de la critique. Ainsi l'histoire de la critique se partage entre un courant anti-intellectualiste, qui refuse à la raison la possibilité et le droit de pénétrer les mystères de l'art, et un courant positiviste, qui cherche de nouvelles méthodes pour avancer dans la compréhension de l'œuvre.

3. Critique érudite et critique créatrice : XXe siècle

LE COURANT ANTI-INTELLECTUALISTE : LES NOUVELLES REVUES

« Le Mercure de France » Rémy de Gourmont

Dans les nouvelles revues symbolistes, de jeunes critiques se forment, loin des routes officielles, indifférents aux méthodes héritées de Taine. Ainsi, au *Mercure de France* (vieux titre exhumé en 1889 par les jeunes poètes), Rémy de Gourmont (1858-1914). Ce bibliothécaire, curieux de littérature nouvelle, avait commencé sa carrière de chroniqueur en célébrant le Beau idéal que seul l'art antique sut exprimer dans sa perfection (article de novembre 1882 sur *l'Esprit littéraire*). Mais, quatre ans plus tard, le symbolisme lui est une révélation. Sous l'influence de Villiers et de Mallarmé, il répudie toute croyance en une esthétique universellement valable : chaque homme se fait une idée particulière de la beauté et le critique ne peut que tenter d'expliquer l'idéal de chaque écrivain considéré comme une manifestation unique. C'est ce que fait Gourmont dans ses deux *Livres des Masques* (1896-1898) consacrés aux principaux poètes symbolistes. La préface du premier livre précise ses intentions : « Nous devons admettre autant d'esthétiques qu'il y a d'esprits originaux et les juger d'après ce qu'elles sont et non d'après ce qu'elles ne sont pas » (Texte 62). En 1894, dans un essai intitulé *Dernière conséquence de l'idéalisme* (repris dans *Culture des idées*), il définissait le rôle du critique comme celui d'un intermédiaire entre l'écrivain et le lecteur : le critique tient un miroir à double face qui grandit le reflet de l'artiste et en facilite la vision au lecteur. Mais il indique bientôt que l'intervention du critique n'est pas si simple : la façon dont l'œuvre étudiée se reflète dans son esprit est mensongère, et le critique ne peut raisonner que sur des impressions. « Ériger en lois ses impressions personnelles, c'est le grand effort d'un homme, s'il est sincère » (*Lettres à l'Amazone*, p. 32). Gourmont se pose donc en adversaire du dogmatisme tel que le pratique encore Brunetière. Dans *Le Chemin de velours*, il souligne « l'inconvénient des méthodes comparatives » :

> Les critiques ayant élu comme idéal le grand poète d'un siècle n'estiment plus les autres que comme des précurseurs ou des disciples. On juge les écrivains d'après ce qu'ils ne sont pas, faute d'avoir su comprendre leur génie particulier et souvent faute de les avoir interrogés eux-mêmes.
>
> (p. 41.)

Mais il ne va pas jusqu'à approuver l'impressionnisme de France et de Lemaître qui lui semble trop abandonné à la fantaisie. Ces deux critiques sont coupables d'avoir raillé le symbolisme et de n'avoir jamais adhéré à une conception artistique précise : « Il a manqué à cet écrivain spirituel (Jules Lemaître) d'avoir eu, ne fût-ce que pendant deux ou trois ans, une foi littéraire. C'est la plus heureuse des disciplines intellectuelles » (*Promenades littéraires*. Première série, 1904, p. 101).

Refusant ainsi les rigueurs du dogmatisme et les incertitudes de l'impressionnisme, Gourmont en arrive à déclarer : « Il n'y a pas de critique littéraire et il ne peut y en avoir, parce qu'il n'y a pas de code littéraire » (*Dialogues des amateurs sur les choses du temps. Épilogues.* Quatrième série, 1907, p. 67). Cependant, à défaut de code, le goût peut suffire à fonder la critique : « Après tout, les œuvres dominent les théories, et il faut savoir goûter, en art, celles mêmes qui blessent nos propres tendances et ne blessent pas l'art même » (*Promenades littéraires*. Cinquième série, p. 62). Le grand critique est celui qui sait aider chaque génération à surmonter ses préjugés et ses préventions systématiques pour reconnaître et admirer les belles œuvres (*Promenades philosophiques*. Première série,

1905). Il est ainsi un « créateur de valeurs » qui renouvelle l'attrait de la beauté sans se perdre dans les mesquineries de l'érudition et surtout sans « incorporer à l'idée d'art les idées parasites de moralité, de vérité et de justice » (*Épilogues*. Troisième série, p. 103). Sa mission est de réinventer, d'aimer et de faire aimer la beauté.

Teodor de Wyzewa

Au même moment, dans diverses revues (*Revue bleue, Revue indépendante, Revue wagnérienne*), puis dans *La Revue des Deux Mondes* elle-même, Teodor de Wyzewa (1862-1917) s'inspire aussi de l'esthétique symboliste pour définir et tenter d'imposer une nouvelle fonction de la critique dans la littérature moderne. Il en arrive même dans un article du 27 avril 1894 (recueilli dans *Nos maîtres*, p. 243) à souligner « l'inutilité de la critique ». Celle-ci a en effet renoncé à « porter des jugements sur les œuvres d'art », et, quand elle ne se réduit pas à n'être qu' « une variété de l'histoire », elle peut prendre toutes les formes : « poèmes », « contes », « rêveries philosophiques ». La préface du même recueil, datée du 28 février 1895, suggère que la critique ne doit pas plus prétendre comprendre que vouloir juger : « L'esprit n'atteindra jamais le mystère des choses, car les choses ne sont pas destinées à être comprises, mais à être senties et aimées ».

« La Revue Blanche » : Léon Blum

Entre 1890 et 1900, *La Revue Blanche* des frères Natanson et de Félix Fénéon sert, selon une expression de Gide, de « centre de ralliement » de « toutes les divergences ». On peut y lire les premiers essais de Proust et de Gide, les fantaisies de Tristan Bernard et de Jules Renard, les proclamations de porte-parole de l'anarchisme et du dreyfusisme. Elle est pareillement représentative de son temps en critique littéraire et l'on peut y suivre les progrès du courant anti-intellectualiste et anti-dogmatique. Le premier secrétaire de rédaction, Lucien Muhlfeld (1870-1902), chargé de la chronique des livres de 1891 à 1895, est épris de logique, et volontiers dogmatique. Pour lui, « il n'importe (au critique) que d'élucider avec toute lumière la position de l'artiste étudié pour déterminer son originalité, et le développement de l'écrit pour en savoir la cohérence » (Chronique d'octobre 1891). Il affirme encore que « ce qui fait la vie d'une critique, c'est qu'on sent que l'explication rationnelle, analytique, vient au secours de l'intuition, la traduit, l'amplifie, la justifie » (Chronique de janvier 1893). Aussi se sent-il bientôt mal à l'aise dans un milieu d'artistes plus préoccupés de sensations et d'émotions.

Léon Blum (1872-1950) lui succède en 1896 et montre à quel point il se défie de l'intransigeance de son prédécesseur qui avait été très sévère pour certaines nouveautés symbolistes :

> Je crains que la critique ne devienne comme un jury d'examen ou une gendarmerie littéraire. Le débordement des niaiseries dont s'inonde ce temps, l'incroyable ignorance d'écrivains qu'il faut en effet rappeler souvent à l'école primaire, mènent trop aisément à une telle conception de la critique. Mais si j'accorde que le talent critique soit le don et l'amour de juger, je demande qu'on

entende par juger discerner ou, mieux, prévoir... Il y a mieux que d'éreinter une nullité tapageuse, c'est de pressentir ou d'encourager un talent qui naît.

Chronique du 15 janvier 1897.

Pour pratiquer une telle critique, il n'est pas du tout nécessaire de s'armer d'une méthode ou d'un code. Dans ses *Nouvelles conversations de Gœthe avec Eckermann* (chroniques recueillies en 1901), Blum raconte comment, engagé à écrire des essais de critique, il fait part de ses projets à « Gœthe » :

> J'avais pensé d'abord à composer, pour mon début, une étude un peu dogmatique, où j'aurais exposé d'une manière générale mes vues sur la critique. Mais Gœthe m'en a dissuadé très vivement : on ne vous a pas engagé, m'a-t-il dit, pour faire de la philosophie, mais de la critique. Un préambule abstrait est complètement superflu...
>
> 4 octobre 1898.

Ainsi, là encore, le goût doit suffire, non pas seulement à maintenir ou à renouveler les valeurs du passé, mais à révéler des valeurs nouvelles, et l'on sent, face à la raideur ou à l'indifférence de la critique « officielle », le regret de la critique « avant-courrière » des belles années du romantisme,

Avant de poursuivre plus loin ce courant de l'essayisme critique, où nous rencontrerons Gide, successeur de L. Blum à *La Revue blanche*, de février 1900 à mars 1901, examinons comment se développe l'autre courant, celui de la critique rationaliste, celle des professeurs et des historiens.

LA CRITIQUE INTELLECTUALISTE :
DE FAGUET A LANSON ET A LEURS ÉPIGONES

Émile Faguet   Leur premier souci semble être de préserver la tradition menacée en dressant l'inventaire de notre passé littéraire. C'est ce que fait Émile Faguet (1847-1916) en publiant ses quatre séries d'*Études littéraires : XVIIe siècle* (1887), *XIXe siècle* (1887), *XVIIIe siècle* (1890) — il lui paraît « singulièrement pâle entre l'âge qui le précède et celui qui le suit » et il l'examine avec hostilité — et *XVIe siècle* (1893).

Du haut de la chaire de poésie française, qu'il occupe à la Sorbonne à partir de 1905, Faguet affirme avec beaucoup de force la supériorité de l'intelligence sur la sensibilité : « Je reste à croire que c'est savoir qui est un moyen de sentir et notamment le seul... On ne sent bien que quand on sait beaucoup et... il est encore plus vrai que savoir est la condition de sentir qu'il ne l'est que sentir soit la condition de savoir » (*La Revue des Deux Mondes*, 1er avril 1911). Il ne se contente pas de rappeler aux adeptes de la pure émotion esthétique les droits de la raison, il souligne aussi la valeur morale de l'œuvre d'art :

> Le beau élève l'homme à un sentiment désintéressé, le seul qui soit désintéressé. C'est immense puisque c'est arracher l'homme à sa nature ordinaire. De cette façon indirecte, le beau, qui n'enseigne rien, est un agent de moralité d'une puissance énorme.
>
> *Propos littéraires*, I : « sur la critique ».

Quel est donc pour lui le rôle de la critique ? Elle doit se faire l'interprète du beau en apprenant au lecteur à mieux le distinguer et à mieux l'aimer. Sans doute reconnaît-il que la lecture des critiques est une « habitude un peu byzantine » ; cependant, celui qui lit une bonne critique après avoir lu une œuvre sera sans doute incité à relire avec fruit : la critique est ainsi une précieuse auxiliaire de l'intelligence. Mais pour y parvenir, quelle méthode convient-il de suivre ? Faguet ne s'intéresse qu'à l'œuvre seule : il l'analyse pour en dégager l'idée fondamentale, montre les moyens employés par l'artiste pour mettre en œuvre cette idée, apprécie sa réussite, c'est-à-dire l'unité plus ou moins forte qu'il a su donner à son œuvre. Il met enfin celle-ci à son rang dans l'ensemble des écrits de l'auteur et dans l'histoire de la littérature. On trouvera un exemple de cette méthode dans l'article consacré à *Polyeucte* (*Propos de théâtre*, I) qui fut longtemps considéré comme un modèle d'analyse critique. Tout classique et traditionaliste qu'il est, Faguet se défie néanmoins du dogmatisme : « Le dogmatisme intempérant m'est antipathique » (*Propos littéraires*, V). Il voit plus d'inconvénients que d'avantages à l'esprit de système :

> Un système est une méthode de travail. C'est une table des matières préalable. Il est aussi un effet de notre caractère, une simple application rationnelle de notre manière intime et personnelle de voir les choses...
>
> Article sur Taine, *Propos littéraires*, III.

Il n'aime pas les idées générales, car l'amateur d'idées générales

> se contente très vite d'un petit nombre d'enquêtes et d'observations et, les réunissant en une idée générale, expose celle-ci, la déploie complaisamment, triomphalement et avec amour, surtout si elle est nouvelle, et jouit de sa beauté, de son éclat, de sa magnificence, jusqu'à en oublier la réalité que cette idée générale avait pour mission d'expliquer.
>
> *Rousseau artiste*, I : généralités.

Ces diverses concessions à la mode anti-intellectuelle le conduisent enfin à douter de l'utilité même de la critique : « Je ne crois pas que la critique ait d'influence ... Plus je vais, plus je suis absolument persuadé qu'elle n'en a aucune » (*Propos littéraires*, I, p. 5). Pourtant, à un moment où la critique littéraire est menacée à la fois par ceux qui la prennent comme un simple prétexte à variations impressionnistes et par ceux qui lui substituent de plus en plus les enquêtes historiques, Faguet tient à maintenir les droits de la critique et à définir son domaine (Voir sur ce point une page importante de son *Art de lire*. Texte n° 63).

Peut-on expliquer le génie ?   Pendant ce temps la critique érudite et savante se débat au milieu des objections innombrables qu'avaient soulevées les principes et la méthode de Taine. Comme l'écrit Lanson dans la préface de son recueil *Hommes et Livres* (1895), l'objet de la critique et de l'histoire littéraires est « la description des individualités éminentes ». Cela l'amène à exprimer l'inquiétude de nombreux critiques de son temps devant les exagérations de la méthode tainienne : comment est-il possible d'expliquer l'œuvre géniale ? et le génie lui-même ?

En 1893, Auguste Angellier (1848-1911), dans sa thèse sur Burns (introduction du tome II : *Les Œuvres*) évoque avec beaucoup d'ironie les habitudes héritées de Taine :

> On s'étonnera peut-être de ne trouver dans les pages qui suivent aucun aperçu sur la formation du génie de Burns, aucun essai pour montrer de quels éléments il se compose, quelle part en revient à la race, au climat, aux habitudes de vie. C'est de parti pris que nous nous sommes interdit toute tentative de ce genre. Nous concevons une étude aussi précise et aussi poussée qu'il est possible de la faire des caractères, des limites et de la force du génie, ou, pour mieux dire, de ses manifestations extérieures. Nous concevons aussi qu'on essaye de déterminer les conditions dans lesquelles le génie s'est exercé. Quant au génie lui-même, à sa formation, à ses causes profondes, nous croyons que vouloir l'expliquer est une tentative au-delà de nos pouvoirs d'analyse.
>
> *Burns*, tome II, p. 3.

Refusant de se poser « d'indéchiffrables problèmes dont la complexité est effrayante et décourageante » et de s'attacher à l'étude de ce qui reste finalement étranger à « ce quelque chose de particulier qui fait une œuvre d'art », Angellier préconise une méthode critique purement esthétique qui respecte l'individualité du génie.

En 1898, dans son *Introduction à l'histoire littéraire*, P. Lacombe (1848-1921) montre à son tour que Taine minimise l'importance de l'originalité individuelle. Plus encore qu'une méthode historique, c'est une méthode critique qu'il définit en montrant comment il faut faire une part à l'étude de l'individuel et à celle du « non-individuel ». Mais son livre contient surtout des indications très modernes sur le rôle primordial de la vie affective dans l'art littéraire et les rapports étroits qui unissent les émotions de l'écrivain et les thèmes qu'il traite dans son œuvre : c'est « la tendance émotionnelle, l'affection pour une émotion d'un genre, d'une nuance particulière, qui fait choisir le thème » et « devient dans tout le développement de l'œuvre, dans son exécution, le guide, l'arbitre, le principe organisateur » (*Introduction...*, p. 90). La tâche principale du critique serait donc de découvrir cette « émotion » créatrice et de montrer comment les thèmes de l'œuvre sont orchestrés autour d'elle.

Mais alors que se révèle ainsi la volonté de tenir compte du caractère original de l'œuvre et du génie créateur, d'autres cherchent à montrer l'importance des travaux historiques pour fonder une critique littéraire sérieuse.

Nous retrouvons ici Georges Renard qui publie en 1900 une *Méthode scientifique de l'histoire littéraire*. Il commence par s'étonner des divagations de la critique :

> C'est un curieux spectacle bien digne de pitié ou de raillerie que celui des conclusions contradictoires où peuvent aboutir des écrivains de talent et de bonne foi traitant de la même époque. Que l'on rapproche par exemple les dédains dont Nisard et Faguet accablent le XVIIIᵉ siècle et les enthousiasmes que les œuvres du même temps inspirent à Michelet ou à Paul Albert.
>
> (p. 7.)

Pour éviter de telles contradictions, il convient de se livrer à des études historiques sérieuses. Car « la critique est à l'histoire de la littérature ce que la politique est à la sociologie, la médecine à la physiologie » : « l'une applique ce que l'autre a trouvé et prouvé ». Renard examine alors avec soin tout « ce qui peut être objet d'étude scientifique dans une œuvre littéraire » et définit une série de recherches qui permettront, non pas de tout savoir, mais de mieux comprendre, pour peu que l'on fasse preuve de probité et de patience :

> On peut et l'on doit étudier un grand écrivain dans son développement historique, dans ses rapports avec la société environnante ; on peut et l'on doit aussi l'étudier dans la constitution intime de son génie, dans les facultés fondamentales qui, sous tous les changements de surface, demeurent identiques en un même individu.
>
> *Critique de combat*, I, *V. Hugo*, p. 88.

Cette évocation de quelques ouvrages oubliés, et dont seul P. Audiat avait suggéré l'importance dans sa thèse de 1924 sur *La biographie de l'œuvre littéraire*, n'était sans doute pas inutile pour mieux situer l'œuvre de Lanson dans un ensemble de travaux inspirés par des préoccupations analogues.

L'œuvre de Lanson

G. Lanson (1857-1934) voudrait, comme Renard, parvenir à donner des écrivains et des œuvres une autre image que celle proposée par des critiques généralement partiaux et passionnés :

> Notre idéal est d'arriver à construire le Bossuet et le Voltaire que ni le catholique, ni l'anticlérical ne pourront nier, de leur en fournir des figures qu'ils reconnaîtront pour vraies, et qu'ils décoreront ensuite comme ils voudront de qualificatifs sentimentaux.
>
> Extrait de *La Méthode de l'histoire littéraire*, texte publié dans le recueil d'E. BOREL : *De la méthode dans les sciences*, 1911.

Son ambition est donc clairement affirmée. Mais en réalité, Lanson a fait preuve de beaucoup de timidité, d'hésitation et de fluctuations dans la définition de sa méthode, et il est difficile de trouver chez lui une théorie précise de ce « lansonisme » si souvent attaqué et caricaturé. En 1895, dans la préface d'*Hommes et Livres*, il montre les limites de la méthode de Sainte-Beuve qui « en est venu à faire de la biographie presque le tout de la critique » et qui « au lieu d'employer les biographies à expliquer les œuvres, a employé les œuvres à constituer des biographies » (Texte 64). L'analyse littéraire doit aboutir à faire saisir une individualité, mais « celle qui se trouve dans l'œuvre, qui y correspond, qui la constitue, et rien de plus » : « pour connaître comme il faut la littérature, nous devons nous efforcer de détacher et de considérer le « phénomène littéraire », tout le reste n'est qu'un appoint, un secours, ou un amusement ». S'il s'interdit alors l'étude de tout ce qui est étranger à l'œuvre même, Lanson se méfie également de la tendance à généraliser et à énoncer des lois : pour qui étudie « comment la littérature et la vie réagissent l'une sur l'autre », « il n'est pas certain qu'il y ait une loi à trouver » :

> L'action réciproque de la littérature et de la vie pourrait bien à chaque moment et dans chaque pays se résoudre en faits singuliers qui ne se déterminent pas par une loi commune mais résultent du jeu de lois multiples. Ce sont ces lois qu'il faudrait saisir une à une, et par conséquent décomposer le problème général en une série de problèmes particuliers.
>
> *La Revue universitaire*, 1908, compte rendu de la thèse de D. MORNET.

Cette défiance le conduit d'ailleurs à préférer finalement Sainte-Beuve à Taine : dans un article sur *l'esprit scientifique et la méthode d'histoire littéraire*, publié en 1909 dans la *Revue de l'Université de Bruxelles*, il répudie les méthodes « à prétentions scientifiques » de Taine et de Brunetière et loue Sainte-Beuve d'avoir eu un esprit vraiment scientifique, c'est-à-dire d'avoir su ce qu'était un fait.

Tel est bien le souci essentiel de Lanson : « Bien voir les faits de (son) domaine, et trouver les expressions qui n'en laisseront tomber ou n'y ajouteront que le moins possible » (article cité — *De la méthode dans les sciences* — 1911). Il ajoute :

> Nos opérations principales consistent à connaître les textes littéraires, à les comparer pour distinguer l'individuel du collectif et l'original du traditionnel, à les grouper par genres, écoles et mouvements, à déterminer enfin le rapport de ces groupes à la vie intellectuelle, morale et sociale de notre pays, comme au développement de la littérature et de la civilisation européennes.

Il a d'autre part souvent répété qu'il considère qu'une telle étude est nécessaire, mais non suffisante : il y voit une sorte de préparation indispensable à une critique plus dégagée et plus pénétrante. C'est ainsi qu'il veut

> appliquer (ses) étudiants à des tâches qui créent en eux une conscience très défiante et très réservée, — toujours inquiète du vrai et difficile à satisfaire en matière de preuve. Avec cela ils feront ensuite ce qu'ils voudront, comme ils voudront, selon leur tempérament, selon leur goût et leur talent.
>
> *Mélanges d'histoire littéraire*, 1906.

Aussi peut-il répondre aux critiques littéraires qui « redoutent que la méthode n'étouffe le génie » et dénoncent le labeur mécanique des fiches et l'érudition stérile parce qu' « ils veulent les idées » :

> l'érudition n'est pas un but, c'est un moyen. Les fiches sont des instruments pour l'extension de la connaissance, des assurances contre l'inexactitude de la

mémoire : leur but est au-delà d'elles-mêmes. Aucune méthode n'autorise le labeur mécanique, et il n'y en a pas une qui ne vaille à proportion de l'intelligence de l'ouvrier. Nous voulons nous aussi les idées ; mais nous les voulons vraies.

Article cité du recueil de 1911.

Ces citations auront donné une idée des ambitions réelles de Lanson : fonder la critique littéraire sur des bases plus solides. Sans doute la méthode n'était-elle pas sans danger. Mais ce sont plutôt les disciples plus ou moins avoués de Taine ou de Brunetière qui ont abusé d'une certaine technique de l'explication des auteurs par le « document » et le « milieu » et donné ainsi à la « critique universitaire » de ce temps-là un visage rébarbatif et vieillot volontiers raillé par certain public « lettré ».

Évoquons rapidement ici cette « école de *La Revue des Deux Mondes* ». sans trop céder nous-même à la tentation de la caricature. Il serait facile de rappeler que Victor Giraud amusait Thibaudet pour avoir renvoyé, dans son *Chateaubriand*, à un *Traité de géologie* utile pour connaître le sol natal de l'Armorique ! ou de citer Bellessort[1] étudiant Brunetière : « C'était un Vendéen qui pouvait se dire Provençal et en qui le génie combatif de la Vendée s'unissait au génie plus oratoire de la Provence » ! En réalité, tous ces critiques étaient réellement persuadés de l'importance de l'histoire littéraire, mais aussi vaguement inquiets de se voir ainsi réduits à prendre chaque œuvre et chaque écrivain dans leur temps, tous distincts, tous différents. Ils voudraient retrouver un fond stable, réaffirmer une permanence. Victor Giraud souligne ainsi l'importance constante du problème religieux dans la littérature française (voir ses *Maîtres de l'heure*, 1911-1914). F. Strowski recherche la physionomie originale que conserve à travers les siècles toute littérature nationale, et, pour lui, la littérature française est une littérature de moralistes (voir la *Sagesse française*, 1925). Tous écrivent dans *La Revue des Deux Mondes* à la direction de laquelle René Doumic (1860-1937) remplace Brunetière en héritant de toute son intransigeance morale : il s'emploie surtout à poursuivre le combat contre la littérature contemporaine et s'entête avec aigreur dans une hostilité systématique à la poésie moderne.

Ceux-là ont leur public qui croit en leur autorité. Mais l'époque contemporaine se caractérise, en ce qui concerne la vie littéraire, par la multiplication des publics et la diversité de leurs porte-parole. Les assauts contre la critique mondaine traditionnelle et la critique universitaire sont vigoureusement menés de différents côtés avec des arrière-pensées politiques opposées selon qu'il s'agit de Charles Péguy et des *Cahiers de la Quinzaine* ou de Charles Maurras et de *L'Action française*.

---

1. Qui, pourtant, s'est moqué un jour de cette manie de l'explication par la « race » en évoquant les origines diverses que l'on pourrait attribuer à Corneille en lisant son théâtre.

LA CRITIQUE DE LA CRITIQUE
ÉRUDITE ET « SCIENTIFIQUE » :

Les colères de Péguy   Péguy (1873-1914) est un des plus véhéments à dénoncer les méfaits, dans la critique moderne, de « la circumnavigation mentale excentrique » de Taine. Dans un numéro des *Cahiers de la quinzaine* de 1904, à propos de *Zangwill*, il critique le *La Fontaine et ses fables*, modèle de la critique dite scientifique : « Aujourd'hui qui oserait commencer La Fontaine autrement que par une leçon générale d'anthropogéographie » ?

> La méthode moderne revient essentiellement à ceci : étant donné une œuvre, étant donné un texte, comment le connaissons-nous ? commençons par ne point saisir le texte ; surtout gardons-nous bien de porter la main sur le texte ; et d'y jeter les yeux ; cela, c'est la fin ; si jamais on y arrive ; commençons par le commencement, ou plutôt, car il faut être complet, commençons par le commencement du commencement ; le commencement du commencement, c'est, dans l'immense, dans la mouvante, dans l'universelle, dans la totale réalité, très exactement le point de connaissance ayant quelque rapport au texte qui est le plus éloigné du texte ; que si même on peut commencer par un point de connaissance totalement étranger au texte, absolument incommunicable, pour de là passer par le chemin le plus long possible au point de connaissance ayant quelque rapport au texte qui est le plus éloigné du texte, alors nous obtenons le couronnement même de la méthode scientifique, nous fabriquons un chef-d'œuvre de l'esprit moderne.

Tel est le thème que Péguy répète inlassablement, en se faisant le porte-parole des écrivains, de ceux qui savent, par expérience, ce que c'est que composer une œuvre d'art, contre les faux savants qui n'ont rien fabriqué, sinon une « singulière science, surscience, suprascientifique » : « chercher des lumières sur un texte, pour l'intelligence d'un texte, partout, pourvu, à cette seule condition, que ce ne soit pas dans le texte » (*Victor-Marie comte Hugo*, 1910). Cette supériorité de l'homme de métier capable de connaître de l'intérieur, par une intuition plus profonde, l'objet même de la critique, est réaffirmée avec force dans un pamphlet de 1911 *(Un nouveau théologien, M. Laudet)* : l'ignorance des critiques professionnels y est à nouveau stigmatisée, sans que jamais d'ailleurs une autre méthode critique soit définie (Texte 65). Péguy critique, vitupère ou exalte. Son enthousiasme est tout acquis au « gigantesque Hugo », au solide Corneille, à « l'admirable XVIe siècle ». Il s'agit là pour lui d'affinités profondes que tout rationalisme est impuissant à saisir et à comprendre. Mais Bergson est venu justement lui apprendre que l'intelligence ne peut représenter ni exprimer la vie psychique et qu'il faut d'autres instruments pour en saisir le dynamisme et la durée profonde. D'autres chercheront à fonder sur cet enseignement une critique nouvelle ; Péguy y trouve l'occasion d'effets de polémique et d'une critique radicale de la critique.

La critique nationaliste et antiromantique des maurrassiens

Une autre offensive contre la critique rationaliste, trop soucieuse de rendre compte de la vérité des faits et non de la valeur des œuvres, est menée par ceux qui se posent en défenseurs de la tradition française : les adeptes du nationalisme intégral groupés autour de Charles Maurras (1868-1952).

Une critique qui se contenterait d'étudier la vie littéraire en cherchant simplement à la comprendre leur paraît radicalement insuffisante. Maurras veut une critique qui soit résolument militante. Dès 1896, avant de commencer des *Entretiens sur les lettres contemporaines*, il donne à la *Revue encyclopédique* son « Idée de la critique, de son principe, de sa règle, de sa destination » (texte repris au tome III des *Œuvres capitales*, p. 10 sq.). Il souligne d'abord l'éminente dignité de la critique et en arrive à affirmer : « Un Sainte-Beuve et un Renan auront de vives chances de faire oublier quelque jour les Flaubert, les Leconte, peut-être même les Hugo. Mais les critiques osent à peine convenir de la juste idée qu'ils se font de leur dignité » ! Maurras dénonce ensuite les insuffisances d'une critique purement descriptive, qu'elle soit psychologique, philologique ou historique. La vraie critique « consiste à discerner et à faire voir le bon et le mauvais dans les ouvrages de l'esprit, discernement qui suppose deux opérations tantôt consécutives, tantôt simultanées : le sentiment et l'élection ». Une telle critique est donc fondée sur le goût. Mais il ne faut pas se contenter des variations du goût individuel et des arrêts douteux d'une critique subjective. Il existe un « bon goût » qui est « celui de l'homme parfait », chez qui est atteinte « la limite de la puissance humaine ». Le devoir du critique est de maintenir au niveau nécessaire les exigences du goût et de combattre ses corruptions. Aussi toute cette analyse — que le *Mercure de France* qualifie aussitôt de « devoir de rhétorique retors et vide » — aboutit-elle à une dénonciation de la corruption romantique (jusque dans ses séquelles naturalistes et symbolistes) et à l'indication d'un programme simple : restaurer la tradition classique, la seule vraiment française.

Ainsi s'amorce une campagne que Maurras lui-même anime en étudiant l'aventure typique des amants romantiques : G. Sand et Musset (*Les Amants de Venise*, 1902), occasion de dénoncer dans le romantisme le dérèglement du cœur et la liberté usurpée des passions. Contre de tels dangers, il faut veiller à *L'Avenir de l'intelligence* (1905) et avertir l'écrivain moderne des moyens d'échapper à la tyrannie de l'Or et à celle de l'Opinion.

Parmi les collaborateurs de *L'Action française*, Léon Daudet (1868-1942) apparaît comme le chroniqueur le plus virulent. Il multiplie les portraits d'*Écrivains et artistes* (recueillis en huit volumes en 1929), et s'il se plaît à ranimer les figures du passé qui suscitent son enthousiasme (tels Rabelais et Montaigne), il sait aussi reconnaître certains talents nouveaux : il est un des rares critiques qui signalèrent très tôt l'importance de l'œuvre de Marcel Proust. Mais Léon Daudet est surtout un polémiste qui, malgré sa truculence bien peu classique, poursuit dans *Le stupide XIXᵉ siècle* (1921) le procès de l' « aberration romantique » : « le romantisme, en littérature comme en politique, est l'école du mensonge et de l'hypocrisie ». Il invente le qualificatif de « moitrinaires » pour désigner ceux « qui se regardent pâlir et vieillir dans leurs miroirs ternis et écaillés » et qui ont profité de l'insuffisance de la critique : Sainte-Beuve a eu « la vision troublée... quant à l'aberration romantique » ; Taine se complaît dans « l'incertitude scientifique » et « n'a en aucune façon le sentiment du beau », et, plus tard, J. Lemaître et A. France n'apprennent point à « rejeter et haïr le médiocre, l'insincère et le nocif ». Profitant des encouragements d' « une presse sans discernement ni vergogne » et de l'indulgence d' « une critique sans boussole ni perspective », le romantisme, « commencé dans la contemplation vaniteuse et morose du moi, ... a continué dans le débordement des passions et de l'instinct et dans l'appauvrissement (par excès) du vocabulaire... Il a abouti à la scatologie naturaliste et aux balbutiements du symbolisme à remontoir, à la dilution de la fantaisie dans le calembour et la calembredaine » (p. 143).

Ce sont là violences de polémiste que l'on n'arrive guère à prendre au sérieux. Le sérieux, on le trouve chez Pierre Lasserre (1867-1930) qui porte l'offensive au cœur même de la Sorbonne où il soutient en 1907 sa thèse intitulée : *Le romantisme français – Essai sur la révolution dans les sentiments et les idées au XIXe siècle*. Partant d'une dénonciation du rôle de Rousseau dans la « ruine de l'individu », Lasserre montre dans le romantisme « la désorganisation enthousiaste de la nature humaine civilisée » :

> sensualisme des idées, métaphysique des émotions, matérialisme mystique, bestialité lyrique, ainsi pourrait-on définir la tare, disons mieux : la pourriture romantique de l'intelligence.
>
> (p. 170.)

Il montre ensuite comment l'influence germanique est venue compléter cette décomposition de « la culture française » en corrompant le goût. Taine en est l'instrument : « insensible au beau », il « contribue à mettre en faveur une espèce de critique qui est, si l'on veut, de la physiologie (sans la vérité de la science), mais non pas de la critique puisqu'elle se permet tout sauf de juger » (p. 515). Les critiques se sont ainsi habitués à rechercher « une interprétation purement génétique de l'œuvre d'art » qui « laisse échapper tout ce qui en elle est l'art » (p. 521). C'est ce que font en particulier les critiques universitaires que Lasserre attaque, en 1912, dans un pamphlet intitulé : *La Doctrine officielle de l'Université*. Il s'en prend — entre autres — à Lanson dont « la méthode ..... est un bon instrument pour ronger et émietter toutes les idées générales et les synthèses qui offusquent, pour tuer, par l'abus sophistique de la lettre, l'esprit, la vie, l'unité des réalités » (p. 300). Lanson a fondé ainsi une science où le goût n'a point de part et qui signifie la ruine de toute critique. En 1920, Lasserre dénonce une autre tare de la littérature moderne : *Les Chapelles littéraires* : il en profite pour assigner à la critique une tâche urgente : « façonner un public » pour qui les écrivains aient à nouveau l'instinct de travailler et qui sache exiger des idées saines et de pures beautés.

Tandis que Lasserre renonce peu à peu à une critique trop dogmatique et trop marquée par la polémique, Henri Massis (né en 1886) ne craint pas d'intituler *Jugements* deux séries d'études critiques recueillies en 1923 et

1924. Son objet est de « définir quelques-unes des erreurs de l'esprit moderne », écrit-il dans l'étude qu'il consacre en 1913 à *Romain Rolland, ou le dilettantisme de la foi*. A propos de l'ouvrage de P. Lasserre sur *Les Chapelles littéraires*, il est plus net encore :

> Rien aujourd'hui ne semble plus urgent que de remettre de l'ordre dans les choses de l'esprit ; et, à défaut de plus ambitieux désirs, c'est le premier devoir d'une critique instruite et intègre de nous montrer où nous en sommes, de tracer les démarcations et les étages entre les talents, en un mot de faire la police des lettres.
>
> *Jugements*, tome II, p. 23.

Cette police, Massis lui-même l'exerce en dénonçant l'influence de Renan, responsable de la perversion de l'intelligence moderne ; celle d'Anatole France, dont « la phrase aux cadences pleines de spécieux enchantements » masque « une pensée contradictoire et incertaine » ; celle de Barrès même qui est sans doute soucieux de « servir » mais qui « ne parvient pas à imposer silence « aux puissances réfractaires qui cabalent en lui et qui compromettent par leur excès la sécurité de sa cause ». Mais l'adversaire principal de Massis est, parmi ses contemporains, André Gide, contre lequel toutes les formules d'exorcisme ne seraient pas superflues.

C'est ainsi qu'au nom de « la défense de l'Occident », Massis jette ses anathèmes ; ses *Jugements* sont toujours des condamnations (qu'il s'agisse de R. Rolland, de Duhamel ou de Benda aussi bien que de Gide) et des cris d'alarme, dans l'espoir d'une improbable renaissance.

La critique maurrassienne apparaît donc à sa manière comme une critique de chapelle : au milieu des ruines d'un siècle abhorré et dévasté par leurs arrêts impitoyables, ces critiques célèbrent par-dessus tout Maurras lui-même ou Frédéric Mistral, suprêmes représentants du classicisme tel qu'ils l'entendent. Critique de chapelle exclusive dans ses ferveurs et ses haines, parce que critique de politiciens, et des pires qui soient.

NOUVELLE CRISE DE LA CRITIQUE
LA « NOUVELLE REVUE FRANÇAISE »

Ce tableau des débats qui dominent les premières années du XXᵉ siècle nous amène à constater une nouvelle crise de la critique ainsi partagée entre ceux qui font de la littérature un objet de « science » et ceux qui veulent la faire servir à une action politique réactionnaire ou conservatrice. D'autres, étrangers à de telles préoccupations, prennent l'œuvre comme prétexte à essais critiques où il s'agit moins d'expliquer et de juger que de formuler élégamment ses goûts.

Où va la critique ? Une nouvelle fois la question est posée par ceux qui s'inquiètent de la diversité de ses formes et des hésitations de sa démarche. En janvier 1911, dans une revue récemment créée : la *Nouvelle*

Revue Française, Jacques Copeau consacre un long article à « *la critique au théâtre* ». A propos des chroniques, trop faciles à ses yeux, de Léon Blum, il déplore la mollesse et la complaisance des critiques, et lance un appel :

> Nous avons besoin d'un rude censeur, d'un honnête homme éclairé qui, sans relâche, dénonce la faiblesse et le désordre, démasque le mensonge, rallie les égarés à de plus pures, à de moins éphémères ambitions, en leur proposant les grands exemples et les parfaits modèles.

Cet appel est repris, le mois suivant, dans *La Critique indépendante*, par Gaston Sauvebois, sous le titre : *La Crise de la critique* :

> La tâche s'ouvre..., belle et tentante, pour une nouvelle critique. Nous sentons tous le besoin qu'elle naisse. N'est-ce pas parce que la fonction n'en est plus remplie que la littérature et les autres arts sont dans l'état d'anarchie, de crise où nous les voyons ? Dans le champ qu'elle n'interdit à personne, comme elle le devrait cependant, s'introduisent les usurpateurs, les industriels et les marchands.

C'était précisément pour faire face à cette crise qu'avait été fondée, en 1908, et vraiment organisée en 1909, la *Nouvelle Revue Française*. S'y retrouve, autour d'André Gide, un groupe d'écrivains qui avaient collaboré de 1889 à 1908, à l'une des dernières revues dites « symbolistes », *L'Ermitage* de Henri Mazel : Jacques Copeau, Henri Ghéon, Jean Schlumberger, André Ruyters, Michel Arnaud. Il ne s'agit pas pour eux de fonder une nouvelle école littéraire. Leur souci commun est de maintenir en littérature une certaine rigueur, de combattre la facilité, l'abandon au « spontané ». Ils adoptent une attitude opposée à celle de critiques principalement intéressés par le caractère moral ou immoral des œuvres, et ne veulent apprécier que la technique des auteurs, sans rien exclure a priori, sans s'opposer à aucune tendance. Cependant, comme l'écrit Schlumberger dans un article-programme du premier numéro de février 1909 : « La forte unité d'un groupe n'est faite que de la restriction des libertés individuelles ». On l'avait bien vu, lors du « faux départ » de novembre 1908, quand parut un numéro contenant un article *Contre Mallarmé*, qui mit Gide en fureur et faillit tout compromettre. Ne critique pas qui veut, ni comme il veut, dans cette N.R.F., où la hiérarchie habituelle des différents genres représentés dans les grandes revues littéraires est renversée : les chroniques et les notes de lecture ont plus d'importance que les romans, les poèmes et les essais divers. Il faut respecter et faire respecter un code, qui reste à établir pour les œuvres nouvelles. C'est ce que constate H. Ghéon dans un court compte rendu du 1er juin 1911 : « Il faut des classeurs de valeurs... et ce n'est pas une des moindres tâches de la N.R.F. que de tenter la mise au point impartialement objective de la production en cours... ». Ses porte-parole y sont-ils parvenus ?

Rigueurs et prudences d'André Gide critique

L'animateur de ce mouvement est André Gide (1869-1951). Dans ses premiers articles dont quelques-uns parurent dans *La Revue blanche* et qui furent recueillis dans *Prétextes* (1908) et *Nouveaux prétextes* (1911), il exprimait son *credo* esthétique : la création artistique suppose un effort vers la plus parfaite simplicité ; « l'art naît de contrainte, vit de lutte et meurt de liberté » (mai 1904). Il s'agit donc une fois encore de classicisme. Mais ce classicisme, Gide n'entend point le prêcher, ni le défendre en combattant en son nom les romantiques et les « barbares ». Bien au contraire, s'il fait œuvre de polémiste, c'est pour s'en prendre d'abord à ceux qui abîment l'art parce qu'ils malmènent la langue, comme Saint-Georges de Bouhélier, puis surtout à Barrès, à Maurras, et à leur critique moralisatrice. En de véritables articles de combat, il montre comment les exigences du nationalisme asservissent la pensée à des lois qui ne sont pas les siennes. Les influences étrangères peuvent être bénéfiques, surtout quand il s'agit d'un Nietzsche ou d'un Dostoïevski. Nietzsche est un grand « libérateur » : « il sape les œuvres fatiguées, et n'en forme pas de nouvelles, lui — mais il fait plus : il forme des ouvriers. Il démolit pour exiger plus d'eux » (*Prétextes*, p. 165). Si Dostoïevski est surtout pour Gide un « prétexte » à exprimer ses propres pensées, il le propose néanmoins en exemple aux romanciers français, car il peut leur indiquer de nouveaux secrets du cœur humain. Ainsi, beaucoup plus qu'à la pureté nationale d'une certaine perfection classique, Gide est attentif à l'enrichissement qu'apporte à la connaissance de soi-même les écrivains les plus divers, dont l'œuvre puisse illustrer le refrain de Baudelaire : « Là tout n'est qu'ordre et beauté, – Luxe, calme et volupté ». Chaque mot de ces deux vers pourrait, selon lui, servir de titre aux chapitres d'un traité d'esthétique. Mais il ne songe pas à fonder sur celle-ci une critique exclusive et dogmatique. La critique gidienne est une critique de découverte, faite d'attirance pour ses semblables ou ses contraires, de sympathie pour tous ceux qui lui offrent soit la chance d'un dialogue, soit le soupçon de quelque nouveau mystère.

Pourtant, la lecture des articles de Gide déconcerte : l'admiration lui inspire de singuliers mouvements d'enthousiasme pour « le délicieux Boylesve », pour Duvernois, pour Emmanuel Signoret, pour les « chefs-d'œuvre » d'Anna de Noailles. Dans son *Journal* rempli de ses réflexions critiques de lecteur insatiable, comme dans son *Anthologie de la poésie française*, publiée en 1949, il apparaît curieusement fidèle à ses admirations de jeunesse pour des œuvres d'une rhétorique bien conventionnelle, incapable de comprendre les poètes modernes, ni vraiment Rimbaud ou Lautréamont. Il est prisonnier d'une certaine conception de la technique littéraire et considère en particulier que la perfection d'un poème tient avant tout aux qualités de sa prosodie.

Aussi Gide critique est-il plus grand par son rôle que par son œuvre. Son mérite irremplaçable est d'avoir découvert très tôt dans Claudel, Valéry, Proust, Martin du Gard les auteurs les plus importants de son époque. Il a deviné en eux ce souci de la perfection artistique, qui fait à ses yeux la qualité principale du grand écrivain. Il a été pour eux un ami et un conseiller précieux, mais il a très rarement exprimé son avis sur leurs œuvres. Conscient de cette étrange réserve, il l'évoquait déjà dans un billet à Angèle recueilli dans *Prétextes* (p. 81) : « Parler des autres est bien malaisé ..... L'amitié que je voue à certains et celle qu'ils veulent bien m'offrir retient l'expression de mon éloge... ». S'il s'y risque pourtant, comment ne pas s'étonner de le voir préférer à *La Jeune Parque* les poèmes « plus courts » de *Charmes*, et surtout mettre *Les Plaisirs et les Jours* au-dessus des autres œuvres de Proust ! Parlant de celui-ci dans un billet à Angèle recueilli dans *Incidences*, il ne dit guère autre chose de son œuvre, sinon qu'elle est la plus grande de son temps après celle de Valéry.

En somme, Gide critique a peut-être cédé à cette « paresseuse facilité » qu'il condamnait chez l'artiste, en se refusant à examiner de près les problèmes soulevés par les œuvres des auteurs qu'il admire.

Préférences et inquiétudes
de Jacques Rivière

Gide a été l'animateur de la N.R.F. Le premier grand critique en est Jacques Rivière (1885-1925), secrétaire général de la revue à sa fondation, puis directeur en 1919. L'un des premiers textes qu'il y publie s'intitule « *Introduction à la métaphysique du rêve* ». Marcel Raymond a célébré « le caractère quasi divinatoire » de ce « morceau trop peu connu » (*De Baudelaire au surréalisme*, p. 220). Rivière propose en effet à l'écrivain de se consacrer à l'exploration de l'inconscient pour découvrir dans « le grand tournoiement silencieux des rêves » la « vertigineuse réalité des premiers âges » : « j'allumerai la lampe des songes, je descendrai dans l'abîme... ». C'est une invitation à parvenir à de plus grandes profondeurs, à découvrir des témoignages plus véridiques et plus sincères. *De la sincérité envers soi-même*, tel est justement le titre d'un article de Rivière (janvier 1912) qui semble à Charles Du Bos inaugurer « non pas une nouvelle méthode, mais un nouvel art de la critique » (*Approximations*, 2e série, p. 191). En effet, la critique, telle que Rivière la pratique, est plus lyrique que méthodique. Il se cherche lui-même et cette quête le conduit à s'intéresser, dans ses *Études* recueillies en 1912, plus encore aux artistes (Ingres, Cézanne, Matisse, Gauguin) et aux musiciens (Rameau, Bach, Franck, Debussy, Moussorgski...) qu'aux écrivains. La littérature n'est en effet représentée que par Baudelaire, Claudel et Gide. Rivière rend grâce à Baudelaire de nous avoir « rendu sensible notre âme avec la violence insoupçonnée de ses amours diverses ». Il examine chez Claudel la doctrine dont tout son art dépend, et le poète salue avec étonnement « le premier travail raisonné que l'on ait fait sur (son) compte » (Correspondance Rivière-Claudel, p. 138). Enfin l'étude consacrée à Gide se présente comme une analyse des valeurs « formelles » et des valeurs « intimes » de son œuvre et Rivière met en lumière les progrès d'un style vers plus de conscience et de rigueur et les contradictions d'un immoralisme séduisant.

En procédant ainsi Rivière a-t-il apporté cette « mise au point objective » souhaitée par ses amis ? Il a surtout révélé quels étaient ses propres maîtres à penser, qui pouvaient être aussi ceux de sa génération. Oscillant entre deux influences, celle de Gide et celle de Claudel, il finit par céder à celle-ci et se convertit en 1913. Raidie dans l'intolérance, son inquiétude reste pourtant vive et transparaît dans ses études de l'après-guerre, quand il dit avec ironie, en 1920, sa *Reconnaissance à Dada*, quand il adresse à Henri Massis une *Lettre ouverte sur les bons et les mauvais sentiments* (1924) ou quand, l'année de sa mort, il engage un débat avec Ramon Fernandez sur *La Littérature et la Morale*.

Le critique par excellence : Albert Thibaudet

Après Rivière, Albert Thibaudet (1874-1936) devient « le Critique » de la N.R.F. et son œuvre domine la critique de l'entre-deux-guerres. Elle est traditionnellement représentée à l'aide de deux métaphores. C'est d'abord une « admirable géographie des lettres », car Thibaudet excelle à classer et à situer, à définir des régions, à tracer des courants, à découper les littératures selon des versants et des provinces. C'est aussi l'œuvre d'un Bourguignon de Tournus qui s'attribue « l'épicurisme actif d'un vigneron entre ses ceps, d'un dégustateur à tasse d'argent entre les tonneaux » (*Les princes lorrains*, 1924). Ainsi sont bien soulignés deux caractères de sa critique : description et dégustation. Mais ces clichés risquent de laisser échapper le plus important : l'œuvre de Thibaudet est la manifestation la plus cohérente et la plus étendue du bergsonisme en critique littéraire. Une place prépondérante y est faite au sentiment de la mobilité et de la durée : le critique veut saisir l'élan créateur continu qui caractérise chaque écrivain, et retrouver le courant profond de l'histoire littéraire dans une durée faite d'une suite d'œuvres imprévisibles. Dès son *Mallarmé* (1912), il démontre que, pour Mallarmé, « l'expression des choses implique un ordre différent de celui que figure la succession brute des choses : elle exige, par-delà le temps donné, le rétablissement du temps vrai » (p. 39). Cela admis, il s'efforce de « comprendre » Mallarmé en suivant l'origine et l'évolution de ses images poétiques. Plus tard, ce philosophe, devenu agrégé d'histoire, s'applique à découper dans la « vie française » un courant de trente années caractérisé par trois maîtres : Maurras, Barrès, Bergson ; ce sont les trois volumes intitulés *Trente ans de vie française* : 1º *Les idées de Charles Maurras* ; 2º *La vie de Maurice Barrès* ; 3º *Le bergsonisme*. A propos de Bergson lui-même, il dit « avoir éprouvé le besoin de dessiner cette figure après avoir longtemps vécu avec elle », et avoir cherché à « la connaître de l'intérieur et à coïncider avec son élan créateur » (*Le bergsonisme*, p. 8-9). En 1922, il applique sa méthode à Flaubert : il voudrait dépasser la division introduite dans la personnalité du romancier par les critiques antérieurs qui opposent en lui un romantique et un réaliste, et il croit y parvenir en exploitant la théorie bergsonienne des diverses possibilités d'être que la durée vécue nous permet de réaliser tour à tour. A la même époque il s'interroge sur les diverses techniques de la critique : il se demande ce que la psychanalyse pourrait apporter à notre connaissance des grandes œuvres (chronique du 1-4-1921, dans *Réflexions sur la Critique*, pp. 103-112), il s'interroge sur l'utilité et les dangers de la recherche des sources (chronique du 1-11-1923, *ibid.*, pp. 145-152), ou sur les insuffisances d'une critique trop souvent inattentive au style :

> C'est cela, d'abord, qui devrait nous intéresser chez un écrivain... Si l'on faisait dix leçons sur Rubens, il serait étrange que sa manière de peindre y tînt moins de place que ses ambassades et ses deux femmes. Y a-t-il une autre mesure pour les auteurs ?
>
> *Ibid.*, p. 32, 1ᵉʳ juin 1912.

Au cours de conférences publiées en 1930 sous le titre : *Physiologie de la critique*, il développe sa distinction des trois critiques (Texte 66) : celle des professeurs, celle des artistes et la critique parlée ou spontanée ; chacune a sa place et sa méthode, et aucune n'est à elle seule représentative de ce que devrait être une critique idéale.

Infidèle à ce qui semblait devoir être la mission première de la N.R.F., Thibaudet condamne avec force les abus du jugement en critique : les deux fonctions essentielles du critique sont pour lui de sentir et de comprendre. Il importe d'abord de goûter le livre dont on parle, puis de le placer dans un ordre organisé selon l'un des quatre grands systèmes d'idées générales : l'idée de genre, l'idée de tradition, l'idée de génération, l'idée de pays. Mais il importe surtout — et seuls les grands critiques en sont capables — de savoir animer ses idées, faire revivre l'auteur étudié et retrouver « le rythme profond de notre littérature ». La sympathie est dans ce but plus utile que le jugement.

Fondée sur de tels principes (qui apparaissent plus nettement que partout ailleurs dans son *Valéry* de 1923), l'œuvre critique de Thibaudet nous laisse sans doute aujourd'hui une impression décevante. Ses chroniques de la N.R.F., recueillies dans les volumes de *Réflexions (sur la littérature – sur le roman – sur la critique)*, sont pleines de rapprochements ingénieux, de formules brillantes, mais on y sent plus la virtuosité du jeu verbal qu'un constant effort d'approfondissement. Surtout pendant les douze dernières années de sa carrière, Thibaudet paraît s'abandonner à sa facilité d'improvisateur érudit capable, comme le constate Léon-Paul Fargue (N.R.F., juillet 1936), de parler de tout et d'écrire sur ses genoux un article parfait en quelques minutes. Il se montre alors très désorienté par l'apparition de formes littéraires nouvelles et se moque, en quelques métaphores faciles, des « facilités » du surréalisme. En un jour d'inquiétude, cet esprit, naturellement tranquille et fécond, reconnaît avoir manqué d'une faculté importante : « le vouloir qui juge, décide et exclut ».

LA RÉSISTANCE RATIONALISTE
DE PAUL SOUDAY A JULIEN BENDA

Un feuilletoniste autoritaire : Paul Souday

En face de la N.R.F., et contre le bergsonisme envahissant, une tribune traditionnelle est solidement tenue par un critique qui ne craint pas de « juger, décider et exclure » : le feuilleton du *Temps* où règne Paul Souday (1869-1929) de 1912 à 1929. Il remplit avec ardeur et indépendance son rôle d'informateur du public lettré. Quelques-unes de ses chroniques ont été rassemblées dans les trois volumes des *Livres du Temps* (1912-1914-1930) et accompagnées d'un fier avant-propos. Paul Souday y

affirme que les « producteurs » sont incapables de s'occuper de critique :
« Ils n'admettent que ce qui leur ressemble et naturellement se préfèrent
eux-mêmes. La critique s'affranchit de cet égoïsme ». Il s'affranchit aussi
des préjugés d' « écoles » et des théories : « toutes les formes du beau sont
légitimes », mais « la plus accueillante bienveillance n'exclut pas le
sentiment des nuances, de la proportion et de la hiérarchie ». Souday souligne
surtout la difficulté de l'étude des auteurs contemporains : « Le succès
immédiat n'est pas un critère, et le critique doit réviser les jugements du
public en attendant que la postérité révise les siens. Si elle n'adopte pas
tous les écrivains dont je me suis occupé, j'espère du moins n'avoir méconnu
aucun de ceux qu'elle retiendra ». Sachons-lui donc gré d'avoir été en effet
le premier critique à signaler l'importance de *Du côté de chez Swann* dès sa
parution. Sans doute ose-t-il conseiller à l'auteur de transformer ce roman
« démesuré et chaotique » en « un petit livre exquis » ! Mais il célèbre les
qualités de Proust : imagination, sensibilité, « sens aiguisé de l'observation
réaliste et volontiers caricaturale » (2e série, p. 386), et au milieu de
l'indifférence et des ricanements de ses confrères, cette attitude du feuilletoniste du *Temps* n'est pas sans mérites. On pourrait d'ailleurs relever dans
ces trois volumes de curieuses appréciations sur les « médiocres » romans
de Bourget ou les « splendides inspirations » de Claudel qui furent, à cette
date, audacieusement originales dans les chroniques littéraires de la grande
presse. Il est étonnant de constater aussi la façon dont ce journaliste sait
signaler à ses lecteurs les écrivains ignorés du public comme le poète Louis
le Cardonnel, comme André Suarès, comme Valéry, comme Gide qui, dit-il,
« semble mettre autant de soin à fuir la publicité que d'autres à la rechercher ».
N'exagérons pas l'importance de Paul Souday, qui était lui-même trop porté
à le faire : « La littérature, disait-il, est la conscience de l'humanité ; la critique
est la conscience de la littérature. Qu'est-ce qui peut la surpasser ? » Mais
disons tout de même qu'une excessive réputation de sottise lui a été faite
à cause sans doute de ses diatribes contre le « vitalisme », « l'inconscient », etc.
et de son obstination à défendre le culte de Hugo.

La passion de la raison : Julien Benda

Face aux mêmes adversaires, le défenseur
le plus résolu du rationalisme est Julien
Benda (1867-1956). Lui aussi, il débuta à
La Revue blanche. Mais, incapable de s'agréger à aucun groupe des écrivains
de son temps, il se fait bien vite une spécialité de la dénonciation des tares
de la littérature moderne. Il publie, en 1918, *Belphégor*, « essai sur l'esthétique
de la présente société française », il entend par là « la bonne société, c'est-à-
dire cette classe de personnes privilégiées qui vivent dans l'oisiveté et le
raffinement, et dont l'une des fonctions est de s'adonner au ramage littéraire ».
Il constate que cette société « demande aux œuvres d'art qu'elles lui fassent
éprouver des émotions et des sensations ; elle entend ne plus connaître par
elles aucune espèce de plaisir intellectuel » (p. 1). Ainsi s'est développée une
littérature essentiellement lyrique et subjective, « exaltée » et « pathétique » ;
« tous les auteurs goûtés du public depuis vingt ans ..... sont des auteurs
vibrants, la plupart au ton extrêmement monté, constamment sous pression.
Il semble que l'écriture tempérée et raisonnable ait perdu toute espèce de

valeur esthétique pour la société française » (p. 121). La critique n'a rien fait pour enrayer une telle évolution. Au contraire, les critiques eux-mêmes ont le souci de s'attacher à « des âmes plutôt qu'à des œuvres » (p. 138) et considèrent « les œuvres par rapport à la personne de leurs auteurs, jamais en elles-mêmes » (p. 140). Convaincu dès cette époque que cette évolution est irréversible et que « le divorce n'ira que se creusant de plus en plus entre cette société et l'artiste intellectualiste » (p. 175), il ne fait dès lors que se répéter, champion infatigable de la raison et de la science. Dans *La Trahison des clercs* (1927), il reproche aux intellectuels, à « ceux qui demandaient leur joie à l'exercice de l'art ou de la science ou de la spéculation métaphysique », d'avoir oublié leur vrai rôle. Il s'en prend aux écrivains qui font rentrer leurs passions politiques dans leur activité de romanciers en prêtant à leurs héros « non pas les sentiments et les actions conformes à la juste observation de la nature, mais ceux qu'exigent leurs passions d'auteur » (p. 86) ; ou dans leur activité de critiques, en acceptant qu'une œuvre ne soit belle qu'autant qu'elle sert le parti qui leur est cher, ou qu'elle « illustre la doctrine littéraire qui s'intègre à leur système politique » (p. 93). Enfin, dans *La France byzantine* (1945), il reprend une fois encore le procès de la littérature moderne, vide d'idées, de raison, de logique, et livrée à la pure sensualité du langage ; dans *Du poétique*, il fait celui de la poésie en tant qu'activité irrationnelle, et dans le *Rapport d'Uriel*, il définit dédaigneusement la littérature même comme une « sensibilité de luxe ».

Mais cet acharnement passionné dans la dénonciation de l'irrationalisme plus encore que dans l'apologie de la raison n'est-il pas lui-même une curieuse manifestation du « Mal » que Benda dénonce ? Sous la plume de cet « intellectualiste », la critique est toute d'humeur. Il en arrive à écrire : « Les mérites d'une telle page pourraient bien m'échapper, vu que sa lecture m'est proprement insupportable ». Il dresse avec partialité ses tableaux de la littérature moderne, avec tout un appareil faussement scientifique de notes explicatives, en passant sous silence tout ce qui gênerait sa démonstration : les œuvres de Radiguet, de Saint-Exupéry, d'Aragon, de Malraux, et en négligeant les pages des auteurs qu'il cite (Gide, Valéry...) qui s'accorderaient mal avec son point de vue. Pamphlétaire ardent, Julien Benda n'a ni la rigueur, ni l'objectivité qu'il reconnaît lui-même comme les qualités maîtresses du critique.

LES MAITRES DE LA « CRITIQUE CRÉATRICE »

Un des traits caractéristiques de la période moderne est que la critique apparaît à de nombreux écrivains comme une des formes supérieures de la création artistique même. A leurs yeux, la distinction traditionnelle entre créateurs et critiques n'a pas de sens ou ne peut être faite que par des critiques de second ordre. Le vrai critique est créateur autant que le poète. L'idée n'est pas neuve. Mais sous la plume d'un Sainte-Beuve ou d'un Rémy de Gourmont, une telle affirmation s'accompagne du sentiment amer de n'être qu'un critique. Il n'en va pas de même chez ceux que l'on pourrait appeler les maîtres de la critique créatrice : Suarès, Proust, Valéry, Du Bos, Alain.

André Suarès
André Suarès (1868-1948), né au Mont-Oriol près de Marseille, s'est plu à dissimuler ses origines israélites et sa naissance provençale et à se faire passer pour un Breton, manière de dérouter peut-être les adeptes des méthodes de Taine ! « On est d'où l'on veut être. La fatalité du cœur vaut bien les autres » (*Le livre d'émeraude*. 1902). Renonçant très tôt à la carrière universitaire à laquelle il s'était d'abord destiné, il s'est entièrement consacré à une œuvre faite surtout de portraits et de réflexions sur l'art. De 1898 à 1937, il célèbre tour à tour Tolstoï, Ibsen, Pascal, Dostoïevski, Cervantès, Shakespeare, Gœthe, Baudelaire. Il reconnaît en eux des créateurs exceptionnels capables de s'effacer pour donner vie à « dix, vingt hommes, cent même..., tous divers, plusieurs contraires entre eux » (*Sur la vie*, tome I, p. 6). Cette faculté appartient surtout à celui qu'il appelle le « Poète tragique » dont « l'affaire n'est pas de prouver, de convertir, ni d'enseigner, mais de créer, de donner aux êtres, aux sentiments, une vie plus belle ». Mais elle est aussi caractéristique du vrai critique : « La même loi gouverne le talent du critique et le génie du poète tragique : le premier point est de se retirer soi-même et laisser la place à l'objet » (*Xénies*, p. 209). Le critique est un créateur au second degré, dans la mesure où la matière de sa création est l'œuvre d'un autre ; il ne fait même que des « poèmes plus riches en psychologie que la plupart des autres, et où il ne faut pas moins d'imagination » (chronique de *La Revue musicale*, 1er juillet 1923). Il ne s'agit pas pour lui de juger, mais de comprendre et de faire comprendre ce qu'il a compris. Il lui faut réinventer l'œuvre dont il parle, c'est-à-dire être capable d'éprouver les passions et les sentiments les plus divers, de revivre les expériences les plus opposées. Aussi le critique idéal s'incarne-t-il pour Suarès en Montaigne et Stendhal qui ont « une prodigieuse expérience des passions et une ardente fantaisie » (*Xénies*, p. 209). Avec Sainte-Beuve, « la critique est (encore) créatrice » (*Valeurs*, p. 281), mais « les plus puissants états de la passion et les plus rares grandeurs de l'art » lui échappent et il lui arrive de trop s'attarder sur des anecdotes biographiques sans intérêt pour la compréhension de l'œuvre. Enfin, « tout le mal vient de Taine » : « La raison morale gâte tout dans Taine et elle a fini par le perdre. Taine n'a que le génie de la contradiction, qui est le génie consommé du système. Il entasse les fiches par monceaux ; il dresse une montagne. Mais ce ne sont que des atomes : le lien lui échappe qui fait la masse et la solidité » (*Sur la vie*, tome II, p. 126). Suarès condamne avec véhémence les critiques pédants, faux moralistes et faux savants, « Souday le surhomais et les Soussouday du même clapier » (*Valeurs*, p. 267), qui se servent du bon sens pour ôter tout sens à l'œuvre du poète, qui n'ont aucun sentiment de l'art véritable, et de « la vie de l'art » qui « n'est pas la vie commune ». On lira les pages du chapitre xxv de *Xénies*, intitulé *Critique*, dans lequel Suarès a groupé ses remarques sur l'art de la critique (Texte 67). A leur lumière, l'œuvre entière de Suarès apparaît comme une illustration de cet art même, une série de portraits critiques, qu'il s'agisse de réinventer une ville (Venise, Marseille...), un pays (la Bretagne, l'Europe...) ou un artiste.

Marcel Proust

Des thèmes analogues apparaissent chez Marcel Proust (1871-1922). Lui aussi veut nous persuader que « la vie commune » n'a rien à voir avec « la vie de l'art », et son œuvre est le résultat d'une réflexion incessamment poursuivie sur les caractères propres de « la vie de l'art ». Proust est parti d'une attitude qu'il condamne plus tard comme la manifestation du péché d' « idolâtrie ». Il est alors sous l'influence de Ruskin dont il traduit *La Bible d'Amiens*. Il écrit pour cette traduction une importante préface publiée en avril 1900 ; il y exprime quelques idées où il reconnaîtra plus tard les caractères de « l'idolâtrie esthétique ». Celle-ci consiste à se montrer trop sensible à la part de la réalité dans l'art, à aimer des objets parce qu'ils ont été représentés par un artiste ou ont favorisé son inspiration, comme par exemple « ces pierres d'Amiens à qui (Ruskin) venait demander sa pensée » (*Pastiches et mélanges*, p. 101). On est ainsi conduit à considérer l'art comme la seule réalité véritable : un objet n'est digne d'intérêt, n'a d'existence vraie, que dans la mesure où il fait allusion à quelque représentation esthétique. Voilà donc confondus deux ordres sur la distinction desquels Proust ne cessera plus tard de mettre l'accent : l'ordre du Beau et l'ordre du Vrai. Retenons surtout une conséquence de cette « hérésie » qui concerne plus directement la critique littéraire. « L'idolâtre » est convaincu que nous pouvons tous communier dans cette adoration de la beauté, parce qu'il n'en est point d'expression qui soit vraiment originale :

> Personne n'est original, et, fort heureusement pour la sympathie et la compréhension qui sont de si grands plaisirs dans la vie, c'est dans une trame universelle que nos individualités sont taillées. Si l'on savait analyser l'âme comme la matière, on verrait que, sous l'apparente diversité des esprits aussi bien que sous celle des choses, il n'y a que peu de corps simples et d'éléments irréductibles, et qu'il entre dans la composition de ce que nous croyons être notre personnalité des substances fort communes et qui se retrouvent un peu partout dans l'univers.
>
> *Pastiches et mélanges*, p. 103.

De ces considérations « scientifiques », Proust tirait l'exposé d'une véritable méthode critique, qui permît le passage du singulier au caractéristique, du particulier au général, de la façon même dont Sainte-Beuve cherchait à regrouper des « familles d'esprits » (Texte 68).

Mais, en réfléchissant justement sur la méthode de Sainte-Beuve, Proust s'est guéri de sa maladie ruskinienne. La publication de *Jean Santeuil* et des brouillons réunis sous le titre *Contre Sainte-Beuve* nous permet aujourd'hui de reconstituer son évolution. Chez Sainte-Beuve, il voit où peut conduire l'application à l'Art de notions valables dans le seul domaine de la science comme la notion de progrès ; contre de telles exagérations, il affirme l'originalité absolue de l'artiste créateur : « Chaque individu recommence, pour son compte, la tentative artistique ou esthétique... Un écrivain de génie, aujourd'hui, a tout à faire. Il n'est pas beaucoup plus avancé qu'Homère » (*Contre Sainte-Beuve*, p. 134). Il s'effraye aussi de voir Sainte-Beuve identifier totalement le moi créateur et le moi social : Sainte-Beuve, et tant de critiques avec lui, ignorent qu' « un livre est le produit d'un autre moi que celui que nous manifestons dans nos habitudes, dans la société, dans nos vices. Ce moi-là, si nous voulons essayer de le comprendre, c'est au fond de nous-même, en essayant de le recréer en nous que nous pouvons y parvenir » (*Contre Sainte-Beuve*, p. 137). Proust peut alors écrire, dans une note publiée par l'éditeur du *Contre Sainte-Beuve* : « On change vite. Idolâtrie dans Préface de *Bible d'Amiens*. Tout le contraire maintenant » (*Op. cit.*, introduction, p. 29). Il n'est plus question maintenant de « pèlerinage » amiénois : pour comprendre et faire comprendre une œuvre, il s'agit de redécouvrir la vision propre à l'artiste qui l'a créée, et ce n'est pas là une tâche que l'on puisse sans péril confier à l'intelligence. Celle-ci se prend à des objets, à des détails, à des faits, et laisse échapper l'essentiel. Cette dénonciation de l'insuffisance de l'intelligence, incapable de comprendre l'art, apparaît dès *Jean Santeuil*, se nuance dans le *Contre Sainte-Beuve* et s'épanouit dans certaines pages fameuses du *Temps retrouvé*, où Proust en arrive à écrire le contraire de ce qu'il affirmait dans sa préface de 1900 (Texte 69).

Ainsi, l'auteur d'*A la recherche du temps perdu* nous offre l'exemple unique dans notre littérature d'un écrivain passant de la réflexion critique à la création romanesque, et cela sans rupture ni même transition plus ou moins douloureuse. Il se pose toujours la même question, la question fondamentale de la critique : quels sont les rapports de l'art et de la vie ? que signifie l'œuvre d'art ? Sa réponse a changé, tandis que le simple essai critique d'un jeune esthète féru de littérature s'étoffait, s'enrichissait jusqu'à devenir la somme romanesque dont l'apparition déconcerta une critique peu habituée à se voir ainsi impliquée dans l'élaboration de l'œuvre même.

Charles Du Bos

Cet effort de réinvention de la vision propre à chaque écrivain, Charles Du Bos (1882-1939) l'accomplit pour son compte au long d'une œuvre qui n'est qu'un journal intime, journal d'une vie dont les seuls événements sont les lectures des grands écrivains. Le *Journal* proprement dit de Du Bos est en effet tissu de réflexions critiques et complète ainsi les sept recueils d'articles parus entre 1922 et 1937 sous le titre *Approximations*. Ce titre révèle à lui seul le parti pris de ne pas juger : « Je juge peu ; la faculté de jugement dans l'acceptation où l'on prend ordinairement ce terme n'arrivant à s'exercer chez moi que sur les ouvrages médiocres ou vraiment mauvais » (*Journal*, 8 juin 1917). A partir du moment où une œuvre lui semble digne de retenir son attention, il ne songe plus qu'à « s'approcher » d'elle le plus possible, qu'à se mettre, pour ainsi dire, à la place de l'auteur. Transport de sympathie qui devient volontiers élan d'admiration. Comme Du Bos ne parle volontiers que des auteurs qu'il admire, on lui a souvent reproché d'être plutôt un panégyriste qu'un critique et d'exagérer l'importance de ceux dont il parle :

> Gide m'a dit : « J'ai lu et relu très attentivement votre article auquel je n'ai qu'une objection à faire : vous exagérez, vous accordez trop à Pascal. » (Intéressant ceci pour moi parce que je sens que c'est toujours le reproche qui me sera adressé, quel que soit l'auteur dont je parle : il tient d'une part au fait que toujours

n'existe tout à fait pour moi au moment où j'écris que celui dont j'écris, de l'autre
à une sorte d'entraînement par l'admiration.)

Journal, 27 octobre 1923.

Du Bos semble en effet en prendre souvent à son aise avec l'objectivité.
Il parle de son Tchékov, de son Benjamin Constant, qui deviennent ainsi
autant de répliques de lui-même et de modèles à suivre. N'allons pas croire
cependant qu'il est absolument dénué de scrupules dans une recherche où
il s'agit de parcourir ce qu'il appelle « la voie de la critique idéale », qui est
« la voie de la production, mais parcourue en sens inverse, le critique ayant
pour point de départ le point d'arrivée du créateur et pour point d'arrivée
son point de départ » (*Journal*, 24 novembre 1917). Il est particulièrement
attentif à la chronologie des œuvres et au jeu des influences, à la répétition
chez un même écrivain de mots préférés, révélatrice d'une secrète hantise. Il
excelle aussi à analyser les textes avec autant d'exactitude que de délicatesse
comme le montre telle ou telle page sur Stendhal ou Flaubert.

Une telle critique, qui consiste à adopter successivement le point de
vue de chaque écrivain dont on parle, répond tout à fait au vœu de Proust.
Critique de compréhension et de sympathie, dont l'auteur soupçonne lui-
même qu'elle est peut-être le signe d'une personnalité peu affirmée :

> X... et Y... ne se comprendront jamais ; en toute sincérité, je crois les
> comprendre tous deux. Mais précisément les pénétrerais-je à ce degré si l'étoffe
> personnelle ne me faisait défaut ?

Journal, 15 décembre 1908.

Il ne s'agit plus pour lui de vérité et d'erreur, mais de la vérité de
chacun :

> Il est très rare qu'une vérité m'apparaisse comme distincte de celui qui l'a
> créée, et se suffisant à elle-même ; ce n'est pas que peu de choses m'apparaissent
> comme vraies, mais plutôt que tout m'apparaît vrai en fonction de la force qui
> le produit : le rapport entre la pensée exprimée et le génie qui se tient derrière
> elle devient à mes yeux comme un rapport d'identité ; et plus la pensée est
> puissante, plus elle me rejette et me replonge dans l'esprit qui lui a donné
> naissance. C'est à tel point que si l'on me demandait : « Trouvez-vous telle
> pensée de J. de Maître ou de Bossuet ou de Vauvenargues ou de Constant, etc...
> vraie ? », quelque chose en moi, répondrait instinctivement : « Sans doute puisque
> c'est sa pensée. »

Journal, 24 novembre 1917.

Paul Valéry
Il pourrait sembler étrange de ranger à
côté d'un critique aussi protéiforme le
lucide et rigoureux Paul Valéry (1871-1945). Cependant, chez le poète de
Charmes, la réflexion critique est encore inséparable de l'activité créatrice.
N'a-t-il pas avoué : « Mes vers n'ont eu pour moi d'autre intérêt que de me
suggérer des réflexions sur le poète » ? (cf. le commentaire de Blanchot qui
cite cette phrase dans *Le Livre à venir*, p. 240).

Valéry veut comprendre comment l'œuvre littéraire est faite et il
cherche à représenter l'acte même de l'esprit qui la crée. En conclusion de
son étude *Je disais quelquefois à Stéphane Mallarmé...*, il affirme :

> Le devoir de quiconque prétend parler au public des ouvrages d'autrui est de faire tout l'effort qu'il faut pour les entendre, ou pour déterminer au moins les conditions et les contraintes que l'auteur s'est imposées et qui se sont imposées à lui.
>
> *Œuvres*, Bibliothèque de la Pléiade, p. 659 du tome I.

Aussi célèbre-t-il à son tour les vertus de la sympathie, indispensable au critique pour saisir l'intention de l'auteur, pour comprendre l'œuvre comme s'il l'avait faite lui-même. Par la sympathie, il pénètre dans l'univers mental où l'œuvre a pris naissance. Cet effort doit se faire à partir de l'œuvre seule, et en se défiant des mots qui ne sont pas des objets simples :

> Il y a toujours, dans la littérature, ceci de louche : la considération d'un public. Donc une réserve toujours de la pensée, une arrière-pensée où gît tout le charlatanisme. Donc tout produit littéraire est un *produit impur*. Tout critique est un mauvais chimiste qui cesse de se rappeler ce précepte qui est absolu. Il ne faut jamais conclure de l'œuvre à un homme, mais de l'œuvre à un masque, et du masque à la machine.
>
> *Tel Quel I*, édition citée, tome II, p. 581.

Il est tout aussi vain de chercher à conclure de l'homme à l'œuvre. Valéry a maintes fois dénoncé les insuffisances de la méthode biographique. Dès 1894, dans son *Introduction à la méthode de Léonard de Vinci*, il prévient son lecteur : « Presque rien de ce que j'en saurai dire ne devra s'entendre de l'homme qui a illustré ce nom : je ne poursuis pas une coïncidence que je juge impossible à mal définir » (p. 1155 du tome I). Après son long silence, il reprend et développe ses griefs dans la *Note et digression* ajoutée en 1919 au même essai sur Vinci : il dénonce les dangers d'une documentation érudite qui accumule des « vérités matérielles » nuisibles à la recherche de la seule réalité importante : « Le vrai à l'état brut est plus faux que le faux » (p. 1205 du tome I) ; il ne veut pas se laisser prendre au piège des « petits faits caractéristiques », car « nul n'est identique au total exact de ses apparences, et qui d'entre nous n'a pas dit ou n'a pas fait quelque chose qui n'est pas *sienne* ? » (p. 1206) ; il souligne enfin avec brutalité que l'auteur n'est « heureusement jamais l'homme » (p. 1224) (Texte 70). Il revient souvent sur les mêmes objections, par exemple dans « Au sujet d'Adonis », dans *Questions de poésie* (*Variété*, édition citée, tome I, p. 482 et 1280) et surtout dans son *Discours en l'honneur de Gœthe* en 1932 : il y montre qu'il faut moins s'attacher aux événements de la vie d'un auteur, à ses papiers, à ses amours, aux propos même qu'il a pu tenir qu'à ce qui « le distingue entièrement des autres hommes, c'est-à-dire la véritable opération de son esprit, — et en somme ce qu'il est avec soi-même quand il est profondément et utilement seul » (p. 533 du tome I).

Ainsi, seule l'opération d'un esprit doit intéresser le critique dont la première tâche est de recréer le monde intellectuel original où elle s'est inscrite. Mais Valéry ne se contente pas d'adhérer à l'activité d'une intelligence étrangère. Sympathiser tout à fait aboutit à se perdre. S'il ne veut pas être réduit au silence et au néant, le critique doit parvenir à définir l'esprit nouveau qu'il a redécouvert. Pour cela, il lui faut le réduire à l'essentiel, et savoir ne pas se montrer infidèle : ce qui est vrai des obscurités d'une doctrine l'est aussi des mystères du génie : « Il vient toujours un moment où l'essentiel d'une doctrine que l'on trouvait très abstruse est expliqué en trois mots par un homme d'esprit ». C'est ainsi qu'au terme d'une réflexion scrupuleuse et prudente, Valéry lui-même finit par expliquer Mallarmé comme « un algébriste du langage en même temps qu'un reconstructeur de son Moi » (M. Bémol, *La méthode critique de Valéry*, p. 27). Là ne s'achève pourtant pas l'enquête du critique : il lui faut encore confronter l'esprit ainsi défini à d'autres types d'esprits auxquels il ne se contentera pas de s'identifier, mais qu'il cherchera à dominer pour tirer d'eux de profitables leçons. En ce sens, la critique valéryenne est, comme l'a bien montré M. Bémol, une critique égoïste. Valéry critique prend et donne des leçons de style : « J'appelle un beau livre celui qui me donne du langage une idée plus noble et plus profonde » (*Tel Quel I*, édition citée p. 569 du tome II). « Je ne prise et ne puis priser que les écrivains qui parviennent à exprimer ce que j'eusse trouvé difficile à exprimer, si le problème de l'exprimer se fût proposé ou imposé à moi » (*Rhumbs*, p. 620 du tome II). Le vrai critique sait donc discerner ceux des écrivains qui ont su résoudre les difficultés de la possession du langage, sans se laisser prendre aux pièges de rhéteurs plus adroits que profonds : « Des écrivains et des poètes, les uns sont comparables à des chefs d'émeute, à des orateurs qui surgissent et semblent les maîtres absolus du peuple en quelques instants ..... Les autres arrivent plus lentement au pouvoir et s'imposent en profondeur. Ils font les empires durables » (*Tel Quel I*, p. 568 du tome II).

Valéry critique s'efforce de reconnaître ces maîtres véritables. Tel Proust ou Du Bos, il s'attache à leurs œuvres, et s'efforce de retrouver par la sympathie l'activité spirituelle qui les a fait naître. Mais là où Du Bos admiratif se tait, là où Proust s'exerce au pastiche (seul langage permis au critique quand il a réussi à s'identifier à l'objet de son étude), Valéry garde sa lucidité et ses distances ; il tente de définir les caractères essentiels d'un génie et les vertus exemplaires d'un style pour en nourrir son propre poème.

Alain   A côté de ces maîtres de la critique créatrice, et surtout de Valéry dont il commenta subtilement les œuvres, faisons encore une place à Alain (1868-1951). Sans doute n'aurait-il pas aimé être rangé parmi les critiques. Dans une dédicace de ses *Propos de littérature*, il écrivait : « Je ne fais nullement le métier de critique, et de plus j'y trouve quelque chose de laid », et plus loin : « Je n'aime guère les critiques et je ne voudrais point passer pour l'un d'eux ; je vois bien, par ce livre, que cela m'arrivera ». En effet, ce philosophe a été poussé, par sa méfiance envers la philosophie abstraite, à vivre dans la familiarité des grands écrivains pour trouver dans leurs œuvres des idées « réelles » : « Qu'ai-je cherché dans Balzac, hors du plaisir de le lire ? J'y ai cherché des idées chargées de matière et nées du sol, des idées qui eussent des visages » (*Avec Balzac*, p. 197). Il a ainsi pratiqué, depuis ses premiers *Propos d'un Normand* jusqu'à ses dernières leçons d'incomparable professeur de khagne, une « haute critique » dont le premier mouvement est l'admiration : « Ma seule prétention est de m'être nourri des grands hommes, en cherchant toujours à me hausser jusqu'à eux, plutôt qu'à les rabattre à mon niveau. Selon moi, ce mouvement d'admirer est la lumière de l'esprit » (déclaration rapportée dans *Hommage à Alain*, numéro de la nouvelle *N.R.F.* de septembre 1952, p. 304). Cette fois encore, il s'agit donc d'abord d'adhérer à l'œuvre qu'on lit, de se plier au mouvement de l'esprit qu'on étudie, de se faire autre : « Épicurien, si je lis Lucrèce, stoïcien avec Marc-Aurèle » (*Préliminaires à l'esthétique*, p. 74). Alain déplore que le critique cède trop volontiers aux tentations faciles du dénigrement, à l'exemple de Sainte-Beuve. Il est toujours aisé de trouver de petits défauts, mais il est plus difficile de découvrir de nouvelles beautés encore inaperçues : « Qu'il y ait des vers faibles dans Hugo, cela n'est rien pour nous ; cela est mort à jamais. Au contraire, le généreux, le grand, le sublime, voilà ce qui est conservé par un choix qui va de soi » *(Préliminaires à la mythologie)*. L'essentiel est de lire et de relire avec une confiante ingénuité et une inlassable curiosité, en s'efforçant d'établir un vivant dialogue, loin de toute préoccupation érudite ou historienne :

> Je me réfugie dans quelque édition sans notes, où je trouve mon auteur tel qu'il s'est montré. Montaigne tel qu'il a voulu être, Jean-Jacques aussi, Balzac aussi, Proudhon aussi. Personne ne me dit en bas des pages que celui-ci avait la ɔlique, cet autre la goutte, et qu'ils sont morts ainsi ou autrement. Je les lis ɔout vivants ; ils pensent avec moi ; ils m'expliquent mon temps ; et peut-être qu'en les lisant ainsi, je les change ; mais c'est par là qu'ils sont grands et immortels.
>
> *Propos d'un Normand*, 28 janvier 1911.

et plus loin :

> Il y a deux familles d'esprits. Il y en a qui, dès qu'ils lisent, tout de suite pensent l'œuvre dans l'histoire, comme venant avant d'autres et après d'autres. Par exemple un roman de Balzac est pour eux un bibelot de ce temps-là, comme serait une commode ou une armoire. D'autres prennent Balzac comme une nourriture, pour penser maintenant, pour vivre maintenant. J'avoue que je ne puis m'empêcher de penser ainsi hors de l'histoire.
>
> *Propos d'un Normand*, 12 avril 1911.

Les abus de l'érudition historique ont été provoqués par ceux qu'Alain qualifie de « bedeaux de littérature » : Sainte-Beuve, Renan, Taine et leur fils spirituel Brunetière. Contre leurs disciples, qui se préoccupent de petits faits insignifiants au lieu de s'attacher à comprendre le sens et la portée des idées, Alain a l'ambition de « changer la philosophie en littérature et au rebours, la littérature en philosophie » et veut « faire honte aux purs littéraires de leur sottise orgueilleuse » (décidace du commentaire de *La Jeune Parque*). Mais en se délivrant des précautions et des minuties de la critique érudite, il s'expose à faire des citations inexactes ou même à commenter des idées qui sont à lui plutôt qu'à l'auteur dont il parle. Il en convient du reste, et s'en justifie : « Que m'importe, si Platon a bien pensé ce que j'y trouve, pourvu que ce que j'y trouve m'avance à comprendre quelque chose ! » (*Histoire de mes pensées*, p. 168). Mais dès lors, s'agit-il encore de critique ? Nous voici parvenus à l'extrême limite de la critique créatrice : il s'agit moins de recréer l'œuvre faite que de la réinventer autre pour le profit ou les besoins de sa propre réflexion, forme nouvelle d'impressionnisme, ou de dilettantisme intellectuel.

ASPECTS DE LA CRITIQUE TRADITIONNELLE PENDANT LA PREMIÈRE MOITIÉ DU XXe SIÈCLE

Les quelques auteurs que nous venons de citer dominent incontestablement la critique pendant les quarante premières années de notre siècle. A côté d'eux, d'autres, dont le nombre s'accroît avec le développement des moyens d'expression, s'acquittent de leur tâche, sans donner à la réflexion critique une importance morale, philosophique ou esthétique aussi capitale, et se contentent de jouer un rôle d'informateurs consciencieux ou de juges passionnés, dans le cadre de la critique traditionnelle. Qui nommer parmi tant de critiques d'occasion ou de métier, de journalistes, de chroniqueurs, d'essayistes ou de professeurs ?

Critiques d'occasion :
Paul Claudel...

L'œuvre critique de Paul Claudel (1868-1955) est rassemblée dans les deux recueils de *Positions et Propositions* (1928-1934) que complètent *Contacts et Circonstances* (dont la première édition en 1940 fut détruite par l'occupant), un recueil de critique d'art (*L'Œil écoute*, 1946) et une *Conversation sur Jean Racine* (1955). Claudel prend la critique au sérieux. Il a réfléchi sur sa méthode. Comme tant d'autres artistes, il conteste les principes de la critique biographique ou psychologique : selon lui, les grands écrivains se font les messagers d'une idée sans que les circonstances de leur vie ou la nature de leur tempérament soient pour quelque chose dans l'expression qu'ils nous en donnent. Il développe ce thème au début de l'essai sur Mallarmé intitulé : *La Catastrophe d'Igitur :*

> On enseignait communément au siècle dernier que, l'œuvre étant le produit de l'artiste, c'est presque assez de connaître l'un pour comprendre l'autre. Un peu de réflexion aurait suffi cependant pour saisir ce que cette idée a d'incomplet. L'huître n'explique pas la perle et la mentalité de l'ouvrier n'a rien à voir avec le brocard qu'il tisse. En fait, on dirait que, de temps en temps, dans l'histoire de l'humanité, une idée est introduite, un thème peu à peu essaie de se constituer, qui au cours des années ou des siècles recrute de tous les côtés les hommes ou les instruments capables de lui donner sa pleine sonorité et d'épuiser son expression.
>
> *Positions et Propositions*, I, p. 197.

Le critique doit donc chercher à comprendre l'idée dont l'écrivain est « l'instrument ».

Aussi Claudel s'irrite-t-il de l'incompréhension de tant de critiques devant son œuvre, et leur enjoint-il de mieux faire leur métier :

> Je suis étonné qu'un critique ose écrire aux premières lignes d'une longue étude : « Je ne comprends pas. » S'il ne comprend pas, il n'a qu'à se taire. Mais un critique doit comprendre, c'est son métier !

A mon avis, la critique littéraire n'est pas une œuvre littéraire proprement dite, c'est avant tout une œuvre scientifique. Un document écrit est un objet de connaissance qui doit être étudié avec des procédés d'investigation rationnelle et surtout avec sérieux et conscience. Cette étude exige beaucoup de travail et de calme d'esprit. Il est fâcheux de voir la plupart des critiques au lieu de tâcher d'expliquer et de s'expliquer, se livrer à des explosions lyriques et composer de petites odes de louange ou de blâme. Un savant qui étudie l'insecte le plus répugnant ne perdra pas son temps à s'écrier : « Quelle sale bête ! » et à faire des plaisanteries. L'œuvre la plus odieuse à notre goût est cependant l'expression de quelque chose, elle est la révélation d'une tendance de notre époque.

Réponses à Frédéric Lefèvre dans *Une heure avec...*, III, p. 156.

Cependant Claudel lui-même est incapable de pratiquer ce métier de critique avec l'objectivité scientifique qu'il attend de ses critiques. Il fait souvent preuve de la hargne d'un Veuillot contre ceux qui ne sont pas de sa religion. Ne lui demandons pas d'être juste envers Voltaire ou Stendhal ou envers « beaucoup de poètes français du XIXᵉ siècle » dont « l'œuvre fait l'effet d'un amas de décombres » non parce qu' « ils manquaient de talent », mais parce qu'ils « manquaient de religion » (*Positions et Propositions II : Religion et poésie*, p. 10). Mais s'il ne fait aucune concession à ses ennemis et leur crache vertement son mépris, il est tout amour et lucide compréhension pour les siens. Il a besoin de l'admiration pour être un excellent juge des caractères originaux d'une œuvre. Mieux que bien d'autres, qui furent moins passionnés, il a saisi les secrets du métier de Rimbaud ou de Verlaine, parlé avec délicatesse de Racine ou de Chénier.

...et Jean Giraudoux

C'est une banalité que de reconnaître dans les essais de Jean Giraudoux (1882-1944) — *Les Cinq Tentations de La Fontaine* (1938) ; le recueil d'articles intitulé *Littérature* (1941) — les qualités et les défauts d'un bon élève de khâgne trop habile à disserter : ingéniosité, finesse, mais aussi entraînement verbal, goût de la formule et du « fabriqué ». Ne serait-ce pourtant pas une injustice ? Ces essais critiques, pour la plupart écrits de circonstance dont il n'avait pas choisi le sujet, ne doivent pas faire oublier la conception qu'il se faisait de la littérature. Il s'en expliquait beaucoup plus librement dans ses réponses aux questionnaires de divers journalistes. Pour lui, « le XXᵉ siècle sera le siècle romantique par excellence » (réponse à Simone Ratel : *Dialogues à une seule voix*, p. 14) : il lui appartient de redécouvrir la fonction de révélation poétique qui était celle de la littérature jusqu'au milieu du XVIIᵉ siècle et que les classiques et les faux romantiques de 1830 ont perdue. Loin d'être un jeu gratuit, un divertissement de salon, la littérature a un rôle moral : elle doit servir à réconcilier l'homme avec l'univers. Pour cela, l'écrivain moderne doit inventer un style nouveau qui soit dépouillé de toutes les figures factices de la « Littérature », et des subtilités de la Rhétorique. Ces déclarations du « précieux Giraudoux » peuvent surprendre. Elles éclairent néanmoins telles ou telles de ses pages critiques. Par exemple, Racine semble devenu pour lui le type même de l'écrivain chez qui seule compte la fabrication littéraire. Mais ne représente-t-il pas un aspect de l'erreur classique ? Giraudoux le sauve pourtant, en montrant que son œuvre, toute claire et rigide qu'elle est, fait pourtant sa part au mystère et ne trahit point les passions qu'elle exprime : classique par sa structure et sa facture, elle est néanmoins plus vraie, donc plus authentiquement « romantique » que nos drames de 1830 abusivement pris pour tels.

Contentons-nous de nommer, après Claudel et Giraudoux, François Mauriac (né en 1885) que poursuit dans son œuvre critique sa hantise du péché et de la grâce : qu'il s'agisse d'évoquer *Le tourment de Jacques Rivière* (1926) ou *La vie de Racine* (1928) ou *Blaise Pascal et sa sœur Jacqueline* (1931), ou de s'interroger sur le degré de liberté que le romancier, nouveau démiurge, est en droit de laisser aux personnages qu'il crée (*Le Roman*, 1928 ; *Le romancier et ses personnages*, 1933). Citons enfin Georges Duhamel (né en 1884) qui rassembla dès 1914 ses chroniques du *Mercure de France*, consacrées aux poètes contemporains *(Les poètes et la poésie)* : son œuvre critique est relativement abondante, mais sans relief particulier.

Henri Bremond Avant d'aborder les critiques « de métier », il convient de faire une place particulière à l'abbé Bremond (1865-1933). Par sa monumentale *Histoire littéraire du sentiment religieux en France des guerres de religion à nos jours*, parue en 11 volumes de 1916 à 1928, il prend place au premier rang des historiens de notre littérature. Mais l'histoire n'exclut pas chez lui la critique. En tête du premier volume, il explique ce qu'il a voulu faire : « Je ne suis, je ne dois être qu'un historien. Pour mieux remplir ce rôle, je n'ai rien trouvé de mieux que de revêtir tour à tour les idées et les sentiments de mes héros ». Nous retrouvons donc l'effort de « sympathie » caractéristique des grands critiques de son temps, mais il n'exclut pas la vigueur du jugement, comme l'a bien vu Maurice Martin du Gard : « Quoi de plus étonnant que la façon dont (Brémond) fait le siège de chacune des âmes qui l'intéressent ! Nul critique n'est plus félin dans ses approches, et ne manie le lacet avec plus de lenteur et de force. Jolie méthode, mais impitoyable, presque trop impitoyable parfois ! » (*De Sainte-Beuve à Fénelon : H. Bremond*, p. 108).

En 1923, Bremond prend, contre les maurrassiens, la défense des romantiques et montre dans *Pour le romantisme* qu'ils sont dans le domaine littéraire ce que sont les mystiques dans le domaine spirituel. Ce parallèle entre l'expérience poétique et l'expérience religieuse le conduit à proposer la notion de « poésie pure » dans un rapport à l'Académie (1925) suivi d'une série d'articles destinés à répondre aux objections de Paul Souday et de tous ceux « qui n'ont pas le sens du mystère ». L'ensemble fut publié en 1926 sous le titre *La poésie pure* et complété par *Prière et poésie* où il est montré que les arts « aspirent tous — mais chacun par les magiques intermédiaires qui lui sont propres, les mots, les notes, les couleurs, les lignes — à rejoindre la prière ».

On conçoit que l'abbé Bremond, si défiant envers la raison, ne croie guère à la possibilité d'une critique scientifique. L'œuvre ne pourra jamais être expliquée, et les vains efforts d'une critique inspirée des méthodes de Taine risquent simplement de nous rendre moins capables de goûter les belles œuvres. C'est ce que répondait l'auteur de *Prière et Poésie* à l'enquête de Maurice Rouzaud : *Où va la critique ?* (1931) :

> Annexer la critique littéraire à la science n'a pas de sens. Il n'y a pas de science de l'individu, et la critique littéraire ne connaît que des individus, hommes et œuvres, et en tant qu'ils sont individus, qu'on n'a jamais vus encore, qu'on ne verra pas deux fois. Le scientisme en critique, c'est Taine repris et aggravé par Brunetière. Il y a une immense évolution de la critique humaniste, critique des beautés et des défauts, celle de Fénelon ou de La Harpe, à la critique d'aujourd'hui ; mais le progrès serait mortel s'il entraînait, et il entraîne souvent, le renoncement à la définition première du critique qui doit être professeur de plaisir : celui qui goûte de belles choses et qui apprend à les goûter.

LES CRITIQUES « DE MÉTIER »

La place nous manque pour évoquer les écrivains dont l'activité principale fut la critique. Une simple énumération de leurs noms n'aurait guère plus de sens que d'utilité. Aussi nous contenterons-nous d'évoquer quelques figures sans prétendre avoir choisi les plus importants, et si l'on nous reprochait d'avoir passé sous silence tel ou tel d'entre eux après avoir été plus généreux pour un J.-J. Ampère ou un Cuvillier-Fleury, nous répondrions que ceux-ci avaient sans doute plus d'importance ou d'originalité que certains feuilletonistes ou chroniqueurs d'aujourd'hui.

Marcel Arland   Parmi les collaborateurs des grandes revues littéraires, nommons Marcel Arland (né en 1899) qui débute à la N.R.F. en 1924 par un bref essai *Sur un nouveau mal du siècle*. Il tient de 1933 à 1939 la chronique des romans. Il y apparaît comme un défenseur du roman d'analyse et un partisan de l'indépendance absolue de l'artiste qui doit se dégager de toute doctrine. Cela le conduit à protester contre la contamination grandissante de la littérature par la philosophie et la politique et contre l'invasion du roman par le journalisme et la notation de l'événement brut. En critique, il croit aussi aux vertus de l'indépendance : le vrai critique doit s'affranchir de la mode et des écoles pour aller librement à la découverte de l'œuvre originale et belle en montrant ce qui mérite d'être retenu de chaque mode et de chaque école.

Benjamin Crémieux   Benjamin Crémieux (1888-1944) est un spécialiste très averti de la littérature italienne. Sa thèse parut en 1928 sous le titre *Panorama de la littérature italienne*. Traducteur du théâtre de Pirandello, il le révèle au public français. Mais sa production à la N.R.F., où il entre en 1920, concerne toutes sortes de sujets. Il publie de très nombreux comptes rendus où il se montre surtout soucieux d'étudier la genèse des œuvres dont il parle et cherche si l'écrivain est parvenu à réaliser ses intentions. Signalons, dans son recueil *XXᵉ siècle* (1924), un important essai sur Proust et une belle étude sur Giraudoux qu'il défend contre l'accusation de verbalisme gratuit. Il excelle aussi aux vastes esquisses historiques : par exemple, en rendant compte d'un roman réédité en 1938, il retrace l'histoire du roman psychologique depuis *L'Astrée* en quelques pages brillantes et justes. Cependant, son abondance ne signifie pas facilité. Prudent et mesuré dans ses jugements, il considère le sérieux de l'information et la fermeté du goût comme les qualités maîtresses du critique.

Ramon Fernandez   Benjamin Crémieux meurt à Buchenwald en avril 1944, tandis qu'à la N.R.F. pro-nazie de Drieu-La Rochelle, Ramon Fernandez (1894-1944) dénature le beau talent critique dont il avait fait preuve depuis vingt ans. Mais les sottises de son *Itinéraire français* (1943) ne devraient pas faire oublier ses études réunies en 1926 sous le titre *Messages*. Ces articles consacrés à des auteurs anglais (Meredith, Pater, Conrad...) mais aussi à Proust et à Stendhal, sont précédés d'une importante introduction : *De la critique philosophique*. Fernandez y indique, à côté des trois critiques distingués par Thibaudet, la place d'une quatrième « qui, examinant les problèmes traités par les trois autres avec une méthode plus franchement philosophique, ne se contenterait pas d'étudier les œuvres pour elles-mêmes, dans leur signification historique ou technique, mais tâcherait d'épouser le dynamisme spirituel qu'elles révèlent, puis de les situer dans l'univers humain » (*Messages*, p. 21). Dans ces pages très denses, il pressent et définit avec intelligence ce qui sera une des tendances principales de la critique contemporaine (Texte 71).

Paul Léautaud   Est-ce un critique que Paul Léautaud (1872-1956) ? Ses chroniques dramatiques (données au *Mercure de France* de 1907 à 1921, à la N.R.F. en 1922-1923, puis aux *Nouvelles littéraires*, et recueillies en deux volumes sous le titre : *Le théâtre de Maurice Boissard*) offrent le meilleur exemple qui soit d'une exaspérante et magnifique critique d'humeur. Il admire ou déteste passionnément, et se dispense de toute autre justification que celle-ci : « C'est mon goût, et je m'y tiens », ajoutant an besoin : « Je ne fais pas ici de critique littéraire, c'est disposition d'esprit, fond de caractère, nature d'humeur. Ce qui me touche passe pour moi avant ce qui est parfait » (tome II, p. 356, chronique du 1-2-1939). Ses admirations sont peu nombreuses et fort décidées : quelques moralistes (La Rochefoucauld, Chamfort, le Diderot du *Neveu de Rameau*, Stendhal) et les « deux pôles du théâtre » : Molière et Shakespeare : « Je donne pour eux tous les Grecs et tous les Romains, tous les Corneille et tous les Racine » (II, p. 212-213, 1-2-1922). Il traite sans ménagement les deux grands tragiques ·

> Je me passe fort bien de Corneille et de Racine, surtout de l'odieux Corneille. J'ai même cette opinion : rien n'est plus contraire à l'esprit, au caractère de notre théâtre, que les tragédies de Corneille et de Racine. Qu'ont de commun avec notre légèreté, notre vivacité, notre sens de la réalité des choses, notre émotion tempérée, notre inaptitude au désespoir, nos qualités satiriques, notre promptitude à changer de sentiments, nos dons comiques, notre clairvoyance des ridicules, ces héros solennels, ampoulés et bavards ? Je suis sur ce sujet de l'avis de Crébillon le fils qui regardait la tragédie française comme la farce la plus complète qu'ait pu inventer l'esprit humain.
>
> II, p. 124, 1ᵉʳ mai 1920.

Il avoue avec complaisance :

> J'aime ce qui est simple, naturel, vrai, rapide, ce qui rit avec légèreté, ce qui est sensible sans déclamation, hardi avec esprit, ce qui s'exprime dans le langage de la causerie, ce qui peint la vie et les hommes tels qu'ils sont.
>
> II, p. 181, 1er octobre 1921.

Point de quartier pour ceux qui font des phrases : les romantiques bavards, le laborieux Flaubert, et les modernes : Gide, Valéry, Claudel. Tous ceux-là sont ses « bêtes noires ».

On voit assez par là que ses chroniques ne sont que le prolongement de son *Journal.* Mais à l'inverse de Charles Du Bos qui s'oubliait pour s'identifier passionnément à chaque écrivain nouveau et multipliait ses expériences de lecteur infatigable, ne vivant qu'à travers les formes diverses de ses lectures, Léautaud ne s'intéresse jamais qu'à lui-même, et ne choisit que les auteurs où retrouver ses qualités et ses défauts : « Le côté bourgeois, en littérature, comme en toutes choses, m'est nettement antipathique. Je n'ai de goût, d'attirance, que pour les frondeurs, les railleurs, les réfractaires, j'irai jusqu'à dire : les sauvages » (II, p. 44, 1-4-1918). Du Bos et lui nous font atteindre deux limites de la critique : dans le premier cas, elle renonce à sa fonction à force de s'identifier à son objet ; dans le second, elle s'interdit la compréhension et ne fait qu'enregistrer les humeurs de celui qui l'exerce.

Cependant, la critique continue, sous d'autres plumes, de jouer sérieusement son rôle d'information. Critique biographique avec André Maurois, André Billy ou François Porché ; enquêtes minutieuses de D. Saurat (intéressé surtout par l'occultisme) ou de P. Abraham (préoccupé par des problèmes de création littéraire) ; monographies approfondies de L. Pierre-Quint, études historiques et critiques de R. Lalou, auteur d'un bel essai *Sur la critique* (paru dans *Défense de l'homme* en 1937). Dans les journaux, les chroniques se multiplient et l'actualité et le passé y ont chacun leur part : citons E. Jaloux qui se flatte de savoir à merveille s'identifier à autrui et a assemblé ses articles dans *L'Esprit des livres* et dans *Les Saisons littéraires*, André Rousseaux *(Le Monde classique, Littérature du XXe siècle)*, R. Kemp, E. Henriot, etc... Mais la curiosité critique bénéficie des formes modernes du journalisme comme l'interview : Jules Huret avait ouvert la voie dès 1899 avec son *Enquête sur l'évolution littéraire* ; un de ses successeurs les plus célèbres est Frédéric Lefèvre qui donne aux *Nouvelles littéraires* à partir de 1924 sa série intitulée : *Une heure avec.....* Ces enquêtes prennent volontiers pour prétexte des questions d'actualité et se multiplient à l'occasion de quelques grands débats : sur la littérature d'après-guerre, sur la poésie pure, sur la critique universitaire prise à parti par F. Vandérem à propos des manuels d'histoire littéraire et de leur étroitesse de jugement (voir les articles de 1922 dans son *Miroir des Lettres*, publié en huit séries de 1919 à 1929).

La critique « universitaire »   Indifférente à des sarcasmes devenus déjà habituels, la critique universitaire multiplie cependant ses travaux, en s'inspirant des leçons de Lanson et de ses premiers disciples et en s'efforçant de respecter un principe essentiel défini par D. Mornet :

> Le principe général est qu'il faut distinguer l'histoire littéraire et la critique littéraire. L'histoire littéraire n'est pas plus importante que la critique ; elle n'a même d'importance que si elle nous conduit à la critique, c'est-à-dire à comprendre, à goûter le beau, et à le distinguer de ce qui est médiocre ou laid.

Ainsi prudemment placés en dehors et en deçà de la critique, les travaux historiques se multiplient : vastes synthèses consacrées à l'étude d'une période, d'une école ou d'un genre, ou monographies scrupuleuses concernant soit un grand auteur encore mal connu, soit un écrivain oublié. Si la plupart de ces chercheurs sont vraiment des historiens de la littérature, ils font cependant besogne de critiques chaque fois que, fidèles au véritable enseignement de Lanson, ils ne recherchent pas le document biographique pour lui-même ni la source rare pour le seul plaisir de mettre à jour un petit fait inédit, mais considèrent leurs découvertes comme un moyen de mieux comprendre la création des œuvres. M. Jean Pommier, par exemple, a cherché à faire servir l'étude des documents et la recherche des sources à l'élaboration d'une véritable « critique de genèse » attentive à « mettre en lumière certaines conditions dans lesquelles s'exerce, particulièrement en littérature, l'intelligence ou l'imagination créatrice ». Ainsi définissait-il son propos en commençant une série de conférences à l'E.N.S. en 1942 *(Questions de critique et d'histoire littéraires)* : il s'attachait surtout à montrer l'importance des études portant sur la « génération » dont l'écrivain « exprime à sa manière les aspirations » et sur le « genre » dont les règles « commandent plus ou moins son œuvre ». Dans la leçon inaugurale de son cours au Collège de France, le 7 mai 1946, M. Pommier, après avoir exposé la conception que se faisait Valéry de la création poétique et s'être demandé si la critique peut parler, du dehors, de cette activité de l'esprit, prend, contre l'auteur de *Variété*, la défense de l'histoire littéraire, et montre comment les études biographiques et la découverte des sources peuvent permettre une meilleure compréhension des œuvres (Texte 75). Il conclut en rappelant que :

> Le devoir de la critique est de ne point céder aux tentations d'une curiosité frivole ou brutale, mais de veiller à ce que ses investigations, même poussées au plus loin, soient conduites dans un esprit de ferveur et presque de piété.

Il convient de faire ici une place particulière à Jean Prévost (1901-1944) à qui son expérience de romancier a permis de tirer le meilleur parti des strictes méthodes universitaires, dans sa thèse sur Stendhal (*La Création chez Stendhal ; Essai sur le métier d'écrire et sur la psychologie de l'écrivain*, 1942) et dans son *Essai sur Baudelaire* écrit en 1943-1944 et publié après la mort du critique parmi les maquisards du Vercors. « Pour deviner, disait-il, pour situer les problèmes de la création littéraire, il faut en avoir pratiqué soi-même les difficultés ». Il se refuse à croire qu'il soit impossible de rendre compte clairement de celles-ci. Au début de son *Essai sur Baudelaire,* il écrit :

> J'essaie d'étudier l'inspiration et la création poétiques. Je n'appelle pas *inspiration* une puissance inconnue ou un élan inconscient qui dicterait les vers aux poètes, mais les causes qui les poussent à écrire, à choisir leurs sujets, leurs rythmes et leurs images.

L'érudition a son rôle dans une telle recherche, soit pour préciser tel détail de la vie de l'écrivain, soit pour indiquer l'influence probable de telle ou telle lecture. Mais il s'agit, à partir de ces trouvailles, « de comprendre et d'expliquer le travail poétique par des voies que le poète n'a pas directement connues ». Ainsi est réaffirmée la supériorité du critique et la validité de ses recherches. S'il ne se contente pas de relever des ressemblances entre la vie et l'œuvre, des correspondances entre les lectures faites et les livres écrits, mais se soucie surtout des différences qui séparent la vie vécue de sa représentation poétique, l'influence subie de sa traduction personnelle, il parviendra à mieux comprendre ce qu'est l'œuvre d'art : il découvrira par quelle cristallisation lente et exposée à mille hasards, le grand écrivain élabore une œuvre vraiment sienne[1].

Les doutes de Jean Paulhan   Ainsi la machine critique, plus lourde et plus complexe que jamais, continue de fonctionner et d'avancer dans les diverses directions prises au cours du siècle précédent.

Cependant la signification de son existence même est de plus en plus contestée. Certains, comme M. Jean Paulhan (né en 1884), déclarent sans ambages que la machine critique tourne à vide. Dans les *Fleurs de Tarbes* (1941), il constate que « le critique a, de nos jours, renoncé à son privilège, et quitte sur les Lettres tout droit de regard » (p. 9). Il dénonce l'inutilité des doctrines critiques héritées du XIXe siècle qui ont principalement conduit à ne plus jamais considérer les œuvres elles-mêmes. « Libre à la pensée critique de se faire historienne ou psychologue. Cependant l'auteur nous échappe après l'œuvre, l'homme après l'auteur » (p. 21). Pour les critiques, depuis Sainte-Beuve, « ce n'est plus le roman qui est facile, mais l'auteur lâche ; ni le poème banal ou plat, mais le poète tricheur ; ni le drame enfin qui manque au bon goût, mais le dramaturge à la droite pensée. L'on juge moins l'œuvre que l'écrivain, moins l'écrivain que l'homme » (p. 51). Ainsi s'est instaurée, dans la République des Lettres, une vaine « Terreur ». En 1945, dans une introduction aux œuvres de Félix Fénéon, intitulée « F. F. ou

---

1. Il serait injuste de négliger les travaux de la critique littéraire comparée, dont la méthode a été définie par F. Baldensperger dans le premier numéro de la *Revue de Littérature comparée* en 1921. (Cf. un ensemble d'articles importants sur le même sujet dans le numéro de janvier 1953 de la même revue).

le critique », M. Paulhan reprend cette dénonciation de l'œuvre critique du XIXe siècle et montre tous les torts de la critique (Texte 73). Seul Félix Fénéon lui semble avoir su, à *La Revue blanche* de 1895 à 1903, reconnaître les véritables talents et parler d'eux décemment, ou se taire. Enfin dans une *Petite préface à toute critique* parue en 1951, il souligne une fois de plus que les critiques « passent l'essentiel sous silence » :

> Le critique est dans la situation d'un homme à qui chacun viendrait demander l'heure et qui répondrait au petit bonheur — comme les parents font à leurs enfants : « C'est l'heure d'être sage », ou : « c'est l'heure de ne pas dire de sottises », ou même : « c'est l'heure de te taire «.

Contre ce critique incapable de juger sainement, il « suppose qu'il existe pour l'œuvre littéraire un *point d'accomplissement*, à partir duquel il devient possible de parler — de discuter aussi bien — d'enchantement, de génie, de beauté », et que « ce point supporte d'être déterminé avec rigueur, qu'il peut faire l'objet d'une connaissance précise ». Il faudrait pour cela que le critique s'intéresse avant tout à la façon dont l'écrivain se sert du langage, et sait échapper à certaines erreurs ou illusions tenaces : prendre la simple matière verbale pour pensée pure, ou la pensée pour mots bruts.

VERS UNE RÉVOLUTION CRITIQUE ?

La dénonciation des formes « scientifiques » prises par la critique des cent dernières années s'accompagne volontiers d'une mise en question de la littérature même : « qu'est-ce que la littérature ? », « pourquoi la critique ? », cette double inquiétude domine la critique contemporaine et a profondément modifié certaines de ses orientations essentielles.

Les premiers et les plus véhéments dans ce refus, non seulement de la critique, mais des formes traditionnelles de la littérature, ont été une fois de plus les artistes eux-mêmes, ceux du moins qui animaient le surréalisme, durant les belles années de ce mouvement (1925-1935).

LE SURRÉALISME ET LA CRITIQUE « Voici la machine à chavirer l'esprit », annonce Aragon dans *Le paysan de Paris* (1924) : « Le surréalisme, fils de la frénésie et de l'ombre ». Après la première guerre mondiale, les surréalistes dressent un constat de faillite de la civilisation bourgeoise et rejettent toutes ses formes et tous ses modes d'expression. Impressionnés par l'enseignement de Freud, ils savent et entendent montrer que l'homme n'est pas essentiellement un « raisonneur » ni même un « raisonneur sentimental », mais un dormeur et un rêveur. Les écrivains officiellement reconnus et célébrés ont méconnu cette vérité. Le premier *Manifeste du surréalisme* dénonce les insuffisances et les supercheries du prétendu « réalisme » qui est « hostile à tout essor intellectuel et moral », et la vogue du roman : « Chaque romancier y va de sa petite « observation », se contente d'un « style d'information pur et simple » et se noie dans le « néant des descriptions minutieuses ». André Breton appelle les poètes à renoncer à ces mièvreries fabriquées et pauvrement « logiques » pour partir à la conquête de la surréalité, fusion de la réalité et du rêve.

Cette ambition conduit les surréalistes à reviser les valeurs consacrées de notre histoire littéraire en se cherchant des précurseurs. Ils n'en trouvent évidemment aucun au XVIIe siècle, mais célèbrent la grande découverte du XVIIIe siècle : le roman noir où apparaît « tout ce qui sortait des cadres rigides où l'on avait placé la beauté pour qu'elle s'identifiât avec l'esprit » (Tristan Tzara, *Essai sur la situation de la poésie*). Horace Walpole, Ann Radcliffe, Maturin, Lewis et surtout Sade sont ainsi leurs premiers modèles. Au XIXe siècle ils réhabilitent contre les romantiques raisonneurs et bavards certains poètes oubliés ou méconnus : Aloysius Bertrand, Pétrus Borel, Lassailly, et surtout Nerval qui cherchait à exprimer ses rêveries « supernaturalistes ». Ils célèbrent ensuite le Baudelaire des *Poèmes en prose* plus grand que celui des *Fleurs du Mal* parce qu'il a voulu traduire les aspects insolites de la vie quotidienne. Ses seuls dignes successeurs sont Lautréamont, grâce à qui « l'on sait maintenant que la poésie doit mener quelque part » (A. Breton, *Les Pas perdus*), Rimbaud et Jarry. Aux « réhabilitations » s'ajoutent les découvertes, comme celle du poète Xavier Forneret (1809-1884), « l'homme noir » qui aimait à dormir dans un cercueil d'ébène : « Son style fait pressentir Lautréamont comme son répertoire d'images audacieuses annonce déjà Saint-Pol Roux », note André Breton. Nous pouvons constater aujourd'hui que les surréalistes ont largement réussi à faire admettre l'importance de ces poètes ignorés et de ces œuvres mal comprises : de nombreux historiens et critiques les ont étudiés à leur suite, et Forneret même a fait naguère l'objet d'une thèse de doctorat.

Cette affirmation de valeurs nouvelles s'accompagnait évidemment d'une agression sans ménagement contre la littérature officiellement reconnue digne de ce nom. *La Révolution surréaliste*, qui se flatte d'être « la revue la plus scandaleuse du monde », contient quelques pamphlets auprès desquels les vives tirades des revues symbolistes évoquées plus haut paraissent d'élégantes amabilités. Nommons, sans plus, en 1924, un violent article contre Anatole France qui vient de mourir : *Un Cadavre* ; en 1925, une lettre ouverte à Paul Claudel ; en 1927, un manifeste adressé aux notables ardennais qui font ériger, sur une place de Charleville, une statue d'Arthur Rimbaud ; et surtout le *Traité du style* d'Aragon (1928), où l'on peut lire des pages extraordinaires de malice et de verve sur ce que devrait être la critique (Texte 72).

Affirmant la vie autonome du langage et la vertu poétique du simple abandon aux mille combinaisons de mots où l'inconscient se libère, les surréalistes ont voulu « faire la révolution » d'abord dans l'esprit humain. Voyant qu'une telle entreprise n'avait pas de sens si elle ne se liait pas aux actions politiques véritablement révolutionnaires, ils ont pour la plupart rejoint (au moins pendant un moment de leur carrière) le mouvement communiste.

Faire sa part à l'inconscient dans le fonctionnement de l'esprit, et en particulier dans la création littéraire — ne pas se désintéresser des conflits sociaux et des luttes historiques où l'écrivain a sa place : ce double souci commande l'évolution même de la critique contemporaine.

PSYCHANALYSE ET CRITIQUE

Dans son important ouvrage : *De Baudelaire au surréalisme*, Marcel Raymond écrit : « L'appel à l'inconscient ... a permis à la fois d'épurer et d'approfondir notre sentiment de la poésie et notre conscience de la poésie » (p. 350). Mais en France, la critique littéraire, imbue de mysticité et surtout soucieuse alors de discuter des rapports entre le poétique et le divin, a beaucoup tardé à utiliser les enseignements de la psychanalyse. En 1931 paraissent la traduction de l'essai de Freud : *Sur la Gradiva de Jensen* et celle de l'ouvrage de Jung intitulé : *La Psychologie analytique dans ses rapports avec l'œuvre poétique*... Cette publication est bientôt suivie de celle des premiers essais de critique analytique (*L'Échec de Baudelaire*, par le Dr Laforgue en 1931, *Edgar Poe*, par Marie Bonaparte en 1933, et les travaux de Charles Baudouin, auteur d'une *Psychanalyse de l'art* dès 1929 et d'une *Psychanalyse de Victor Hugo* en 1943). Mais ces ouvrages appartiennent plus à la « littérature médicale » qu'à la critique littéraire : il s'agit d'interpréter les œuvres comme de simples expressions d'un inconscient pathologique. Aussi les spécialistes ne prennent-ils pas garde à ce qu'écrit Freud dans son avant-propos de l'*Edgar Poe* de Marie Bonaparte, et ne voient-ils pas que des possibilités nouvelles sont offertes au positivisme critique :

> De telles recherches ne prétendent pas expliquer le génie des créateurs, mais elles montrent quels facteurs lui ont donné l'éveil et quelle sorte de matière lui est imposée par le destin.

Cependant, si l'on refuse aux psychanalystes le droit de s'exprimer sur les œuvres littéraires autrement qu'en médecins soucieux de porter des diagnostics où la littérature n'aurait point de part, certaines façons de penser nouvelles, empruntées aux méthodes psychanalytiques s'infiltrent dans la critique littéraire.

La critique « pseudo-psychanalytique » L'œuvre de Gaston Bachelard en témoigne. Il s'avoue insuffisamment préparé à faire un travail de psychanalyse scientifique : « Il y faudrait une culture médicale et surtout une grande expérience des névroses. En ce qui nous concerne, nous n'avons pour connaître l'homme que la lecture, la merveilleuse lecture qui juge l'homme d'après ce qu'il écrit » (*L'Eau et les rêves*, p. 14). Mais il veut utiliser certaines démarches de cette science, et ses résultats, pour soumettre l'œuvre des poètes à une analyse complexuelle qui retrouve le lien unissant les images poétiques à une « réalité onirique » profonde, et, à travers elle, aux quatre éléments fondamentaux : l'eau, le feu, l'air et la terre. Il se propose d'explorer cette « imagination matérielle » et pense pouvoir ainsi « renouveler la critique littéraire » en y introduisant la notion de « complexe de culture » qui permet de « revivre le caractère dynamique de l'imagination » (*L'Eau et les rêves*, p. 25). Plutôt que la psychanalyse, c'est la poésie qu'il introduit dans la critique même, en rendant aux pensées, comme il l'écrit lui-même, « leur avenue de rêves ». Dans *La Psychanalyse du feu* (1937), *L'Eau et les rêves* (1940), *L'Air et les songes* (1942), *Les Rêveries du repos* et *Les rêveries de la volonté* (1945), suivis d'un effort pour fonder une phénoménologie de l'imagination et du poétique (*La Poétique de l'espace*, 1957 et *La Poétique de la rêverie* (1961), il « rêve jusqu'au bout les rêveries de ses poètes » (Jean Rousset), et invite son lecteur à suivre le cheminement de ces rêveries autour de quelque présence matérielle élémentaire.

Une autre transposition des recherches psychanalytiques se trouve chez Marcel Raymond dont l'ouvrage intitulé *De Baudelaire au surréalisme* (1933) marque une date importante dans l'histoire de la critique contemporaine. Son ambition est de revivre la vie intérieure et profonde de l'auteur qu'il étudie grâce à « une connaissance par le dedans » (*Psyché et l'art de La Fontaine*, dans *Génies de France*, 1942, p. 110). Il voudrait parvenir à retrouver l'expérience primordiale qui est à la racine même de la conscience qu'il explore : chez Rousseau, les romantiques, Baudelaire, les surréalistes, il vise toujours à cet état premier de la vie intérieure qui se situe « au-delà de la connaissance par l'intellect » (*De Baudelaire au surréalisme*, p. 354). Recherche à tâtons dans les profondeurs : au moment où s'édifie une philosophie de l'inconscient, pourquoi n'y aurait-il pas une pensée proprement critique de l'inconscient ? Là encore, la critique s'arroge les pouvoirs de la poésie : de même que par le langage poétique le poète adhère au monde qu'il exprime, le critique, par l'opération de son propre langage, participe à la poésie qu'il « critique ». Ambition métaphysique d'une critique conçue comme un prolongement de la pensée poétique qui « se mêle au plein des choses ». On en retrouverait bien des aspects chez Albert Béguin (*L'Ame romantique et le rêve*, 1937).

De la critique thématique à la psychocritique   G. Bachelard, M. Raymond, A. Béguin tels sont les principaux maîtres dont se réclame une « nouvelle critique » qui tient aujourd'hui la vedette. Apparentée à la psychanalyse, elle est en réalité peu soucieuse de rigueur scientifique et emprunte surtout à une science à la mode des façons de penser. En lisant romanciers et poètes, G. Poulet, J.-P. Richard, J. Starobinski découvrent la place prépondérante prise par certains thèmes, la valeur significative de certaines structures.

Cette critique d'interprétation avait déjà été illustrée avec bonheur par M. Georges Blin, qui dès son *Baudelaire* (1939), se justifiait de donner à ses analyses critiques « une démarche et parfois un vocabulaire philosophiques ». Mais, chez lui, une telle ambition ne nuit pas à l'ampleur et à la précision de l'érudition qu'attestent ses deux études sur Stendhal (*Stendhal et les problèmes de la personnalité, Stendhal et les problèmes du roman*, 1958). Dans cet ouvrage, M. Blin s'attache surtout à comprendre la finalité de l'œuvre ; il étudie comment les structures littéraires expriment l'effort d'une personnalité dépassant et fixant les données de son expérience propre. Rigoureuse recherche, où le critique s'aide tour à tour de la philosophie existentielle, de la psychanalyse adlérienne, de la caractérologie..., pour suivre Stendhal en quête de lui-même à travers son œuvre. C'est là une occasion de réfléchir, non seulement sur les problèmes de la création romanesque, mais sur ceux de la connaissance de soi.

M. Georges Poulet est plus soucieux de métaphysique. C'est en philosophe qu'il interroge les œuvres littéraires, mais en philosophe dont le « système » se limiterait aux deux catégories fondamentales de l'espace et du temps. Comment les écrivains se comportent-ils devant l'espace et le temps ? Telle est la question qu'il se pose dans ses *Études sur le temps humain*, dans *La Distance intérieure, Les Métamorphoses du cercle, L'Espace proustien*. Il cherche à retrouver dans leurs écrits une situation élémentaire que chacun assume à sa manière et tend inconsciemment à fuir ou à organiser : l'œuvre devient alors le signe de leur victoire ou de leur échec.

M. Jean-Pierre Richard recherche en toute œuvre « un sens naïf et implicite », un « infra-langage » qui correspond au travail préparant, dans l'inconscient, l'élaboration de la pensée. Il ne veut pas décrire le contenu d'une pensée, mais trouver le principe qui l'unifie, saisir l'acte créateur même. Ainsi l'œuvre apparaît, non plus comme un événement, mais comme une structure révélatrice de la personnalité de son créateur. Pour la découvrir, il s'arrête, lui aussi, à une expérience privilégiée et interroge l'écrivain sur son contact premier avec le monde, sur la façon dont il le sent et le perçoit. Dans sa thèse sur *L'Univers imaginaire de Mallarmé* (1962), il découvre ainsi un Mallarmé nouveau : « Considéré naïvement, (son) œuvre nous paraît beaucoup plus charnelle, d'intentions et de moyens, qu'on ne le dit d'ordinaire » et toute orientée vers la vie. La démarche critique de M. J.-P. Richard suit un double mouvement ; le premier est de « réduction » : le critique passe constamment de l'œuvre à la sensibilité profonde de l'auteur, en considérant tout écrit comme pareillement « signifiant » (qu'il s'agisse de lettres, brouillons, esquisses ou vers achevés) ; le second est un mouvement de « reconstruction » : le critique relie entre eux les différents « thèmes » précédemment mis en lumière et retrace ainsi une évolution du poète en quête de lui-même, la réussite esthétique étant constamment liée à une réussite morale. Plutôt qu'une structure, M. J.-P. Richard découvre donc une orientation dont il veut fidèlement suivre le progrès :

> Au lieu de rester au seuil de l'œuvre, nous avons tenté d'en épouser le déploiement. La critique nous a paru de l'ordre d'un parcours, non d'un regard ou d'une station. Elle avance parmi les paysages dont son progrès ouvre, déplie, replie les perspectives. Sous peine de choir dans l'insignifiance du constat, ou de se laisser absorber par la lettre de ce qu'elle veut transcrire, il lui faut avancer toujours, toujours multiplier angles, prises de vue. Comme les montagnards

dans certains passages difficiles, elle n'évite la chute que par la continuité de son élan. Immobile, elle tomberait dans la paraphrase ou dans la gratuité,

L'Univers imaginaire de Mallarmé, p. 35.

Après une importante étude sur Jean-Jacques Rousseau (*La Transparence et l'obstacle*, 1958), M. Jean Starobinski a réuni plusieurs essais sous le titre *L'Œil vivant* (1961). Il y cherche la signification que prend le regard dans l'œuvre de différents écrivains. Le héros cornélien a besoin du « regard complice des peuples et des générations pris à témoin », tandis que chez Racine « être vu n'implique pas la gloire, mais la honte ». J.-J. Rousseau se sent « victime d'un regard anonyme, d'un spectateur sans identité » et se trouve ainsi « livré à un péril universel, car ce témoin hostile, qui n'est personne en particulier, devient virtuellement tout le monde ». Pour Stendhal enfin, « la pseudonymie n'est pas une fuite dans l'anonymat, c'est un art de paraître, c'est une altération volontaire des relations humaines ».

Rattachons à ce groupe M. Jean Rousset qui, dans son dernier livre, *Forme et signification*, a clairement défini sa méthode. Après avoir établi que l'écrivain « n'écrit pas pour dire quelque chose », mais « écrit pour se dire », il montre que cette symbiose de la structure et de la pensée dans l'œuvre d'art impose au critique la tâche de chercher la signification des formes. Dans l'œuvre, il doit saisir des structures qui se trahissent « par des lignes de force, des figures obsédantes, des constantes formelles », et qui sont parfois révélatrices des structures fondamentales de l'imagination créatrice (Texte 80). Cependant le lecteur de ces essais ne manque pas d'être surpris par l'écart séparant une théorie ambitieusement novatrice des applications pratiques qui l'illustrent : par exemple, l'essai sur *La Princesse de Clèves* ne contient rien que les travaux de Mme Durry ou de M. Fabre n'aient déjà établi par les voies d'une érudition éprouvée.

La « psychocritique » de M. Charles Mauron a des prétentions scientifiques plus sérieuses que ces essais de critique thématique et structuraliste. M. Mauron accepte ouvertement les leçons de la psychanalyse, seule capable d'explorer scientifiquement l'inconscient :

Refuser une vraie science de l'inconscient pour l'accepter sous forme d'infiltrations et de compromis incontrôlés me paraît un marché de dupe. Je sais combien est délicat l'ajustement de deux disciplines et je ne doute pas d'y commettre des erreurs. Que le lecteur accorde du moins à ma tentative le mérite de la franchise.

Des Métaphores obsédantes au mythe personnel, p. 30.

Honnêteté et rigueur, tels sont bien les caractères apparents de cette « psychocritique » où interviennent tour à tour l'analyse thématique, l'interprétation psychanalytique et le contrôle par l'étude de la biographie (voir le texte où M. Mauron définit lui-même sa méthode, n° 81). Sa thèse *(Des Métaphores obsédantes au mythe personnel)* a soulevé un important débat qui suffit à montrer qu'il n'est plus possible aujourd'hui aux critiques et aux historiens de la littérature d'ignorer la psychanalyse.

Marxisme et critique

Ils ne peuvent pas davantage ignorer le marxisme qui, de son côté, propose d'autres façons nouvelles d'examiner l'œuvre littéraire. Au lieu d'explorer les zones profondes qui se situent au-dessous de la conscience créatrice, il s'agit ici de mieux voir ses alentours, le milieu historique où s'exerce son activité. La critique marxiste voudrait apporter une réponse à ce défi à l'histoire que représente la critique bachelardienne, thématique ou structuraliste. L'exposé de ces principes a été souvent entrepris par MM. J. Fréville (en introduction à un choix de textes de Marx et d'Engels *sur la littérature et l'art*), L. Goldmann ou A. Cornu (Textes 77 et 78). Mais là encore les applications de la méthode sont diverses, et il serait aussi artificiel de grouper en une même « école » des critiques qui se réclament du marxisme qu'il l'était de vouloir réunir tous ceux qui ont plus ou moins recours aux explications psychanalytiques.

La part de l'impressionnisme reste grande chez Claude Roy (cf. ses *Descriptions critiques*) ou dans les *Chroniques du Bel Canto* d'Aragon (1946). Celui-ci s'insurge, dans la première de ses chroniques, contre ceux qui, pour préserver le « mystère poétique », refusent de prendre la poésie comme « objet de connaissance ». Mais il s'avoue ensuite « le siège d'une étrange contradiction » : « mon sentiment double est la soif de connaître à l'horreur de la profanation mêlée » (p. 137). Aussi renonce-t-il bientôt à parler des poètes de son temps et s'il revient à la critique, dans les intervalles d'une œuvre romanesque et poétique abondante, c'est pour évoquer *La Lumière de Stendhal* (1954) et montrer dans ses cinq grands romans des « romans politiques », chefs-d'œuvre du « réalisme historique ou critique ». Il se fait aussi l'introducteur en France des diverses *Littératures soviétiques*, images d'une société nouvelle : on pourra lire, dans la dernière partie du premier volume de cette série, paru en 1955, quelques pages curieuses, développant ce thème : « Tout compte fait ..... toute la littérature du passé avait pour sujet la dévolution des biens ». Mais les rapports qui unissent l'œuvre à l'ensemble de la situation économique et sociale ne sont pas simples. Il serait dangereux de se contenter ici d'une sorte de « sociologisme vulgaire », où les analyses de Taine seraient agrémentées de concepts marxistes.

Reprenant récemment les analyses faites par Lukacs dans son livre *Sur la signification présente du réalisme critique*, M. Gisselbrecht a caractérisé cette « tendance marxiste » représentée en France par l'œuvre critique du philosophe, traducteur de Lukacs, M. L. Goldmann (cf. *Le Dieu caché*, (1955) et ses différents essais sur la sociologie du roman). N'est-il pas « schématique » de parler d'une décadence uniforme de la littérature bourgeoise depuis les derniers grands mouvements d'émancipation politique de la bourgeoisie en 1848 ? La réalité historique est moins simple :

> De plus, il n'est pas juste : premièrement, de juger la valeur d'un écrivain par rapport à nos préférences idéologiques, préférences qui vont à un univers plein, aux soucis collectifs et au primat de la raison ; et deuxièmement, d'identifier un procédé esthétique à un choix philosophique sur le monde et la destinée humaine.
>
> *Propositions pour une critique marxiste,*
> dans *La Nouvelle critique*, février 1964.

Retenons cette volonté des marxistes de promouvoir une critique qui, tout en considérant « l'art comme un phénomène social », tienne compte de la « spécificité du langage artistique ». Mais reconnaissons aussi que la critique marxiste ainsi comprise est, chez nous, plus riche de promesses que d'œuvres.

Nous nous sommes volontairement limités à souligner l'apparition, dans la critique contemporaine, de méthodes nouvelles. La double importance des méthodes marxiste et psychanalytique est d'ailleurs ressentie par un critique comme M. Roland Barthes qui s'efforce de tenir compte dans sa façon d'étudier l'œuvre littéraire à la fois de ce qu'apportent le marxisme à l'explication sociologique et la psychanalyse à l'explication psychologique (voir *Michelet* (1954), *Sur Racine* (1962), *Essais critiques* (1964). Mais il reconnaît que prendre l'œuvre comme point de départ pour connaître le « moi profond » est une tâche illusoire : « Il n'y a que des façons différentes de parler » et il est impossible de « dire vrai sur Racine » (Texte 82). J.-P. Sartre refuse d'admettre une telle impossibilité. Dans la première partie de sa *Critique de la raison dialectique* (1960), intitulée *Questions de méthode*, il dénonce une faiblesse du marxisme, qui lui paraît incapable de rendre compte de l'expérience individuelle dont l'œuvre est le signe, et définit une « méthode progressive-régressive » qui unit dialectiquement l'enquête de type historique et l'analyse de l'œuvre même et établit « un va-et-vient entre l'objet (qui contient toute l'époque comme significations hiérarchisées) et l'époque (qui contient l'objet dans sa totalisation ») (Texte 83).

Ainsi se constitue sous nos yeux une critique qui semble avoir définitivement abandonné les positions « artistes » en faveur à l'époque de Jules Lemaître et d'Anatole France et pendant les premières années du xxᵉ siècle. Mais la critique n'a-t-elle pas dès lors cessé d'être un genre littéraire (si jamais elle en fut un !) ? Aujourd'hui, les critiques semblent ne plus avoir le simple souci d'informer le public, de lui faire part de leurs réactions devant l'œuvre nouvelle, digne ou non de sa bienveillance. Ils ont des préoccupations scientifiques et voudraient fonder la critique comme une « science humaine » liée à la sociologie et à la psychologie. Ils ont aussi des préoccupations éthiques et considèrent la critique littéraire comme une des formes essentielles d'une vaste enquête sur l'homme. De nos jours, le philosophe s'occupe volontiers de critique et de littérature.

Dans de telles conditions, certains craignent que le sentiment de la qualité artistique même ne soit définitivement perdu. C'est le cas d'André Malraux dans ses *Voix du silence* (1950) :

> Sous l'artiste, on veut atteindre l'homme ? Grattons jusqu'à la honte la fresque, nous finirons par trouver le plâtre. Nous aurons perdu la fresque et oublié le génie en cherchant le secret. La biographie d'un artiste, c'est sa biographie d'artiste, l'histoire de sa faculté transformatrice.

Cependant la critique destinée avant tout à informer le public existe toujours. Mais elle aussi est de plus en plus soucieuse de faire connaître l'homme et se repaît volontiers de faits divers et d'anecdotes, abondamment diffusés par la presse, la radio et la télévision. Mais quoi de commun entre les entretiens radiodiffusés que dirigea Jean Amrouche avec Claudel ou Léautaud, ou l'émission télévisée de *Lectures pour tous* et les œuvres critiques évoquées tout à l'heure. C'est par un abus de langage que Max-Pol Fouchet, Maurice Nadeau, Pierre-Henri Simon, C.-E. Magny, G. Poulet, Mauron, Sartre, peuvent pareillement être appelés « critiques littéraires » !

L'évolution philosophique de la critique moderne deviendrait pourtant évidente à qui comparerait à Thibaudet celui qui aujourd'hui tient fréquemment la chronique des livres de *La Nouvelle N.R.F.* : M. Blanchot. Pour celui-ci, il ne s'agit plus d'établir entre les auteurs des comparaisons et des classements ou de les replacer dans le courant de la littérature et de l'histoire, mais de tenter d'expliquer « ce fait si étrange qu'il y ait des livres, et des lecteurs et des écrivains », et de poser à toute occasion la question des fondements et de l'origine de la littérature.

Certes, la critique contemporaine est bien vivante et fort diversifiée. M. Barthes a bien tort de vouloir ranimer, dans son dernier livre, la vieille polémique contre la « critique universitaire ». Comme l'a fait remarquer M. Picard dans une chronique du *Monde*, une telle expression n'a plus guère de sens. D'ailleurs, les représentants des diverses « écoles » nouvelles que nous avons évoquées ne sont-ils pas ou n'ont-ils pas tous été, peu ou prou, des « professeurs » ? Chacun s'essaye à redécouvrir la littérature selon la méthode qui lui semble la meilleure pour la mieux enseigner !

Le recul nous manque sans doute pour apprécier la valeur de ces formes multiples de la critique d'aujourd'hui. Comment apparaîtront-elles à nos successeurs ? Ces tentatives modernes auront-elles à leurs yeux une valeur scientifique ? Ouvrent-elles la voie à une génération de critiques capables de tout connaître d'une œuvre en étant à la fois esthéticiens, psychologues, sociologues, caractérologues, historiens, etc... (et capables, bien sûr, de discernement et de goût !) ?Ou ne considéreront-ils pas plutôt comme une des formes les plus intéressantes de l'art littéraire au xxe siècle, cette critique nouvelle riche de sensations et d'images, créant à son tour son univers de mythes ?

Mais ne serions-nous pas nous-mêmes victimes d'un mirage et conduits à accorder à la critique une place plus importante qu'elle n'en mérite dans la littérature de notre temps ? Que restera-t-il dans un siècle de tant de livres écrits sur des livres ?

Montaigne se plaignait que, déjà de son temps, il y eût trop de commentateurs, mais que, des auteurs à proprement parler, il y eût « grande cherté ». Que dirait-il s'il vivait de nos jours ! Aujourd'hui le public se nourrit le plus souvent comme ce mendiant dont parle Shakespeare, qui dîne du poisson qui a mangé d'un ver, qui a mangé d'un roi, et pour peu que le poisson soit habilement accommodé, le lecteur habitué qu'il est à la « cherté des auteurs », juge qu'il a bien dîné. Il est certain qu'on a fait beaucoup de progrès dans cette cuisine, et que les sauces sont devenues très nombreuses. Il y a la sauce psychologique, et la sauce physiologique ; il y a la philosophique, l'esthétique et l'historique, la spiritualiste, la naturelle et la naturiste, — ce qui varie jusqu'à un certain point le mets ; mais en somme c'est toujours de la critique. Notre siècle est celui de la critique, on l'a dit. Ce n'est pas là une spécialité très brillante ; mais la pauvreté nous a rendus inventifs, et, il faut le reconnaître, nous a appris à tirer le meilleur parti possible de notre maigre lot. Non seulement il est reçu de critiquer les critiques, mais nous avons en outre toute une littérature qui ne s'occupe que de définir les principes et de poser les lois de la critique, et cette littérature elle-même produit à son tour des commentateurs sans nombre. Quelle perspective ! Nous possédons le gui et les parasites du gui, mais de chênes nouveaux il y a toujours grande cherté.

Non, ces lignes ne sont pas extraites d'une chronique du *Figaro littéraire*, ni de la page littéraire du *Monde*. Il s'agit d'un feuilleton d'Horace de Lagardie rendant compte, dans *Le Temps* du 5 juin 1864, de l'*Essai de critique naturelle* d'Émile Deschanel ! Mais qui connaît Horace de Lagardie[1], et qui se soucie encore de la « critique naturelle » de Deschanel ? Mieux, qui lit encore aujourd'hui Jules Janin, Gustave Planche, et même Sainte-Beuve ? ou, plus près de nous, Brunetière, Faguet, et même Thibaudet ? Chaque génération semble enterrer avec elle ses critiques, et chacune en susciter de nouveaux qui lui proposent d'autres façons de lire les grandes œuvres, toujours lues et relues. Grandeur et misère de la critique : tant d'œuvres critiques sont bientôt mortes, mais de leurs cendres l'œuvre d'art renaît plus nouvelle, plus belle, et, tout compte fait, mieux connue.

Paris, juillet 1963-mai 1964.

---

1. C'était le pseudonyme de la comtesse Caroline de Peyronnet, auteur de *Causeries parisiennes* !

ANTHOLOGIE

Nous avons renoncé à distinguer une anthologie « théorique » et une anthologie « pratique ». Il nous a semblé nécessaire de donner plus de place aux réflexions sur la critique, ses principes ou sa méthode et d'illustrer, sommairement, chapitre après chapitre, la partie historique de cet ouvrage. Aussi avons-nous suivi l'ordre de cette première partie, et non pas un ordre strictement chronologique. Des renvois permettent de se reporter, pour chaque texte, au passage correspondant.

Nous avons dû sacrifier certains textes importants de Diderot et de J.-J. Rousseau qui avaient été cités dans d'autres volumes de la collection (voir *Le Drame*, par M. Lioure, p. 124-130 et *La Tragédie*, par J. Morel, p. 147-150).

L'AGE CLASSIQUE

CHAPITRE I

Clément MAROT (1497-1544)

---

texte I ## Comment et pourquoi éditer Villon
en 1533[1]

Ce vieux texte nous offre un curieux exemple de critique où se mêlent les scrupules de l'éditeur et les appréciations d'un auteur soucieux de donner de bons conseils aux jeunes poètes :

Partie avecques les vieulx imprimez, partie avecques l'ayde des bons vieillards qui en savent par cueur, et partie par deviner avecques jugement naturel, a esté réduict notre Villon en meilleure et plus entière forme qu'on ne l'a veu de noz aages, et ce sans avoir touché à l'antiquité de son parler, à sa façon de rimer, à ses meslées et longues parenthèses, à la quantité de ses sillabes, ne à ses couppes tant feminines que masculines ; esquelles choses il n'a suffisamment observé les vrayes règles de Françoise poésie. Et ne suis d'advis que en cela les jeunes poètes l'ensuivent, mais bien qu'ils cueillent ses sentences comme belles fleurs, qu'ils contemplent l'esprit qu'il avait, que de lui apreignent à proprement descrire, et qu'ils contrefacent sa veine, mesmement celle dont il use en ses ballades, qui est vrayement belle et héroïque. Et ne fay doubte qu'il n'eust emporté le chapeau de laurier devant

---

1. Cf. p. 15.

tous les poètes de son temps s'il eust été nourry en la court des roys et des princes, là où les jugements se amendent et les langues se pollissent. Quant à l'industrie des lays qu'il feit en ses testaments, pour suffisamment la cognoistre et entendre, il fauldroit avoir esté de son temps à Paris, et avoir congneu les lieux, les choses et les hommes dont il parle ; la mémoire desquelz tant plus se passera, tant moins se cognoistra icelle industrie de ses lays dictz. Pour ceste cause, qui vouldra faire une œuvre de longue durée ne preigne son soubgect sur telles choses basses et particulières. Le reste des œuvres de nostre Villon (hors cela) est de tel artifice, tant plain de bonne doctrine, et tellement painct de mille couleurs, que le temps, qui tout efface, jusques icy ne l'a sceu effacer. Et moins encor l'effacera ores et d'icy en avant que les bonnes escriptures Françoises sont et seront myeulx congnues et recueillies que jamais.

Préface des *Œuvres* de Villon, éditées par Marot.

Joachim du BELLAY (1522-1560)

texte 2 ## Un premier exemple de critique dogmatique et intransigeante[1]

De tous les anciens poëtes Françoys, quasi un seul Guillaume du Lauris et Jan de Meun, sont dignes d'estre leuz, non tant pour ce qu'il y ait en eux beaucoup de choses qui se doyvent immiter des modernes, comme pour y voir quasi comme une première imaige de la Langue Francoyse, vénérable pour son antiquité. Je ne doute point que tous les pères cryroint la honte estre perdue, si j'osoy' reprendre ou emender quelque chose en ceux que jeunes ilz ont appris : ce que je ne veux faire aussi, mais bien soutiens-je que celuy est trop grand admirateur de l'ancienneté, qui veut défrauder les jeunes de leur gloire méritée, n'estimant rien, comme dict Horace, si non ce que la mort a sacré, comme si le tens, ainsi que les vins, rendoit les poësies meilleures. Les plus recens, mesmes ceux qui ont esté nommez par Clément Marot en un certain epygramme à Salel, sont assez congneus par leurs œuvres. J'y renvoye les lecteurs pour en faire jugement. Bien diray-je que Jan le Maire de Belges me semble avoir premier illustré et les Gaules et la Langue Francoyse, luy donnant beaucoup de mots et manières de parler poëtiques, qui ont bien servy mesmes aux plus excellens de notre tens.

---

1. Cf. p. 16.

Quant aux modernes, ilz seront quelquesfoys assez nommez : et si j'en vouloy' parler, ce seroit seulement pour faire changer d'opinion a quelques uns ou trop iniques ou trop sévères estimateurs des choses, qui tous les jours treuvent à reprendre en troys ou quatre des meilleurs : disant qu'en l'un default ce qui est le commencement de bien écrire, c'est le scavoir, et auroit augmenté sa gloire de la moitié, si de la moitié il eust diminué son livre[1]. L'autre, outre sa ryme, qui n'est par tout bien riche, est tant denué de tous ces delices et ornements poëtiques, qu'il mérite plus le nom de phylosophe que de poëte[2]. Un autre, pour n'avoir encores rien mis en lumiere soubz son nom, ne mérite qu'on luy donne le premier lieu : et semble (disent aucuns) que par les ecriz de ceux de son tens, il veille eternizer son nom, non autrement que Démade est ennobly par la contention de Démosthène et Hortense de Cicéron. Que si l'on en vouloit faire jugement au seul rapport de la renommée, on rendroit les vices d'iceluy egaulx, voyre plus grans que ses vertuz, d'autant que tous les jours se lysent nouveaux écriz soubz son nom, à mon avis aussi eloignez d'aucunes choses qu'on m'a quelquefois asseuré estre de luy, comme en eux n'y a ny grace ny erudition[3]. Quelque autre, voulant trop s'eloingner du vulgaire, est tumbé en obscurité aussi difficile à eclersir en ses ecriz aux plus scavans comme aux plus ignares[4]. Voyla une partie de ce que j'oy dire en beaucoup de lieux des meilleurs de notre Langue. Que pleust à Dieu le naturel d'un chacun estre aussi candide à louer les vertuz, comme diligent à observer les vices d'autruy ! La tourbe de ceux (hors mis cinq ou six) qui suyvent les principaux, comme port'enseignes, est si mal instruictes de toutes choses, que par leur moyen nostre vulgaire n'a garde d'étendre gueres loing les bornes de son empire. Et si j'étoy du nombre de ces anciens critiques juges des poëmes, comme un Aristarque ou Aristophane, ou (s'il faut ainsi parler) un sergent de bande en notre Langue Francoyse, j'en mettroy' beaucoup hors de la bataille si mal armez que, si fiant en eux, nous serions trop eloingnez de la victoire où nous devons aspirer. Je ne doute point que beaucoup, principalement de ceux qui sont accommodez à l'opinion vulgaire, et dont les tendres oreilles ne peuvent rien souffrir au desavantaige de ceux qu'ils' ont desja receuz comme oracles, trouverront mauvais de ce que j'ose si librement parler, et quasi comme juge souverain pronuncer de nots poëtes Francoys : mais si j'ay dict bien ou mal, je m'en rapporte à ceux qui sont plus amis de la vérité que de Platon ou Socrate, et ne sont imitateurs des Pythagoriques, qui pour toutes raisons n'alléguoint si non : Cetuy l'a dit. Quand à moy, si j'étoy' enquis de ce que me semble de notz meilleurs poëtes Francoys, je diroy' à l'exemple des Stoïques, qui interroguez si Zenon, si Cléante, si Chrysippe sont saiges, repondent ceulx la certainement avoir été grands et vénérables, n'avoir eu toutefois ce qui est le plus excellent en la nature de

---

1. Il s'agit ici de Marot.
2. Antoine Heroët, l'auteur de *La Parfaicte Amye*.
3. Mellin de Saint-Gelais est sans doute visé ici.
4. Maurice Scève.

l'homme : je repondroy' (dy-je) qu'ilz ont bien écrit, qu'ilz ont illustré notre langue, que la France leur est obligée : mais aussi diroy-je bien qu'on pouroit trouver en notre Langue (si quelque scavant homme y vouloit mettre la main) une forme de poësie beaucoup plus exquise, la quele il faudroit chercher en ces vieux Grecz et Latins, non point ès aucteurs Francoys : pour ce qu'en ceux cy on ne sauroit prendre que bien peu, comme la peau et la couleur : en ceux la on peut prendre la chair, les oz, les nerfz et le sang.

Deffence et illustration de la langue françoyse, 1549,
livre II, chap. II : « Des poëtes françoys »

Étienne PASQUIER (1529-1615)

texte 3   Sur la théorie des climats[1]

« *Si la temperie du ciel produit les gens doctes en certains pays* »

Ostez, je vous prie, de votre teste ceste folle persuasion que la temperie du ciel rende les gens plus ou moins doctes, comme s'il y avait certains pays auxquels les bonnes lettres fussent plus affectées qu'aux autres. Je ne vous dénieray point que chasque nation a certaines vertus et vices, qui se transmettent de l'un à l'autre comme par un droit successif et héréditaire : et ne voy nul pays avoir esté anciennement repris de vice, qui ne se soit perpétué en la postérité, encores que l'on l'ait repeuplé de nouvelles colonies. Mais quant à ce qui appartient aux sciences, c'est tout un autre discours. Cela se peut recueillir par exemples fort oculaires. Y eut-il jamais plus de grands personnages en toutes sortes de sciences et disciplines qu'en la Grèce ? Y eut-il jamais tant de barbarie au monde que celle qui est maintenant ? Considérez moi l'Afrique, en quelle opinion de doctrine avait elle oncques été ? toutesfois quelque peu après l'advancement et progrès de nostre Christianisme, il n'y eust pays au monde qui produisit de plus grands docteurs de l'Église que celui-là, témoins Tertullien, Optat, Lactance, S. Cyprian et S. Augustin. En cas semblable, y eust-il jamais, du temps

---

1. Cf. p. 18.

de la République de Rome nation plus eslongnée des bonnes lettres que la Germanie ? Laquelle vous voyez aujourd'hui, et depuis cent ou six vingts ans en çà fleurir en toutes sortes de disciplines sans parangon. C'est donc l'exercice et vigilance qu'on y apporte et non le naturel des contrées qui nous rend doctes. Voire je vous puis dire, car il est vrai, que tout ainsi que les monarchies, aussi les sciences et disciplines changent de domicile et hébergement, selon la diversité des saisons. C'est pourquoi au commencement elles florirent aux Chaldéens, puis en Égypte, de là s'acheminèrent en la Grèce, puis à Rome. Et depuis s'estant plantée entre nous par plusieurs centaines d'ans une longue barbarie par le moyen de ce ravage général que brassèrent plusieurs nations brusques à l'Empire romain, en fin elles se vindrent loger, partie en Italie, partie en Allemagne et en France, où elles font encor leur séjour. Le tout par une entre-suitte de toutes choses, laquelle fait que vous verrez en certains siècles les armes prospérer en un pays, et les sciences en après. Mais surtout j'ai fait une observation dont je ne seray desdit, qu'aux premiers establissements des Monarchies ou estats politiques, vous ne trouverez que les lettres aient flory, ains les armes, par lesquelles les braves guerriers prennent pied dedans les pays qu'ils se donnent en proye, et les ayant conquis s'y maintiennent par icelles. Et quand les Republicques commencent d'être florissantes et en leur grandeur, il advient fort souvent que les lettres y entrent en crédit, lesquelles avec le déclin de la république commencent aussi à décliner.

...Nous en discourrons quelquefois de bouche plus au long. Quant à présent il me suffit de vous avoir montré en passant que toute nation est capable des disciplines selon la diversité des occurences.

Lettres, 1554, livre I, lettre 5, au chevalier de Montereau.

texte 4 | Un premier exemple
de " critique impressionniste "[1]

...Je ne cherche aux livres qu'à m'y donner du plaisir par un honneste amusement ; ou, si j'estudie, je n'y cherche que la science qui traicte de la connoissance de moy mesmes, et qui m'instruise à bien mourir et à bien vivre...

Les difficultez, si j'en rencontre en lisant, je n'en ronge pas mes ongles ; je les laisse là, après leur avoir fait une charge ou deux......

Si ce livre me fasche, j'en prens un autre ; et ne m'y addonne qu'aux heures où l'ennuy de rien faire commence à me saisir. Je ne me prends guière aux nouveaux, pour ce que les anciens me semblent plus pleins et plus roides ; ny aux Grecs, par ce que mon jugement ne sçait pas faire ses besoignes d'une puérile et apprantisse intelligence.

Entre les livres simplement plaisans, je trouve, des modernes, le Decameron de Boccace, Rabelays et les Baisers de Jean Second, s'il les faut loger sous ce tiltre, dignes qu'on s'y amuse. Quant aux Amadis et telles sortes d'escrits, ils n'ont pas eu le crédit d'arrester seulement mon enfance.

---

1. Cf. p. 17.

Je diray encore cecy, ou hardiment ou témérairement, que cette vieille âme poisante ne se laisse plus chatouiller, non seulement à l'Arioste, mais encores au bon Ovide : sa facilité et ses inventions, qui m'ont ravy autresfois, à peine m'entretiennent elles à cette heure.

Je dy librement mon advis de toutes choses, voire et de celles qui surpassent à l'adventure ma suffisance, et que je ne tiens aucunement estre de ma juridiction. Ce que j'en opine, c'est aussi pour déclarer la mesure de ma vuë, non la mesure des choses. Quand je me trouve dégousté de l'Axioche de Platon, comme d'un ouvrage sans force, eu égard à un tel autheur, mon jugement ne s'en croit pas : il n'est pas si sot de s'opposer à l'authorité de tant d'autres fameux jugemens anciens, qu'il tient ses régens et ses maistres, et avec lesquels il est plutost content de faillir. Il s'en prend à soy, et se condamne, ou de s'arrester à l'escorce, ne pouvant pénétrer jusques au fons, ou de regarder la chose par quelque faux lustre. Il se contente de se garentir seulement du trouble et du desreiglement ; quant à sa foiblesse, il la reconnoit et advoüe volontiers. Il pense donner juste interprétation aux apparences que sa conception lui présente ; mais elles sont imbéciles et imparfaictes. La plus part des fables d'Esope ont plusieurs sens et intelligences. Ceux qui les mythologisent, en choisissent quelque visage qui quadre bien à la fable ; mais, pour la plus part ce n'est que le premier visage et superficiel ; il y en a d'autres plus vifs, plus essentiels et internes, ausquels ils n'ont sçeu pénétrer : voylà comme j'en fay.

Essais, Livre II, chap. 10, « Des livres », 1580.

texte 5   Le " regratteur " de mots et de syllabes[1]

Élégie sur les dernières amours de Mr Desportes

Ainsi soupirerait son amoureux martyre
Le chantre Délien se plaignant à sa lyre
Si l'arc de Cupidon avec sa flèche d'or
Pour une autre Daphné le *reblessait encor.* ou *re* ou *encor* sont super-
Celui vraiment qui lit ces soupirs pleins de flamme flus. On dit : « il me l'a
Sans soupirer lui-même et frémir en son âme, redit » et non : « il me l'a
Est un vivant rocher des plus mal animés redit encore ».
Qui par Deucalion furent oncques semés.
Que ce roc insensé, que cette froide souche
De sa profane main *ses* mystères ne touche : ces
Loin, qu'il s'en tienne loin, jusques à tant qu'un jour
Il soit purifié par la flamme d'Amour :

---

1. Cf. p. 21.

De peur que s'irritant encontre son offense
Ce Dieu ne le foudroie *en faisant* la vengeance

ceci est loin de sa place. *en faisant* : très mal ; car on dit en allant, en dansant, en dînant, etc., et là *en* n'est autre chose que la marque du gérondif. Mais ici ce mot *en* signifie *de lui* : faisant la vengeance de ce contempteur

Comme un moqueur des Dieux impudemment entré
Dedans le *sanctuaire à son nom consacré*.
Tu ne dois plus douter, ô saint fils de Cyprine,
Que tout cet Univers désormais ne s'encline
Dévot à tes autels, si par tout l'Univers
Va volant une fois le son de ces beaux vers...

un sanctuaire consacré ne me plaît pas

vo – ta – té !
va – vo !

Une page de l'exemplaire des *Œuvres* de Desportes
annoté par Malherbe vers 1606

François OGIER (1600-1660)

---

texte 6   Un manifeste contre le dogmatisme[1]

L'ardeur trop violente de vouloir imiter les Anciens a fait que nos premiers poètes ne sont pas arrivés à la gloire ni à l'excellence des Anciens. Ils ne considéraient pas que le goût des nations est différent aussi bien aux objets de l'esprit qu'en ceux du corps, et que tout ainsi les Mores, et sans aller si loin, les Espagnols, se figurent et se plaisent à une espèce de beauté toute différente de celle que nous estimons en France, et qu'ils désirent en leurs maîtresses une autre proportion de membres et d'autres traits de visage que ceux que nous y recherchons : jusque là qu'il se trouvera des hommes qui formeront l'idée de leur beauté des mêmes linéaments dont nous voudrions composer la laideur. De même, il ne faut point douter que les esprits des peuples n'aient des inclinations bien différentes les uns des autres, et des sentiments tous dissemblables pour la beauté des choses spirituelles telles qu'est la Poésie. Ce qui se fait néanmoins sans intérêt de la Philosophie ; car elle entend bien que les esprits de tous les hommes, sous quelque ciel qu'ils naissent, doivent convenir en un même jugement, touchant les choses nécessaires pour le souverain bien, et s'efforce tant qu'elle peut de les unir en la recherche de la vérité, parce qu'elle ne saurait être qu'une ; mais pour les objets simplement plaisants et indifférents, tel qu'est celui-ci

---

1. Cf. p. 21.

196

dont nous parlons, elle laisse prendre à nos opinions telle route qu'il leur plait, et n'étend point sa juridiction sur cette matière.

Cette vérité posée nous ouvre une voie douce et aimable pour composer les disputes qui naissent journellement entre ceux qui attaquent et ceux qui défendent les ouvrages des Poètes anciens. Car comme je ne saurais que je ne blâme deux ou trois faiseurs de chansons qui traitent Pindare de fol et d'extravagant, Homère de rêveur, etc... et ceux qui les ont imités en ces derniers temps : aussi trouvé-je injuste qu'on nous les propose pour des modèles parfaits, desquels il ne nous soit pas permis de nous écarter tant soit peu. A cela il faut dire que les Grecs ont travaillé pour la Grèce, et ont réussi au jugement des honnêtes gens de leur temps, et que nous imiterons bien mieux si nous donnons quelque chose au génie de notre pays et au goût de notre langue, que non pas en nous obligeant de suivre pas à pas et leur invention et leur élocution, comme ont fait quelques-uns des nôtres. C'est en cet endroit qu'il faut que le jugement opère, comme partout ailleurs, choisissant des anciens ce qui se peut accommoder à notre temps et à l'humeur de notre nation, sans toutefois blâmer des ouvrages sur lesquels tant de siècles ont passé avec une approbation publique. On les regardait en leur temps d'un autre biais que nous ne faisons à cette heure, et y observait-on certaines grâces qui nous sont cachées et pour la découverte desquelles il faudrait avoir respiré l'air de l'Attique en naissant, et avoir été nourri avec ces excellents hommes de l'ancienne Grèce ...

Il ne faut donc pas tellement s'attacher aux méthodes que les anciens ont tenues, ou à l'art qu'ils ont dressé, nous laissant mener comme des aveugles ; mais il faut examiner et considérer ces méthodes mêmes par les circonstances du temps, du lieu et des personnes pour qui elles ont été composées, y ajoutant et diminuant pour les accommoder à notre usage : ce qu'Aristote même eût avoué. Car ce philosophe, qui veut que la suprême raison soit obéie partout, et qui n'accorde jamais rien à l'opinion populaire, ne laisse pas de confesser en cet endroit que les Poètes doivent donner quelque chose à la commodité des Comédiens, pour faciliter leur action, et céder beaucoup à l'imbécillité et à l'humeur des spectateurs. Certes il en eût accordé bien davantage à l'inclination et au jugement de toute une nation ; et s'il eût fait des lois pour une pièce qui eût dû être représentée devant un peuple impatient et amateur de changement et de nouveauté comme nous sommes, il se fût bien gardé de nous ennuyer par ces narrés si fréquents et si importuns de messagers, ni de faire réciter près de cent cinquante vers tout d'une tire à un chœur, comme fait Euripide en son *Iphigénie en Aulide*.

Préface pour *Tyr et Sidon* de Jean de Schelandre, 1628.

Jean-Louis GUEZ DE BALZAC (1597-1654)

texte 7   **" Savoir l'art de plaire ne vaut pas tant que savoir plaire sans art[1] "**

Ce n'est pas à moi à connaître du différend qui est entre vous et M. Corneille, et, à mon ordinaire, je doute plus volontiers que je ne résous. Bien vous dirai-je qu'il me semble que vous l'attaquez avec force et adresse et qu'il y a du bon sens, de la subtilité et de la galanterie même en la plupart des objections que vous lui faites. Considérez, néanmoins, Monsieur, que toute la France entre en cause avec lui, et qu'il n'y a pas un des juges dont le bruit est que vous êtes convenus ensemble, qui n'ait loué ce que vous désirez qu'il condamne ; de sorte que, quand vos arguments seraient invincibles, et que votre adversaire même y acquiescerait, il aurait de quoi se consoler glorieusement de la perte de son procès, et vous pourrait dire que d'avoir satisfait tout un royaume est quelque chose de plus grand et de meilleur que d'avoir fait une pièce régulière. Il n'y a point d'architecte d'Italie qui ne trouve des défauts en la structure de Fontainebleau, qui ne l'appelle un monstre de pierre : ce monstre néanmoins est la belle demeure des rois, et la cour y loge commodément. Il y a des beautés parfaites qui sont effacées par d'autres beautés qui ont plus d'agrément et moins de

---

1. Cf. p. 23.

perfection ; et parce que l'acquis n'est pas si noble que le naturel, ni le travail des hommes si estimable que les dons du ciel, on vous pourrait encore dire que savoir l'art de plaire ne vaut pas tant que savoir plaire sans art. Aristote blâme la Fleur d'Agathon, quoiqu'il die qu'elle fût agréable, et l'Œdipe peut-être n'agréait pas quoique Aristote l'approuve. Or, s'il est vrai que la satisfaction des spectateurs soit la fin que se proposent les spectacles et que les maîtres mêmes du métier aient quelquefois appelé de César au peuple, le Cid du poète français ayant plu aussi bien que la Fleur du poète grec, ne serait-il point vrai qu'il a obtenu la fin de la représentation et qu'il est arrivé à son but encore que ce ne soit pas par le chemin d'Aristote ni par les adresses de sa poétique ?

Lettre à M. de Scudéry sur *Le Cid*, 27 août 1637.

texte 8 # Un exemple
de critique dogmatique et analytique[1]

Je tiens l'*Adonis*, en la forme que nous l'avons vu, bon poème, conduit et tissu dans sa nouveauté selon les règles générales de l'épopée, et le meilleur en son genre qui se puisse jamais sortir en public.

Or, pour procéder avec quelque lumière à la preuve de cette mienne opinion, il serait ici comme besoin de dire ce que c'est que *poésie*, de combien d'espèces il y en a, et quelle est la nature de chacune d'icelles, principalement de celle que les Grecs appellent *épopée*... afin de voir, demeurant dans ces principes, — accordé que ce poème ne soit de l'espèce reçue d'icelle — de quelle façon il a pû être loisible au poète d'en introduire une nouvelle différente de la reçue, laquelle fut néanmoins embrassée par l'épopée comme par son genre, qui est ce qu'il nous faut montrer pour établir sa bonté. Mais comme je parle à vous qui n'ignorez rien de tout cela, pour ne me point étendre sans nécessité je laisserai toutes ces définitions et divisions comme présupposées et traitées par d'autres à suffisance, et m'arrêterai seulement, pour le premier chef qui concerne sa simple bonté, à examiner trois points qui se rencontrent à ce poème, sujets à doute et à

---

1. Cf. p. 25.

objection, de la validité desquels la preuve de ma position dépend : la *nouveauté* de l'espèce ; l'*élection* du sujet ; et la *foi* qu'on y peut ajouter...

[Suit une minutieuse argumentation sur chacun de ces trois points]

Jusqu'ici, si je ne me trompe, les points qui pouvaient empêcher ce poème d'être poème, c'est-à-dire bon en son genre de poésie, sont suffisamment éclaircis et il s'est assez montré qu'il ne lui en font point perdre la nature. Reste maintenant à voir ceux qui peuvent le faire être tel, et, s'il est possible, prouver qu'il a toutes les principales conditions des poèmes épiques déjà reçus ; et que pour celles dont on le voit dépourvu il ne les pouvait pas avoir sans disconvenance ; et conséquemment qu'il est en son dernier point de bonté. C'est le second point de la proposition, lequel il nous faut essayer d'établir pour sa preuve entière.

En tout poème narratif je considère deux choses : le *sujet* et la *façon* de le traiter. La première consiste en constitution de la fable laquelle selon ma division particulière comprend l'*invention* et la *disposition* proprement, et improprement les *habitudes* et les *passions*. La seconde est le *style*, qui sert à l'expression de toutes ces choses et embrasse les *conceptions* et *la locution*. Mais chacune de ces parties a ses règles et ses conditions, desquelles plus le poème approche plus il est poème, c'est-à-dire plus va-t-il vers la perfection. Voyons comment l'*Adonis* s'y accommode.

Préface de l'*Adonis* du chevalier MARIN, 1623.

texte 9 Les Sentiments de l'Académie Française sur " Le Cid " (1638)[1]

Le début de ce rapport traite de l'utilité et de la convenance de la critique.

Ceux qui abandonnent leurs ouvrages au public ne doivent pas trouver étrange que le public s'en fasse le juge. Ils perdent tout le droit qu'ils y ont aussitôt qu'ils l'exposent à la lumière, ou ils n'en conservent au plus qu'autant qu'ils en ont besoin pour les réformer lorsqu'ils y reconnaîtront des fautes. La réputation n'en dépend plus de leur suffrage. Ils la·doivent attendre des autres et n'estimer leurs travaux bons ou mauvais que selon le jugement qu'ils en verront faire. Or, bien qu'il y ait plus de bonté à louer ce qui est digne de louange qu'à reprendre ce qui est digne de répréhension, il n'y a pas toutefois moins de justice en l'un qu'en l'autre, pourvu qu'il paraisse

---

1. Cf. p. 26.

que celui qui reprend y est porté par un zèle du bien commun plutôt que par malignité ou par jalousie. Il faut que les remarques des défauts d'autrui soient non pas des diffamations mais des avertissements, qui donnent moyen de se relever à ceux qui y sont tombés et retiennent les autres qui sans cela eussent couru la même fortune. Avec cette condition, on pourrait peut-être dire que la censure ne serait pas moins utile dans la république des lettres qu'elle le fut autrefois dans celle de Rome, et que supposant dans les censeurs des livres une intégrité pareille à celle des anciens Catons, il se ferait dans la première des progrès aussi glorieux qu'en a fait la seconde au temps que cette magistrature y exerçait une espèce de souveraineté. Car il s'observe par je ne sais quel destin qui accompagne les actions humaines, que la louange est d'un moindre pouvoir pour nous faire avancer dans le chemin de la vertu, que le blâme pour nous retirer de celui du vice, et qu'il y a force gens qui ne se laissent point emporter à l'ambition, mais qu'il y en a peu qui se résolvent à se laisser couvrir d'infamie. En effet, la louange, quoique juste, a cela de mauvais qu'ordinairement elle tire l'homme de la modération qui est si nécessaire pour la société, et qu'elle l'arrête au milieu de sa course comme si déjà il avait touché le but ; au contraire, le blâme qui demeure dans les termes de la justice lui fait souvenir de l'infirmité de sa nature, le rappelle en lui-même et, lui découvrant combien il est encore éloigné de la fin qu'il s'est proposée, l'excite à se défaire de tout ce qui l'empêche d'y parvenir. Que s'il y a quelque matière qui soit sujette à contradiction et qui la doive recevoir pour sa perfection plus grande, il est indubitable que ce sont les productions de l'esprit, lesquelles pouvant être regardées par tant de faces différentes et ayant besoin d'une si juste correspondance de parties, comme il est malaisé que celui qui les conçoit ne se trompe jamais en aucune, il est expédient aussi, qu'au défaut des censeurs, le public les considère de près et en remarque les taches, soit pour la correction de l'auteur, soit pour sa propre instruction. Il est expédient que sur les propositions qui sont nouvelles et douteuses il naisse des débats par le moyen desquels la vérité soit éclaircie, et c'est par cette seule voie que tout ce que le monde a de plus belles connaissances est venu à se découvrir, de la même sorte que par le choc du fer et du caillou le feu vient à se produire et à se répandre en étincelles. Ces combats de doctrine se peuvent faire civilement et sans animosité. C'est une espèce de guerre paisible dans laquelle il se trouve également du profit pour le vaincu et pour le victorieux, et comme la vérité est le prix que l'on court dans cette lice, celui qui l'a emportée semble ne l'avoir poursuivie qu'afin d'en faire un présent à son compétiteur...

Rédaction originale de CHAPELAIN.

Abbé d'AUBIGNAC (1604-1676)

---

texte 10   Apologie d'une critique dogmatique fondée sur des règles[1]

Voici cinq objections que l'on m'a faites ordinairement contre les Règles des Anciens :

Premièrement, qu'il ne faut point se faire de loi par exemple, et que la Raison doit toujours prévaloir sur l'Autorité.

Secondement, que les Anciens mêmes ont contrevenu souvent à leurs propres règles.

Troisièmement, que l'on avait mis sur le théâtre en notre langue des poèmes anciens qui avaient été très mal reçus.

En quatrième lieu, qu'on avait donné de grands applaudissements à des pièces de nos Modernes, quoiqu'elles fussent entièrement contre ces règles.

Et qu'enfin si ces rigoureuses maximes s'observaient toujours, on perdrait souvent au théâtre les plus grandes beautés des histoires véritables ; parce que les plus notables événements en arrivent d'ordinaire en divers temps et en divers lieux.

Quant à la première objection, je dis que les règles du théâtre ne sont pas fondées en autorité, mais en raison. Elles ne sont pas établies sur

---

1. Cf. p. 28.

l'exemple, mais sur le jugement naturel. Et quand nous les nommons l'Art ou les Règles des Anciens, c'est parce qu'il les ont pratiquées avec beaucoup de gloire, après diverses observations qui ont été faites sur la Nature des choses morales, sur la vraisemblance des actions humaines et des événements de cette vie, sur le rapport des images aux vérités, et sur les autres circonstances qui pouvaient contribuer à réduire en art ce genre de poème, qui s'était achevé si lentement, encore qu'il fût si commun parmi eux, et si bien reçu partout. C'est pourquoi dans tout ce discours, j'allègue fort rarement les poèmes des Anciens ; et si je les rapporte, ce n'est seulement que pour faire voir l'adresse dont ils se servaient dans la pratique de ces règles, et non pas pour autoriser mes sentiments.

La seconde, à mon avis, n'est pas considérable : car la raison étant semblable partout à elle-même, elle oblige tout le monde. Et si les Modernes ne se peuvent dispenser des règles du théâtre sans pêcher, les Anciens ne l'ont pu faire, et s'ils y ont contrevenu, je ne les veux pas excuser... Leur exemple sera toujours un mauvais prétexte pour faillir ; car il n'y a point d'excuse contre la raison... En tout ce qui dépend de la raison et du sens commun, comme sont les règles du théâtre, la licence est un crime qui n'est jamais permis, parce que c'est un dérèglement qui choque non pas la coutume, mais la lumière naturelle, qui ne doit jamais souffrir d'éclipse...

La troisième objection prend toute sa force de l'ignorance de ceux qui l'allèguent. Car si quelques pièces des Anciens, et même de celles qui furent autrefois en grande estime, n'ont pas réussi sur notre théâtre, le sujet en a quelquefois été la cause, et non pas le défaut de l'art, et quelquefois la corruption que les traducteurs en ont fait, en y voulant apporter des changements qui détruisaient toutes les grâces de l'original. Ils y ont ajouté des entretiens de Princes peu vraisemblables. Ils y ont fait voir mal à propos ce que les Anciens avaient caché par raison, et d'un beau récit ils en ont fait bien souvent un spectacle ridicule...

Pour détruire la quatrième objection, il ne faut que se remettre en mémoire que les pièces modernes, qui ont trouvé grâce devant le peuple, et même à la Cour, n'ont pas été approuvées en toutes leurs parties mais seulement en ce qui était raisonnable et conforme aux règles... Tant s'en faut donc que tel succès contredise les règles du théâtre qu'au contraire il les autorise. Car ces règles n'étant qu'un art pour faire bien réussir, et avec vraisemblance, les beaux incidents, il paraît assez combien elles sont nécessaires, puisque d'un commun accord on approuve ce qui leur est conforme et qu'on rejette ce qu'elles ne souffrent point...

Pour la cinquième objection, elle est absolument ridicule. Car les règles du théâtre ne rejettent pas les notables incidents d'une histoire, mais elles donnent les moyens de les ajuster en telle sorte que sans choquer la vraisemblance des temps, des lieux et des autres circonstances d'une action, ils puissent y paraître, non pas à la vérité, tels qu'ils ont été dans l'effet, mais tels qu'ils doivent être pour n'avoir rien que d'agréable.

Pratique du théâtre, 1re Partie, chap. 4, 1657.

texte 11 <h1>Contre Malherbe[1]</h1>

Rapin[2], le favori d'Apollon et des Muses,
Pendant qu'en leur métier jour et nuit tu t'amuses,
Et que d'un vers nombreux, non encore chanté,
Tu te fais un chemin à l'immortalité,
Moi, qui n'ai ni l'esprit ni l'haleine assez forte
Pour te suivre de près et te servir d'escorte,
Je me contenterai, sans me précipiter,
D'admirer ton labeur, ne pouvant l'imiter,
Et, pour me satisfaire au désir qui me reste,
De rendre cet hommage à chacun manifeste.
Par ces vers j'en prends acte, afin que l'avenir
De moi par ta vertu se puisse souvenir,
Et que cette mémoire à jamais s'entretienne
Que ma Muse imparfaite eut en honneur la tienne
Et que si j'eus l'esprit d'ignorance abattu,
Je l'eus au moins si bon que j'aimai ta vertu,
Contraire à ces rêveurs dont la Muse insolente,

---

1. Cf. p. 29.
2. Rapin (1540-1608), magistrat et poète, co-auteur de la *Satire Ménippée*, avait écrit des vers « mesurés » à l'antique.

Censurant les plus vieux, arrogamment se vante
De réformer les vers, non les tiens seulement,
Mais veulent déterrer les Grecs du monument,
Les Latins, les Hébreux, et toute l'antiquaille,
Et leur dire en leur nez qu'ils n'ont rien fait qui vaille.
Ronsard en son métier n'était qu'un apprentif ;
Il avait le cerveau fantastique et rétif ;
Desportes n'est pas net, Du Bellay trop facile ;
Belleau ne parle pas comme on parle à la ville :
Il a des mots hargneux[1], bouffis et relevés,
Qui du peuple aujourd'hui ne sont pas approuvés.
Comment ! Il nous faut donc pour faire une œuvre grande
Qui de la calomnie et du temps se défende,
Qui trouve quelque place entre les bons auteurs,
Parler comme à Saint-Jean parlent les crocheteurs !
Encore je le veux, pourvu qu'ils puissent faire
Que ce beau savoir entre en l'esprit du vulgaire,
Et quand les crocheteurs seront poètes fameux,
Alors sans me fâcher je parlerai comme eux.
Pensent-ils, des plus vieux offensant la mémoire,
Par le mépris d'autrui s'acquérir de la gloire,
Et pour quelque vieux mot, étrange ou de travers,
Prouver qu'ils ont raison de censurer leurs vers ?
(Alors qu'une œuvre brille et d'art et de science,
La verve quelquefois s'égaie en la licence.)
Il semble en leurs discours hautains et généreux
Que le Cheval volant n'ait pissé que pour eux ;
Que Phébus à leur ton accorde sa vielle ;
Que la mouche du Grec leurs lèvres emmielle ;
Qu'ils ont seuls ici-bas trouvé la pie au nid,
Et que des hauts esprits le leur est le zénith ;
Que seuls des grands secrets ils ont la connaissance ;
Et disent librement que leur expérience
A raffiné les vers fantastiques d'humeur,
Ainsi que les Gascons ont fait le point d'honneur ;
Qu'eux tout seuls du bien dire ont trouvé la méthode,
Et que rien n'est parfait s'il n'est fait à leur mode.
Cependant leur savoir ne s'étend seulement
Qu'à regratter un mot douteux au jugement,
Prendre garde qu'un « qui » ne heurte une diphtongue,
Épier si des vers la rime est brève ou longue,
Ou bien si la voyelle à l'autre s'unissant
Ne rend point à l'oreille un son trop languissant,
Et laissent sur le vert le noble de l'ouvrage.
Nul aiguillon divin n'élève leur courage ;

---

1. Ampoulés.

Ils rampent bassement, faibles d'inventions,
Et n'osent, peu hardis, tenter les fictions,
Froids à l'imaginer : car s'ils font quelque chose,
C'est proser de la rime et rimer de la prose,
Que l'art lime et relime et polit de façon
Qu'elle rend à l'oreille un agréable son ;
Et, voyant qu'un beau feu leur cervelle n'embrase,
Ils attifent leurs mots, enjolivent leur phrase,
Affectent leur discours tout si relevé d'art,
Et peignent leurs défauts de couleur et de fard.
Aussi je les compare à ces femmes jolies
Qui par les affiquets se rendent embellies,
Qui, gentes en habits et sades[1] en façons,
Parmi leur point coupé tendent leurs hameçons ;
Dont l'œil rit mollement avec afféterie,
Et de qui le parler n'est rien que platterie ;
De rubans piolés[2] s'agencent proprement,
Et toute leur beauté ne gît qu'en l'ornement ;
Leur visage reluit de céruse et de peautre ;
Propres en leur coiffure, un poil ne passe l'autre ;
Où[3], ces divins esprits, hautains et relevés,
Qui des eaux d'Hélicon ont les sens abreuvés,
De verve et de fureur leur ouvrage étincelle ;
De leurs vers tout divins la grâce est naturelle,
Et sont comme l'on voit la parfaite beauté,
Qui, contente de soi, laisse la nouveauté
Que l'art trouve au Palais ou dans le blanc d'Espagne ;
Rien que le naturel sa grâce n'accompagne ;
Son front, lavé d'eau claire, éclate d'un beau teint ;
De roses et de lys la nature l'a peint,
Et, laissant là Mercure et toutes ses malices,
Les nonchalances sont ses plus grands artifices...

Satire IX : à M. Rapin, vers 1-94, 1606 ?

---

1. Élégantes.
2. De couleurs variées.
3. Tandis que.

Pierre CORNEILLE (1606-1684)

texte 12   Liberté au poète[1] !

Je laisse dire tout le monde et fais mon profit des bons avis, de quelque part que je les reçoive. Je traite toujours mon sujet le moins mal qu'il m'est possible ; et après y avoir corrigé ce qu'on me fait connaître d'inexcusable, je l'abandonne au public. Si je ne fais bien, qu'un autre fasse mieux ; je ferai des vers à sa louange au lieu de le censurer. Chacun a sa méthode : je ne blâme point celle des autres, et me tiens à la mienne ; jusques à présent je m'en suis trouvé fort bien ; j'en chercherai une meilleure quand je commencerai à m'en trouver mal. Ceux qui se font presser à la représentation de mes ouvrages m'obligent infiniment ; ceux qui ne les approuvent pas peuvent se dispenser d'y venir gagner la migraine ; ils épargneront de l'argent et me feront plaisir. Les jugements sont libres en ces matières, et les goûts divers. J'ai vu des personnes de fort bon sens admirer des endroits sur qui j'aurais passé l'éponge, et j'en connais dont les poèmes réussissent au théâtre avec éclat, et qui, pour principaux ornements, y emploient des choses que j'évite dans les miens. Ils pensent avoir raison, et moi aussi : qui d'eux ou de moi se trompe ? c'est ce qui n'est pas aisé à juger...

Nous pardonnons beaucoup de choses aux anciens ; nous admirons quelquefois dans leurs écrits ce que nous ne souffririons pas dans les nôtres ;

_____

1. Cf. p. 32.

nous faisons des mystères de leurs imperfections, et couvrons leurs fautes du nom de licences poétiques. Le docte Scaliger a remarqué des taches dans tous les Latins, et de moins savants que lui en remarqueraient bien dans les Grecs, et dans son Virgile même, à qui il dresse des autels sur le mépris des autres. Je vous laisse donc à penser si notre présomption ne serait pas ridicule, de prétendre qu'une exacte censure ne peut mordre sur nos ouvrages, puisque ceux de ces grands génies de l'antiquité ne se peuvent pas soutenir contre un rigoureux examen. Je ne me suis jamais imaginé avoir rien mis au jour de parfait, je n'espère pas même y pouvoir jamais arriver ; je fais néanmoins mon possible pour en approcher, et les plus beaux succès des autres ne produisent en moi qu'une vertueuse émulation, qui me fait redoubler mes efforts, afin d'en avoir de pareils.

Épître dédicatoire de *La Suivante*, 1637.

texte 13 # Critique des règles[1]

Ce recueil fut préparé par Port-Royal après la « Paix de l'Église » conclue en 1668. La Fontaine rima la dédicace au jeune prince de Conti. On lui a longtemps attribué cette préface, qui est due en réalité à un médecin, Denis Dodart, ami de Bossuet, de Racine et des Solitaires.

...Qu'y a-t-il dè plus judicieux et de plus utile en apparence que les préceptes de rhétorique que l'on trouve dans les anciens ? Néanmoins, c'est d'un amas de ces préceptes mal digérés que se forme l'esprit de pédanterie, qui est un caractère si insupportable qu'il vaudrait mieux ne rien savoir du tout que d'être savant en cette manière... Enfin, il est infiniment plus aisé de trouver des gens à qui la rhétiorque nuise que d'en trouver à qui elle serve...

On prescrit certaines règles pour les tragédies, pour les comédies, pour les satires ; on veut qu'elles aient chacune leur caractère particulier dont il ne soit pas permis de s'éloigner. Mais, malgré toutes ces règles, les hommes croiront toujours avoir droit d'être indulgents à ceux qui ne les violeront que pour leur plaire. C'est par là qu'un excellent poète défendait avec raison une de ses pièces contre la critique maligne de quelques censeurs.

On recommande à ceux qui veulent faire des vers de préparer leur sujet, de s'en former une idée nette et précise, d'écrire même en prose ce qu'ils

---

1. Cf. p. 36.

voudront mettre en vers, de la manière la plus noble et la plus poétique qu'ils pourront, et enfin de ne travailler pas sur un sujet vague, en se laissant conduire par les pensées que la rime leur fournira. On ne peut nier que cet avis ne soit raisonnable, et même quelques personnes de mes amis qui font des vers, et peut-être des meilleurs qui se fassent aujourd'hui, en usent de cette manière et s'en trouvent bien. Cependant ceux qui, n'ayant pas autant d'esprit qu'eux, s'efforceront de la pratiquer, en préparant leur sujet, ne prépareront que des sottises ; et ceux d'ailleurs qui ont de l'esprit et du discernement et qui ne sont pas habitués à cette façon de composer, ne laisseront pas de réussir fort bien en ne le pratiquant pas, parce que, la rime leur fournissant des pensées, leur discernement leur fera rejeter les mauvaises et ne choisir que les bonnes. Ainsi cet avis est souvent une gêne inutile pour les uns, comme c'est une pratique très utile pour les autres...

On dit que la beauté solide consiste dans la vérité ; que rien de faux n'est capable de plaire longtemps ; que les vers doivent avoir du rapport avec la nature, c'est-à-dire avec les inclinations les plus naturelles et les plus universelles ; qu'il ne faut point mêler ensemble les dispositions et les mouvements que la nature n'allie jamais, comme l'humeur qui produit les pointes et les figures, avec la douleur et la colère ; qu'il faut observer partout la bienséance et la vraisemblance ; qu'il est bon que les vers aient de certaines expressions qui, sans peiner l'esprit des personnes intelligentes, leur donnent néanmoins la satisfaction d'entendre ce qui n'est pas entendu de tout le monde. Tout cela est véritable, et les personnes judicieuses observent, en effet, toutes ces choses, soit qu'ils y fassent, soit qu'ils n'y fassent pas de réflexion ; mais ceux qui ne le sont pas n'en seront guère plus habiles pour les savoir.

Il faut donc s'élever au-dessus des règles qui ont toujours quelque chose de sombre et de mort. Il faut ne concevoir pas seulement par des raisonnements abstraits et métaphysiques en quoi consiste la beauté des vers ; il la faut sentir et la comprendre tout d'un coup, et en avoir une idée si vive et si forte qu'elle nous fasse rejeter sans hésiter tout ce qui n'y répond pas.

Cette idée et cette impression vive, qui s'appelle sentiment ou goût, est tout autrement subtile que toutes les règles du monde ; elle fait apercevoir des défauts et des beautés qui ne sont point marquées dans les livres. C'est ce qui nous élève au-dessus des règles, qui fait qu'on n'y est point asservi, qu'on en juge, qu'on n'en abuse point, et qu'on ne les suit pas en ce qu'elles ont de défectueux et de faux. Enfin, c'est cette idée vive qui s'exprime et se représente dans ce qu'on écrit ; au lieu que les préceptes demeurent toujours stériles, tant que l'on ne les connaît que par spéculation et par raisonnement, et que l'esprit n'en est pas pénétré par cette autre sorte de connaissance.

Il est donc visible que, pour former les personnes à la poésie, il faut leur former le sentiment et le goût. Or pour cela il n'y a qu'une méthode, qui est de lire quantité de bons vers, et n'en lire point de mauvais...

BOILEAU (1636-1711)

texte 14	## Les droits de la critique[1]

Note explicative de l'édition de 1775, développant les indications données par « le libraire au lecteur » dans la préface de 1668 :

« Après la publication des sept premières satires, Boileau fut assailli par une foule d'auteurs dont il avait parlé peut-être avec trop de franchise. Ce fut pour leur répondre et pour faire en même temps son apologie qu'il conçut l'idée de cette pièce. Mais son embarras fut de savoir comment il exécuterait ce dessein ; car il voulait éviter l'écueil dans lequel ses ennemis avaient donné, c'est-à-dire la chaleur, l'emportement, et par conséquent les injures grossières. Il jugea donc qu'il n'avait pas d'autre ton à prendre que celui de la plaisanterie pour tourner ses ennemis en ridicule, sans leur donner aucune prise sur lui... Sous prétexte de censurer ses propres défauts ou ceux de son esprit, il se justifie de tous les crimes que ses adversaires lui imputaient, et les couvre eux-mêmes d'une nouvelle confusion. »

Boileau commence par s'adresser à son esprit et lui reproche ses « caprices » et ses « fureurs ».

> ...Vous ferez-vous toujours des affaires nouvelles ?
> Et faudra-t-il sans cesse essuyer des querelles ?
> N'entendrai-je qu'auteurs se plaindre et murmurer ?

---

1. Cf. p. 38.

Jusqu'à quand vos fureurs doivent-elles durer ?
Répondez, mon Esprit ; ce n'est plus raillerie :
Dites... Mais, direz-vous, pourquoi cette furie ?
Quoi ! pour un maigre auteur que je glose en passant,
Est-ce un crime, après tout, et si noir et si grand ?
Et qui, voyant un fat s'applaudir d'un ouvrage
Où la droite raison trébuche à chaque page,
Ne s'écrie aussitôt : « L'impertinent auteur !
L'ennuyeux écrivain ! Le maudit traducteur !
A quoi bon mettre au jour tous ces discours frivoles,
Et ces riens enfermés dans de grandes paroles ? »
Est-ce donc là médire ou parler franchement ?
Non, non, la médisance y va plus doucement.
Si l'on vient à chercher pour quel secret mystère
Alidor à ses frais bâtit un monastère :
« Alidor ! dit un fourbe, il est de mes amis ;
Je l'ai connu laquais avant qu'il fût commis.
C'est un homme d'honneur, de piété profonde,
Et qui veut rendre à Dieu ce qu'il a pris au monde. »
Voilà jouer d'adresse et médire avec art ;
Et c'est avec respect enfoncer le poignard.
Un esprit né sans fard, sans basse complaisance,
Fuit ce ton radouci que prend la médisance.
Mais de blâmer des vers ou durs ou languissants,
De choquer un auteur qui choque le bon sens,
De railler d'un plaisant qui ne sait pas nous plaire,
C'est ce que tout lecteur eut toujours droit de faire.
Tous les jours à la cour un sot de qualité
Peut juger de travers avec impunité ;
A Malherbe, à Racan, préférer Théophile,
Et le clinquant du Tasse à tout l'or de Virgile.
Un clerc, pour quinze sous, sans craindre le holà,
Peut aller au parterre attaquer *Attila ;*
Et, si le roi des Huns ne lui charme l'oreille,
Traiter de visigoths tous les vers de Corneille.
Il n'est valet d'auteur, ni copiste à Paris,
Qui, la balance en main, ne pèse les écrits.
Dès que l'impression fait éclore un poète,
Il est esclave né de quiconque l'achète :
Il se soumet lui-même aux caprices d'autrui,
Et ses écrits tout seuls doivent parler pour lui.
Un auteur à genoux, dans une humble préface,
Au lecteur qu'il ennuie a beau demander grâce,
Il ne gagnera rien sur ce juge irrité,
Qui lui fait son procès de pleine autorité.
Et je serai le seul qui ne pourrai rien dire !
On sera ridicule, et je n'oserai rire !
Et qu'ont produit mes vers de si pernicieux,

Pour armer contre moi tant d'auteurs furieux ?
Loin de les décrier, je les ai fait paraître,
Et souvent, sans ces vers qui les ont fait connaître,
Leur talent dans l'oubli demeurerait caché.
Et qui saurait sans moi que Cotin a prêché ?
La satire ne sert qu'à rendre un fat illustre :
C'est une ombre au tableau, qui lui donne du lustre.
En les blâmant enfin j'ai dit ce que j'en croi,
Et tel qui m'en reprend en pense autant que moi.
« Il a tort, dira l'un. Pourquoi faut-il qu'il nomme ?
Attaquer Chapelain ! Ah ! c'est un si bon homme !
Balzac en fait l'éloge en cent endroits divers.
Il est vrai, s'il m'eût cru, qu'il n'eût point fait de vers.
Il se tue à rimer : que n'écrit-il en prose ? »
Voilà ce que l'on dit. Et que dis-je autre chose ?
En blâmant ses écrits, ai-je d'un style affreux
Distillé sur sa vie un venin dangereux ?
Ma muse, en l'attaquant, charitable et discrète,
Sait de l'homme d'honneur distinguer le poète.
Qu'on vante en lui la foi, l'honneur, la probité ;
Qu'on prise sa candeur et sa civilité ;
Qu'il soit doux, complaisant, officieux, sincère :
On le veut, j'y souscris, et suis prêt de me taire.
Mais que pour un modèle on montre ses écrits ;
Qu'il soit le mieux renté de tous les beaux esprits ;
Comme roi des auteurs qu'on l'élève à l'empire :
Ma bile alors s'échauffe, et je brûle d'écrire,
Et, s'il ne m'est permis de le dire au papier,
J'irai creuser la terre, et, comme ce barbier,
Faire dire aux roseaux par un nouvel organe :
« Midas, le roi Midas a des oreilles d'âne ! »
Quel tort lui fais-je enfin ? Ai-je par un écrit
Pétrifié sa veine et glacé son esprit ?
Quand un livre au Palais se vend et se débite,
Que chacun par ses yeux juge de son mérite,
Que Bilaine l'étale au deuxième pilier,
Le dégoût d'un censeur peut-il le décrier ?
En vain contre *le Cid* un ministre se ligue :
Tout Paris pour Chimène a les yeux de Rodrigue.
L'Académie en corps a beau le censurer :
Le public révolté s'obstine à l'admirer.
Mais, lorsque Chapelain met une œuvre en lumière,
Chaque lecteur d'abord lui devient un Linière[1].
En vain il a reçu l'encens de mille auteurs :
Son livre en paraissant dément tous ses flatteurs.

---

1. Auteur satirique qui chansonna *La Pucelle* de Chapelain.

Ainsi, sans m'accuser, quand tout Paris le joue,
Qu'il s'en prenne à ses vers que Phébus désavoue ;
Qu'il s'en prenne à sa muse allemande en françois.
Mais laissons Chapelain pour la dernière fois.

Satire IX, A son esprit, 1667, vers 143-242.

texte 15   L'approbation de la postérité
peut seule établir le vrai mérite des ouvrages[1]

Il faut songer au jugement que toute la postérité fera de nos écrits. (Paroles
de Longin, chapitre XII.)

Il n'y a en effet que l'approbation de la postérité qui puisse établir le
vrai mérite des ouvrages. Quelque éclat qu'ait fait un écrivain durant sa
vie, quelques éloges qu'il ait reçus, on ne peut pas pour cela infailliblement
conclure que ses ouvrages soient excellents. De faux brillants, la nouveauté
du style, un tour d'esprit qui était à la mode, peuvent les avoir fait valoir ;
et il arrivera peut-être que dans le siècle suivant on ouvrira les yeux, et que
l'on méprisera ce que l'on a admiré. Nous en avons un bel exemple dans
Ronsard et dans ses imitateurs, comme Du Bellay, Du Bartas, Desportes,
qui dans le siècle précédent ont été l'admiration de tout le monde, et qui
aujourd'hui ne trouvent pas même de lecteurs.

La même chose était arrivée chez les Romains à Naevius, à Livius et
à Ennius, qui du temps d'Horace, comme nous l'apprenons de ce poète,
trouvaient encore beaucoup de gens qui les admiraient, mais qui à la fin
furent entièrement décriés. Et il ne faut point s'imaginer que la chute de
ces auteurs, tant les Français que les Latins, soit venue de ce que les langues
de leur pays ont changé. Elle n'est venue que de ce qu'ils n'avaient point
attrapé dans ces langues le point de solidité et de perfection qui est
nécessaire pour faire durer et pour faire à jamais priser des ouvrages.

. . . .

Ce n'est point la vieillesse des mots et des expressions dans Ronsard
qui a décrié Ronsard ; c'est qu'on s'est aperçu tout d'un coup que les beautés
qu'on y croyait voir n'étaient point des beautés. Ce que Bertaut, Malherbe,
De Lingendes et Racan qui vinrent après lui contribuèrent beaucoup à faire

---

1. Cf. p. 39.

connaître, ayant attrapé dans le genre sérieux le vrai génie de la langue française, qui bien loin d'être en son point de maturité du temps de Ronsard, comme Pasquier se l'était persuadé faussement, n'était pas même encore sortie de sa première enfance. Au contraire le vrai tour de l'épigramme, du rondeau, des épîtres naïves ayant été trouvé, même avant Ronsard, par Marot, par Saint-Gelais et par d'autres, non seulement leurs ouvrages en ce genre ne sont point tombés dans le mépris, mais ils sont encore aujourd'hui généralement estimés : jusque là même que pour trouver l'air naïf en Français, on a encore quelquefois recours à leur style ; et c'est ce qui a si bien réussi au célèbre Monsieur de la Fontaine. Concluons donc qu'il n'y a qu'une longue suite d'années qui puisse établir la valeur et le vrai mérite d'un ouvrage.

Mais lorsque des écrivains ont été admirés durant un fort grand nombre de siècles et n'ont été méprisés que par quelques gens de goût bizarre, car il se trouve toujours des goûts dépravés, alors non seulement il y a de la témérité, mais il y a de la folie à vouloir douter du mérite de ces écrivains. Que si vous ne voyez point les beautés de leurs écrits, il ne faut pas conclure qu'elles n'y sont point, mais que vous êtes aveugle et que vous n'avez point de goût. Le gros des hommes à la longue ne se trompe point sur les ouvrages de l'esprit. Il n'est plus question, à l'heure qu'il est, de savoir si Homère, Platon, Cicéron, Virgile, sont des hommes merveilleux ; c'est une chose sans contestation puisque vingt siècles en sont convenus : il s'agit de savoir en quoi consiste ce merveilleux qui les a fait admirer de tant de siècles ; et il faut trouver moyen de le voir, ou renoncer aux belles lettres auxquelles vous devez croire que vous ne sentez point ce qu'ont senti tous les hommes.

Quand je dis cela néanmoins, je suppose que vous sachiez la langue de ces auteurs. Car si vous ne la savez point, et si vous ne vous ne l'êtes point familiarisée, je ne vous blâmerai pas de n'en point voir les beautés : je vous blâmerai seulement d'en parler. Et c'est en quoi on ne saurait trop condamner Monsieur P[errault] qui ne sachant point la langue d'Homère, vient hardiment lui faire son procès sur les bassesses de ses traducteurs, et dire au genre humain qui a admiré les ouvrages de ce grand poète durant tant de siècles, « vous avez admiré des sottises ». C'est à peu près la même chose qu'un aveugle né qui s'en irait crier par toutes les rues : « Messieurs, je sais que le soleil que vous voyez vous paraît fort beau ; mais moi qui ne l'ai jamais vu, je vous déclare qu'il est fort laid. »

Mais, pour revenir à ce que je disais : puisque c'est la postérité seule qui met le véritable prix aux ouvrages, il ne faut pas, quelque admirable que vous paraisse un écrivain moderne, le mettre aisément en parallèle avec ces écrivains admirés durant un si grand nombre de siècles : puisqu'il n'est pas même sûr que ses ouvrages passent avec gloire au siècle suivant. En effet, sans aller chercher des exemples éloignés, combien n'avons-nous point vu d'auteurs admirés dans notre siècle, dont la gloire est déchue en très peu d'années ?...

...Corneille est celui de tous nos poètes qui a fait le plus d'éclat en notre temps ; et on ne croyait pas qu'il pût jamais y avoir en France un poète digne de lui être égalé. Il n'y en a point en effet qui ait plus d'élévation de génie, ni qui ait plus composé. Tout son mérite pourtant, à l'heure qu'il est, ayant été mis par le temps comme dans un creuset, se réduit à huit ou neuf pièces de théâtre qu'on admire, et qui sont, s'il faut ainsi parler, comme le midi de sa poésie dont l'orient et l'occident n'ont rien valu. Encore dans ce nombre de bonnes pièces, outre les fautes de langue qui y sont assez fréquentes, on commence à s'apercevoir de beaucoup d'endroits de déclamation qu'on n'y voyait point autrefois. Ainsi non seulement on ne trouve point mauvais qu'on lui compare aujourd'hui Monsieur Racine : mais il se trouve même quantité de gens qui le lui préfèrent. La postérité jugera qui vaut le mieux des deux. Car je suis persuadé que les écrits de l'un et de l'autre passeront aux siècles suivants. Mais jusque là ni l'un ni l'autre ne doit être mis en parallèle avec Euripide et Sophocle : puisque leurs ouvrages n'ont point encore le sceau qu'ont les ouvrages d'Euripide et de Sophocle, je veux dire l'approbation de plusieurs siècles.

Au reste, il ne faut pas s'imaginer que dans ce nombre d'écrivains approuvés de tous les siècles, je veuille ici comprendre ces auteurs, à la vérité anciens, mais qui ne se sont acquis qu'une médiocre estime, comme Lycophron, Nonnus, Silius Italicus, l'auteur des tragédies attribuées à Sénèque, et plusieurs autres à qui on peut non seulement comparer, mais à qui on peut, à mon avis, justement préférer beaucoup d'écrivains modernes. Je n'admets dans ce haut rang que ce petit nombre d'écrivains merveilleux dont le nom seul fait l'éloge, comme Homère, Platon, Cicéron, Virgile, etc. Et je ne règle point l'estime que je fais d'eux par le temps qu'il y a que leurs ouvrages durent : mais par le temps qu'il y a qu'on les admire. C'est de quoi il est bon d'avertir beaucoup de gens qui pourraient mal à propos croire à ce que veut insinuer notre censeur ; qu'on ne loue les Anciens que parce qu'ils sont anciens, et qu'on ne blâme les Modernes que parce qu'ils sont modernes ; ce qui n'est point du tout véritable, y ayant beaucoup d'anciens qu'on n'admire point, et beaucoup de modernes que tout le monde loue. L'antiquité d'un écrivain n'est pas un titre certain de son mérite : mais l'antique et constante admiration qu'on a toujours eue pour ces ouvrages, est une preuve sûre et infaillible qu'on les doit admirer.

Septième Réflexion critique sur Longin, 1694.

texte 16   **Premières curiosités étrangères**[1]

Ce que l'amour a de délicat me flatte ; ce qu'il a de tendre me sait toucher ; et comme l'Espagne est le pays du monde où l'on aime le mieux, je ne me lasse jamais de lire, dans les auteurs espagnols, des aventures amoureuses. Je suis plus touché de la passion d'un de leurs amants que je ne serais sensible à la mienne, si j'étais capable d'en avoir encore : l'imagination de ses amours me fait trouver des mouvements pour lui, que je ne trouverais pas pour moi-même.

Il y a peut-être autant d'esprit, dans les ouvrages des auteurs de cette nation que dans les nôtres ; mais c'est un esprit qui ne me satisfait pas, à la réserve de celui de Cervantès en *Don Quichotte*, que je puis lire toute ma vie, sans en être dégoûté un seul moment. De tous les livres que j'ai lus, *Don Quichotte* est celui que j'aimerais mieux avoir fait : il n'y en a point, à mon avis, qui puisse contribuer davantage à nous former un bon goût sur toutes choses. J'admire comme, dans la bouche du plus grand fou de la terre, Cervantès a trouvé le moyen de se faire connaître l'homme le plus entendu, et le plus grand connaisseur qu'on se puisse imaginer : j'admire la diversité de ses caractères, qui sont les plus recherchés du monde, pour les espèces, et, dans leurs espèces, les plus naturels. Quevedo paraît un auteur

---

1. Cf. p. 40.

fort ingénieux ; mais je l'estime plus d'avoir voulu brûler tous ses livres, quand il lisait *Don Quichotte*, que de les avoir su faire.

Je ne me connais pas assez aux vers italiens pour en goûter la délicatesse ou en admirer la force et la beauté. Je trouve quelques Histoires, en cette langue, au dessus de toutes les modernes, et quelques traités de politique au-dessus même de ce que les anciens en ont écrit. Pour la morale des Italiens, elle est pleine de *concetti* qui sentent plus une imagination qui cherche à briller qu'un bon sens forcé par de profondes réflexions.

J'ai une curiosité fort grande pour tout ce qu'on fait de beau en français, et un grand dégoût de mille auteurs qui semblent n'écrire que pour se donner la réputation d'avoir écrit. Je n'aime pas seulement à lire pour me donner celle d'avoir beaucoup lu ; et c'est ce qui me fait tenir particulièrement certains livres où je puis trouver une satisfaction assurée.

Les *Essais* de Montaigne, les *Poésies* de Malherbe, les Tragédies de Corneille et les Œuvres de Voiture se sont établis comme un droit de me plaire toute ma vie.

De Quelques Livres espagnols, italiens et français, 1668 ?

BOSSUET (1627-1704)

texte 17 "Maximes et réflexions sur la comédie[1]"

Dans cet ouvrage Bossuet entreprend de réfuter une dissertation du P. Caffaro publiée en tête d'une édition des comédies de Boursault et justifiant les représentations théâtrales.

CHAPITRE IV : S'IL EST VRAI QUE LA REPRÉSENTATION DES PASSIONS AGRÉABLES NE LES EXCITE QUE PAR ACCIDENT.

Vous dites que ces représentations des passions agréables, « et les paroles des passions dont on se sert dans la comédie » ne les excitent qu'indirectement « par hasard et par accident », comme vous parlez ; et que « ce n'est pas leur nature de les exciter », mais au contraire ,il n'y a rien de plus direct, de plus naturel à ces pièces, que ce qui fait le dessein formel de ceux qui les composent, de ceux qui les récitent et de ceux qui les écoutent. Dites-moi, que veut un Corneille dans son *Cid*, sinon qu'on aime Chimène, qu'on l'adore avec Rodrigue, qu'on tremble avec lui lorsqu'il est dans la crainte de la perdre, et qu'avec lui on s'estime heureux lorsqu'il espère de la posséder ? Le premier principe sur lequel agissent les poètes tragiques et comiques, c'est qu'il faut intéresser le spectateur ; et si l'auteur ou l'acteur d'une tragédie ne le sait pas émouvoir et le transporter de la passion qu'il veut exprimer,

---

1. Cf. p. 42.

où tombe-t-il, si ce n'est dans le froid, dans l'ennuyeux, dans le ridicule, selon les règles des maîtres de l'art ? *Aut dormitabo, aut ridebo*, et le reste. Ainsi tout le dessein d'un poète, toute la fin de son travail, c'est qu'on soit, comme son héros, épris des belles personnes, qu'on les serve comme des divinités ; en un mot, qu'on leur sacrifie tout, si ce n'est peut-être la gloire, dont l'amour est plus dangereux que celui de la beauté même. C'est donc combattre les règles et les principes des maîtres, que de dire, avec la *Dissertation*, que le théâtre n'excite que *par hasard* et *par accident* les passions qu'il entreprend de traiter.

On dit, et c'est encore une objection de notre auteur, « que l'histoire » qui est si grave et si sérieuse, « se sert de paroles qui excitent les passions » et qu'aussi vive à sa manière que la comédie, elle veut intéresser son lecteur dans les actions bonnes et mauvaises qu'elle représente. Quelle erreur de ne savoir pas distinguer entre l'art de représenter les mauvaises actions pour en inspirer de l'horreur, et celui de peindre les passions agréables d'une manière qui en fasse goûter le plaisir ? Que s'il y a des histoires qui dégénérant de la dignité d'un si beau nom, entrent à l'exemple de la comédie dans le dessein d'émouvoir les passions flatteuses, qui ne voit qu'il les faut ranger avec les romans et les autres livres corrupteurs de la vie humaine ?

Si le but de la comédie n'est pas de flatter ces passions, qu'on veut appeler délicates, mais dont le fond est si grossier, d'où vient que l'âge où elles sont le plus violentes, est aussi celui où l'on est touché le plus vivement de leur expression ? Mais pourquoi en est-on si touché, si ce n'est, dit saint Augustin, qu'on y voit, qu'on y sent l'image, l'attrait, la pâture des passions ? Et cela, dit le même saint, qu'est-ce autre chose, qu'une déplorable maladie de notre cœur ? On se voit soi-même dans ceux qui nous paraissent comme transportés par de semblables objets : on devient bientôt un acteur secret dans la tragédie ; on y joue sa propre passion ; et la fiction au dehors est froide et sans agrément, si elle ne trouve au dedans une vérité qui lui réponde. C'est pourquoi ces plaisirs languissent dans un âge plus avancé, dans une vie plus sérieuse, si ce n'est qu'on se transporte par un souvenir agréable dans ses jeunes ans, les plus beaux de la vie humaine, à ne consulter que les sens, et qu'on réveille l'ardeur qui n'est jamais tout à fait éteinte.

Si les peintures immodestes ramènent naturellement à l'esprit ce qu'elles expriment, et que pour cette raison on en condamne l'usage, parce qu'on ne les goûte jamais autant qu'une main habile l'a voulu, sans entrer dans l'esprit de l'ouvrier et sans se mettre en quelque façon dans l'état qu'il a voulu peindre : combien plus sera-t-on touché des expressions du théâtre, où tout paraît effectif ; où ce ne sont point des traits morts et des couleurs sèches qui agissent, mais des personnages vivants, de vrais yeux, ou ardents, ou tendres et plongés dans la passion ; de vraies larmes dans les acteurs, qui en attirent d'aussi véritables dans ceux qui regardent ; enfin de vrais mouvements, qui mettent en feu tout le parterre et toutes les loges : et tout cela, dites-vous, n'émeut qu'indirectement et n'excite que par accident les passions !

1694.

texte 18   # Influence de la galanterie
sur la tragédie française[1]

La Tragédie moderne roule sur d'autres principes (que la Tragédie grecque) : peut-être que le génie de notre nation ne pourrait pas aisément soutenir une action sur le théâtre par le seul mouvement de la terreur et de la pitié. Ce sont des machines qui ne peuvent se remuer comme il faut que par de grands sentiments et par de grandes expressions, dont nous ne sommes pas tout à fait si capables que les Grecs. Peut-être que notre nation, qui est naturellement galante, a été obligée par la nécessité de son caractère à se faire un système nouveau de tragédie, pour s'accommoder à son humeur. Les Grecs, qui étaient des états populaires et qui haïssaient la monarchie, prenaient plaisir dans leurs spectacles à voir les rois humiliés et les grandes fortunes renversées parce que l'élévation les choquait. Les Anglais nos voisins aiment le sang dans leurs jeux, par la qualité de leur tempérament ; ce sont des insulaires, séparés du reste des hommes : nous sommes plus humains ; la galanterie est davantage selon nos mœurs, et nos poètes ont cru ne pouvoir plaire sur le théâtre que par des sentiments doux et tendres : en quoi ils ont peut-être eu quelque sorte de raison. Car en effet les passions

1. Cf. p. 44.

que l'on représente deviennent fades et de nul goût, si elles ne sont fondées sur des sentiments conformes à ceux du spectateur. C'est ce qui oblige nos poètes à privilégier si fort la galanterie sur le théâtre, et à tourner tous leurs sujets sur des tendresses outrées, pour plaire davantage aux femmes, qui se sont érigées en arbitres de ces divertissements et qui ont usurpé le droit d'en décider. On s'est même laissé préoccuper au goût des Espagnols qui font tous leurs cavaliers amoureux. C'est par eux que la tragédie a commencé à dégénérer, qu'on s'est peu à peu accoutumé à voir des héros sur le théâtre touchés d'un autre amour que celui de la gloire, et que tous les grands hommes de l'antiquité ont perdu leur caractère entre nos mains. C'est aussi peut-être par la galanterie que notre siècle s'est avisé de sauver la faiblesse de son génie : ne pouvant pas soutenir toujours une même action par la grandeur des paroles et des sentiments. Quoi qu'il en soit, car je ne suis pas assez hardi pour me déclarer contre le public, c'est dégrader la tragédie de cet air de majesté qui lui est propre que d'y mêler de l'amour, qui est d'un caractère toujours badin et peu conforme à cette gravité dont elle fait profession. Ce qui fait que les tragédies mêlées de galanterie ne font point ces impressions admirables sur les esprits, que faisaient autrefois les tragédies de Sophocle et d'Euripide : car toutes les entrailles étaient émues par les grands objets de terreur et de pitié que ces auteurs proposaient.

Réflexions sur la Poétique, 1674,
Deuxième partie, chap. XX.

texte 19   Contre l'abus des commentaires[1]

L'étude des textes ne peut jamais être assez recommandée ; c'est le chemin le plus court, le plus sûr et le plus agréable pour tout genre d'érudition. Ayez les choses de la première main, puisez à la source ; maniez, remaniez le texte, apprenez-le de mémoire, citez-le dans les occasions, songez surtout à en pénétrer le sens dans toute son étendue et dans ses circonstances ; conciliez un auteur original, ajustez ses principes, tirez vous-même les conclusions. Les premiers commentateurs se sont trouvés dans le cas où je désire que vous soyez : n'empruntez leurs lumières et ne suivez leurs vues qu'où les vôtres seraient trop courtes ; leurs explications ne sont pas à vous, et peuvent aisément vous échapper : vos observations, au contraire, naissent de votre esprit, et y demeurent ; vous les retrouvez plus ordinairement dans la conversation, dans la consultation et dans la dispute. Ayez le plaisir de voir que vous n'êtes arrêtés dans la lecture que par les difficultés qui sont invincibles, où les commentateurs et scoliastes eux-mêmes demeurent court, si fertiles d'ailleurs, si abondants et si chargés d'une vaine et fastueuse érudition dans les endroits clairs, et qui ne font de peine ni à eux ni aux autres. Achevez ainsi de vous convaincre, par cette méthode d'étudier, que c'est la paresse des hommes qui a encouragé le pédantisme à grossir plutôt qu'à enrichir les bibliothèques, à faire périr le texte sous le poids des commentaires ; et qu'elle a en cela agi contre soi-même et contre ses plus chers intérêts, en multipliant les lectures, les recherches et le travail qu'elle cherchait à éviter.

Les Caractères, chap. XIV, « De quelques usages », paragraphe 72, 1691.

---

1. Cf. p. 48.

texte 20   L'article " Poquelin[1] "

Le texte même de l'article comporte d'abord un résumé de la biographie de ce « comédien fameux, connu sous le nom de Molière », d'après le récit de sa vie imprimé en tête de l'édition de ses *Œuvres*.

Bayle écrit ensuite :

Voilà ce que j'ai tiré de sa Vie imprimée en tête de ses Œuvres. J'eusse peut-être bien fait de n'en rien tirer ; car ce livre-là est plus connu, plus manié que ne le sera jamais mon Dictionnaire, et ainsi je n'apprends rien de nouveau à qui que ce soit, en copiant quelque chose de ce qui se trouve dans cette vie de Molière. On n'y a point rapporté un fait que bien des gens m'ont assuré, c'est qu'il ne se fit comédien que pour être auprès d'une comédienne dont il était fort amoureux. Je laisse à deviner si l'on s'en est tu parce que cela n'est pas véritable, ou de peur de lui faire tort. Plusieurs personnes assurent que ses comédies surpassent ou égalent tout ce que l'ancienne Grèce et l'ancienne Rome ont eu de plus beau en ce genre-là (Remarque B). Il ne faudrait pas s'étonner qu'il ait si bien réussi à représenter les désordres des mauvais ménages et les chagrins des maris jaloux, ou qui ont sujet de l'être ; car on assure qu'il savait cela par expérience autant qu'homme du monde (Remarque C). Je m'en rapporte à un livre qui a été publié et dont je donne

---

1. Cf. p. 49.

quelques fragments. Ce qu'il y a de plus étrange est qu'on a dit que sa femme était sa fille. Il avait une facilité incroyable à faire des vers (voyez la deuxième Satire de M. Despréaux) ; mais il se donnait trop de liberté (Remarque CC) d'inventer de nouveaux termes et de nouvelles expressions : il lui échappait même fort souvent des barbarismes (Remarque D). Vous trouverez dans M. Baillet (*Jugements sur les poètes*, tome V, p. 1520) ce qu'il faut juger de son talent.

Quelques-uns prétendent que la gloire de l'invention n'appartient pas à Molière, et qu'il profita beaucoup des comédies que les Italiens avaient jouées à Paris (Remarque E). On a tort de dire que M. Despréaux changea de langage après la mort de ce grand comique ; il l'avait loué vivant, il le blâma mort, si l'on en veut croire certains censeurs ignorants. La vérité est qu'il ne cessa point de le louer quand il le vit dans le tombeau ; il lui reprocha seulement d'avoir eu trop de complaisance pour le parterre, censure raisonnable à certains égards, injuste à tout prendre (Remarque F). Les vers que le Père Bouhours composa. à la louange de Molière sont les meilleurs qu'il ait jamais composés, si l'on s'en rapporte au jugement de Ménage. Je ne sais si les Italiens trouvent à leur goût les comédies de Molière traduites en leur langue par un homme de leur nation transplanté en Allemagne (il se nomme Nicolas de Castelli et prend la qualité de Secrétaire de l'Électeur de Brandebourg — il a fait imprimer cette traduction à ses dépens à Leipzig en l'an 1698). Il est plus difficile dans un ouvrage de cette nature que dans d'autres de communiquer à une version toutes les beautés de l'original. Au reste ce que j'ai rapporté du penchant de notre Molière pour la comédie se trouve avec de nouvelles circonstances dans un livre de M. Perrault (Remarque G). On sera bien aise d'apprendre ce que devint après la mort de Molière la troupe de comédiens dont il avait été le chef ; cela peut fort servir à faire connaître le mérite de cet acteur (Remarque H).

Ce texte est suivi d'une série de remarques dont voici l'essentiel :

REMARQUE A : sur les circonstances de la mort de Molière : il est faux qu'il soit mort sur la scène.

REMARQUE B : comparaison entre Molière et les poètes comiques de l'Antiquité :

M. Perrault s'est attiré beaucoup d'adversaires pour s'être opposé fort vivement à ceux qui disent qu'il n'y a point aujourd'hui d'auteurs que l'on puisse comparer aux Homères et aux Virgiles, aux Démosthènes et aux Cicérons, aux Aristophanes et aux Térences, aux Sophocles et aux Euripides. Cette dispute a fait naître de part et d'autre plusieurs ouvrages où l'on peut apprendre de très bonnes choses. Mais on attend encore la réponse au parallèle de M. Perrault, et l'on ne sait quand elle viendra. Je crois pouvoir dire qu'en fait d'ouvrages de plume, il n'y a guère de choses où tant de gens aient reconnu la supériorité de ce siècle que dans les pièces comiques. Peut-être cela vient-il de ce que les grâces et les finesses d'Aristophane ne sont pas à la portée de tous ceux qui peuvent sentir le sel et les agréments de Molière ; car il faut demeurer d'accord que pour bien juger des comiques grecs il faudrait connaître à fond les défauts des Athéniens. Il y a un ridicule commun à tous les temps et à tous les peuples, et un ridicule particulier à certains siècles et à certaines nations. Il y a des scènes d'Aristophane qui nous paraissent insipides qui charmaient peut-être les Athéniens parce qu'ils connaissaient le défaut qu'il tournait en ridicule. C'était un défaut que peut-être nous ne savons pas ; c'était le ridicule ou de quelques faits particuliers ou de quelque goût passager et commun en ce temps-là, mais qui nous est inconnu lors même que nous pouvons consulter les originaux. Voilà des obstacles qui ne nous permettent pas d'admirer ce poète selon son mérite, ni en Grec, ni en Latin, ni dans les versions françaises les plus fidèles et les plus polies qu'on en puisse donner. Molière n'est pas sujet à ces contre-temps : nous savons à qui il en veut et nous sentons facilement s'il peint bien le ridicule de notre siècle ; rien ne nous échappe de tout ce qui lui réussit. Il semble même qu'à l'égard de ces pensées et de ces fines railleries à quoi tous les siècles et tous les peuples polis sont sensibles, il soit plus fécond qu'Aristophane et que Térence. C'est une prérogative de grand poids ; car enfin l'on ne peut pas accuser ce siècle de manquer de goût pour les endroits relevés des poètes latins. Montrez aux Dames d'esprit certaines pensées d'Horace, d'Ovide, de Juvénal, etc., montrez les leur en vieux Gaulois ; faites en la traduction la plus plate qu'il vous plaira, pourvu qu'elle soit fidèle, vous verrez que ces Dames conviendront que ces pensées sont belles, délicates, fines. Il y a des beautés d'esprit qui sont à la mode dans tous les temps. C'est en celles-là que l'on dirait que notre Molière est plus fertile que les comiques de l'Antiquité. Il a des beautés qui disparaîtraient dans les versions, et à l'égard des pays où le goût n'est pas semblable à celui de France : mais il en a un grand nombre d'autres qui passeraient dans toutes sortes de traductions et de quelque goût que les lecteurs fussent, pourvu qu'ils entendissent l'essence des bonnes pensées.

Bayle renvoie pour finir à l'article *Amphitryon, Remarque B*, où il accorde la supériorité à la pièce de Molière sur celle de Térence.

REMARQUE C : Longue citation de *L'Histoire de la Guérin, auparavant femme et veuve de Molière* (1688) sur le mariage et les infortunes conjugales de Molière.

REMARQUE CC : sur l'abus des néologismes :

Prenez bien garde qu'on ne blâme ici que l'excès de sa liberté, car au fond, l'on ne nie pas qu'il ne s'en servît bien souvent d'une manière très heureuse et qui a été utile à notre langue. Au reste, il n'y a point de meilleure forge de nouveaux mots que la comédie ; car si elle produit quelque nouveauté de langage qui soit bien reçue, une infinité de gens s'en emparent tout à la fois et la répandent bientôt sur long et sur large par de fréquentes répétitions.

REMARQUE D : exemples de barbarismes :

Par barbarismes ... j'entends un arrangement qui choque les règles, et que nos bons grammairiens regardent comme barbare.

REMARQUE E : citation d'un ouvrage anonyme où Molière est accusé d'avoir plagié la comédie italienne. (*Livre sans nom* divisé en *cinq Dialogues* imprimé en 1695.)

REMARQUE F : à propos des jugements de Boileau sur Molière.

Bayle cite le passage du Chant III de *l'Art poétique* où Boileau reproche à Molière d'avoir été trop « ami du peuple ».

[La censure de Boileau] contient une observation très légitime et qui devrait être une règle inviolable, si l'on ne faisait des comédies que pour les faire imprimer, mais comme elles sont principalement destinées à paraître sur le théâtre en présence de toutes sortes de gens, il n'est point juste d'exiger qu'elles soient bâties selon le goût de M. Despréaux.

[Aussi Bayle justifie-t-il Molière car] l'usage de la comédie est de divertir le peuple aussi bien que le Sénat. Il faut donc qu'elle soit proportionnée au goût du public, c'est-à-dire qu'elle soit capable d'attirer beaucoup de monde, car sans cela, ne fût-elle qu'un élexir de pensées rares, ingénieuses, fines au souverain point, elle ruinerait les acteurs et ne servirait de rien au peuple.

[Il ajoute à ce sujet une] (OBSERVATION GÉNÉRALE CONTRE LES CENSEURS DE CE DICTIONNAIRE :)

Ce ne sont pas seulement les critiques de Molière qu'on peut repousser par de telles réflexions : il y a beaucoup d'autres livres que l'on censure parce qu'on ne songe pas aux divers usages à quoi ils sont destinés, et parce qu'on y trouve cent choses que l'on voudrait que l'auteur eût retranchées. J'ai bien à faire de cela, dit l'un ; que m'importe, dit l'autre, qu'un tel ait été mal marié ; à quoi bon tant de citations, tant de pensées gaillardes, tant de réflexions philosophiques, etc. C'est le langage perpétuel de ceux qui critiquent ce Dictionnaire, mais ils me permettront de leur dire qu'ils ont négligé de se pourvoir de la chose qui leur était la plus nécessaire pour bien juger de cet ouvrage. Ils n'ont point connu qu'il doit servir à toutes sortes de lecteurs, et que par cela même qu'il ne serait fait que selon le goût des plus grands puristes, il sortirait de sa sphère naturelle. Songent-ils bien que, si je m'étais réglé sur leurs idées de perfection, j'aurais fait un livre qui leur eût plu à la vérité, mais qui eût déplu à cent autres et qu'on eût laissé pourrir dans les magasins du libraire ? La pauvre chose pour lui que deux gros volumes qui ne contiendraient que ce qui peut plaire à ceux qui se piquent d'un air grave et d'un goût exquis et qui voudraient qu'on leur expliquât par monosyllabes les matières les plus étendues. Qu'ils fassent les réflexions que faisait Socrate à la vue d'une foire, on le veut bien, mais la foire sera pourtant ce qu'elle doit être.

REMARQUE G : extraits des *Éloges* de Perrault sur la vocation irrésistible de Molière pour le théâtre.

REMARQUE H : ce qu'est devenue la troupe de Molière après sa mort, d'après le livre de Chappuzeau sur *le Théâtre français*.

Dictionnaire historique et critique, 1697.

Antoine de LA MOTTE-HOUDAR (1672-1731)

texte 21 De la manière de critiquer les auteurs[1]

La critique est sans doute permise dans la république des lettres. Elle est légitime puisque c'est un droit naturel du public de juger des écrits qu'on lui expose ; et elle est utile, puisqu'elle ne tend qu'à faire voir par un raisonnement sérieux et détaillé les défauts et les beautés des ouvrages. Mais autant que la critique est légitime et utile, autant la satire est-elle injuste et pernicieuse : elle est injuste en ce qu'elle essaye de tourner les auteurs-mêmes en ridicule, ce qui ne saurait être le droit de personne ; et elle est pernicieuse en ce qu'elle songe beaucoup plus à réjouir qu'à éclairer. Elle ne porte que des jugements vagues et malins, d'autant plus contagieux que leur généralité accommode notre paresse et que leur malice ne flatte que trop notre penchant à mépriser les autres.

Il faudrait donc, dans la république des lettres, traiter les satiriques superficiels comme des séditieux qui ne cherchent qu'à brouiller, et les critiques sages, au contraire, comme de bons citoyens qui ne travaillent qu'à faire fleurir la raison et les talents.

C'est à eux sans doute qu'il appartient de juger les ouvrages anciens et modernes, mais il serait bon, ce me semble, d'établir là-dessus une

---

1. Cf. p. 50.

différence entre les auteurs des siècles passés et les auteurs vivants. On examine d'ordinaire ceux-là avec un respect timide et des ménagements superstitieux, tandis qu'on réserve pour ses contemporains toute la sévérité et toute la hardiesse de ses jugements. J'ose dire cependant que ce devrait être tout le contraire. Tous les égards sont dûs à ceux avec qui nous vivons et nous ne devons rien aux autres que la vérité.

Il faudrait donc, pour l'instruction de nos contemporains, mettre à profit cette liberté que nous pouvons prendre sur les auteurs qui ne sont plus. Que notre propre conduite nous serve en cela de leçon : nous ne faisons d'anatomie que des morts ; on a même horreur de la maxime qui autorise les expériences sur les personnes obscures. Pourquoi n'étendrions-nous pas cette humanité aux choses qui ne regardent que l'esprit ? Pourquoi, du moins, ne s'en pas tenir aux critiques honnêtes avec nos écrivains ? Pourquoi, au lieu de leur reprocher aigrement des fautes, n'en choisissons-nous pas de pareilles dans les anciens, dont nous fassions sentir le défaut, et, si l'on veut, tout le ridicule qui ne les intéresse plus ? Nous satisferions par là au double devoir d'éclairer les autres et de ne blesser personne.

Réflexions sur la critique, 1715.

texte 22   Jugement sur Molière[1]

Dans la célèbre *Lettre à l'Académie*, nous avons choisi ce jugement sur Molière que l'on pourra comparer aux *Réflexions* de Bossuet sur le théâtre et aux jugements de Bayle et de Rousseau.

Il faut avouer que Molière est un grand poète comique. Je ne crains pas de dire qu'il a enfoncé plus avant que Térence dans certains caractères ; il a embrassé une plus grande variété de sujets, il a peint par des traits forts presque tout ce que nous voyons de déréglé et de ridicule. Molière a ouvert un chemin tout nouveau, encore une fois, je le trouve grand : mais ne puis-je parler en toute liberté sur ses défauts ? Il a outré souvent les caractères ; il a voulu par cette liberté plaire au parterre, frapper les spectateurs les moins délicats et rendre le ridicule plus sensible. Un autre défaut de Molière que beaucoup de gens d'esprit lui pardonnent, et que je n'ai garde de lui pardonner, est qu'il a donné un tour gracieux au vice, avec une austérité ridicule et odieuse à la vertu. Je comprends que ses défenseurs ne manqueront pas de dire qu'il a traité avec honneur la vraie probité, qu'il n'a attaqué qu'une vertu chagrine et qu'une hypocrisie détestable ; mais, sans entrer dans cette longue discussion, je soutiens que Platon et les autres législateurs de l'antiquité païenne n'auraient jamais admis dans leur république un tel jeu sur les mœurs.

Lettre à l'Académie, 1714.

---

1. Cf. p. 51.

Abbé DU BOS (1670-1742)

---

texte 23   Importance du sentiment en critique[1]

Non seulement le public juge d'un ouvrage sans intérêt, mais il en juge encore ainsi qu'il en faut décider en général, c'est-à-dire par la voie du sentiment, et en suivant l'impression que le poème ou le tableau font sur lui. Puisque le premier but de la poésie et de la peinture est de nous toucher, les poèmes et les tableaux ne sont de bons ouvrages qu'à proportion qu'ils nous émeuvent et qu'ils nous attachent. Un ouvrage qui touche beaucoup doit être excellent à tout prendre. Par la même raison, l'ouvrage qui ne touche point et qui n'attache pas ne vaut rien ; et si la critique n'y trouve point à reprendre des fautes contre les règles, c'est qu'un ouvrage peut être mauvais sans qu'il y ait des fautes contre les règles, comme un ouvrage plein de fautes contre les règles peut être un ouvrage excellent.

Or le sentiment enseigne bien mieux si l'ouvrage touche et s'il fait sur nous l'impression qu'il doit faire, que toutes les dissertations composées par les critiques pour en expliquer le mérite et pour en calculer les perfections et les défauts. La voie de discussion et d'analyse dont se servent ces Messieurs est bonne, à la vérité lorsqu'il s'agit de trouver les causes qui font qu'un ouvrage plaît, ou qu'il ne plaît pas ; mais cette voie ne vaut pas celle du sentiment lorsqu'il s'agit de décider cette question. L'ouvrage plaît-il ou ne

---

1. Cf. p. 52.

plaît-il pas ? L'ouvrage est-il bon ou mauvais en général ? C'est la même chose. Le raisonnement ne doit donc intervenir dans le jugement que nous portons sur un poème ou sur un tableau en général que pour rendre raison de la décision du sentiment et pour expliquer quelles fautes l'empêchent de plaire et quels sont les agréments qui le rendent capables d'attacher. Qu'on me permette ce trait. La raison ne veut point qu'on raisonne sur une pareille question à moins qu'on ne raisonne pour justifier le jugement que le sentiment a porté. La décision de la question n'est point du ressort du raisonnement. Il doit se soumettre au jugement que le sentiment prononce. C'est le juge compétent de la question.

> *Réflexions critiques sur la poésie et la peinture :* Deuxième partie, section XXII : « Que le public juge bien des poèmes et des tableaux en général. Du sentiment que nous avons pour connaître le mérite de ces ouvrages », 1719.

texte 24 Nécessité et difficulté d'une compréhension historique[1]

La prévention où la plupart des hommes sont pour leur temps et pour leur nation est une source féconde en mauvaises remarques comme en mauvais jugements. Ils prennent ce qui s'y fait pour la règle de ce qui doit se faire partout et de ce qui aurait dû se faire toujours. Cependant il n'y a qu'un petit nombre d'usages, et même un petit nombre de vices et de vertus qui aient été loués ou blâmés dans tous les temps et dans tous les pays. Or les poètes ont raison de pratiquer ce que Quintilien conseille aux orateurs, c'est de tirer leurs avantages des idées de ceux pour lesquels ils composent et de s'y conformer : « *Plurimum refert qui sint audientium mores, quae publice recepta persuasio...* ». Ainsi nous devons nous transformer en ceux pour qui le poème fut écrit si nous voulons juger sainement de ses images, de ses figures et de ses sentiments... Nous avons vu blâmer Homère d'avoir décrit avec goût les jardins du roi Alcinoüs, semblables, disait-on, à celui d'un bon vigneron des environs de Paris. Mais, supposé que cela fût vrai, imaginer un jardin merveilleux, c'est la tâche de l'architecte. Le faire planter à grands frais, c'est, si l'on veut, le mérite du prince. La profession du poète est de bien décrire ceux que les hommes de son temps savent faire. Homère est un aussi grand artisan dans la description qu'il fait des jardins d'Alcinoüs que s'il avait fait la description de ceux de Versailles.

---

1. Cf. p. 53.

Après avoir reproché aux poètes anciens d'avoir rempli leurs vers d'objets communs et d'images sans noblesse, on se croit encore fort modéré quand on veut bien rejeter la faute qu'ils n'ont pas commise sur le siècle où ils ont vécu, et les plaindre d'être venus en des temps grossiers...

Il ne suffit pas de savoir bien écrire pour faire des critiques judicieuses des poésies des anciens et des étrangers, il faudrait encore avoir connaissance des choses dont ils ont parlé. Ce qui était ordinaire de leur temps, ce qui est commun dans leur patrie, peut paraître blesser la vraisemblance et la raison à des censeurs qui ne connaissent que leur temps et leur pays.

Réflexions critiques sur la poésie et la peinture :
Deuxième partie, section XXXVII, 1719.

texte 25   # Profession de foi :
pour une critique impartiale[1]

Dans la lettre IX du premier tome de *L'Année littéraire* Fréron publie une lettre du poète Pierre-Charles Roy, auteur de livrets d'opéras et de ballets, qui le félicite de vouloir « remplir sa mission en toute bénignité, sans que la vérité perde rien de ses droits ».

Fréron en profite pour affirmer sa volonté de dépouiller la critique de toute passion. Mais cette promesse ne sera guère tenue !

...Vous ne l'ignorez pas, Monsieur : les critiques, quelque fondées qu'elles soient, sont toujours soupçonnées d'injustice, dès que la passion s'y laisse apercevoir. Le palais des lecteurs les rebute, si les épices y dominent. Il y a même de la maladresse, permettez-moi de vous le dire, à décocher des dards trempés dans le fiel. Le rival qu'on veut blesser n'en est seulement pas effleuré. Les flambeaux de la haine et de l'envie éclairent son triomphe. Mais lorsqu'on dit modestement son avis sur un ouvrage, qu'on en relève les défauts sans aigreur et sans partialité, le Poète, le Romancier ou l'Historien que vous censurez n'en ressent que plus vivement les coups que vous lui portez. Il aimerait bien mieux que vous l'attaquassiez avec les armes de

---

1. Cf. p. 58.

l'animosité. Vos égards sont cruels : vous lui ôtez inhumainement tout sujet de le plaindre. S'il entend assez peu les intérêts pour se piquer, le public se range de votre côté, le ridicule du sien.

Je vous promets, Monsieur, que je ne donnerai jamais aux Auteurs la satisfaction d'élever contre moi de justes murmures. En rendant compte des livres qui seront à ma portée, je m'interdirai tout trait dur, toute raillerie piquante, toute allusion personnelle. Ce devoir indispensable que je m'impose, n'exclut pas les plaisanteries innocentes et les ironies légères, lorsqu'elles ne tomberont que sur les écrits. La seule grâce que je demande, est que l'on ne me croye pas coupable des applications malignes, des interprétations offensantes que la sourde méchanceté de mes ennemis pourra faire de mes ouvrages.

L'Année littéraire, tome I, 15 juillet 1749.

VOLTAIRE (1694-1778)

---

texte 26   # Pour une critique sérieuse
et démonstrative[1]

Dans ses *Conseils à un journaliste* parus dans *Le Mercure* en novembre 1744, Voltaire donne une série de conseils sur la manière dont il convient d'aborder différents sujets : Philosophie, Histoire, Théâtre, Poésie...
Voici un fragment des remarques concernant la tragédie :

Il y a apparence que les bons auteurs du siècle de Louis XIV dureront autant que la langue française ; mais ne découragez pas leurs successeurs en assurant que la carrière est remplie, et qu'il n'y a plus de place. Corneille n'est pas assez intéressant ; souvent Racine n'est pas assez tragique. L'auteur de *Venceslas*, celui de *Rhadamiste* et d'*Électre*, avec leurs grands défauts, ont des beautés particulières qui manquent à ces deux grands hommes ; et il est à présumer que ces trois pièces resteront toujours sur le théâtre français, puisqu'elles s'y sont soutenues avec des acteurs différents ; car c'est la vraie épreuve de la tragédie. Que dirai-je de *Manlius*, pièce digne de Corneille, et du beau rôle d'*Ariane*, et du grand intérêt qui règne dans *Amasis* ? Je ne vous parlerai point des pièces tragiques faites depuis vingt années : comme j'en ai composé quelques-unes, il ne m'appartient

---

1. Cf. p. 66.

pas d'oser apprécier le mérite des contemporains qui valent mieux que moi ; et à l'égard de mes ouvrages de théâtre, tout ce que je peux en dire, et vous prier d'en dire aux lecteurs, c'est que je les corrige tous les jours.

Mais quand il paraîtra une pièce nouvelle, ne dites jamais comme l'auteur odieux des *Observations* et de tant d'autres brochures : *La pièce est excellente, ou elle est mauvaise ; ou tel acte est impertinent, un tel rôle est pitoyable.* Prouvez solidement ce que vous en pensez, et laissez au public le soin de prononcer. Soyez sûr que l'arrêt sera contre vous toutes les fois que vous déciderez sans preuve, quand même vous auriez raison ; car ce n'est pas votre jugement qu'on demande, mais le rapport d'un procès que le public doit juger.

Ce qui rendra surtout votre journal précieux, c'est le soin que vous aurez de comparer les pièces nouvelles avec celles des pays étrangers qui seront fondées sur le même sujet. Voilà à quoi l'on manqua dans le siècle passé, lorsqu'on fit l'examen du *Cid* : on ne rapporta que quelques vers de l'original espagnol ; il fallait comparer les situations. Je suppose qu'on nous donne aujourd'hui *Manlius* de La Fosse, pour la première fois ; il serait très agréable de mettre sous les yeux du lecteur la tragédie anglaise dont elle est tirée. Paraît-il quelque ouvrage instructif sur les pièces de l'illustre Racine ; détrompez le public de l'idée où l'on est que jamais les Anglais n'ont pu admettre le sujet de *Phèdre* sur leur théâtre. Apprenez aux lecteurs que la *Phèdre* de Smith est une des plus belles pièces qu'on ait à Londres. Apprenez-leur que l'auteur a imité tout de Racine, jusqu'à l'amour d'Hippolyte ; qu'on a joint ensemble l'intrigue de Phèdre et celle de *Bajazet*, et que cependant l'auteur se vante d'avoir tiré tout d'Euripide. Je crois que les lecteurs seraient charmés de voir sous leurs yeux la comparaison de quelques scènes de la *Phèdre* grecque, de la latine, de la française, et de l'anglaise. C'est ainsi, à mon gré, que la sage et saine critique perfectionnerait encore le goût des Français, et peut-être de l'Europe. Mais quelle vraie critique avons-nous depuis celle que l'Académie française fit du *Cid*, et à laquelle il manque autant de choses qu'au *Cid* même ?

Conseils à un journaliste, écrits en 1737.

texte 27 La vraie critique est difficile[1]

Je ne prétends point parler ici de cette critique de scoliaste qui restitue mal un mot d'un ancien auteur qu'auparavant on entendait très bien. Je ne touche point à ces vrais critiques qui ont débrouillé ce qu'on peut de l'histoire et de la philosophie anciennes. J'ai en vue les critiques qui tiennent à la satire.

---

1. Cf. p. 66.

[Voltaire cite alors des stances du Tasse et de Quinault qui lui semblent avoir des qualités telles que leur lecteur ne comprendrait pas les jugements de Boileau :]

C'est pourtant ce Quinault que Boileau s'efforça toujours de faire regarder comme l'écrivain le plus méprisable ; il persuada même à Louis XIV que cet écrivain gracieux, touchant, pathétique, élégant, n'avait d'autre mérite que celui qu'il empruntait du musicien Lulli... Boileau n'était pas jaloux du musicien, il l'était du poète. Quel fond devons-nous faire sur le jugement d'un homme qui, pour rimer à un vers qui finissait en *-ault*, dénigrait tantôt Boursault, tantôt Hénault, tantôt Quinault, selon qu'il était bien ou mal avec ces messieurs-là ?...

. . . .

Un excellent critique serait un artiste qui aurait beaucoup de science et de goût, sans préjugés et sans envie. Cela est difficile à trouver.

......On a vu chez les nations modernes qui cultivent les lettres, des gens qui se sont établis critiques de profession, comme on a créé des langueyeurs de porcs, pour examiner si ces animaux qu'on amène au marché ne sont pas malades. Les langueyeurs de la littérature ne trouvent aucun auteur bien sain ; ils rendent compte deux ou trois fois par mois de toutes les maladies régnantes, des mauvais vers faits dans la capitale et dans les provinces, des romans insipides dont l'Europe est inondée, des systèmes de physique nouveaux, des secrets pour faire mourir les punaises. Ils gagnent quelque argent à ce métier, surtout quand ils disent du mal des bons ouvrages et du bien des mauvais. On peut les comparer aux crapauds qui passent pour sucer le venin de la terre, et pour le communiquer à ceux qui les touchent.

Dictionnaire philosophique, article « Critique », 1764.

texte 28 L'article "Critique" de l'Encyclopédie[1]

Marmontel parle d'abord de la « critique, ce genre d'étude à laquelle nous devons la restitution de la littérature ancienne ». Il examine ensuite la critique considérée « comme un examen éclairé et un jugement équitable des productions humaines » (dans les sciences, les arts libéraux et les arts mécaniques).

Critique dans les arts libéraux ou les beaux-arts. — Tout homme qui produit un ouvrage dans un genre auquel nous ne sommes point préparés excite aisément notre admiration. Nous ne devenons admirateurs difficiles que lorsque, les ouvrages dans le même genre venant à se multiplier, nous pouvons établir des points de comparaison, et en tirer des règles plus ou moins sévères, suivant les nouvelles productions qui nous sont offertes. Celles de ces productions où l'on a constamment reconnu un mérite supérieur servent de modèles. Il s'en faut beaucoup que ces modèles soient parfaits ; ils ont seulement, chacun en particulier, une ou plusieurs qualités excellentes qui les distinguent. L'esprit, faisant alors ce qu'on nous dit d'Apelle, se forme d'une multitude de beautés éparses un tout idéal qui les rassemble. Ce composé, dit Cicéron, n'est aperçu par aucun de nos sens : il n'existe que dans la pensée......

---

1. Cf. p. 69.

C'est à ce modèle intellectuel, au-dessus de toutes les productions existantes que l'on doit rapporter tous les ouvrages de génie en tous genres. Le critique supérieur doit donc avoir dans son imagination autant de modèles qu'il y a de genres différents. Le critique subalterne est celui qui, n'ayant pas de quoi se former des modèles transcendants, rapporte tout, dans ses jugements, aux productions existantes. Le critique ignorant est celui qui ne connaît point ou qui connaît mal ces objets de comparaison. C'est le plus ou le moins de justesse, de force, d'étendue dans l'esprit, de sensibilité dans l'âme, de chaleur dans l'imagination qui marque les degrés de perfection entre les modèles, et les rangs parmi les critiques. Tous les arts n'exigent pas ces qualités réunies dans une égale proportion : dans les uns l'organe décide, l'imagination dans les autres, le sentiment dans la plupart ; et l'esprit qui influe sur tous, ne préside sur aucun.

[Après avoir examiné le rôle des critiques dans les différents genres (architecture, peinture, histoire, éloquence, morale, etc...), Marmontel conclut :]

Il n'y a de critique universellement supérieur que le public, plus ou moins éclairé suivant les pays et les siècles, mais toujours respectable en ce qu'il comprend les meilleurs juges dans tous les genres, dont les voix, d'abord dispersées, se réunissent à la longue pour former l'avis général. L'opinion publique est comme un fleuve qui coule sans cesse et qui dépose son limon. Le temps vient où ses eaux épurées sont le miroir le plus fidèle que puissent consulter les arts......

A l'égard des particuliers qui n'ont que des prétentions pour titres, la liberté de se tromper avec confiance est un privilège auquel ils doivent se borner, et nous n'avons garde d'y porter atteinte. Mais le critique de profession, n'aspirât-il qu'à être médiocre, serait encore obligé d'être instruit ; et s'il arrivait que des hommes qui de leur vie n'auraient pensé à se former l'esprit, qui de leur vie n'auraient fait preuve ni de talent ni de lumières, et qui n'auraient pas même été au nombre des écrivains les plus obscurs ; s'il arrivait que de tels hommes, ayant fait de la critique un métier vil et mercenaire, eussent à force d'effronterie et de malignité, obtenu du crédit et de la faveur près de la multitude, ce serait la honte du siècle où ils auraient été les arbitres du goût.

On peut me demander si, sans toutes les qualités que j'exige, les arts et la littérature n'ont pas eu d'excellents critiques. C'est une qualité de fait sur les arts, et je m'en rapporte aux artistes. Quant à la littérature, j'ose répondre qu'elle a eu peu de critiques supérieurs, et qu'elle en a eu moins encore qui aient excellé en différentes parties.

Il ne m'appartient pas d'en marquer les places. Je viens d'exposer les principes, c'est au lecteur à les appliquer : il sait à quel poids il doit peser Cicéron, Longin, Pétrone, Quintilien, en fait d'éloquence ; Aristote, Horace et Pope en fait de poésie. Mais ce que j'aurai le courage d'avancer, quoique bien sûr d'être contredit par le bas peuple de la littérature, c'est que Boileau, à qui la versification et la langue sont en partie redevables de leur pureté, Boileau, l'un des hommes de son siècle qui avait le plus étudié les Anciens et qui possédait le mieux l'art de mettre leurs beautés en œuvre ; Boileau, sur les choses de sentiment et de génie, n'a jamais bien jugé que par comparaison. De là vient qu'il a rendu justice à Racine, l'heureux imitateur d'Euripide ; qu'il a méprisé Quinault et loué froidement Corneille qui ne ressemblaient à rien ; sans parler du Tasse, qu'il ne connaissait point, ou qu'il n'a jamais bien senti. Et comment Boileau, qui a si peu imaginé, aurait-il été un vrai connaisseur dans la partie du pathétique, lui à qui il n'est jamais échappé un trait de sentiment dans tout ce qu'il a pu produire ? Qu'on ne dise pas que le genre de ses œuvres n'en était pas susceptible. Ni l'un ni l'autre de ces dons ne reste enfoui dans une âme ; et lorsqu'il domine, il abonde. L'imagination de Malebranche l'a entraîné malgré lui dans ce qu'il appelait la *Recherche de la vérité*, et il n'a pu s'empêcher de s'y livrer dans le genre d'écrire où il était plus dangereux de la suivre. Les fables mêmes de La Fontaine, de ce poète divin dont Boileau n'a pas dit un mot dans son *Art poétique*, sont semées de traits aussi touchants que délicats.

Les critiques qui n'ont pas eu en eux-mêmes les facultés analogues aux productions de l'art, trop faibles pour se former des modèles intellectuels, ont tout rapporté aux modèles existants. Homère, Sophocle, Virgile ont réuni les suffrages de tous les siècles ; on en conclut qu'on ne peut plaire qu'en suivant la route qu'ils ont tenue. Mais chacun d'eux a suivi une route différente : qu'ont fait les critiques ? ils ont fait, dit l'auteur de *La Henriade*, « comme les astronomes, qui inventaient tous les jours des cercles imaginaires, et créaient ou anéantissaient un ciel ou deux de cristal, à la moindre difficulté ». Combien l'esprit didactique, si on voulait l'en croire, ne rétrécirait-il pas la carrière du génie ? « Allez au grand, vous dira un critique supérieur, il n'importe par quelle voie. »……

Il ne vous dira pas : Que l'action de votre pièce ne change point de lieu ; mais il vous dira : Que le changement de lieu soit possible d'un acte à l'autre. Il ne vous dira pas : Que l'action de votre poème ne dure pas moins de quarante jours, ni plus d'un an, car celle de l'*Iliade* dure quarante jours, et l'on peut borner à un an celle de l'*Odyssée ;* mais il vous dira : Que votre narration soit claire et noble ; que le tissu de votre poème n'ait rien de forcé ; que les extrémités et le milieu se répondent ; que les caractères annoncés se soutiennent jusqu'au bout. Écartez de votre action tout détail froid, tout ornement superflu. Intéressez par la suspension des événements ou par la surprise qu'ils causent ; parlez à l'âme, peignez à l'imagination ; pénétrez-vous pour nous toucher. Puisez dans les modèles le sentiment du vrai, du grand, du pathétique ; mais en les employant, suivez l'impulsion de votre génie et la disposition de vos sujets. Dans la tragédie, l'illusion et l'intérêt, voilà vos règles ; sacrifiez tout le reste à la noblesse du dessin et à la hardiesse du pinceau. Laissez louer les Grecs de n'y avoir pas employé l'amour, et prenez soin seulement que l'amour y soit souffrant, passionné, terrible. Dans le poème épique, passez-vous du merveilleux comme Lucain, si comme lui vous avez des grands hommes à faire parler et agir ; imitez l'élévation de son style, évitez son enflure, et laissez dire que celui qui a peint César, Cornélie et Caton, comme il l'a fait, n'était pas né poète. Faites durer votre action le temps qu'elle a dû naturellement durer : pourvu qu'elle soit une, pleine, et intéressante, elle finira trop tôt. Fondez la grandeur de vos personnages sur leur caractère et non sur leurs titres : un grand nom n'ennoblit point une action commune ; une action héroïque ennoblira le nom le plus obscur. En un mot, tâchez de réunir les qualités de ces grands génies d'après lesquels on a fait les règles, et qui n'ont acquis le droit de commander que parce qu'ils n'ont point obéi. Il en est tout autrement en littérature qu'en politique ; le talent qui a besoin de subir des lois n'en donnera jamais.

C'est ainsi que le critique supérieur laisse au génie toute sa liberté : il ne lui demande que de grandes choses et l'encourage à les produire. Le critique subalterne l'accoutume au joug des règles ; il n'en exige que l'exactitude, et il n'en tire qu'une obéissance froide et qu'une servile imitation. C'est de cette espèce de critique qu'un auteur, que nous ne saurions assez citer en fait de goût, a dit : « Ils ont laborieusement écrit des volumes sur quelques lignes que l'imagination des poètes a créées en se jouant. » (Voltaire.)

Article repris dans les *Éléments de littérature*, publié dans l'*Encyclopédie* en 1756.

André CHÉNIER (1762-1794)

texte 29 **Place de la littérature dans la société**[1]

Deux choses étant plus que les autres le fruit du génie et du courage, et ordinairement de tous deux, mènent plus sûrement à la vraie gloire : ce sont les grandes actions qui soutiennent la chose publique, et les bons écrits qui l'éclairent. Bien faire est ce qui peut le plus rendre un homme grand ; bien dire n'est pas non plus à dédaigner ; et souvent un bon livre est lui-même une bonne action ; et souvent un auteur sage et sublime, étant la cause lente de saines révolutions dans les mœurs et dans les idées, peut sembler avoir fait lui-même tout ce qu'il fait faire de bien.

Mais dans les commencements des républiques, la vertu étant encore un peu rude et agreste, et chacun ne veillant qu'à s'établir sûrement, à travailler sa terre, à maintenir sa famille, à protéger le pays par le glaive, on ne songeait point aux lettres, on s'évertuait chez soi, on suait à l'armée ; avec peu d'expérience on n'avait que peu à dire dans la place publique ; on laissait de hauts faits à narrer, sans s'occuper de narrer ceux d'autrui ; et, pour toutes lettres, on chantait et on se transmettait de bouche des poésies chaudes et populaires, toujours le premier fruit de l'imagination humaine, où les rythmes harmonieux et les vives descriptions de guerres patriotiques et de choses simples et primitives exaltaient la pensée et enflammaient le courage. Puis, quand, les établissements fixés, les fortunes

---

1. Cf. p. 73.

assurées, les ennemis chassés, on goûta le loisir et l'abondance, les arts de la paix naquirent en foule. Le temps et les révolutions étrangères ou domestiques avaient éclairé sur plus d'objets : on chercha la célébrité par les monuments de l'esprit. On trouva juste de donner et d'obtenir l'immortalité pour récompense du mérite ; on raconta d'autrui avec enthousiasme, ou de soi avec fidélité ; et joignant, pour le bien public, celle-ci aux autres institutions salutaires, les poètes, par leurs peintures animées, les orateurs, par leurs raisonnements pathétiques, les historiens, par le récit des grands exemples, les philosophes, par leurs discussions persuasives, firent aimer et connaître quelques secrets de la nature, les droits de l'homme et les délices de la vertu.

Certes, alors les lettres furent augustes et sacrées, car elles étaient citoyennes. Elles n'inspiraient que l'amour des lois, de la patrie, de l'égalité, de tout ce qui est bon et admirable ; que l'horreur de l'injustice, de la tyrannie, de tout ce qui est haïssable et pernicieux ; et l'art d'écrire ne consistait point à revêtir d'expressions éblouissantes et recherchées des pensées fausses ou frivoles, ou point de pensées du tout, mais à avoir la même force, la même simplicité dans le style que dans les mœurs, à parler comme on pensait, comme on vivait, comme on combattait. Alors aussi les lettres furent honorées, car elles méritaient de l'être. Ils se plurent à révérer des hommes qu'ils voyaient travailler dans les travaux communs, et travailler encore quand les autres se reposaient ; se distinguer de leurs concitoyens par un talent de plus ; veiller sur les dangers encore lointains ; lire l'avenir dans le passé ; employer leur étude, leur expérience, leur mémoire au salut public ; aussi vaillants que les autres et plus éclairés, servir la patrie par la main et par le conseil. Comme ils étaient respectables, ils furent aussi respectés, et ils devenaient magistrats, législateurs, capitaines.

Les choses furent ainsi tant que l'on conserva les bonnes institutions, qu'il n'y eut parmi les hommes d'inégalité que de mérite, et que les talents, le travail et une vie innocente menaient à tout ce qu'un citoyen peut désirer justement. Bientôt, lorsque l'avarice, la mollesse, la soif de dominer et les autres pestes qui précipitent les choses humaines eurent perverti le bon ordre et corrompu la République ; qu'un petit nombre se partagea tout ; que les ancêtres et les richesses mirent au-dessus des lois ; que les nations purent se vendre et s'acheter, et que la bassesse des uns et l'insolence des autres se liguèrent pour que la vertu pauvre fût obscure et méprisée, elle fut contrainte à se replier sur soi-même et à tirer d'elle seule son éclat et sa vengeance. Alors donc, plus qu'auparavant, des hommes vécurent uniquement pour les lettres. Exclus de l'honneur de bien faire, ils se consolèrent dans la gloire de bien dire. Des écrivains employèrent une éloquence véhémente à rappeler les antiques institutions, à tonner sur les vices présents, à servir au moins la postérité, à pleurer sur la patrie ; et, ne pouvant, à travers les armes et les satellites, la délivrer avec le fer, soulagèrent leur bile généreuse sur le papier, et firent peut-être quelquefois rougir les esclaves et les oppresseurs.

Mais ce courage fut rare et ne dura point ; car, à mesure que le temps et l'argent et l'activité affermirent les tyrannies, les écrivains, effrayés par le danger ou attirés par les récompenses, vendirent leur esprit et leur plume aux puissances injustes, les aidèrent à tromper et à nuire, enseignèrent aux hommes à oublier leurs droits ; et, se disputant à qui donnerait les plus illustres exemples de servitude, l'art d'écrire ne fut désormais que l'art de remplir de fastidieuses pages d'adulations ingénieuses, et par là plus ignominieuses ; et, par cette bassesse mercantile, les saintes lettres furent avilies et le genre humain fut trahi. De là les esprits généreux, si ces siècles ignobles en produisirent quelques-uns, à qui une nature meilleure eût donné une âme plus forte et un jugement plus sain, méprisèrent la littérature, n'ayant lu que les écrits de ces temps de misère, et négligeant d'étudier les lettres antiques, qui n'avaient point appris la vertu à ceux qui faisaient profession de les savoir ; mais ensuite, après avoir erré dans les projets, dans les charges, dans les voluptés, las d'une vie agitée et vide, et ne sachant où paître leur âme avide de connaissances et de vrais honneurs, ils retournèrent aux lettres, les séparèrent des lettrés, étendirent leurs lectures ; et voyant, par la méditation, que, la tyrannie s'usant elle-même, des circonstances pouvaient naître où les lettres pourraient seules réparer le mal dont elles avaient souffert et qu'elles avaient propagé, ils prirent quelquefois la plume pour hâter cette résurrection autant qu'il était en eux. Pour moi, ouvrant les yeux autour de moi au sortir de l'enfance, je vis que l'argent et l'intrigue étaient presque la seule voie pour aller à tout : je résolus donc, dès lors, sans examiner si les circonstances me le permettaient, de vivre toujours loin de toutes affaires, avec mes amis, dans la retraite et dans la plus entière liberté. Choqué de voir les lettres si prosternées et le genre humain ne pas songer à relever sa tête, je me livrai souvent aux distractions et aux égarements d'une jeunesse forte et fougueuse ; mais, toujours dominé par l'amour de la poésie, des lettres et de l'étude, souvent chagrin et découragé par la fortune ou par moi-même, toujours soutenu par mes amis, je sentis au moins dans moi que mes vers et ma prose, goûtés ou non, seraient mis au rang du petit nombre d'ouvrages qu'aucune bassesse n'a flétris. Ainsi, même dans les chaleurs de l'âge et des passions, et même dans les instants où la dure nécessité a interrompu mon indépendance, toujours occupé de ces idées favorites, et, chez moi, en voyage, le long des rues, dans les promenades, méditant toujours sur l'espoir, peut-être insensé, de voir renaître les bonnes disciplines, et cherchant à la fois, dans les histoires et dans la nature, les causes et les effets de la perfection et de la décadence des lettres, j'ai cru qu'il serait bien de resserrer en un livre simple et persuasif ce que nombre d'années m'ont fait mûrir de réflexions sur ces matières.

[Suivent des considérations sur la difficulté d'écrire un tel ouvrage sans blesser personne :]

Ou l'amitié vous empêche de dire ce que vous croyez vrai, ou, si vous le dites, on vous accuse de dureté, et l'on vous regarde comme un homme intraitable et farouche, sur qui la société n'a point de pouvoir, et l'amitié point de droit.

Premier chapitre d'un ouvrage sur *Les causes et les effets de la perfection et de la décadence des lettres* (1787 ?)

L'AGE MODERNE

CHAPITRE II

LA HARPE (1739-1803)

texte 30 ## Intérêt de l'étude
des grandes œuvres classiques[1]

Avant de passer en revue les siècles mémorables que l'on a nommés par excellence les siècles du génie et du goût, il fallait commencer par bien entendre ces deux mots, objets de tant de vénération et sujets de tant de méprises. J'ai parlé de la connexion qui existe nécessairement entre la philosophie et les beaux-arts, parce que nous aurons souvent l'occasion d'en observer les effets, les avantages et les abus, et qu'une poétique faite par un philosophe sera le premier ouvrage qui nous occupera. *Les Institutions oratoires* de Quintilien, les *Dialogues* de Cicéron sur l'éloquence, précéderont la lecture des orateurs, et en étudiant ces éléments des arts, ces lois du bon goût, en les appliquant ensuite à l'examen des modèles, vous reconnaîtrez avec plaisir que le beau est le même dans tous les temps, parce que la nature et la raison ne sauraient changer. Des ennemis de tout bien ont voulu tirer avantage de cette vérité pour taxer d'inutilité les discussions littéraires. A les entendre, tout a été dit ; et remarquez que ces gens à qui l'on ne peut rien apprendre, ne sont pas ceux qui savent le plus. Je n'ignore pas que la raison, qui est très moderne en philosophie, est très ancienne en fait de

---

1. Cf. p. 76.

goût ; mais d'un autre côté ce goût se compose de tant d'idées mixtes, l'art est si étendu et si varié, le beau a tant de nuances délicates et fugitives, qu'on peut encore, ce me semble, ajouter aux principes généraux, une foule d'observations neuves, aussi utiles qu'agréables, sur l'application de ces mêmes principes ; et ce genre de travail (si l'on peut donner ce nom à l'exercice le plus piquant pour l'esprit, le plus intéressant pour l'âme) ne peut avoir lieu que dans la lecture et l'analyse des écrivains de tous les rangs. Les cinq siècles qui ont marqué dans l'histoire de l'esprit humain, passeront successivement sous nos yeux. On peut les caractériser sans doute par des traités généraux ; mais dans ces aperçus rapides il y a plus d'éclat que d'utilité. Ce qui est vraiment instructif, c'est l'examen raisonné de chaque auteur, c'est l'exact résumé des beautés et des défauts, c'est cet emploi continuel du jugement et de la sensibilité ; et ne craignons pas de revenir sur des auteurs trop connus. Que de choses à connaître encore dans ce que nous croyons savoir le mieux ! Qui de nous, en relisant nos classiques, n'est pas souvent étonné d'y voir ce qu'il n'avait pas encore vu ? Et combien nous verrions davantage s'il se pouvait qu'un Racine, un Voltaire nous révélât lui-même les secrets de son génie ! Malheureusement c'est une sorte de confidence que le génie ne fait pas. Tâchons au moins de la lui dérober, autant qu'il est possible, par une étude attentive, et surprenons des secrets où nous n'étions pas initiés. Hélas ! le malheur des grands artistes, celui qui n'est connu que d'eux seuls et dont ils ne se plaignent qu'entre eux, c'est de n'être pas assez sentis. Il y a, je l'avoue, un effet total qui constate le succès et qui suffit à leur gloire ; mais ces détails de la perfection, mais cette foule de traits précieux, ou par tout ce qu'ils ont coûté, ou même parce qu'ils n'ont rien coûté du tout, voilà ce dont quelques connaisseurs jouissent seuls et dans le secret, ce que les applaudissements publics ne disent pas, ce que l'envie dissimule toujours, ce que l'ignorance ne peut jamais entendre, et ce qui, s'il était bien connu, serait la première récompense des vrais talents.

Cours de littérature ancienne et moderne,
An VII, Introduction.

CABANIS (1757-1808)

texte 31 Pour une " théorie des arts "
fondée sur la connaissance
de la " nature humaine "[1]

Je n'ai point ici la prétention d'exposer dans leur ordre naturel les considérations fondamentales d'où naissent les principes des arts ; encore moins ai-je celle de rapporter ces considérations aux phénomènes observables de la sensibilité, et ces derniers aux lois de l'organisation humaine : mais j'ai voulu essayer de faire sentir quelle est la véritable source où l'on doit puiser ces principes, et de montrer par quelques exemples quel esprit me semble devoir diriger celui qui se livre à ce genre de recherches.

Je ne crains pas, en effet, de l'assurer : tant que ces idées premières n'auront point été éclaircies, la poétique des arts se trouvera réduite à quelques axiomes vagues, à quelques règles empiriques, dont on ne voit point la liaison réciproque ; et l'on tournera toujours dans ce cercle étroit, sans pouvoir faire un seul pas en avant. Voilà pourquoi les seuls hommes qui aient jeté des lumières véritables sur ce sujet, ont tous été, comme vous le savez, mon ami, des observateurs de la nature humaine : tous s'étaient

1. Cf. p. 79.

occupés de l'étude de l'entendement, en même temps que de l'analyse des passions ; et voilà peut-être aussi pourquoi nous avons pu voir paraître dans ces derniers temps un cours de littérature en beaucoup de volumes, qui ne contiennent pas, que je sache, une seule idée propre à l'auteur, quoiqu'il eût sans doute étudié la littérature avec soin, qu'il sût bien rendre compte des ouvrages sur lesquels sa partialité ne l'aveuglait pas, et que même il parlât avec élégance le langage de la raison.

Vainement dirait-on que toutes ces recherches de théorie sont inutiles aux progrès des arts ; que leurs chefs-d'œuvre sont les fruits du génie, et non le produit des règles ; que les règles sont tracées d'après les chefs-d'œuvre, et ne font le plus souvent qu'embarrasser le génie dans sa marche. D'abord, je commence par nier le fait : mais fût-il aussi certain que je le crois faux, il faudrait se garder de conclure des effets d'une théorie obscure, incertaine, incomplète, à ceux d'une théorie véritablement générale, qui pourrait devenir rapidement complète et non moins lumineuse en elle-même, que sûre et simple dans son application. Un homme de génie a dit que l'important, en toutes choses, est de remonter jusqu'aux origines. Cette idée s'applique en effet à tout. Tant qu'on n'a pas éclairci les commencements ou les points de départ, il est impossible de reconnaître sa route ; et, quand on parviendrait à découvrir qu'on s'est égaré, ce qui devient alors de plus en plus difficile, on ne saurait comment s'y prendre pour revenir sur ses pas.

En matière de goût, si tout était ramené à des principes bien coordonnés entre eux, on ne resterait pas éternellement dans le cercle étroit et servile des imitations, et pourtant on ne se jetterait point dans des genres faux. Tout ce que nos prédécesseurs nous ont transmis de plus utile, serait mis en usage, même par le génie créateur, et tous les sentiers nouveaux que la nature peut offrir à l'esprit d'invention seraient ouverts et parcourus avec autant de sûreté que de hardiesse.

Lettre à M. T*** sur les poèmes d'Homère, 1800 ?

texte 32
Vanité de la distinction des différents genres littéraires[1]

Toutes les définitions générales que l'on a jusqu'à présent essayé de donner de la poésie n'ont encore servi qu'à prouver l'excessive difficulté d'en trouver une assez bonne, pour qu'il devienne inutile, ou seulement peu nécessaire d'en chercher une meilleure. Mais, quelle que soit celle qu'on adopte entre tant qui sont plus ou moins connues et accréditées, il restera vrai qu'il y a beaucoup de manières diverses de considérer les différentes compositions poétiques, quand il s'agit de les classer, et de reconnaître ce qui les distingue ou les rapproche les unes des autres.

Communément, on les distingue ou les rapproche en raison de la diversité ou de la ressemblance de leur forme générale, c'est-à-dire, en raison des différentes manières dont elles présentent à l'imagination le sujet, ou, pour préciser davantage, l'action qu'elles imitent. C'est en partant de ce point de vue que l'on a distingué la poésie en *dramatique*, *épique* et *lyrique*. Pour le *drame*, l'action est immédiatement présente, elle naît spontanément du seul contact des personnages intéressés, et d'un conflit nécessaire de leurs passions. Dans l'*épopée*, l'action n'est que narrée, et ne

---

1. Cf. p. 80.

s'offre, par conséquent, à l'imagination qu'à travers un intervalle quelconque de temps et d'espace. Ce qui caractérise la *poésie lyrique*, ou, si l'on veut, la forme lyrique de la poésie, c'est de nous peindre, non directement tel objet ou telle action, mais l'effet particulier, les impressions de cette action ou de cet objet, sur l'âme et l'imagination d'un personnage intermédiaire.

A chacune de ces trois diverses formes, les plus distinctes, les plus belles et peut-être les seules légitimes de la poésie, correspond intimement et nécessairement une situation particulière du poète, une modification spéciale de son génie. Dans la poésie *dramatique*, le poète se cache et disparaît, en quelque sorte, pour s'identifier à ses personnages ; et, toutes choses égales d'ailleurs, il produit d'autant plus d'illusion qu'il sait mieux astreindre l'art à n'être que l'expression simple, franche et vraie de la nature. Dans la poésie *épique*, il se montre et raconte, en son nom, une action dont il est censé connaître les causes les plus élevées et les plus secrètes ; ici, il devient le maître d'user ouvertement des ressources de l'art et de mêler des ornements à ses récits : mais, moins il y mêle l'expression de ses sentiments individuels, et mieux il s'y conforme au but essentiel de l'art *épique*, mieux il conserve le vrai caractère de son rôle, qui consiste alors à rapporter naïvement ce qu'il est supposé avoir contemplé, en spectateur désintéressé, d'un point de vue supérieur à la sphère d'action de ses personnages. Dans la poésie *lyrique* enfin, du moins dans les compositions les mieux caractérisées de cette forme ou de ce genre, le poète se propose de nous faire sympathiser avec ce qu'il y a de plus individuel et de plus intime dans son art, dans son sentiment et son génie.

Ce n'est donc pas sans motif que l'on considère, dans les ouvrages de poésie, la forme générale de l'imitation poétique, et si j'ose m'exprimer ainsi, le degré de personnalité du poète. Car, c'est de cette considération seule que peuvent se déduire, comme d'un principe fixe, les règles les plus générales de la composition et du style, en poésie. Mais on n'en saurait déduire le principe d'une définition suffisante des diverses compositions poétiques, ni, par conséquent, de leur meilleure distribution possible, en genres distincts. Quand on se borne à considérer ces compositions sous le rapport de la forme, on ne fait que rapprocher, d'après une ressemblance purement extérieure, celles qui sont au fond les plus différentes par leurs caractères les plus essentiels ; on ne fait qu'en séparer d'autres, qui, malgré la diversité de leur forme, ont entre elles la plus intime analogie.

Ainsi, sous la vague dénomination d'épopée, on range une infinité de poèmes qui n'ont de commun que la forme narrative, et diffèrent essentiellement dans leur caractère et leur motif. Ainsi encore, sous le titre général de poésie dramatique, on comprend beaucoup de productions aussi diverses les unes des autres par leur essence, que voisines par leur forme, comme par exemple, la tragédie et la comédie, deux genres de poésie aussi distincts, et même aussi éloignés que possible, sous tous les autres rapports. D'un autre côté, cette classification sépare la comédie de certaines épopées dont le but et le caractère principal sont néanmoins si voisins de ceux de la comédie qu'il est impossible de saisir entre eux une différence bien marquée. J'en dis autant de la tragédie par rapport à l'épopée héroïque.

Enfin, les diverses formes de l'imitation poétique, loin de constituer, à elles seules, les divers genres de poésie, sont précisément l'unique chose que ces mêmes genres, de quelque manière que l'on s'y prenne pour les établir, puissent toujours avoir en commun. Quand, par exemple, on admet la satire et la pastorale comme des espèces particulières de poésie, on peut également y faire usage de la forme épique, ou de la forme dramatique, ou d'un mélange de l'un et de l'autre : c'est un choix qui est pleinement à l'arbitre du poète.

Je le répète donc, si l'on se propose de classer et de définir les différentes compositions poétiques, d'après ce qu'elles ont chacune de plus caractéristique et de plus intime, la considération usitée de la ressemblance ou de la diversité de leur forme, cesse d'être suffisante et devient même inutile. On s'aperçoit alors qu'entre les divers moyens de les distinguer et de les définir véritablement, il en est un qui semble plus direct et plus étendu : c'est d'avoir principalement égard à la diverse manière dont chacune de ces compositions affecte spécialement l'imagination ; de faire surtout attention à la différence des sentiments naturels que chacune suppose en nous, et auxquels elle s'adresse plus particulièrement.

. . . .

Toutes les manières réellement diverses, réellement distinctes dont l'imagination peut être affectée par la peinture de la destinée de l'homme et des actions humaines, donnent lieu à autant de sortes de compositions poétiques.

Du reste, je n'hésite point à reconnaître l'impossibilité de discerner et de limiter avec une exactitude et une précision rigoureuses les diverses impressions spéciales que l'imagination peut recevoir de la poésie ; et c'est là, je crois, la raison principale pour laquelle une distribution des compositions poétiques en genres fixes et absolus a été jusqu'ici, et restera probablement toujours une pédantesque chimère.

Préface de la traduction de *La Parthénéide* de Baggesen, 1810.

texte 33   De l'utilité de la critique[1]

Dans ce discours Geoffroy protestait contre la décadence des belles-lettres dont il rendait responsables les écrivains-philosophes. Il est curieux de voir que ce texte est repris en 1818, au moment où il s'agit de restaurer la littérature en même temps que la société. C'est un véritable appel à une critique répressive :

Ce n'est pas dans les siècles heureux du génie que la critique est vraiment utile et nécessaire : les chefs-d'œuvre qui naissent alors, en foule, forment le goût du public, et lui fournissent des objets de comparaison ; tout ouvrage qui s'éloigne trop des excellents modèles, qui sont sous les yeux de tout le monde, est aussitôt condamné d'une voix unanime, sans qu'il soit besoin que les journalistes lui fassent son procès. L'admiration dont on est pénétré pour les productions récentes des grands maîtres, n'est point encore affaiblie par le temps et par l'habitude, et ce sentiment qui n'a rien perdu de sa vivacité, éclaire mieux les esprits que les plus sublimes dissertations de la critique : mais quand les vrais génies ont disparu et ne sont point remplacés, quand leurs beautés trop connues et trop souvent contemplées ne frappent plus aussi vivement nos yeux, quand les modernes, désespérant d'égaler les anciens en marchant sur leurs traces, substituent à ces grands traits, qui sont au-dessus de leur portée, de petits agréments, dont la nouveauté séduit, et qui

---

1. Cf. p. 82.

par leur frivolité même sont plus propres à charmer la multitude ; c'est dans ces moments de crise et de révolution qu'un bon critique devient un homme important et vraiment essentiel dans la république des lettres. Un auteur[1], né avec de grands talents, mais avec une ambition encore plus grande, plus avide d'exciter les applaudissements que jaloux de les mériter, entreprend de se distinguer par des innovations dangereuses ; dans la tragédie il supplée à la justesse et à la solidité du plan par le fracas des situations et des coups de théâtre ; son génie trop faible pour peindre des passions naturelles et vraies, qui demandent des nuances délicates, ne présente sur la scène que des sentiments outrés et factices, qui sont toujours plus saillants et plus propres à frapper le commun des spectateurs. Il couvre l'invraisemblance de la fable et la petitesse de ses moyens, par un vernis philosophique, des lieux communs et des tirades. Il introduit dans la poésie française une fausse harmonie fatigante par son uniformité ; il charme le vulgaire par des vers sonores, mais monotones, chargés de mots pompeux, mais faibles de choses, et dont le principal mérite consiste dans un cliquetis continuel d'antithèses. Qu'est-ce qui éclairera le public sur ses défauts d'autant plus dangereux qu'ils sont agréables et brillants, si ce n'est un critique assez judicieux pour séparer l'or d'avec le clinquant, et pour découvrir les vices réels et cachés sous cette apparence imposante ?...

Un poète[2] aspire aux honneurs de la scène ; mais la médiocrité de ses talents lui interdit les deux genres qui partagent l'art dramatique. Réduit à l'impuissance d'être tragique ou comique, il imagine un genre mitoyen qui n'a ni la force et la grandeur de la tragédie, ni le sel et la finesse de la comédie : à la peinture des mœurs et des ridicules il substitue des intrigues romanesques. Au lieu des plaisanteries ingénieuses, des traits vifs et saillants qui doivent égayer une comédie, il remplit ses drames de fades propos d'amour et de sentiments langoureux et sophistiques. La morale, qui doit être en action, est chez lui tout entière en parole. Ses personnages sont de vains discoureurs qui se répandent en longues tirades philosophiques, et qui adressent au parterre des sermons beaucoup plus ennuyeux qu'instructifs. L'art charmant perfectionné par Molière ne va-t-il pas tomber dans l'oubli ; la facilité de réussir dans ce misérable genre ne va-t-elle pas inonder notre scène de drames insipides et lugubres, si les critiques ne s'opposent avec vigueur aux entreprises de ces nouveaux dramaturges, et ne s'efforcent de ramener les esprits au bon goût de la véritable comédie.

Discours sur la critique (1779) publié en 1818
comme Préface des *Annales littéraires* de Dussault.

---

1. Voltaire ?
2. Diderot.

texte 34 " Faut-il sacrifier le génie au goût[1] ? "

On reproche, en France, à la littérature du Nord, de manquer de goût. Les écrivains du Nord répondent que ce goût est une législation purement arbitraire, qui prive souvent le sentiment et la pensée de leurs beautés les plus originales. Il existe, je crois, un point juste entre ces deux opinions. Les règles du goût ne sont point arbitraires ; il ne faut pas confondre les bases principales sur lesquelles les vérités universelles sont fondées avec les modifications causées par les circonstances locales.

Les devoirs de la vertu, ce code de principes qui a pour appui le consentement unanime de tous les peuples, reçoit quelques légers changements, par les mœurs et les coutumes des nations diverses ; et quoique les premiers rapports restent les mêmes, le rang de telle ou telle vertu peut varier selon les habitudes et les gouvernements des peuples. Le goût, s'il est permis de le comparer à ce qu'il y a de plus grand parmi les hommes, le goût est fixe aussi dans ses principes généraux. Le goût national doit être jugé d'après ces principes ; et selon qu'il en diffère ou qu'il s'en rapproche, le goût national est plus près de la vérité.

On dit souvent : faut-il sacrifier le génie au goût ? Non, sans doute ; mais jamais le goût n'exige le sacrifice du génie. Vous trouvez souvent dans

---

1. Cf. p. 83.

la littérature du Nord des scènes ridicules à côté de grandes beautés. Ce qui est de bon goût dans de tels écrits, ce sont les grandes beautés ; et ce qu'il fallait en retrancher, c'est ce que le goût condamne. Il n'existe de connexion nécessaire entre les défauts et les beautés, que par la faiblesse humaine, qui ne permet pas de se soutenir toujours à la même hauteur...

Si l'on demande ce qui vaut mieux d'un ouvrage avec de grands défauts et de grandes beautés, ou d'un ouvrage médiocre et correct, je répondrai, sans hésiter, qu'il faut préférer l'ouvrage où il existe ne fût-ce qu'un seul trait de génie. Il y a faiblesse dans la nation qui ne s'attache qu'au ridicule, si facile à saisir et à éviter, au lieu de chercher avant tout, dans les pensées de l'homme, ce qui agrandit l'âme et l'esprit. Ce mérite négatif ne peut donner aucune jouissance ; mais beaucoup de gens ne demandent à la vie que l'absence de peines, aux écrits que l'absence de fautes, à tout que des absences. Les âmes fortes veulent exister, et pour exister en lisant, il faut rencontrer dans les écrits des idées nouvelles ou des sentiments passionnés.

Il y a en français des ouvrages où l'on trouve des beautés du premier ordre, sans le mélange du mauvais goût. Ceux-là sont les seuls modèles qui réunissent à la fois toutes les qualités littéraires.

Parmi les hommes de lettres du Nord, il existe une bizarrerie qui dépend plus, pour ainsi dire, de l'esprit de parti que du jugement. Ils tiennent aux défauts de leurs écrivains presqu'autant qu'à leurs beautés ; tandis qu'ils devraient se dire, comme une femme d'esprit, en parlant des faiblesses d'un héros : C'est malgré cela, et non à cause de cela, qu'il est grand.

[Mme de Staël évoque alors les fautes contre le goût qu'on trouve dans le théâtre de Shakespeare.]

Ce que l'homme cherche dans les chefs-d'œuvre de l'imagination, ce sont des impressions agréables. Or le goût n'est que l'art de connaître et de prévoir ce qui peut causer ces impressions.

> *De La Littérature*, 1800, Première partie, chap. 12 :
> « Du principal défaut que l'on reproche, en France,
> à la littérature du Nord. »

texte 35
Difficultés de la critique
des contemporains[1]

Les jugements que l'on porte sur notre littérature moderne nous semblent un peu exagérés. Les uns prennent notre jargon secret et nos phrases ampoulées pour les progrès des lumières et du génie ; selon eux, la langue et la raison ont fait un pas depuis Bossuet et Racine : quel pas ! Les autres, au contraire, ne trouvent plus rien de passable ; et si on veut les en croire, nous n'avons pas un seul bon écrivain. Cependant, n'est-il pas à peu près certain qu'il y a eu des époques en France où les lettres ont été au-dessus de ce qu'elles sont aujourd'hui ? Sommes-nous juges compétents de cette cause, et pouvons-nous bien apprécier les écrivains qui vivent avec nous ? Tel auteur contemporain dont nous sentons à peine la valeur sera peut-être un jour la gloire de notre siècle. Combien y a-t-il d'années que les grands hommes du siècle de Louis XIV sont mis à leur véritable place ? Racine et La Bruyère furent presque méconnus de leur vivant. Nous voyons Rollin, cet homme plein de goût et de savoir, balancer le mérite de Fléchier et de Bossuet, et faire assez comprendre qu'on donnait généralement la préférence au premier. La manie de tous les âges a été de se plaindre de la rareté des

---

1. Cf. p. 87.

bons écrivains et des bons livres. Que n'a-t-on dit contre le *Télémaque*, contre les *Caractères* de La Bruyère, contre les chefs-d'œuvre de Racine ? Qui ne connaît l'épigramme sur *Athalie ?* D'un autre côté, qu'on lise les journaux du dernier siècle ; il y a plus : qu'on lise ce que La Bruyère et Voltaire ont dit eux-mêmes de la littérature de leur temps : pourrait-on croire qu'ils parlent de ces temps où vécurent Fénelon, Bossuet, Pascal, Boileau, Racine, Molière, La Fontaine, Jean-Jacques Rousseau, Buffon et Montesquieu ?

La littérature française va changer de face ; avec la Révolution vont naître d'autres pensées, d'autres vues des choses et des hommes. Il est aisé de prévoir que les écrivains se diviseront. Les uns s'efforceront de sortir des anciennes routes ; les autres tâcheront de suivre les antiques modèles, mais toutefois en les présentant sous un jour nouveau. Il est assez probable que ces derniers finiront par l'emporter sur leurs adversaires, parce qu'en s'appuyant sur les grandes traditions et sur les grands hommes, ils auront des guides bien plus sûrs et des documents bien plus féconds.

M. de Bonald ne contribuera pas peu à cette victoire : déjà ces idées commencent à se répandre : on les retrouve par lambeaux dans la plupart des journaux et des livres du jour. Il y a de certains sentiments et de certains styles qui sont pour ainsi dire contagieux, et qui (si l'on nous pardonne l'expression) teignent de leurs couleurs tous les esprits. C'est à la fois un bien et un mal : un mal en ce que cela dégoûte l'écrivain dont on fane la fraîcheur et dont on rend l'originalité vulgaire ; un bien quand cela sert à répandre des vérités utiles.

Article sur Bonald, *Le Mercure de France*, novembre 1802.

texte 36 # Inconvénients de la critique des défauts[1]

Aujourd'hui que les bonnes études s'en vont avec le reste, la publication des *Annales* est un véritable service rendu aux Lettres. On trouve partout dans ce recueil, avec la tradition des saines doctrines, un jugement sûr, un goût formé à la meilleure école, un style clair, excellent surtout dans le sérieux, une verve de critique et un talent qui emprunte de la raison une naturelle éloquence. Il y a cependant dans les *Annales* un principe que nous ne pourrions complètement adopter. L'auteur pense que la critique n'étouffe

---

1. Cf. p. 87.

que les mauvais écrivains, qu'elle n'est redoutable qu'à la médiocrité. Nous ne sommes pas tout à fait de cet avis.

Il était utile, sans doute, au sortir du siècle de la fausse philosophie, de traiter rigoureusement des livres et des hommes qui nous ont fait tant de mal, de réduire à leur juste valeur tant de réputations usurpées, de faire descendre de leur piédestal tant d'idoles qui reçurent notre encens en attendant nos pleurs. Mais ne serait-il pas à craindre que cette sévérité continuelle de nos jugements ne nous fît contracter une habitude d'humeur dont il deviendrait malaisé de nous dépouiller ensuite ? Le seul moyen d'empêcher que cette humeur prenne sur nous trop d'empire serait peut-être d'abandonner la petite et facile critique des défauts, pour la grande et difficile critique des beautés...

Une censure, fût-elle excellente, manque son but si elle est trop rude. En voulant corriger l'auteur, elle le révolte, et par cela même elle le confirme dans ses défauts ou le décourage ; véritable malheur si l'auteur a du talent.

Il semble donc que l'on doit applaudir avec franchise à ce qu'il y a de bon dans un écrivain, et reprendre ce qu'il y a de mal avec ménagement et politesse. Racine, modèle de naturel et de simplicité dans son âge mûr, n'était pas exempt d'affectation et de recherche dans sa jeunesse. Boileau eût-il ramené Racine aux principes du goût s'il n'avait fait que reprocher durement au jeune poète les vices de son style ?......

Une critique trop rigoureuse peut encore nuire d'une autre manière à un écrivain original. Il y a des défauts qui sont inhérents à des beautés, et qui forment, pour ainsi dire, la nature et la constitution de certains esprits. Vous obstinez-vous à faire disparaître les uns, vous détruirez les autres. Otez à La Fontaine ses incorrections, il perdra une partie de sa naïveté ; rendez le style de Corneille moins familier, il deviendra moins sublime. Cela ne veut pas dire qu'il faille être incorrect et sans élégance ; cela veut dire que dans les talents du premier ordre l'incorrection, la familiarité, ou tout autre défaut, peuvent tenir, par des combinaisons inexplicables, à des qualités éminentes. « Quand je vois, dit Montaigne, ces braves formes de s'expliquer, si vives, si profondes, je ne dis pas que c'est bien dire, je dis que c'est bien penser. » Rubens, pressé par la critique, voulut, dans quelques-uns de ses tableaux, dessiner plus savamment : que lui arriva-t-il ? Une chose remarquable : il n'atteignit pas la pureté du dessin, et il perdit l'éclat de la couleur.

Ainsi donc, indulgence ou critique circonspecte pour les *vrais* talents aussitôt qu'ils sont reconnus. Cette indulgence est d'ailleurs un faible dédommagement des chagrins semés dans la carrière des lettres. Un auteur ne jouit pas plus tôt de cette renommée, objet de tous ses désirs, qu'elle lui paraît aussi vide qu'elle l'est en effet pour le bonheur de la vie. Pourrait-elle le consoler du repos qu'elle lui enlève ? Parviendra-t-il jamais à savoir si cette renommée tient à l'esprit de parti, à des circonstances particulières, ou si c'est une véritable gloire fondée sur des titres réels ? Tant de méchants livres ont eu une vogue si prodigieuse ! quel prix peut-on attacher à une célébrité que l'on partage souvent avec une foule d'hommes médiocres ou déshonorés ? Joignez à cela les peines secrètes dont les Muses se plaisent à affliger ceux qui se vouent à leur culte, la perte des loisirs, le dérangement de la santé. Qui voudrait se charger de tant de maux pour les avantages incertains d'une réputation qu'on n'est pas sûr d'obtenir, qu'on vous contestera du moins pendant votre vie, et que la postérité ne confirmera peut-être pas après votre mort ? Car, quel que soit l'éclat d'un succès, il ne peut jamais vous donner la certitude de votre talent ; il n'y a que la durée de ce succès qui vous révèle ce que vous êtes. Mais, autre misère, le temps, qui fait vivre l'ouvrage, tue l'auteur, et l'on meurt avant de savoir qu'on est immortel.

Article sur les *Annales* de Dussault, juin 1819.

texte 37 Défense de la " vraie critique " contre une critique " conjecturale et prophétique[1] "

J'ai lu avec un vif intérêt votre petit journal de ce matin ; j'ai aimé à retrouver pour ma part votre vive allure de pensée et votre expression heureuse. Vous faites très bien de reprendre aux lettres non seulement pour vous, mais en dehors, mais pour le public. Des articles de cette portée seront un service, et si je pouvais vous aider en quelque chose, me voilà. Toutefois, je ne vous approuve pas de tout. Vous faites trop bon marché du jour d'hier, devant le nouveau matin qui n'est pas encore dégagé des brouillards. Je n'admets pas que la critique, dont j'ai été un faible organe, fût une critique à couleur politique ou de pure élégance, qui devient surannée devant une époque nouvelle de critique indépendante, élevée, etc...

Mon cher ami, à chaque chose sa vertu. La critique doit savoir, comparer, juger ; elle ne crée pas. J'estime la critique qui raisonne juste, sent vivement,

---

1. Cf. p. 90.

analyse ce qui est fait et complète l'histoire de l'esprit par l'histoire des arts. Je doute fort de cette critique conjecturale et prophétique qui a la prétention d'ouvrir des routes nouvelles. Qu'elle fasse alors un grand poème, une œuvre inspirée, au lieu de la conseiller ! Cette critique ne produit qu'une originalité systématique qui s'use bien vite, vous le savez. Elle est un livre de parti en littérature ; elle manque du caractère même de la vraie critique, l'impartialité vive et instructive.

......Ne faites pas si bon marché du passé. Ce que je vous dis ne tient pas, je crois, à la petite émotion que j'éprouve en rassemblant les fragments de sténographie d'un arriéré de mon cours que je vais publier. Cela, je le sens bien, sera vieux dans quelques années, mais je compte bien ensuite continuer avec des paroles plus fraîches. Ne les découragez pas d'avance, mon ami. Croyez à la variété des esprits plutôt qu'à la progression de l'art, et conseillez à nos jeunes professeurs de préférer Rollin lui-même, oui, Rollin, pur et vrai, à Charles Nodier, érigé en créateur d'une époque.

Lettre à Dubois, citée par Vauthier dans son *Villemain* et datée des environs de 1838.

texte 38   Ce que c'est que le romanticisme[1]

Le *romanticisme* est l'art de présenter aux peuples les œuvres littéraires qui, dans l'état actuel de leurs habitudes et de leurs croyances, sont susceptibles de leur donner le plus de plaisir possible.

Le *classicisme*, au contraire, leur présente la littérature qui donnait le plus grand plaisir possible à leurs arrière-grands-pères.

Sophocle et Euripide furent éminemment romantiques ; ils donnèrent aux Grecs rassemblés au théâtre d'Athènes les tragédies qui, d'après les habitudes morales de ce peuple, sa religion, ses préjugés sur ce qui fait la dignité de l'homme, devaient lui procurer le plus grand plaisir possible.

Imiter aujourd'hui Sophocle et Euripide, et prétendre que ces imitations ne feront pas bâiller le Français du XIXᵉ siècle, c'est du classicisme.

Je n'hésite pas à avancer que Racine a été romantique ; il a donné aux marquis de la cour de Louis XIV une peinture des passions, tempérée par *l'extrême dignité* qui alors était de mode, et qui faisait qu'un duc de 1670, même dans les épanchements les plus tendres de l'amour paternel, ne manquait jamais d'appeler son fils *Monsieur*.

---

1. Cf. p. 91.

C'est pour cela que le Pylade d'*Andromaque* dit toujours à Oreste : *Seigneur ;* et cependant quelle amitié que celle d'Oreste et de Pylade !

Cette dignité-là n'est nullement dans les Grecs, et c'est à cause de cette *dignité,* qui nous glace aujourd'hui, que Racine a été romantique.

Shakspeare fut romantique parce qu'il présenta aux Anglais de l'an 1590, d'abord les catastrophes sanglantes amenées par les guerres civiles, et pour reposer de ces tristes spectacles une foule de peintures fines des mouvements du cœur, et des nuances de passions les plus délicates. Cent ans de guerres civiles et de troubles presque continuels, une foule de trahisons, de supplices, de dévouements généreux, avaient préparé les sujets d'Élisabeth à ce genre de tragédie, qui ne reproduit presque rien de tout le *factice* de la vie des cours et de la civilisation des peuples tranquilles. Les Anglais de 1590, heureusement fort ignorants, aimèrent à contempler au théâtre, l'image des malheurs que le caractère ferme de leur reine venait d'éloigner de la vie réelle. Ces mêmes détails naïfs, que nos vers alexandrins repousseraient avec dédain, et que l'on prise tant aujourd'hui dans *Ivanhoe* et dans *Rob-Roy,* eussent paru manquer de dignité aux yeux des fiers marquis de Louis XIV.

Ces détails eussent mortellement effrayé les poupées sentimentales et musquées qui, sous Louis XV, ne pouvaient voir une araignée sans s'évanouir. Voilà, je le sens bien, une phrase peu digne.

Il faut du courage pour être romantique, car il faut *hasarder.*

Le *classique* prudent, au contraire, ne s'avance jamais sans être soutenu, en cachette, par quelque vers d'Homère, ou par une remarque philosophique de Cicéron, dans son traité *De Senectute.*

Il me semble qu'il faut du courage à l'écrivain presque autant qu'au guerrier ; l'un ne doit pas plus songer aux journalistes que l'autre à l'hôpital.

Racine et Shakespeare, 1823, chap. III.

texte 39 " Définition " de l'esprit critique[1]

L'esprit critique est de sa nature facile, insinuant, mobile et compréhensif. C'est une grande et limpide rivière qui serpente et se déroule autour des œuvres et des monuments de la poésie, comme autour des rochers, des forteresses, des coteaux tapissés de vignobles, et des vallées touffues qui bordent ses rives. Tandis que chacun des objets du paysage reste fixe en son lieu et s'inquiète peu des autres, que la tour féodale dédaigne le vallon, et que le vallon ignore le coteau, la rivière va de l'un à l'autre, les baigne sans les déchirer, les embrasse d'une eau vive et courante, les « comprend ». les réfléchit ; et,lorsque le voyageur est curieux de connaître et de visiter ces sites variés, elle le prend dans une barque, elle le porte sans secousse et lui développe successivement tout le spectacle changeant de son cours.

Vie, Poésies et Pensées de Joseph Delorme, éd. de 1830.
Pensée ajoutée, n° XVII.

---

1. Cf. p. 94.

texte 40   # Nécessité de la critique
dogmatique dans les périodes de décadence[1]

Pour la partie de critique et de théorie, j'avoue que mes principes sont plutôt exclusifs qu'éclectiques. Je tiens pour la poésie de Lucrèce, de Virgile, d'Horace, non point comme la seule, mais comme la meilleure, la plus philosophique, celle qui réfléchit le plus complètement l'homme, celle qui contient le plus d'enseignements pour la conduite de la vie ; la seule enfin qui puisse former des hommes de bon sens. Je suis bien plus frappé, dans l'époque de la décadence latine, des pertes que des acquisitions ; et celles-ci ne me paraissent point compenser celles-là. Toutefois, si je faisais de la critique dans un temps sain, où il y eût moins d'*individualités* et plus de gens de goût, moins d'indépendance littéraire et plus de bon sens, je serais plus disposé à céder sur mes doctrines exclusives ; car j'aime et je comprends très bien cette facilité qui ne s'effarouche point des défauts et ne tient compte que des beautés, qui procède par admission au lieu de procéder par exclusion, qui a des poétiques pour toutes les poésies, et des principes pour expliquer et absoudre toutes les *individualités*. Mais, comme ce temps-ci est mauvais, qu'on y croit plus aux entrepreneurs de littérature qu'aux grands écrivains,

---

1. Cf. p. 97.

qu'on y prend la témérité entêtée pour du génie, et l'orgueil immuable pour une mission ; que beaucoup perdent le goût, et, ce qui est bien plus triste, le sens moral, à lire nos écrivains autocrates et autonomes, j'ai pensé qu'il fallait prendre parti pour les principes, contre les admirations faciles et accommodantes de l'éclectisme, et que là où la question littéraire se trouve compliquée d'une question de moralité, la critique méritait mieux d'un pays libre, et montrait peut-être plus d'intelligence et de courage en venant au secours de la discipline littéraire qu'en immolant le peu qui reste de principes incontestés au prétendu besoin d'affranchir de toute entrave les génies douteux que nous réserve l'avenir.

La critique peut être, selon les temps ou les lieux, ou une spéculation, ou un devoir. Dans un pays où la littérature n'a pas une action immédiate sur l'état social de la politique des peuples, où c'est une distraction instructive bien plus qu'un agent direct de civilisation, un miroir qui réfléchit la société bien plus qu'un levier qui la porte en avant, la critique peut se contenter d'être spéculative, et par conséquent facile et conciliante. Permis à elle d'agrandir à l'infini le champ des récréations littéraires, et de se plaire même aux plus choquantes bizarreries, comme à des variétés de l'esprit humain. Mais dans un pays où la littérature gouverne les esprits, mène la politique, domine les pouvoirs de l'État, donne un organe à tous les besoins, une voix à tous les progrès, un cri à toutes les plaintes ; où elle est la plus vitale liberté au lieu d'être le stérile dédommagement de toutes les libertés confisquées ; où elle a action, non seulement sur le pays, mais sur le monde, la critique n'est plus une spéculation oiseuse, mais un devoir à la fois littéraire et moral. Elle doit être intelligente, mais point complaisante ; elle doit tout connaître, mais non pas tout approuver ; elle doit surtout ne pas mettre en danger l'unité d'une belle langue pour y donner droit de cité à quelques beautés suspectes. Telle est ma conviction profonde ; et si j'ai un regret en relisant ce livre, c'est de m'y trouver toujours au-dessous de cette conviction.

Préface de la 1re édition des *Études de mœurs et de critique sur les poètes latins de la décadence*, 1834.

texte 41 Contre la critique érudite[1]

Dans un article de 1835, intitulé « De la critique française » Planche passe en revue les diverses formes de la critique, toutes aussi mensongères : la critique marchande, la critique indifférente, la critique spirituelle, la critique érudite, la critique écolière.
Voici les pages féroces consacrées aux critiques érudits :

Viennent ensuite les critiques érudits, gens fort satisfaits d'eux-mêmes, heureux d'être nés et de pouvoir écouter ce qu'ils appellent leur pensée, mécontents de leur siècle qu'ils dominent de toute la hauteur de leur science. Le critique érudit se fait un monde à part où il règne en souverain. Qu'il s'agisse d'un livre ou d'une pièce de théâtre, peu lui importe ; il se lève d'un air solennel et va droit aux rayons de sa bibliothèque, il secoue lentement la poussière de ses in-quarto, se rasseoit, et s'enfonce béatement dans son fauteuil ; ses yeux parcourent dans une extase angélique les longs récits, les anecdotes babillardes entassées pêle-mêle dans ce précieux trésor. Harpagon en tête-à-tête avec sa cassette, contemplant ses beaux écus qui reluisent au soleil, n'est pas plus heureux que le critique érudit repassant le tableau d'un siècle tout entier pour foudroyer un drame ou un roman. N'ayez pas peur qu'il néglige une chronique ; sa vanité saura bien soutenir son courage ; il ne se fera pas grâce d'un pamphlet ou d'une chanson ; il compulsera, s'il

---

1. Cf. p. 94.

le faut, toutes les mazarinades pour parler du coadjuteur en homme qui sait son monde, et qui traite familièrement les plus grandes seigneuries. Voyez sa figure épanouie ! son regard s'anime comme celui de l'alchimiste accroupi sur son creuset ! Il vient de poser son livre ; sa tâche est achevée ; il est prêt, il est armé, il baisse la visière de son casque, il entre fièrement dans la lice, il se pavane, il est sûr de lui-même. Que va-t-il faire ?

Il va nous réciter sa lecture, page à page ; il va nous emmener avec lui dans ses lointaines excursions. Prenez son bras et suivez-le ; surtout, faites provision d'obéissance ; avant de commencer le voyage, préparez vos oreilles, résignez-vous au silence ; et, quand vous reviendrez, soyez plus humain que lui. Voici au coin de la rue une vieille maison, ici le critique érudit vous arrête ; il vous décrit la forme des croisées ; vous respirez, mais vous n'êtes pas au bout. — Que pensez-vous du livre nouveau ? — Ce que j'en pense ? L'auteur ne sait pas le premier mot de l'époque où il a placé ses acteurs ; il n'a rien lu, c'est un pauvre homme. Je ne sais vraiment comment il ose écrire ; pourtant, quel beau sujet ! quelle mine féconde ! comme les renseignements abondaient ! L'Espagne, l'Italie et l'Angleterre n'ont pas une collection comparable à celle des bénédictins de Saint-Maur. L'ignorant ! il avait sous la main tout ce qu'il fallait pour défrayer ses trente chapitres ; mais que voulez-vous ? aujourd'hui on ne lit rien. Nous autres érudits, on nous prend volontiers pour des bêtes curieuses ; on s'amuse de notre patience comme d'une manie ; on croit que nous aimons les livres comme la chasse et les chevaux. Nous dévouons à la science notre vie tout entière, et on nous accuse d'égoïsme et de sauvagerie ; nous nous enfermons pour étudier, et l'on dit que nous fuyons le monde pour échapper à l'occasion d'obliger !

Une fois en train de s'applaudir et de se plaindre, le critique érudit ne tarit pas ; il trouve moyen, dans une heure, de vous nommer une centaine de traités qui, depuis dix ans, dorment dans sa bibliothèque, et dont il a retenu les titres. Je voudrais, ajoute-t-il avec complaisance, pouvoir vous montrer tout ce qu'il y avait d'original et de neuf dans la donnée dont nous parlons : le clergé, la noblesse et le peuple en présence de la royauté ! Le livre qui nous occupe n'est pas sans talent ; il y a de l'élégance, du nombre, quelquefois même de la verve et de l'entraînement ; il y a des pensées, de l'invention ; mais que tout cela est faux et incomplet ! L'auteur n'a jamais touché une armure du douzième siècle, il ne saurait pas dessiner un écusson. Le blason est pourtant une belle chose ! et quand ce ne serait que par plaisir, par pure distraction, les gens du monde eux-mêmes devraient le connaître. On oublie trop qu'une partie de l'histoire est enfouie dans le blason ; il y a des anecdotes perdues, qui n'ont pas trouvé place dans les chants populaires, que le blason a recueillies, mais qu'il garde pour les initiés. Ce que j'ai appris, en feuilletant les armoiries des nobles maisons de France, est incalculable, sur mon honneur. Si les poètes entendaient leurs intérêts, s'ils n'étaient pas aveuglés par l'orgueil, ils se mettraient au blason.

A quoi bon inventer ce qui est tout fait ? L'imagination dans ses rêves les plus hardis, n'atteint jamais les cimes de la réalité. Inventer, c'est ne pas savoir. Ce qu'ils dépensent de force et de persévérance dans ce labeur ingrat, ce qu'ils usent d'intelligence dans cette divination, qu'ils prennent pour le génie, mérite vraiment plus de compassion que de colère. Oh ! qu'ils feraient bien mieux de lire pendant cinq ans seulement dom Bouquet et Muratori ! Quand ils posséderaient sur le bout du doigt l'histoire des couvents et des châteaux, ils n'auraient plus besoin d'inventer. La poésie est dans l'histoire, et l'histoire est dans la biographie.

Qu'on ne m'accuse pas d'exagérer la morgue et l'emphase de la critique érudite. Je raconte fidèlement ce que j'ai entendu, et le plus grand nombre de ces billevesées a passé d'ailleurs sous les yeux du public.

La critique ainsi conçue se réduit à des procédés simples, et n'exige pas de grands efforts de pensée. Ces messieurs font le tour d'un siècle, mesurent l'espace parcouru, et, quand il leur faut prononcer sur la valeur d'une œuvre dont la donnée appartient à l'histoire, ils comptent comme des griefs irréparables tout ce qu'ils ont vu et ne retrouvent pas. Pour leur plaire, le romancier devrait, non pas choisir ce qui lui convient, ce qui sied à sa volonté, mais ne rien omettre. Braves gens qui reprocheraient, s'ils l'osaient, au premier conteur de notre siècle, d'avoir mutilé Rymer et Buchanan !

Si les poètes haussent les épaules en écoutant la critique érudite, on ne peut pas les accuser d'impertinence : leur sourire n'est que justice. L'érudition citant la poésie à son tribunal n'est guère moins ridicule qu'un musicien se prononçant sur le plan d'un palais. Oui, sans doute, la meilleure partie du génie se compose de souvenirs, et ceux qui ont vécu inventent merveilleusement ; mais les livres ne suppléent pas la vie ; les livres sont une lettre morte pour le cœur que la réalité n'a pas éprouvé. De savoir à créer, il y a l'Océan tout entier. Personne encore n'a vu le pont qui mène de la mémoire à l'imagination.

Portraits littéraires, 1836.

texte 42 Du génie critique et de Bayle[1]

Ce génie, dans son idéal complet (et Bayle réalise cet idéal plus qu'aucun écrivain) est au revers du génie créateur et poétique, du génie philosophique avec système ; il prend tout en considération, fait tout valoir, et se laisse aller d'abord, sauf à revenir bientôt. Tout esprit qui a en soi une part d'art ou de système n'admet volontiers que ce qui est analogue à son point de vue, à sa prédilection. Le génie critique n'a rien de trop digne ni de prude, ni de préoccupé, aucun quant à soi. Il ne reste pas dans son centre ou à peu de distance ; il ne se retranche pas dans sa cour, ni dans sa citadelle, ni dans son académie ; il ne craint pas de se mésallier ; il va partout le long des rues, s'informant, accostant ; la nouveauté l'allèche, et il ne s'épargne pas les régals qui se présentent. Il est jusqu'à un certain point tout à tous, comme l'Apôtre, et en ce sens il y a toujours de l'optimisme dans le critique véritablement doué. Mais gare aux retours ! que Jurieu se méfie ! L'infidélité est un trait de ces esprits divers et intelligents ; ils reviennent sur leurs pas, ils prennent tous les côtés d'une question, ils ne se font pas faute de se réfuter eux-mêmes. Combien de fois Bayle n'a-t-il pas changé de rôle, se déguisant tantôt en nouveau converti, tantôt en vieux catholique romain, heureux de cacher son nom et de voir sa pensée faire route nouvelle en

---

1. Cf. p. 105.

croisant l'ancienne ! Un seul personnage ne pouvait suffire à la célérité et aux revirements toujours justes de son esprit mobile, empressé, accueillant. Quelque vastes que soient les espaces et le champ défini, il ne peut promettre de s'y renfermer, ni s'empêcher, comme il dit admirablement, de faire des courses sur toutes sortes d'auteurs. Le voilà peint d'un mot.

Portraits littéraires, article du 1-12-1835.

texte 43
Éloge de la critique
et de la méthode historique

Recevant à l'Académie française l'érudit Patin (1793-1876) qui fut le premier à appliquer la méthode historique à la critique de la littérature antique (*Études sur les tragiques grecs*, 1841), Barante examine les différentes fonctions de la critique et souligne l'intérêt d'études nouvelles qui ont pris un « caractère d'impartialité historique » :

Non seulement la critique examine les œuvres de l'esprit, elle essaye d'en déduire les règles et d'éclaircir ainsi les routes de l'avenir ; non seulement elle cherche dans la comparaison des productions de l'art, dans leur conformité aux lois de la raison et de la sensibilité, une autorité pour les jugements qu'elle prononce ; mais la critique a une vie qui lui est propre ; elle n'est pas seulement un travail, elle est un sentiment. De même que nous admirons les objets de la nature, de même que nous sommes émus des affections humaines, de même la création du poète ou de l'artiste nous fait éprouver une impression vive ; elle nous associe à ce qu'il a senti ; elle nous fait participer à son inspiration, de telle sorte que les plaisirs de l'esprit, le mouvement de l'imagination, bienfait des lettres et des arts, tiennent une grande place dans la vie de l'âme et contribuent à notre satisfaction, je dirais presque à notre bonheur.

Le critique est celui qui nous parle de ces nobles jouissances, qui nous raconte éloquemment ce qu'il a senti, qui nous appelle à admirer ce qui a excité son admiration, qui nous communique ses émotions, et se rencontre avec nos sympathies ; il est autre chose qu'un examinateur et un juge. Le peintre s'est inspiré de la nature ; le critique s'est inspiré du tableau. L'une de ces inspirations est plus primitive ; mais toutes les deux sont réelles et humaines.

. . . .

Il y a deux manières d'étudier les lettres, deux manières de les enseigner. Prendre l'art comme un fait existant, le décrire dans son apparence extérieure, le décomposer en parties distinctes, séparer dans ses productions diverses, la matière, la forme et le mode, chercher le procédé qu'il emploie : c'est ce que fit Aristote, et tant d'autres après lui. Ils en déduisirent des règles utiles, que la raison et le goût indiquent parfois et n'imposent jamais. Ces règles relatives à la forme ont dû facilement devenir minutieuses et techniques. De là un enseignement sans charme pour la jeunesse, sans intérêt pour le public, brisant le lien qui unit la littérature à l'ensemble des connaissances humaines, en faisant un métier spécial, au lieu d'y voir le talent d'expression appliqué à toutes les pensées, à tous les sentiments de l'humanité.

Vous avez choisi une autre voie, Monsieur, vous conformant à d'illustres exemples, à la direction actuelle des esprits, vos études et vos leçons ont pris ce caractère d'impartialité historique propre à notre époque. Les lettres sont, pour vous, le plus vivant témoignage où doit se lire l'histoire de l'esprit humain, ses phases, ses progrès, ses éclipses ; l'influence des religions, des gouvernements et des mœurs ; le caractère des races diverses ; la connaissance du passé, l'espoir de l'avenir. Aux circonstances générales qui déterminent la couleur de l'œuvre du poète ou de l'écrivain, vous savez rattacher ce qui lui vient de son propre caractère, de sa vie, des situations où il fut placé. On se complaît à retrouver son empreinte personnelle dans ce qu'il légua à la postérité. On aime à converser avec lui, d'homme à homme, à travers les siècles. Cela importe tout autrement que d'examiner s'il a eu tort ou raison de s'exprimer de telle ou telle sorte, s'il a manqué à tel ou tel dogme d'une critique formaliste. Ce n'est pas l'auteur qu'on cherche, c'est l'homme, ainsi que dirait Pascal.

> *Discours* prononcé à l'Académie pour la réception de Patin, le 5 janvier 1843.

Victor HUGO (1802-1885)

texte 44   # Les limites de la critique[1]

L'auteur de ce recueil n'est pas de ceux qui reconnaissent à la critique le droit de questionner le poète sur sa fantaisie, et de lui demander pourquoi il a choisi tel sujet, broyé telle couleur, cueilli à tel arbre, puisé à telle source. L'ouvrage est-il bon, ou est-il mauvais ? Voilà tout le domaine de la critique. Du reste, ni louanges, ni reproches pour les couleurs employées, mais seulement pour la façon dont elles sont employées. A voir les choses d'un peu haut, il n'y a en poésie ni bons ni mauvais sujets, mais de bons et de mauvais poètes. D'ailleurs tout est sujet ; tout relève de l'art ; tout a droit de cité en poésie. Ne nous enquérons donc pas du motif qui vous fait prendre ce sujet, triste ou gai, horrible ou gracieux, éclatant ou sombre, étrange ou simple, plutôt que cet autre. Examinons comment vous avez travaillé, non sur quoi et pourquoi.

Hors de là, le critique n'a pas de raison à demander, le poète pas de compte à rendre. L'art n'a que faire des lisières, des menottes, des bâillons ; il vous dit : « Va ! » et vous lâche dans ce grand jardin de poésie, où il n'y a pas de fruit défendu. L'espace et le temps sont au poète. Que le poète donc aille où il veut, en faisant ce qui lui plaît : c'est la loi. Qu'il croie en Dieu ou aux dieux, à Pluton ou à Satan, à Candide ou à Morgane, ou à rien ; qu'il

---

1. Cf. p. 106.

acquitte le péage du Styx, qu'il soit du sabbat ; qu'il écrive en prose ou en vers, qu'il sculpte en marbre ou coule en bronze ; qu'il prenne pied dans tel siècle ou dans tel climat ; qu'il soit du Midi, du Nord, de l'Occident, de l'Orient ; qu'il soit antique ou moderne ; que sa muse soit une muse ou une fée, qu'elle se drape de la colocasia ou s'ajuste la cotte-hardie. C'est à merveille. Le poète est libre. Mettons-nous à son point de vue, et voyons.

L'auteur insiste sur ces idées, si évidentes qu'elles paraissent, parce qu'un certain nombre d'Aristarques n'en est pas encore à les admettre pour telles. Lui-même, si peu de place qu'il tienne dans la littérature contemporaine, il a été plus d'une fois l'objet de ces méprises de la critique. Il est advenu souvent qu'au lieu de lui dire simplement : « Votre livre est mauvais », on lui a dit : « Pourquoi avez-vous fait ce livre ? Pourquoi ce sujet ? Ne voyez-vous point que l'idée première est horrible, grotesque, absurde (qu'importe ?) et que le sujet chevauche hors des limites de l'art ? Cela n'est pas joli, cela n'est pas gracieux. Pourquoi ne pas traiter des sujets qui nous plaisent et nous agréent ? Les étranges caprices que vous avez là ! etc., etc. ». A quoi il a toujours fermement répondu : que ses caprices étaient ses caprices ; qu'il ne savait pas en quoi étaient faites les limites de l'art ; que de géographie précise du monde intellectuel, il n'en connaissait point ; qu'il n'avait point encore vu de cartes routières de l'art, avec les frontières du possible et de l'impossible tracées en rouge et en bleu ; qu'enfin il avait fait cela, parce qu'il avait fait cela.

Préface des *Orientales*, janvier 1829.

texte 45   Le poète contre le critique[1]

Une chose certaine et facile à démontrer à ceux qui pourraient en douter, c'est l'antipathie naturelle du critique contre le poète, — de celui qui ne fait rien contre celui qui fait, — du frelon contre l'abeille, — du cheval hongre contre l'étalon.

Vous ne vous faites critique qu'après qu'il est bien constaté à vos propres yeux que nous ne pouvons être poète. Avant de vous réduire au triste rôle de garder les manteaux et de noter les coups comme un garçon de billard ou un valet de jeu de paume, vous avez longtemps courtisé la Muse, vous avez essayé de la divirginer ; mais vous n'avez pas assez de vigueur pour cela ; l'haleine vous a manqué, et vous êtes retombé pâle et efflanqué au pied de la sainte montagne.

Je conçois cette haine. Il est douloureux de voir un autre s'asseoir au banquet où l'on n'est pas invité, et coucher avec la femme qui n'a pas voulu de vous. Je plains de tout mon cœur le pauvre eunuque obligé d'assister aux ébats du Grand Seigneur.

Il est admis dans les profondeurs les plus secrètes de l'Oda ; il mène les sultanes au bain ; il voit luire sous l'eau d'argent des grands réservoirs

1. Cf. p. 106.

ces beaux corps tout ruisselants de perles et plus polis que des agates ; les beautés les plus cachées lui apparaissent sans voiles. On ne se gêne pas devant lui. — C'est un eunuque. — Le sultan caresse sa favorite en sa présence, et la baise sur sa bouche de grenade. — En vérité, c'est une bien fausse situation que la sienne, et il doit être bien embarrassé de sa contenance.

Il en est de même pour la critique qui voit le poète se promener dans le jardin de poésie avec ses neuf belles odalisques, et s'ébattre paresseusement à l'ombre de grands lauriers verts. Il est bien difficile qu'il ne ramasse pas les pierres du grand chemin pour les lui jeter et le blesser derrière son mur, s'il est assez adroit pour cela.

Le critique qui n'a rien produit est un lâche ; c'est comme un abbé qui courtise la femme d'un laïque : celui-ci ne peut lui rendre la pareille ni se battre avec lui.

Préface de *Mademoiselle de Maupin*, 1835.

Charles *BAUDELAIRE (1821-1867)*

texte 45 A quoi bon la critique[1] ?

Ces réflexions de Baudelaire, au début de son *Salon de 1846*, concernent la critique d'art, mais peuvent également être appliquées à la critique littéraire.

A quoi bon ? — Vaste et terrible point d'interrogation, qui saisit la critique au collet dès le premier pas qu'elle veut faire dans son premier chapitre.

L'artiste reproche tout d'abord à la critique de ne pouvoir rien enseigner au bourgeois, qui ne veut ni peindre ni rimer, — ni à l'art, puisque c'est de ses entrailles que la critique est sortie.

Et pourtant que d'artistes de ce temps-ci doivent à elle seule leur pauvre renommée ! C'est peut-être là le vrai reproche à lui faire.

Vous avez vu un Gavarni représentant un peintre courbé sur sa toile ; derrière lui un monsieur, grave, sec, roide, et cravaté de blanc, tenant à la main son dernier feuilleton. « Si l'art est noble, la critique est sainte. » — « Qui dit cela ? » — « La critique ! » Si l'artiste joue si facilement le beau rôle, c'est que le critique est sans doute un critique comme il y en a tant.

En fait de moyens et procédés tirés des ouvrages eux-mêmes, le public

---

1. Cf. p. 110.

280

et l'artiste n'ont rien à apprendre ici. Ces choses-là s'apprennent à l'atelier, et le public ne s'inquiète que du résultat.

Je crois sincèrement que la meilleure critique est celle qui est amusante et poétique ; non pas celle-ci, froide et algébrique, qui sous prétexte de tout expliquer, n'a ni haine ni amour, et se dépouille volontairement de toute espèce de tempérament ; mais, — un beau tableau étant la nature réfléchie par un artiste, — celle qui sera ce tableau réfléchi par un esprit intelligent et sensible. Ainsi le meilleur compte rendu d'un tableau pourra être un sonnet ou une élégie.

Mais ce genre de critique est destiné aux recueils de poésie et aux lecteurs poétiques. Quant à la critique proprement dite, j'espère que les philosophes comprendront ce que je vais dire : pour être juste, c'est-à-dire pour avoir sa raison d'être, la critique doit être partiale, passionnée, politique, c'est-à-dire faite à un point de vue exclusif, mais au point de vue qui ouvre le plus d'horizons.

Exalter la ligne au détriment de la couleur, ou la couleur aux dépens de la ligne, sans doute c'est un point de vue ; mais ce n'est ni très-large, ni très-juste, et cela accuse une grande ignorance des destinées particulières.

Vous ignorez à quelle dose la nature a mêlé dans chaque esprit le goût de la ligne et le goût de la couleur, et par quels mystérieux procédés elle opère cette fusion, dont le résultat est un tableau.

Ainsi un point de vue plus large sera l'individualisme bien entendu : commander à l'artiste la naïveté et l'expression sincère de son tempérament, aidée par tous les moyens que lui fournit son métier. Qui n'a pas de tempérament n'est pas digne de faire des tableaux, et, — comme nous sommes las des imitateurs, et surtout des éclectiques, — doit entrer comme ouvrier au service d'un peintre à tempérament. C'est ce que je démontrerai dans un des derniers chapitres.

Désormais muni d'un critérium certain, critérium tiré de la nature, le critique doit accomplir son devoir avec passion ; car pour être critique on n'en est pas moins homme, et la passion rapproche les tempéraments analogues et soulève la raison à des hauteurs nouvelles.

Stendhal a dit quelque part : « La peinture n'est que de la morale construite ! » Que vous entendiez ce mot de morale dans un sens plus ou moins libéral, on en peut dire autant de tous les arts. Comme ils sont toujours le beau exprimé par le sentiment, la passion et la rêverie de chacun, c'est-à-dire la variété dans l'unité, ou les faces diverses de l'absolu, — la critique touche à chaque instant à la métaphysique.

Chaque siècle, chaque peuple ayant possédé l'expression de sa beauté et de sa morale, — si l'on veut entendre par romantisme l'expression la plus récente et la plus moderne de la beauté, — le grand artiste sera donc, — pour le critique raisonnable et passionné, celui qui unira à la condition demandée ci-dessus, la naïveté, — le plus de romantisme possible.

Les Curiosités esthétiques, Salon de 1846.

texte 47 — La critique littéraire, base de la science morale[1]

La littérature, la production littéraire, n'est point pour moi distincte ou du moins séparable du reste de l'homme et de l'organisation ; je puis goûter une œuvre, mais il m'est difficile de la juger indépendamment de la connaissance de l'homme même ; et je dirais volontiers : tel arbre, tel fruit. L'étude littéraire me mène ainsi tout naturellement à l'étude morale.

Avec les Anciens, on n'a pas les moyens suffisants d'observation. Revenir à l'homme, l'œuvre à la main, est impossible dans la plupart des cas avec les véritables Anciens, avec ceux dont nous n'avons la statue qu'à demi brisée. On est donc réduit à commenter l'œuvre, à l'admirer, à rêver l'auteur et le poète à travers. On peut refaire ainsi des figures de poètes ou de philosophes, des bustes de Platon, de Sophocle ou de Virgile, avec un sentiment d'idéal élevé : c'est tout ce que permet l'état des connaissances incomplètes, la disette des sources et le manque de moyens d'information et de retour. Un grand fleuve, et non guéable dans la plupart des cas, nous sépare des grands hommes de l'Antiquité. Saluons-les d'un rivage à l'autre.

Avec les modernes, c'est tout différent ; et la critique, qui règle sa

1. Cf. p. 113.

méthode sur les moyens, a ici d'autres devoirs. Connaître et bien connaître un homme de plus, surtout si cet homme est un individu marquant et célèbre, c'est une grande chose et qui ne saurait être à dédaigner.

L'observation morale des caractères en est encore au détail, aux éléments, à la description des individus et tout au plus de quelques espèces : Théophraste et La Bruyère ne vont pas au delà. Un jour viendra, que je crois avoir entrevu dans le cours de mes observations, un jour où la science sera constituée, où les grandes familles d'esprits et leurs principales divisions seront déterminées et connues. Alors le principal caractère d'un esprit étant donné, on pourra en déduire plusieurs autres. Pour l'homme, sans doute, on ne pourra jamais faire exactement comme pour les animaux ou pour les plantes ; l'homme moral est plus complexe ; il a ce qu'on nomme liberté et qui, dans tous les cas, suppose une grande mobilité de combinaisons possibles. Quoi qu'il en soit, on arrivera avec le temps, j'imagine, à constituer plus largement la science du moraliste ; elle en est aujourd'hui au point où la botanique en était avant Jussieu, et l'anatomie comparée avant Cuvier, à l'état, pour ainsi dire, anecdotique. Nous faisons pour notre compte de simples monographies, nous amassons des observations de détail ; mais j'entrevois des liens, des rapports, et un esprit plus étendu, plus lumineux, et resté fin dans le détail, pourra découvrir un jour les grandes divisions naturelles qui répondent aux familles d'esprits.

Mais même, quand la science des esprits serait organisée comme on peut de loin le concevoir, elle serait toujours si délicate et si mobile qu'elle n'existerait que pour ceux qui ont une vocation naturelle et un talent d'observer : ce serait toujours un art qui demanderait un artiste habile, comme la médecine exige le tact médical dans celui qui l'exerce, comme la philosophie devrait exiger le tact philosophique chez ceux qui se prétendent philosophes, comme la poésie ne veut être touchée que par un poète.

Nouveaux Lundis, 22 juillet 1862 :
« Chateaubriand jugé par un ami intime ».

texte 48   L'enquête critique[1]

On ne saurait s'y prendre de trop de façons et par trop de bouts pour connaître un homme, c'est-à-dire autre chose qu'un pur esprit. Tant qu'on ne s'est pas adressé sur un auteur un certain nombre de questions et qu'on n'y a pas répondu, ne fût-ce que pour soi seul et tout bas, on n'est pas sûr

1. Cf. p. 113.

de le tenir tout entier, quand même ces questions sembleraient le plus étrangères à la nature de ses écrits : — Que pensait-il en religion ? — Comment était-il affecté du spectacle de la nature ? — Comment se comportait-il sur l'article des femmes ? sur l'article de l'argent ? — Était-il riche, était-il pauvre ? — Quel était son régime, quelle était sa manière journalière de vivre ? etc. — Enfin, quel était son vice ou son faible ? Tout homme en a un. Aucune des réponses à ces questions n'est indifférente pour juger l'auteur d'un livre et le livre lui-même, si ce livre n'est pas un traité de géométrie pure, si c'est surtout un ouvrage littéraire, c'est-à-dire où il entre de tout.

Très souvent un auteur, en écrivant, se jette dans l'excès ou dans l'affectation opposée à son vice, à son penchant secret, pour le dissimuler et le couvrir ; mais c'est encore là un effet sensible et reconnaissable, quoique indirect et masqué. Il est trop aisé de prendre le contre-pied en toute chose ; on ne fait que retourner son défaut. Rien ne ressemble à un creux comme une bouffissure.

Quoi de plus ordinaire en public que la profession et l'affiche de tous les sentiments nobles, généreux, élevés, désintéressés, chrétiens, philan-thropiques ? Est-ce à dire que je vais prendre au pied de la lettre et louer pour leur générosité, comme je vois qu'on le fait tous les jours, les plumes de cygne ou les langues dorées qui me prodiguent et me versent ces merveilles morales et sonores ? J'écoute, et je ne suis pas ému. Je ne sais quel faste ou quelle froideur m'avertit ; la sincérité ne se fait pas sentir. Ils ont des talents royaux, j'en conviens ; mais là-dessous, au lieu de ces âmes pleines et entières comme les voudrait Montaigne, est-ce ma faute si j'entends résonner des âmes vaines ? — Vous le savez bien, vous qui, en écrivant, dites poliment le contraire ; et quand nous causons d'eux entre nous, vous en pensez tout comme moi.

On n'évite pas certains mots dans une définition exacte des esprits et des talents ; on peut tourner autour, vouloir éluder, périphraser, les mots qu'on chassait et qui nomment reviennent toujours. Tel, quoi qu'il fasse d'excellent ou de spécieux en divers genres, est et restera toujours un rhéteur. Tel, quoi qu'il veuille conquérir ou peindre, gardera toujours de la chaire, de l'école et du professeur. Tel autre, poète, historien, orateur, quelque forme brillante ou enchantée qu'il revête, ne sera jamais que ce que la nature l'a fait en le créant : un improvisateur de génie. Ces appellations vraies et nécessaires, ces qualifications décisives ne sont cependant pas toujours si aisées à trouver, et bien souvent elles ne se présentent d'elles-mêmes qu'à un moment plus ou moins avancé de l'étude. Chateaubriand s'est défini un jour à mes yeux « un épicurien qui avait l'imagination catholique », et je ne crois pas m'être trompé. Tâchons de trouver ce nom caractéristique d'un chacun et qu'il porte gravé moitié au front, moitié au dedans du cœur, mais ne nous hâtons pas de le lui donner.

De même qu'on peut changer d'opinion bien des fois dans sa vie, mais qu'on garde son caractère, de même on peut changer de genre sans modifier essentiellement sa manière. La plupart des talents n'ont qu'un seul et même procédé qu'ils ne font que transposer, en changeant de sujet et même de genre. Les esprits supérieurs ont plutôt un cachet qui se marque à un coin ; chez les autres, c'est tout un moule qui s'applique indifféremment et se répète.

Nouveaux Lundis, 28 juillet 1862,
« Chateaubriand jugé par un ami intime ».

texte 49   # Contre les méthodes
de la critique moderne[1]

Au moment d'entreprendre cette série d'études sur les poètes modernes morts et vivants, il est indispensable, pour la plus grande clarté de mon travail, que j'expose brièvement ma théorie critique.

Qu'on veuille bien ne point s'irriter de la forme affirmative qui m'est habituelle et qui me permettra la concision et la netteté. Mon dessein n'est pas ambitieux. Je ne désire ni plaire ni déplaire. Je dirai ce que je pense, uniquement, et sans développements inutiles, convaincu pour ce qui me concerne, qu'en fait de prose, tout est bien qui finit vite.

L'Art, dont la poésie est l'expression éclatante, intense et complète, est un luxe intellectuel accessible à de très rares esprits.

Toute multitude, inculte ou lettrée, professe, on le sait, une passion sans frein pour la chimère inepte et envieuse de l'égalité absolue. Elle nie volontiers ou elle insulte ce qu'elle ne saurait posséder. De ce vice naturel de compréhensivité découle l'horreur instinctive qu'elle éprouve pour l'Art.

---

1. Cf. p. 118.

Le peuple français, particulièrement, est doué en ceci d'une façon incurable. Ni ses yeux, ni ses oreilles, ni son intelligence ne percevront jamais le monde divin du Beau.

Race d'orateurs éloquents, d'héroïques soldats, de pamphlétaires incisifs, soit ; mais rien de plus.

La réputation de curiosité et de mobilité intellectuelles qu'on lui a faite est assurément une étrange plaisanterie. Aucun peuple n'est plus esclave des idées reçues, plus amoureux de la routine, plus scandalisé par tout ce qui frappe pour la première fois son entendement.

Les grands poètes, les vrais artistes qui se sont manifestés dans son sein n'ont point vécu de sa vie, n'ont point parlé la langue qu'il comprend. Ils appartiennent à une famille spirituelle qu'il n'a jamais reconnue et qu'il a sans cesse maudite et persécutée.

Ceux, au contraire, qui, par infirmité naturelle ou par dépravation d'esprit, se sont faits les flatteurs, les échos serviles de son goût atrophié, les vulgarisateurs de ce qui ne doit jamais être vulgarisé, sous peine de décadence irrémédiable, ceux-là, il les a aimés et glorifiés. L'entente a été et sera toujours cordiale entre eux et lui, grâce à l'intermédiaire continu de la critique.

Celle-ci, à peu d'exceptions près, se recrute communément parmi les intelligences desséchées, tombées avant l'heure de toutes les branches de l'art et de la littérature. Pleines de regrets stériles, de désirs impuissants et de rancunes inexorables, elle traduit au public indifférent et paresseux ce qu'elle ne comprend pas, elle explique gravement ce qu'elle ignore et n'ouvre le sanctuaire de sa bienveillance qu'à la cohue banale des pseudo-poètes.

Cette absence de principes esthétiques, ce dénuement déplorable de toute perception d'art, l'ont contrainte de choisir pour critérium d'examen la somme plus ou moins compacte d'enseignement moral contenu dans les œuvres qu'elle condamne ou qu'elle absout, et dont elle vit, si c'est là vivre. Or, cet enseignement consiste à répandre dans le vulgaire, à l'aide du rythme et de la rime, un certain nombre de platitudes qu'elle affuble du nom d'idées. J'ose donc affirmer, pour ma part, que ses reproches et ses éloges n'ont aucun sens appréciable et qu'elle ne sait absolument ce qu'elle dit.

Les théories de la critique moderne ne sont pas les miennes. J'étudierai ce qu'elle dédaigne, j'applaudirai ce qu'elle blâme. Voici pourquoi.

Le monde du Beau, l'unique domaine de l'Art, est, en soi, un infini sans contact possible avec toute autre conception inférieure que ce soit.

Le Beau n'est pas le serviteur du Vrai, car il contient la vérité divine et humaine. Il est le sommet commun où aboutissent les voies de l'esprit. Le reste se meut dans le tourbillon illusoire des apparences.

Le poète, le créateur d'idées, c'est-à-dire de formes visibles ou invisibles, d'images vivantes ou conçues, doit réaliser le Beau, dans la mesure de ses forces et de sa vision interne, par la combinaison complexe, savante, harmonique des lignes, des couleurs et des sons, non moins que par toutes les ressources de la passion, de la réflexion, de la science et de la fantaisie ; car toute œuvre de l'esprit, dénuée de ces conditions nécessaires de beauté sensible, ne peut être une œuvre d'art. Il y a plus : c'est une mauvaise action, une lâcheté, un crime, quelque chose de honteusement et d'irrévocablement immoral.

Poètes contemporains, Avant-propos, Lemerre, 1864.

Hippolyte TAINE (1828-1893)

texte 50 | # La critique qui peint et la critique qui explique[1]

Peindre, c'est faire voir, et c'est un emploi tout spécial que de faire voir les personnages passés. Si quelqu'un s'y efforçait, il faudrait qu'il eût été préparé à ce travail d'artiste par des études d'artiste ; qu'il eût été, dans sa jeunesse, romancier comme Walter Scott, et même poète ; qu'à ce titre il aperçût naturellement et de prime-saut les plus légères nuances et les plus fragiles attaches des sentiments ; que peu à peu le progrès de l'âge et les reploiements de la réflexion aient ajouté en lui le psychologue à l'artiste ; que la finesse française, la délicatesse parisienne, l'érudition du XIXe siècle, l'épicurisme de la curiosité, la science de l'homme et des hommes, lui aient composé un tact exquis et unique. Ainsi doué et ainsi muni, il entreprendrait pour les lettrés et les délicats une galerie de portraits historiques. Il glisserait autour de son personnage, notant d'un mot chaque attitude, chaque geste et chaque air ; il reviendrait sur ses pas, nuançant ses premières couleurs par de nouvelles teintes plus légères ; il irait ainsi de retouches en retouches, ne se lassant pas de poursuivre le contour complexe et changeant, la frêle et fuyante lumière qui est le signe et comme la fleur de la vie. Pour

1. Cf. p. 120.

289

l'atteindre, ce ne serait pas assez d'un portrait ; il sentirait que la peinture doit varier avec le personnage ; il le décrirait adolescent, jeune homme, homme fait, vieillard, à la cour, à la guerre, sous tous ses habits, sous tous ses visages ; il égalerait la mobilité du temps et de l'âme par le renouvellement de ses impressions et de ses esquisses. Il n'aurait pas assez, pour une telle œuvre, du style simple des logiciens et des classiques. Il aurait besoin de phrases plus enroulées, capables de se tempérer et de s'atténuer les unes les autres, de mots plus spéciaux, traînant avec eux un long cortège d'alliances et de souvenirs. Il faudrait moins le lire que le goûter ; ce serait un de ces parfums composés et précieux où l'on respire à la fois vingt essences choisies et adoucies par leur mutuel accord. En décrivant le genre, j'ai décrit l'homme. Le lecteur a nommé M. Sainte-Beuve ; mais le genre n'appartient qu'à l'homme ; et l'on ne peut imposer à personne la maladresse ou l'impertinence de l'imiter.

Qu'on tolère donc les autres recherches ; laissez l'objet qui a fourni matière à la peinture fournir matière à la philosophie ; permettez à l'analyse de venir après l'art. S'il est beau de faire voir un personnage, il est peut-être intéressant de le faire comprendre. Les deux études diffèrent, puisque l'imagination diffère de l'intelligence, et le raisonnement a le droit de décomposer ce que les yeux ont contemplé et ce que le cœur a senti. Je puis me demander d'où viennent ces qualités, ces défauts, ces passions, ces idées ; lesquels sont effets, lesquels sont causes ; de quelles facultés primitives ils découlent ; si, en suivant ces facultés plus loin, on ne remonte pas à une source commune ; quelle masse et quelle sorte de sentiments chacune d'elles a lancés dans la passion totale. Les émotions et les pensées de l'homme sont liées comme les parties et les mouvements du corps ; et, puisque cet enchaînement mérite d'être noté dans le monde corporel et visible, il mérite d'être observé dans le monde invisible et incorporel. Dès lors, tous vos préceptes tombent ; les règles qui gouvernaient la peinture n'ont point de prise sur l'analyse ; ce qui serait une faute pour la première devient un devoir pour la seconde. Vous développiez, elle réduit. Vous poursuiviez les détails délicats, elle recherche les grandes causes. Vous saisissiez au vol ces traits fugitifs qui font surgir dans l'imagination toute une figure ; elle s'attache à ces forces génératrices qui produisent dans la vie toute une série d'événements. Vous négligiez beaucoup de points qui lui importent ; elle néglige beaucoup de points qui vous intéressent. Pour elle le changement d'objets a changé le reste ; si l'on trouve son but légitime, on ne peut lui interdire la voie qui la mène à son but.

Préface de la 1re édition des *Essais de critique
et d'histoire*, Hachette, 1858.

texte 51　L'application de la méthode psychologique à l'étude des documents littéraires[1]

La question posée ...... est celle-ci : Étant donné une littérature, une philosophie, une société, un art, telle classe d'arts, quel est l'état moral qui la produit ? Et quelles sont les conditions de race, de moment et de milieu les plus propres à produire cet état moral ? Il y a un état moral distinct pour chacune de ces formations et pour chacune de leurs branches ; il y en a un, pour l'art en général, et pour chaque sorte d'art, pour l'architecture, pour la peinture, pour la sculpture, pour la musique, pour la poésie ; chacune a son germe spécial dans le large champ de la psychologie humaine ; chacune a sa loi, et c'est en vertu de cette loi qu'on la voit se lever au hasard, à ce qu'il semble, et toute seule parmi les avortements de ses voisines, comme la peinture en Flandre et en Hollande au dix-septième siècle, comme la poésie en Angleterre au seizième siècle, comme la musique en Allemagne au dix-huitième siècle. A ce moment et dans ces pays, les conditions se sont trouvées remplies pour un art, et non pour les autres, et une branche seule a bourgeonné dans la stérilité générale. Ce sont ces règles de la végétation humaine que l'histoire d'à présent doit chercher ; c'est cette psychologie spéciale de chaque formation spéciale qu'il faut faire ; c'est le tableau complet de ces conditions propres qu'il faut aujourd'hui travailler à composer. Rien de plus délicat et rien de plus difficile ; Montesquieu l'a entrepris, mais de son temps l'histoire était trop nouvelle pour qu'il pût réussir ; on ne soupçonnait même point encore la voie qu'il fallait prendre, et c'est à peine si aujourd'hui nous commençons à l'entrevoir. De même qu'au fond l'astronomie est un problème de mécanique et la physiologie un problème de chimie, de même l'histoire au fond est un problème de psychologie. Il y a un système particulier d'impressions et d'opérations intérieures qui fait l'artiste, le croyant, le musicien, le peintre, le nomade, l'homme en société ; pour chacun d'eux, la filiation, l'intensité, les dépendances des idées et des émotions sont différentes ; chacun d'eux a son histoire morale et sa structure propre, avec quelque disposition maîtresse et quelque trait dominateur. Pour expliquer chacun d'eux, il faudrait écrire un chapitre d'analyse intime, et c'est à peine si aujourd'hui ce travail est ébauché. Un seul homme, Stendhal, par une tournure d'esprit et d'éducation singulière, l'a entrepris, et encore aujourd'hui la plupart des lecteurs trouvent ses livres paradoxaux et obscurs ; son talent et ses idées étaient prématurés ; on n'a pas compris ses admirables divinations, ses mots profonds jetés en passant, la justesse étonnante de ses notations et de sa logique ; on n'a pas vu que, sous des apparences de causeur et d'homme du monde, il expliquait les plus compliqués des mécanismes internes, qu'il mettait le doigt sur les grands ressorts, qu'il importait dans

---

1. Cf. p. 120.

l'histoire du cœur les procédés scientifiques, l'art de chiffrer, de décomposer et de déduire, que le premier il marquait les causes fondamentales, j'entends les nationalités, les climats et les tempéraments ; bref, qu'il traitait des sentiments comme on doit en traiter, c'est-à-dire en naturaliste et en physicien, en faisant des classifications et en pesant des forces. A cause de tout cela, on l'a jugé sec et excentrique, et il est demeuré isolé, écrivant des romans, des voyages, des notes, pour lesquels il souhaitait et obtenait vingt lecteurs. Et cependant, c'est dans ses livres qu'on trouvera encore aujourd'hui les essais les plus propres à frayer la route que j'ai tâché de décrire. Nul n'a mieux enseigné à ouvrir les yeux et à regarder, à regarder d'abord les hommes environnants et la vie présente, puis les documents anciens et authentiques, à lire par delà le blanc et le noir des pages, à voir sous la vieille impression, sous le griffonnage d'un texte, le sentiment précis, le mouvement d'idées, l'état d'esprit dans lequel on l'écrivait. C'est dans ses écrits, chez Sainte-Beuve, chez les critiques allemands que le lecteur verra tout le parti qu'on peut tirer d'un document littéraire ; quand ce document est riche et qu'on sait l'interpréter, on y trouve la psychologie d'une âme, souvent celle d'un siècle, et parfois celle d'une race. A cet égard un grand poème, un beau roman, les confessions d'un homme supérieur sont plus instructifs qu'un monceau d'historiens et d'histoires ; je donnerais cinquante volumes de chartes et cent volumes de pièces diplomatiques pour les mémoires de Cellini, pour les lettres de saint Paul, pour les propos de table de Luther ou les comédies d'Aristophane. En cela consiste l'importance des œuvres littéraires, elles sont instructives, parce qu'elles sont belles ; leur utilité croît avec leur perfection ; et, si elles fournissent des documents, c'est qu'elles sont des monuments. Plus un livre rend les sentiments visibles, plus il est littéraire ; car l'office propre de la littérature est de noter les sentiments. Plus un livre note des sentiments importants, plus il est placé haut dans la littérature ; car c'est en représentant la façon d'être de toute une nation et de tout un siècle qu'un écrivain rallie autour de lui les sympathies de tout un siècle et de toute une nation. C'est pourquoi, parmi les documents qui nous remettent devant les yeux les sentiments des générations précédentes, une littérature, et notamment une grande littérature, est incomparablement le meilleur. Elle ressemble à ces appareils admirables, d'une sensibilité extraordinaire, au moyen desquels les physiciens démêlent et mesurent les changements les plus intimes et les plus délicats d'un corps. Les constitutions, les religions n'en approchent pas ; des articles de code et de catéchisme ne peignent jamais l'esprit qu'en gros, et sans finesse ; s'il y a des documents dans lesquels la politique et le dogme soient vivants, ce sont les discours éloquents de chaire et de tribune, les mémoires, les confessions intimes, et tout cela appartient à la littérature ; en sorte qu'outre elle-même, elle a tout le bon d'autrui. C'est donc principalement par l'étude des littératures que l'on pourra faire l'histoire morale et marcher vers la connaissance des lois psychologiques, d'où dépendent les événements. J'entreprends ici d'écrire l'histoire d'une littérature et d'y chercher la psychologie d'un peuple.

Introduction à l'Histoire de la littérature anglaise,
Hachette, 1863.

<table>
<tr><td>texte 52</td><td></td></tr>
</table>

texte 52   # La méthode de Taine
appliquée à l'étude d'un auteur[1]

Mon procédé est tout entier compris dans cette remarque que les choses morales ont, comme les choses physiques, des dépendances et des conditions.

Je suppose qu'on veuille vérifier cette maxime et en mesurer la portée. Le lecteur prendra par exemple quelque artiste, savant ou écrivain notable, tel poète, tel romancier, et lira ses œuvres, la plume à la main. Pour les bien lire, il les classera en groupes naturels, et dans chaque groupe, il distinguera ces trois choses distinctes qu'on appelle les personnages ou caractères, l'action ou intrigue, le style ou façon d'écrire. Dans chacune de ces provinces, il notera, suivant l'habitude de tout critique, par quelques mots brefs et vifs, les particularités saillantes, les traits dominants, les qualités propres de son auteur. Arrivé au terme de sa première course, s'il a quelque pratique de ce travail, il verra venir au bout de sa plume une phrase involontaire, singulièrement forte et significative, qui résumera toute son opération, et mettra devant ses yeux un certain genre de goût et de talent, une certaine disposition d'esprit ou d'âme, un certain cortège de préférences et de répugnances, de facultés et d'insuffisances, bref, un certain état psychologique, dominateur et persistant, qui est celui de son auteur. Qu'il répète maintenant la même opération sur les autres portions du même sujet ; qu'il compare ensuite les trois ou quatre résumés auxquels chacune de ses analyses partielles l'aura conduit ; qu'il ajoute alors aux écrits de son auteur sa vie, j'entends sa conduite avec les hommes, sa philosophie, c'est-à-dire sa façon d'envisager le monde, sa morale et son esthétique, c'est-à-dire ses vues d'ensemble sur le bien et le beau ; qu'il rapproche toutes les phrases abréviatives qui sont l'essence concentrée des milliers de remarques qu'il aura faites et des centaines de jugements qu'il aura portés. Si ses notations sont précises, s'il a l'habitude d'apercevoir les sentiments et les facultés sous les mots qui les désignent, si cet œil intérieur par lequel nous démêlons et définissons à l'instant les diversités de l'être moral est suffisamment exercé et pénétrant, il verra que ses sept ou huit formules dépendent les unes des autres, que la première étant donnée, les autres ne pouvaient être différentes, que par conséquent les qualités qu'elles représentent sont enchaînées entre elles, que si l'une variait, les autres varieraient d'une façon proportionnelle, et que partant elles font un système comme un corps organisé. Non seulement il aura le sentiment vague de cet accord mutuel qui harmonise les diverses facultés d'un esprit, mais encore il en aura

---

1. Cf. p. 120.

la perception distincte ; il pourra prouver par voie logique que telle qualité, la violence ou la sobriété d'imagination, l'aptitude oratoire ou lyrique, constatée sur un point, doit étendre son ascendant sur le reste. Par un raisonnement continu, il reliera ainsi les divers penchants de l'homme qu'il examine sous un petit nombre d'inclinations gouvernantes dont ils se déduisent et qui les expliquent, et il se donnera le spectacle des admirables nécessités qui rattachent entre eux les fils innombrables, nuancés, embrouillés de chaque être humain.

Préface de la 2ᵉ édition des *Essais de critique et d'histoire*, Hachette, 1866.

texte 53 Limites de la critique scientifique[1]

« L'esprit humain, dites-vous, coule avec les événements comme un fleuve. » Je répondrai oui et non. Mais je dirai hardiment non en ce sens qu'à la différence d'un fleuve l'esprit humain n'est point composé d'une quantité de gouttes semblables. Il y a distinction de qualité dans bien des gouttes. En un mot, il n'y avait qu'une âme au XVIIe siècle pour faire *La Princesse de Clèves* : autrement il en serait sorti des quantités.

Et en général, il n'est qu'une âme, une forme particulière d'esprit pour faire tel ou tel chef-d'œuvre. Quand il s'agit de témoins historiques, je conçois des équivalents : je n'en connais pas en matière de goût. Supposez un grand talent de moins, supposez le moule ou mieux le miroir magique d'un seul vrai poète brisé dans le berceau à sa naissance, il ne s'en rencontrera plus jamais un autre qui soit exactement le même ni qui en tienne lieu. Il n'y a de chaque vrai poète qu'un exemplaire.

Je prends un autre exemple de cette spécialité unique du talent. *Paul et Virginie* porte certainement des traces de son époque ; mais si *Paul et Virginie* n'avait pas été fait, on pourrait soutenir par toutes sortes de raisonnements spécieux et plausibles qu'il était impossible à un livre de

---

1. Cf. p. 120.

cette qualité virginale de naître dans la corruption du XVIIIe siècle : Bernardin de Saint-Pierre seul l'a pu faire. C'est qu'il n'y a rien, je le répète, de plus imprévu que le talent, et il ne serait pas le talent s'il n'était imprévu, s'il n'était un seul entre plusieurs, un seul entre tous.

Je ne sais si je m'explique bien : c'est là le point vif que la méthode et le procédé de M. Taine n'atteint pas, quelle que soit son habileté à s'en servir. Il reste toujours en dehors, jusqu'ici, échappant à toutes les mailles du filet, si bien tissé qu'il soit, cette chose qui s'appelle l'individualité du talent, du génie. Le savant critique l'attaque et l'investit, comme ferait un ingénieur ; il la cerne, la presse et la resserre, sous prétexte de l'environner de toutes les conditions extérieures indispensables : ces conditions servent, en effet, l'individualité et l'originalité personnelle, la provoquent, la sollicitent, la mettent plus ou moins à même d'agir ou de réagir, mais sans la créer. Cette parcelle qu'Horace appelle divine *(divinæ particulam auræ),* et qui l'est du moins dans le sens primitif et naturel, ne s'est pas encore rendue à la science, et elle reste inexpliquée. Ce n'est pas une raison pour que la science désarme et renonce à son entreprise courageuse. Le siège de Troie a duré dix ans ; il est des problèmes qui dureront peut-être autant que la vie de l'humanité même.

Nous tous, partisans de la méthode naturelle en littérature et qui l'appliquons chacun selon notre mesure à des degrés différents, nous tous, artisans et serviteurs d'une même science que nous cherchons à rendre aussi exacte que possible, sans nous payer de notions vagues et de vains mots, continuons donc d'observer sans relâche, d'étudier et de pénétrer les conditions des œuvres diversement remarquables et l'infinie variété des formes de talent ; forçons-les de nous rendre raison et de nous dire comment et pourquoi elles sont de telle ou telle façon et qualité plutôt que d'une autre, dussions-nous ne jamais tout expliquer et dût-il rester, après tout notre effort, un dernier point et comme une dernière citadelle irréductible.

Nouveaux Lundis, 30 mai 1864, « Taine ».

Ernest RENAN (1823-1892)

texte 54 La bonne critique doit se défier des individus[1]

Le chapitre X de *L'Avenir de la Science* contient d'importantes réflexions sur la littérature et la critique. En voici quelques-unes :

L'admiration absolue est toujours superficielle : nul plus que moi n'admire les *Pensées* de Pascal, les *Sermons* de Bossuet. Mais je les admire comme œuvres du XVIIe siècle. Si ces œuvres paraissaient de nos jours, elles mériteraient à peine d'être remarquées. La vraie admiration est historique. La couleur locale a un charme incontestable quand elle est vraie : elle est insipide dans le pastiche. J'aime l'Alhambra et Brocéliande dans leur vérité, je me ris du romantique qui croit, en combinant ces mots, faire œuvre belle. Là est l'erreur de Chateaubriand et la raison de l'incroyable médiocrité de son école. Il n'est plus lui-même, lorsque, sortant de l'appréciation critique, il cherche à produire, sur le modèle des œuvres dont il relève justement les beautés...

Les œuvres les plus sublimes sont celles que l'humanité a faites collectivement, et sans qu'aucun nom propre puisse s'y attacher...

_____

1. Cf. p. 121.

Grande folie que d'admirer l'expression littéraire des sentiments et des actes de l'humanité et de ne pas admirer ces sentiments et ces actes dans l'humanité ! L'humanité seule est admirable. Les génies ne sont que les rédacteurs des inspirations de la foule. Leur gloire est d'être en sympathie si profonde avec l'âme incessamment créatrice que tous les battements du grand cœur ont un retentissement sous leur plume. Les relever par leur individualité, c'est les abaisser, c'est détruire leur génie véritable pour les ennoblir par des chimères. La vraie noblesse n'est pas d'avoir un nom à soi, un génie à soi, c'est de participer à la race noble des fils de Dieu, c'est d'être soldat perdu dans l'armée immense qui s'avance à la conquête du parfait...

...En général la bonne critique doit se défier des individus et se garder de leur faire une trop grande part. C'est la masse qui crée car la masse possède éminemment et avec un degré de spontanéité mille fois supérieur les instincts moraux de la nature humaine...

La grande critique devrait consister à saisir la physionomie de chaque portion de l'humanité. Louer ceci, blâmer cela sont d'une petite méthode. Il faut prendre l'œuvre pour ce qu'elle est, parfaite dans son ordre, représentant éminemment ce qu'elle représente, et ne pas lui reprocher ce qu'elle n'a pas. L'idée de faute est déplacée en critique littéraire, excepté quand il s'agit de littératures tout à fait artificielles, comme la littérature latine de la décadence. Tout n'est pas égal sans doute, mais une pièce est en général ce qu'elle peut être. Il faut la placer plus ou moins haut dans l'échelle de l'idéal, mais ne pas blâmer l'auteur d'avoir pris la chose sur tel ton, et par conséquent de s'être refusé tel ordre de beautés. C'est le point de vue d'où chaque œuvre est conçue qui peut être critiqué, bien plutôt que l'œuvre elle-même ; car tous ces grands auteurs sont parfaits à leur point de vue, et les critiques qu'on leur adresse ne vont d'ordinaire qu'à leur reprocher de n'avoir pas été ce qu'ils n'étaient pas.

L'Avenir de la Science, écrit en 1848-49, publié en 1890.

Emile HENNEQUIN (1859-1888)

---

texte 55 # Un aspect de la critique scientifique[1]

Après avoir résumé l'évolution de la critique et fait l'éloge de Taine qui a « constitué la critique sous forme de science », Hennequin a défini les caractères de ce qu'il appelle « l'esthopsychologie » : « la science de l'œuvre d'art en tant que signe ». Celle-ci doit procéder à trois séries d'analyses (esthétique, psychologique, sociologique) suivies des synthèses correspondantes. Voici quelques extraits du chapitre consacré à l'analyse psychologique qui étudie l'œuvre « en tant que signe de l'homme qui l'a produite » :

On peut reprocher aux meilleurs travaux actuels des critiques biographes deux défauts : les indications psychologiques qu'ils extraient de l'examen superficiel d'œuvres littéraires sont trop générales et trop peu précises pour être considérées comme scientifiques ; d'autre part, ils ont tort d'employer simultanément dans leurs essais et en vue de déterminer l'individualité d'un artiste, l'histoire de sa carrière, l'ethnologie, les notions de l'hérédité et de l'influence des milieux, avec l'analyse directe de ses œuvres. Des deux méthodes, c'est la première qui doit céder le pas, fondée, comme elle l'est, sur des lois incertaines et présomptives dont la critique scientifique ne pourra tirer parti qu'après avoir vérifié, par ses propres travaux, la mesure dans laquelle elles s'appliquent aux hommes supérieurs.

---

1. Cf. p. 125.

C'est donc de l'examen seul de l'œuvre que l'analyste devra tirer les indications nécessaires pour étudier l'esprit de l'auteur ou de l'artiste qu'il veut connaître, et le problème qu'il devra poser est celui-ci : Étant donnée l'œuvre d'un artiste, résumée en toutes ses particularités esthétiques de forme et de contenu, définir en termes de science, c'est-à-dire exacts, les particularités de l'organisation mentale de cet homme.

Le raisonnement, par lequel on peut résoudre cette question, conclure d'une particularité esthétique d'une œuvre à une particularité morale de son auteur, est fort simple. L'emploi d'une forme de style, l'expression d'une conception particulière quelconque, que cet emploi soit original ou qu'il puisse paraître entaché d'imitation, est un fait ayant pour cause prochaine, comme tout le livre, la toile, la partition dont il s'agit, un acte physique de leur auteur, poussé par quelque besoin de gloire, d'argent, par un mobile instinctif, n'importe, de faire une de ces œuvres. Cette détermination prise, l'artiste l'exécute d'une certaine manière. Il s'adonne à un certain art, à un certain genre, à un certain procédé, en un mot, il fait une œuvre se distinguant de celles d'autrui par certains caractères, ceux-là mêmes que nous avions appris à dégager dans le précédent chapitre. Il écrira, il peindra, il composera, comme le lui permettront ses *facultés* acquises et naturelles, comme le lui commanderont ses désirs, son *idéal* ; c'est-à-dire que les caractères particuliers de son œuvre résulteront de certaines propriétés de son esprit. Ces caractères seront à l'égard de ces propriétés dans une relation d'effet à cause, et l'on peut concevoir une science qui remontera des uns aux autres, comme on remonte d'un signe à la chose signifiée, d'une expression à la chose exprimée, d'une manifestation quelconque à son origine.

Or le mot faculté indique une aptitude et présuppose les conditions de cette aptitude. Si un homme peut soulever un certain poids à bras tendu, c'est qu'il a les os, les muscles, la force d'innervation, le motif, nécessaires pour cela. De même, si certaines propriétés d'une œuvre d'art existent, si un auteur a pu les produire, c'est qu'il possède le mode d'organisation mentale requis. Par conséquent, un ensemble de données esthétiques permettra de conclure à la présence d'une certaine organisation psychologique, c'est-à-dire, en dernière analyse, à une activité particulière, à une nature particulière des organes de l'esprit, des sens, de l'imagination, de l'idéation, de l'expression, de la volonté, etc. Il ne reste donc plus qu'à déterminer par le raisonnement et l'observation quels sont les détails intimes de pensée que présuppose tel ou tel ensemble de signes esthétiques.

Mais la plupart des artistes ne se bornent pas à produire aveuglément, en suivant les indications latentes de leurs aptitudes. Ils se font un idéal imité ou original dont ils tâchent de rapprocher le plus possible leurs productions, une image composite d'une œuvre d'art ou d'une propriété d'œuvre d'art, conçue comme douée de toutes les qualités que l'artiste admire et qu'il cherche à réaliser. C'est là une image, accompagnée de désir, une image émotionnelle et comme telle capable de provoquer des actes. Or on sait qu'en psychologie un désir est considéré comme l'expression consciente d'une aptitude développée, et demandant à se manifester, d'une force de l'organisme contenue et apte à être mise en jeu. L'idéal est donc simplement l'expression rendue consciente par une image — des facultés mêmes qui forment le fond de l'esprit de l'artiste et qui le définissent.

D'ailleurs que l'on considère ceci : les particularités esthétiques d'une œuvre se composent d'un certain nombre d'émotions, d'images verbales, d'images d'objets, de personnes, d'idées, de concepts, de souvenirs, d'habitudes d'esprit, de résidus de sensations. Ces images et ces idées, avant de se trouver dans l'œuvre d'art, ont dû se trouver dans l'esprit de l'homme qui l'a conçue et exécutée. Pour peu que le nombre de ces phénomènes mentaux ait été considérable, ils ont dû former une grosse part de la vie psychique de l'artiste. Or, on sait que l'esprit, le moi de tout homme, est constitué, comme le montre notamment M. Ribot dans ses *Maladies de la personnalité*, non pas par une essence indéfinie, mais par une certaine succession, par un rythme et un groupement d'images, d'idées, d'émotions et de sensations, par un certain cours de phénomènes mentaux. Or, l'œuvre d'un artiste nous donne directement une partie notable de ces phénomènes ; de plus, elle est l'expression non seulement de ces apparences, mais de leurs conditions profondes, des facultés et des désirs qui en forment le fond. Il est donc légitime d'essayer de tirer de l'œuvre d'art l'image de l'esprit dont elle est, soit le signe et l'expression, soit plus directement même, une part indépendante et constituante. Que l'on extraie donc d'une série d'œuvres émanant d'un seul artiste toutes les particularités esthétiques qu'elles contiennent, on en pourra déduire une série de particularités intellectuelles. Si ces particularités esthétiques sont nombreuses, en d'autres termes, si l'œuvre analysée est considérable et variée, si ces particularités sont importantes, en d'autres termes, si l'œuvre analysée est originale et grande, les particularités psychologiques seront nombreuses et importantes ; elles pourront suffire à définir l'artiste, en permettant de connaître l'indice individuel de ses principaux groupes d'idées, d'images, de sensations. La méthode esthopsychologique est d'autant plus fructueuse que les œuvres auxquelles on l'applique sont plus hautes et plus belles.

La Critique scientifique, 1888,
Deuxième partie : « L'analyse psychologique ».

Paul BOURGET (1852-1935)

texte 56 Contre la critique dogmatique, pour une critique explicative[1]

Le principe [de la *critique dogmatique*] résidait tout entier dans l'affirmation qu'il y a des lois inflexibles de la beauté, en même temps qu'un type absolu de l'œuvre d'art. Tout arrêt suppose une affirmation de cet ordre. Je ne peux conclure à la condamnation ou à l'apothéose d'un homme qu'autant que je possède un code impersonnel où se trouvent prescrits les devoirs de cet homme. Ce qui maintenait debout un Boileau, un La Harpe, un Voltaire même dissertant sur Corneille, ou bien un Planche discutant sur Hugo, c'était la foi inébranlable en quelques canons absolus d'esthétique. Ce qui empêche aujourd'hui l'existence de semblables juges et de semblables arrêts, c'est un déplacement singulier de notre point de vue. Ce déplacement nous amène à concevoir, au rebours de nos ancêtres, qu'un *Credo* littéraire trop affirmatif est la négation même de l'esprit critique. *L'Art poétique* de Boileau nous paraît, pour citer la plus illustre manifestation de cette école abolie, l'œuvre d'un écrivain consciencieux, remarquable manieur d'alexandrins, intègre conseiller, auquel il aura manqué la qualité la plus nécessaire à celui qui étudie les œuvres de littérature : la compréhension

---

1. Cf. pp. 128 et 134.

des qualités opposées à ses qualités et d'un idéal opposé à son idéal. Une découverte, dangereuse peut-être, mais probablement définitive, de notre âge, n'est-elle pas celle de la variété des intelligences ? Le fondement philosophique de l'ancienne critique comme de l'ancienne politique était le dogme cartésien de l'identité des esprits. Le jour où la connaissance des littératures étrangères s'imposa aux Français, à la suite des grandes mêlées nationales du commencement du siècle, ce dogme tomba de lui-même. Il devint évident à toute personne instruite et sincère, que beaucoup de façons diverses de penser et de sentir, par conséquent de se procurer l'émotion du beau, étaient légitimes. Shakespeare avait composé des drames d'une poésie supérieure en employant des procédés de tout point contraires à ceux d'après lesquels Racine avait écrit ses tragédies. Drames et tragédies n'avaient-ils pas un droit égal à l'admiration ?

> *Racine, rencontrant Shakspeare sur ma table,*
> *S'endort près de Boileau qui leur a pardonné...*

Ces deux vers d'A. de Musset contiennent en germe une théorie nouvelle de la critique — et cette théorie, grâce à Stendhal d'abord, puis à Sainte-Beuve, puis à M. Taine, s'est développée dans toute sa vigueur. S'il y a en effet beaucoup de diversités dans les œuvres de la littérature et de l'art, cela tient à ce que ces œuvres ne sont pas le produit artificiel d'un travail de la réflexion. Des hommes vivants les ont composés, pour qui elles étaient un profond besoin, une intime et nécessaire satisfaction de tout l'être. Une page de prose ou de poésie manifeste donc un état de l'âme de celui qui l'a mise au jour. Pour comprendre cette page, c'est une condition indispensable que de se représenter cet état de l'âme. Ce que l'ancienne critique appelait l'imperfection d'une œuvre apparaît alors comme une condition de la vie même de cette œuvre. Si Ronsard a parlé grec et latin en français, c'est que l'enivrement de l'érudition fut le délice de la Renaissance, et que l'on aime aisément trop ce que l'on aime passionnément. Si Rabelais abonde en plaisanteries grossières qui répugnent aux délicats, c'est que la forte imagination, la verve hardie, la libre sensualité de la nature débridée confinent à l'orgie brutale et à la gouaillerie cynique. Il est malaisé de faire un départ et de condamner les défauts en même temps qu'on admire les qualités. Quand on aperçoit nettement la liaison invincible qui fait de ces défauts la conséquence nécessaire de ces qualités on se prend bien plutôt à sympathiser avec l'une et l'autre manifestation de la vie, — et c'est ainsi que peu à peu l'on se déshabitue du jugement absolu et affirmatif pour mieux se plier à l'art des métamorphoses intellectuelles. Apercevez-vous maintenant pourquoi un certain dogmatisme esthétique s'en est allé de notre littérature moderne, et avec lui les habitudes de l'affirmation exclusive et des arrêts sans appels ?

Elle n'est pas cependant dépourvue d'affirmations, cette nouvelle critique dont Sainte-Beuve et M. Taine ont été les initiateurs. Seulement, ces affirmations ne portent plus sur la valeur définitive des œuvres. Même le mot de critique ne lui convient plus ; il y faudrait substituer cet autre mot, plus pédant mais plus précis, de psychologie. Ce que les écrivains contemporains qui font métier d'analyser les livres d'hier ou d'aujourd'hui ont à découvrir et à confirmer, ce sont les lois de la sensibilité ou de l'intelligence. Ils collaborent, en étudiant les littératures, à une histoire naturelle des esprits. Les uns, comme Sainte-Beuve le disait de lui-même, procèdent à la manière des botanistes et décrivent soigneusement des échantillons divers de la flore intellectuelle, sans aboutir à des conclusions théoriques sur cette flore elle-même et ses origines. D'autres, au contraire, et c'est le cas de M. Taine procèdent par voie de vérification. Leur point de départ est une hypothèse sur la pensée, et l'histoire littéraire leur apparaît comme une immense expérience instituée par la nature, grâce à quoi ils élucident et précisent leur généralisation théorique. Avec des facultés inégales et une inégale conscience de la direction de leurs efforts, c'est dans l'un ou l'autre sens que travaillent les critiques de notre époque. Ils ne régentent pas plus la production des génies littéraires que les physiologistes ne régentent la production de la vie, mais est-ce vraiment là une infériorité ? L'exemple de tous les siècles prouve que la grande ouvrière des créateurs de génie est l'inconscience, et que le meilleur procédé pour composer de belles œuvres est de travailler à se faire plaisir à soi-même. Aucun précepte n'enseigne cette sorte de plaisir, et aucun précepte ne prévaut là contre. Cette réflexion, à défaut d'autres, suffirait pour consoler de la mort, — ou de la métamorphose, de l'ancienne critique.

« Réflexions sur la critique », juillet 1883, dans *Études et Portraits*, tome I, Plon-Nourrit.

Anatole FRANCE (1844-1924).

texte 57 Il n'y a pas de critique objective[1]

Telle que je l'entends et que vous me la laissez faire, la critique est, comme la philosophie et l'histoire, une espèce de roman à l'usage des esprits avisés et curieux, et tout roman, à le bien prendre, est une autobiographie. Le bon critique est celui qui raconte les aventures de son âme au milieu des chefs-d'œuvre.

Il n'y a pas plus de critique objective qu'il n'y a d'art objectif, et tous ceux qui se flattent de mettre autre chose qu'eux-mêmes dans leur œuvre sont dupes de la plus fallacieuse illusion. La vérité est qu'on ne sort jamais de soi-même. C'est une de nos plus grandes misères. Que ne donnerions-nous pas pour voir, pendant une minute, le ciel et la terre avec l'œil à facettes d'une mouche, ou pour comprendre la nature avec le cerveau rude et simple d'un orang-outang ? Mais cela nous est bien défendu.

... La critique est la dernière en date de toutes les formes littéraires ; elle finira peut-être par les absorber toutes. Elle convient admirablement à une société très civilisée dont les souvenirs sont riches et les traditions déjà longues. Elle est particulièrement appropriée à une humanité curieuse, savante, polie. Pour prospérer, elle suppose plus de culture que n'en

---

1. Cf. p. 129.

demandent les autres formes littéraires. Elle eut pour créateurs Montaigne, Saint-Evremond, Bayle et Montesquieu. Elle procède à la fois de la philosophie et de l'histoire. Il lui a fallu, pour se développer une époque d'absolue liberté intellectuelle. Elle remplace la théologie et, si l'on cherche le docteur universel, le Saint-Thomas d'Aquin du XIXe siècle, n'est-ce pas à Sainte-Beuve qu'il faut songer ?

A Adrien Hébrard, directeur du *Temps*,
La Vie littéraire, 1re série, introduction, Calmann-Lévy, 1888.

texte 58 Faiblesses de la critique impressionniste[1]

Brunetière dénonce d'abord « l'affectation » d'Anatole France et de Jules Lemaitre qui prétendent ne pas juger quand en réalité ils jugent. Il ajoute :

A la vérité, je sais bien que, s'ils subissent, bon gré mal gré, l'obligation de juger, parce qu'elle est dans la nature des choses, nos impressionnistes se flattent, en revanche, d'échapper à la nécessité de classer. Classer, c'est comme ils disent, donner des rangs, distribuer des prix, mettre Balzac au-dessus de Flaubert, ou une tragédie de Racine au-dessus d'un vaudeville de Labiche ; et cette occupation est justement à leurs yeux le comble même du ridicule. Ne leur parlez pas seulement de comparer entre eux les hommes et les œuvres ! Tous les plaisirs ne se valent-ils point ? j'entends ceux qu'on appelle esthétiques. Quelle utilité de comparer *Les Fleurs du mal* aux *Méditations* ? *Le Cid* est une belle chose ; *Andromaque* en est une autre ; cela fait-il que *Ruy Blas* en soit une troisième ? Si je préfère *Valentine* à *La Cousine Bette*, à quel titre et de quel droit prétendra-t-on me faire changer ou renverser l'ordre de mes préférences ? Chacun de nous, à lui tout seul, n'est-il pas un petit univers ? La variété n'est-elle pas une condition même du plaisir ? car, de quoi ne se lasse-t-on point ? Qu'y a-t-il donc de plus barbare, ou de plus inhumain — disent-ils — que de vouloir ainsi passer,

---

1. Cf. p. 125.

sur toutes les têtes, au nom d'un principe théorique et d'un idéal abstrait, le lourd niveau des mêmes définitions, des mêmes règles, ou des mêmes lois ? Laissons aller le monde ; que chacun se montre tel qu'il est ; s'il découvre en soi quelque défaut original, ou le germe de quelque vice inédit, qu'il le cultive, bien loin de le détruire ; et qu'il s'en fasse, s'il le peut, un moyen d'existence littéraire, une réclame et des rentes.

Contre ces théories, je ne saurais discuter les principes de la classification des genres : il y faudrait trop de place et de temps. Mais ce que je me contenterai de répondre à nos impressionnistes, c'est qu'ils n'ont peut-être pas assez réfléchi ni sur la nature de la classification, ni sur celle de la comparaison ? Ne serait-il pas, en effet, bien extraordinaire que, dans un siècle comme le nôtre, où la méthode comparative a presque tout renouvelé, la critique seule dût se l'interdire, pour ne pas s'exposer aux plaisanteries de quelques philologues ou de quelques anatomistes, lesquels ne vivent, dans leurs séminaires ou dans leurs laboratoires, que de « comparer » de vieux textes ou de vieux os entre eux ? Quoi, ce serait une besogne utile, intéressante et féconde que de comparer le « calcaneum » ou le « naviculaire » des Lémuriens avec celui des Simiades, le mètre et les « assonances » de la *Chanson de Roland* avec les « assonances » de la chanson d'*Aïol* ; et ce serait perdre son temps que de comparer la tragédie de Racine avec le drame de Shakespeare, ou le roman de Fielding avec celui de Balzac ? Mais la « relativité » des choses, qu'en fait-on donc ? Un homme n'est ni grand, ni petit, ni maigre, ni gras, ni beau, ni laid ; il est seulement *plus* laid ou *plus* beau, *plus* gras ou *plus* maigre, *plus* petit ou *plus* grand que la moyenne de sa race ou de son espèce. C'est ainsi qu'une œuvre d'art n'est ce qu'elle est, n'achève de l'être, ne l'est pleinement et décidément qu'autant qu'on la compare elle-même avec une autre. *Zaïre* serait une belle tragédie si *Bajazet* n'existait pas ; et nous lirions sans doute encore avec avidité *Le Doyen de Killerine* ou *Cleveland* si nous ne connaissions pas les romans de George Sand et de Balzac. Tous les progrès que la critique peut se flatter d'avoir accomplis dans ce siècle, c'est à ce genre de comparaison qu'elle les doit ; et il est possible, si l'on y tient, que cette manie de comparer soit un signe de lenteur ou d'étroitesse d'esprit ; mais, en attendant, je ne la recommande pas moins à tous ceux qui croiront devoir mettre la vérité au-dessus d'eux-mêmes et des intérêts de leur propre talent.

. . . .

Cependant, juger et classer ne sont qu'un commencement, et il faut enfin expliquer. Cette obligation de la critique ou cette fonction, si l'on veut, qui a jadis été pour Sainte-Beuve toute la critique, et qui en doit demeurer l'une des parties essentielles, dirai-je que la critique impressionniste ne s'y soumet pas plus qu'aux deux autres ? En réalité, elle n'explique point, elle constate ; et elle décrit, ou elle commente, mais elle ne « raconte » point. Je crains bien d'en savoir l'un au moins des motifs. C'est que si l'on voulait distinguer dans un livre ou dans un auteur ce qu'ils doivent l'un et l'autre à tous ceux qui les ont précédés, et « causés », pour ainsi parler, on serait effrayé du peu d'originalité qu'il y a parmi les hommes. Nous ne faisons tous qu'un poème, qu'une pièce, qu'un roman, qu'un article ; et combien y mettons-nous de nous, qui ne soit que de nous et qu'à nous ? L'explication s'en trouve donc d'abord, ou du moins il faut qu'on la cherche partout ailleurs qu'en nous ; et trop heureux sont ceux alors dont l'originalité n'a pas comme fondu dans cette recherche même ! Autre preuve, s'il en faut encore une, de l'existence d'une critique objective. L'originalité d'un écrivain — de M. Zola, par exemple, ou de M. Henry Becque — ne se définit pas par rapport à lui-même, ce qui impliquerait contradiction ; elle ne se définit point par rapport à moi, qui ne suis pas sans doute plus original qu'eux ; elle se définit par rapport aux auteurs dramatiques ou aux romanciers qui les ont eux-mêmes précédés, lesquels sont dans l'histoire, et elle se définit par rapport à ce qu'ils ont eux-mêmes fait des lois de leur genre, ce qui est également dans l'histoire.

Le fondement de la critique objective est donc, à vrai dire, le même que celui de l'histoire. Pas plus qu'il n'y a de doute possible ou d'hésitation permise sur le génie militaire de Napoléon ou sur le génie politique de Richelieu, pas plus il n'y en a sur l'unique originalité de la comédie de Molière ou de la tragédie de Racine ; et quiconque traitera de « polisson » l'auteur d'*Andromaque*, il fera comme ce naïf Lanfrey, quand il donnait des leçons de tactique rétrospective au vainqueur d'Austerlitz : c'est lui-même qu'il aura jugé. Mais quiconque dira qu'on peut, si l'on le veut, préférer la comédie de Regnard à celle de Molière, *Le Distrait*, *L'École des Femmes* et *Les Folies amoureuses* à *Tartufe*, ce sera bien pis encore, car ce sera comme s'il disait qu'il n'y a pas de raison de placer un être vivant au-dessous ou au-dessus d'un autre dans l'échelle animale ; et avec le fondement de la critique objective, il renversera du même coup celui de l'histoire naturelle. Un genre littéraire, n'est en effet, supérieur à un autre, et, dans un même genre, drame, ode ou roman, une œuvre n'est plus voisine ou plus éloignée de la perfection de son genre que pour des raisons analogues à celles qui élèvent, dans la hiérarchie des organismes, les vertébrés au-dessus des mollusques, par exemple, et parmi les vertébrés, le chat ou le chien au-dessus de l'ornithorynque. Telle est la vraie manière d'entendre « la relativité de la connaissance » ; telle est la bonne ; telle est la seule qui ne soit pas sophisme et logomachie pure. Eussions-nous « l'œil à facettes d'une mouche » ou « le cerveau rude et simple de l'orang-outang », les choses pourraient changer pour nous d'aspect ou de signification, mais non pas les rapports qui continueraient pour nous de les unir entre elles, ni le système quelconque, mais toujours lié, que ces rapports formeraient ensemble. Et, de là, puisque les autres lois ne sont pas autre chose que l'expression de ces rapports, il en résulte enfin que, de nier la possibilité de la critique objective, c'est nier la possibilité d'une science quelconque. S'il n'y a pas de critique objective, il n'y a pas non plus d'histoire naturelle, ni de chimie, ni de physique objectives. Ce qui ne veut pas dire que la critique soit une « science », mais qu'elle en tient pourtant, et qu'ayant, comme la science, un objet précis, elle peut emprunter à la « science » des méthodes, des procédés et des indications.

Essais sur la littérature contemporaine,
« La critique impressionniste », Calmann-Lévy, 1891.

Anatole FRANCE

texte 59   # La critique et la science[1]

(Réponse à Ferdinand BRUNETIÈRE)

En théorie pure, on peut concevoir une critique qui, procédant de la science, participe de sa certitude. De l'idée que nous nous faisons des forces cosmiques et de la mécanique céleste dépend peut-être notre sentiment sur l'éthique de M. Maurice Barrès et sur la prosodie de M. Jean Moréas. Tout s'enchaîne dans l'univers. Mais en réalité, les anneaux sont, par endroits, si brouillés que le diable lui-même ne les démêlerait pas, bien qu'il soit logicien. Et puis, il faut en convenir de bonne grâce : ce que l'humanité sait le moins bien, au rebours de Petit Jean, c'est son commencement. Les principes nous manquent en toutes choses et particulièrement dans la connaissance des ouvrages de l'esprit. On ne peut prévoir aujourd'hui, quoi qu'on dise, le temps où la critique aura la rigueur d'une science positive et même on peut croire assez raisonnablement que cette heure ne viendra jamais. Pourtant les grands philosophes de l'antiquité couronnaient leur système du monde par une poétique, et ils faisaient sagement. Il vaut mieux encore parler avec incertitude des belles pensées et des belles formes, que de s'en taire à jamais. Peu d'objets au monde sont absolument soumis à la science, jusqu'à se laisser ou reproduire ou prédire par elle. Sans doute, un

_____

1. Cf. p. 130.

poème ne sera jamais de ces objets-là, ni un poète. Les choses qui nous touchent le plus, qui nous semblent les plus belles et les plus désirables sont précisément celles qui demeurent toujours vagues pour nous et en partie mystérieuses. La beauté, la vertu, le génie garderont à jamais leur secret. Ni le charme de Cléopâtre, ni la douceur de saint François d'Assise, ni la poésie de Racine ne se laisseront réduire en formules et, si ces objets relèvent de la science, c'est d'une science mêlée d'art, intuitive, inquiète et toujours inachevée. Cette science, ou plutôt cet art existe : c'est la philosophie, la morale, l'histoire, la critique, enfin tout le beau roman de l'humanité.

Toute œuvre de poésie ou d'art a été de tout temps un sujet de disputes et c'est peut-être un des plus grands attraits des belles choses que de rester ainsi douteuses, car, toutes, on a beau le nier, toutes sont douteuses. M. Brunetière ne veut pas convenir tout à fait de cette universelle et fatale incertitude. Elle répugne trop à son esprit autoritaire et méthodique, qui veut toujours classer et toujours juger. Qu'il juge donc, puisqu'il est judicieux ! Et qu'il pousse ses arguments serrés dans l'ordre effrayant de la tortue, puisqu'enfin il est un critique guerrier !

Mais ne peut-il pardonner à quelque innocent esprit de se mêler des choses de l'art avec moins de rigueur et de suite qu'il n'en a lui-même, et d'y déployer moins de raison, surtout moins de raisonnement ; de garder dans la critique le ton familier de la causerie et le pas léger de la promenade ; de s'arrêter où l'on se plaît et de faire parfois des confidences ; de suivre ses goûts, ses fantaisies et même son caprice, à la condition d'être toujours vrai, sincère et bienveillant ; de ne pas tout savoir et de ne pas tout expliquer ; de croire à l'irrémédiable diversité des opinions et des sentiments et de parler plus volontiers de ce qu'il faut aimer.

Préface de la 3ᵉ série de *La Vie littéraire*, Calmann-Lévy, 1891.

texte 60   La critique littéraire ne peut être qu'impressionniste[1]

Comment donc la critique littéraire pourrait-elle se constituer en doctrine ? Les œuvres défilent devant le miroir de notre esprit ; mais, comme le défilé est long, le miroir se modifie dans l'intervalle, et, quand par hasard la même œuvre revient, elle n'y projette plus la même image.

Chacun peut en faire l'expérience sur soi. J'ai adoré Corneille et j'ai, peu s'en faut, méprisé Racine : j'adore Racine à l'heure qu'il est et Corneille m'est à peu près indifférent. Les transports où me jetaient les vers de Musset, voilà que je ne les retrouve plus. J'ai vécu les oreilles et les yeux pleins de la sonnerie et de la féerie de Victor Hugo, et je sens aujourd'hui l'âme de Victor Hugo presque étrangère à la mienne. Les livres qui me ravissaient et me faisaient pleurer à quinze ans, je n'ose pas les relire. Quand je cherche à être sincère, à n'exprimer que ce que j'ai éprouvé réellement, je suis épouvanté de voir combien mes impressions s'accordent peu, sur de très grands écrivains, avec les jugements traditionnels, et j'hésite à dire toute ma pensée.

---

1. Cf. p. 131.

C'est qu'en effet cette tradition est presque toute convenue, artificielle. On se souvient de ce qu'on a senti peut-être, ou plutôt de ce que les maîtres véritables ont dit qu'il fallait sentir. Ce n'est d'ailleurs que par cette docilité et cette entente qu'un corps de jugements littéraires peut se former et subsister. Certains esprits ont assez de force et d'assurance pour établir ces longues suites de jugements, pour les appuyer sur des principes immuables. Ces esprits-là sont, par volonté ou par nature, des miroirs moins changeants que les autres et, si l'on veut, moins inventifs, où les mêmes œuvres se reflètent toujours à peu près de la même façon. Mais on voit aisément que leurs doctrines n'ont pas en elles de quoi s'imposer à toutes les intelligences et qu'elles ne sont jamais, au fond, que des préférences personnelles immobilisées.

On juge bon ce qu'on aime, voilà tout (je ne parle pas ici de ceux qui croient aimer ce qu'on leur a dit être bon) ; seulement les uns aiment toujours les mêmes choses et les estiment aimables pour tous les hommes ; les autres, plus faibles, ont des affections plus changeantes et en prennent leur parti. Mais, dogmatique ou non, la critique, quelles que soient ses prétentions, ne va jamais qu'à définir l'impression que fait sur nous, à un moment donné, telle œuvre d'art où l'écrivain a lui-même noté l'impression qu'il recevait du monde à une certaine heure.

Puisqu'il en est ainsi et puisque, au surplus, tout est vanité, aimons les livres qui nous plaisent sans nous soucier des classifications et des doctrines et en convenant avec nous-mêmes que notre impression d'aujourd'hui n'engagera pas celle de demain. Si tel chef-d'œuvre reconnu me choque, me blesse ou, ce qui est pis, ne me dit rien ; si, au contraire, tel livre d'aujourd'hui ou d'hier, qui n'est peut-être pas immortel, me remue jusqu'aux entrailles, me donne cette impression qu'il m'exprime tout entier et me révèle à moi-même plus intelligent que je ne pensais, irai-je me croire en faute et en prendre de l'inquiétude ? Les hommes de génie ne sont jamais tout à fait conscients d'eux-mêmes et de leur œuvre ; ils ont presque toujours des naïvetés, des ignorances, des ridicules ; ils ont une facilité, une spontanéité grossière ; ils ne savent pas tout ce qu'ils font, et ils ne le font pas assez exprès. Surtout en ce temps de réflexion et de conscience croissante, il y a, à côté des hommes de génie, des artistes qui sans eux n'existeraient pas, qui jouissent d'eux et en profitent, mais qui, beaucoup moins puissants, se trouvent être en somme plus intelligents que ces monstres divins, ont une conscience et une sagesse plus complètes, une conception plus raffinée de l'art et de la vie. Quand je rencontre un livre écrit par un de ces hommes, quelle joie ! Je sens son œuvre toute pleine de tout ce qui l'a précédée ; j'y découvre, avec les traits qui constituent son caractère et son tempérament particulier, le dernier état d'esprit, le plus récent état de conscience où l'humanité soit parvenue. Bien qu'il me soit supérieur, il m'est semblable et je suis tout de suite de plain-pied avec lui. Tout ce qu'il exprime, il me semble que j'étais capable de l'éprouver de moi-même quelque jour.

Les Contemporains, 2e série, Lecène et Oudin, 1887.

Gustave FLAUBERT (1821-1880)

texte 61 **Contre les insuffisances de la critique**[1]

On simplifierait peut-être la critique si, avant d'énoncer un jugement, on déclarait ses goûts ; car toute œuvre d'art enferme une chose particulière tenant à la personne de l'artiste et qui fait, indépendamment de l'exécution, que nous sommes séduits ou irrités. Aussi notre admiration n'est-elle complète que pour les ouvrages satisfaisant à la fois notre tempérament et notre esprit. L'oubli de cette distinction préalable est une grande cause d'injustice.

Avant tout, l'opportunité du livre est contestée. « Pourquoi ce roman ? à quoi sert un drame ? qu'avons-nous besoin, etc. ? » Et, *au lieu d'entrer dans l'intention de l'auteur*, de lui faire voir en quoi il a manqué son but et comment il fallait s'y prendre pour l'atteindre, on le chicane sur mille choses en dehors de son sujet, en réclamant toujours le contraire de ce qu'il a voulu. Mais si la compétence du critique s'étend au delà du procédé, il devrait tout d'abord établir son esthétique et sa morale...

...N'a-t-on pas abusé du « renseignement » ? *L'histoire absorbera bientôt toute la littérature.* L'étude excessive de ce qui faisait l'atmosphère d'un écrivain nous empêche de considérer l'originalité même de son génie. Du

---

1. Cf. p. 135.

temps de Laharpe, on était convaincu que, grâce à de certaines règles, un chef-d'œuvre vient au monde sans rien devoir à quoi que ce soit, tandis que maintenant on s'imagine découvrir sa raison d'être, quand on a bien détaillé toutes les circonstances qui l'environnent.

Préface aux *Dernières Chansons* de Louis BOUILHET, 1870.

Rémy de GOURMONT (1858-1915)

---

texte 62   La critique ne saurait être
fondée sur une théorie esthétique[1]

On donne encore dans des manuels une définition du beau ; on va plus
loin : on donne les formules par quoi un artiste arrive à l'expression du beau.
Il y a des instituts où l'on enseigne ces formules, qui ne sont que la moyenne
et le résumé d'idées ou d'appréciations antérieures. En esthétique, les
théories étant généralement obscures, on leur adjoint l'exemple, l'idéal
parangon, le modèle à suivre. En ces instituts (et le monde civilisé n'est qu'un
vaste institut) toute nouveauté est tenue pour blasphématoire, et toute
affirmation personnelle devient un acte de démence. M. Nordau[2], qui a lu,
avec une patience bizarre, toute la littérature contemporaine, propagea cette
idée vilainement destructrice de tout individualisme intellectuel que le « non
conformisme » est le crime capital pour un écrivain. Nous différons
violemment d'avis. Le crime capital pour un écrivain c'est le conformisme,
l'imitativité, la soumission aux règles et aux enseignements. L'œuvre d'un
écrivain doit être non seulement le reflet, mais le reflet grossi de sa
personnalité. La seule excuse qu'un homme ait d'écrire, c'est de s'écrire

---

1. Cf. p. 137.
2. Max Nordau (1849-1923), avait dénoncé dans *Dégénérescence* (1894), les aberrations
d'une littérature « fin de siècle » égotiste et sensuelle.

lui-même, de dévoiler aux autres la sorte de monde qui se mire en son miroir individuel ; sa seule excuse est d'être original ; il doit dire des choses non encore dites et les dire en une forme non encore formulée. Il doit se créer sa propre esthétique, — et nous devrons admettre autant d'esthétiques qu'il y a d'esprits originaux et les juger d'après ce qu'elles sont et non d'après ce qu'elles ne sont pas.

Admettons donc que le symbolisme, c'est, même excessive, même intempestive, même prétentieuse, l'expression de l'individualisme dans l'art.

Cette définition, trop simple, mais claire, nous suffira provisoirement. Au cours des suivants portraits, ou plus tard, nous aurons sans doute l'occasion de la compléter ; son principe servira encore à nous guider, en nous incitant à rechercher, non pas ce que devraient faire, selon de terribles règles, selon de tyranniques traditions, les écrivains nouveaux, mais ce qu'ils ont voulu faire. L'esthétique est devenue, elle aussi, un talent personnel ; nul n'a le droit d'en imposer aux autres une toute faite. On ne peut comparer un artiste qu'à lui-même, mais il y a profit et justice à noter des dissemblances : nous tâcherons de marquer, non en quoi les « nouveaux venus » se ressemblent, mais en quoi ils diffèrent, c'est-à-dire en quoi ils existent, car être existant, c'est être différent.

Ceci n'est pas écrit pour prétendre qu'il n'y a pas entre la plupart d'entre eux d'évidentes similitudes de pensée et de technique, fait inévitable, mais tellement inévitable qu'il est sans intérêt. On n'insinue pas davantage que cette floraison est spontanée ; avant la fleur, il y a la graine, elle-même tombée d'une fleur ; ces jeunes gens ont des pères et des maîtres : Baudelaire, Villiers de l'Isle-Adam, Verlaine, Mallarmé, et d'autres. Ils les aiment morts ou vivants, ils les lisent, ils les écoutent. Quelle sottise de croire que nous dédaignons ceux d'hier ! Qui donc a une cour plus admirative et plus affectueuse que Stéphane Mallarmé ? Et Villiers est-il oublié ? Et Verlaine délaissé ?

Le Livre des Masques, 1re série, *Préface*, Mercure de France, 1896.

Emile FAGUET (1847-1916)

texte 63   Historien littéraire et critique[1]

L'historien littéraire doit être aussi impersonnel qu'il peut l'être ; il devrait l'être absolument. Il ne doit que renseigner. Il n'a pas à dire quelle impression a faite sur lui tel auteur ; il n'a à dire que celle qu'il a faite sur ses contemporains. Il doit indiquer l'esprit général d'un temps d'après tout ce qu'il sait d'histoire proprement dite ; l'esprit littéraire et artistique d'un temps, ce qui est déjà un peu différent, d'après tout ce qu'il sait d'histoire littéraire et de l'histoire même de l'art ; mesurer — ce qui du reste est impossible, mais c'est pour cela que c'est intéressant — les influences qui ont pu agir sur un auteur ; s'inquiéter de la formation de son esprit d'après les lectures qu'on peut savoir qu'il a faites, d'après sa correspondance, d'après les rapports que ses contemporains ont faits de lui ; s'enquérir des circonstances générales, nationales, locales, domestiques, personnelles dans lesquelles il a écrit tel de ses ouvrages et puis tel autre ; chercher, ce qui est encore une manière de le définir, l'influence que lui-même a exercée et c'est-à-dire à qui il a plu, les répulsions qu'il a excitées et c'est-à-dire à qui il a déplu. Ce n'est là qu'une très petite partie du travail de l'historien littéraire, mais cela en donne une idée suffisante.

Ce qu'il ne doit pas faire, c'est juger, ni dogmatiquement, à savoir

---

1. Cf. p. 140.

d'après les principes, ni non plus « impressionnellement », à savoir d'après les émotions qu'il a eues. Il est trop clair qu'en ce faisant, il sortirait complètement de son rôle d'historien. Il ferait de l'histoire littéraire, comme on faisait de l'histoire proprement dite au XVIᵉ ou encore au XVIIᵉ siècle, quand l'historien jugeait les rois et les grands personnages de l'histoire, les louait ou les blâmait, se révoltait contre eux comme eût fait une province ou les couvrait de fleurs comme à une entrée de ville ; enfin dirigeait l'histoire tout entière et l'inclinait à être une prédication morale.

L'historien littéraire ne doit pas plus en user ainsi que l'historien politique. Il ne doit connaître et faire connaître que des faits et des rapports entre les faits. Le lecteur ne doit savoir ni comment il juge, ni s'il juge, ni comment il sent, ni s'il sent.

Le critique, au contraire, commence où l'historien littéraire finit, ou plutôt, il est sur un tout autre plan géométrique que l'historien littéraire. A lui, ce qu'on demande, au contraire, c'est sa pensée sur un auteur ou sur un ouvrage, sa pensée, soit qu'elle soit faite de principes, ou qu'elle le soit d'émotions ; ce qu'on lui demande, ce n'est pas une carte du pays, ce sont des impressions de voyage ; ce qu'on lui dit, c'est : « Vous vous êtes rencontré avec M. Corneille ; quel effet a-t-il fait sur vous ? Est-il entré dans vos idées générales sur la littérature et sur l'art d'écrire ? ou les a-t-il contrariées, et par conséquent l'avez-vous hautement approuvé ou condamné sévèrement ? Si vous êtes plutôt et surtout ou même uniquement un homme de sentiment, de sensibilité, d'émotion, quelles émotions M. Corneille a-t-il excitées en vous, de quelle manière votre âme a-t-elle réagi, délicieusement ou douloureusement, ou faiblement, à rencontrer la sienne ? qu'est devenue votre sensibilité dans le commerce ou au contact de M. Corneille ?

— Mais vous m'interrogez autant, au moins, sur moi que sur Corneille ?

— *Certainement !* »

Voilà ce qu'est le critique. Peu s'en faut qu'il ne soit le contraire même de l'historien littéraire ; tout au moins ils sont si différents que ce qu'on demande à l'un, et légitimement, c'est ce qu'on ne demande pas et ce qu'on ne doit pas demander à l'autre, et la converse est vraie.

Il a fallu insister sur ce point, parce qu'il n'y a pas si longtemps qu'on a compris la grande différence qu'il y a entre l'historien littéraire et le critique ; parce que, jusqu'aux dernières années du dernier siècle, les historiens littéraires croyaient avoir mission de critique et réciproquement ; parce que telle histoire de la littérature française, celle de Nisard, est tout entière œuvre de critique et comme histoire littéraire n'existe pas, de telle sorte que l'auteur n'a rien fait de ce qu'il devait faire et a fait tout le temps, et, du reste, d'une manière admirable, ce qu'il devait ne pas faire du tout ; si bien encore que son livre, absolument manqué comme histoire littéraire, reste tout entier debout comme recueil de morceaux de critique.

L'Art de lire, Hachette, 1912.

texte 64   Des dangers de la méthode biographique en critique littéraire[1]

Lorsque l'on dit que l'objet de l'histoire et de la critique littéraire, bien entendues, doit être en fin de compte la description des *individualités* éminentes que toute recherche des causes ne détermine que partiellement, que le mouvement général de la littérature doit être tracé avec soin, plus encore pour faire apparaître ce qu'elles ont ajouté et transformé que ce qu'elles ont reçu, et qu'enfin la beauté essentielle des chefs-d'œuvre est presque toujours dans les apports du tempérament individuel en ce qu'il a de plus réfractaire à l'analyse, je crois qu'on a raison, et ce sont ces idées que j'ai quelquefois tâché de rendre. Mais beaucoup de personnes prennent le change sur ce mot d'individualité et croient qu'il s'agit tout simplement de retourner au procédé de Sainte-Beuve. Or, c'est plutôt le contraire.

Le mérite propre de Sainte-Beuve est ici hors de cause. C'est un des trois ou quatre maîtres de la critique en notre siècle ; et l'on ne vit jamais plus de curiosité d'esprit, plus de souplesse, de pointe et de finesse. Mais on peut dire, sans le diminuer, que sa méthode, qui fut à son heure un progrès, serait un recul aujourd'hui si l'on prétendait y revenir.

---

1. Cf. p. 143.

Après les recherches encore vagues de Villemain, qui faisait de la littérature l'expression de la société, qui établissait des liens un peu flottants et lâches entre les grands courants sociaux et les grandes œuvres littéraires, Sainte-Beuve donna une ferme assiette à la critique, en la faisant reposer sur l'étude biographique : dans l'individu vivant, il trouvait l'intermédiaire réel et nécessaire par lequel les influences sociales de tout genre atteignent, suscitent et modifient les œuvres de poésie ou d'éloquence.

Mais, entraîné par son admirable intuition de moraliste, et par son sens impérieux de la vie, Sainte-Beuve en est venu à faire de la biographie presque le tout de la critique. Et ainsi je veux qu'il ait fait une « histoire naturelle des esprits », je veux qu'il ait déployé le plus rare talent d'historien moraliste : je veux même qu'il ait donné une collection d'études, et, comme disait Taine, de copieux « cahiers de remarques », qui seront des aides précieux pour tous les esprits curieux d'acquérir une exacte intelligence des œuvres littéraires : en réalité, pendant qu'il formait ces dossiers d'anatomie morale, il abandonnait la besogne de la critique littéraire ; et même, on peut dire que, si l'on prétendait, sur l'exemple de Sainte-Beuve, la réduire au genre d'études où il s'enfermait, Sainte-Beuve en aurait faussé gravement la méthode.

Car, au lieu d'employer les biographies à expliquer les œuvres, il a employé les œuvres à constituer des biographies. Il n'a pas traité autrement les chefs-d'œuvre de l'art littéraire qu'il ne traitait les mémoires hâtifs d'un général ou les effusions épistolaires d'une femme ; toute cette écriture, il la met au même service, il s'en fait un point d'appui pour atteindre l'âme ou l'esprit : c'est précisément éliminer la qualité littéraire. Je comprends que dans les lettres de Madame, mère du régent, ou dans des souvenirs du général Joubert, on cherche surtout Madame et le général Joubert : mais il y a un autre usage à faire des écritures de Boileau, de Bossuet, de Voltaire, quand on veut réellement faire une étude de littérature. Je comprends aussi que dans le bagage de Mlle de Scudéry on mette à part les lettres, pour y prendre plaisir au contact vivant d'un esprit : mais vraiment, ne serait-ce pas une aberration du sens littéraire que de donner tout *L'Esprit des lois* pour un *Journal de voyage* de Montesquieu, comme si ce n'était pas *L'Esprit des lois* qui donnait valeur au nom de Montesquieu et aux notes même insignifiantes qu'il avait pu ramasser à travers l'Europe ?

Sainte-Beuve a bien fait ce qu'il a voulu faire : mais il ne faut pas généraliser sa méthode ni surtout l'estimer une méthode complète et suffisante de connaissance littéraire.

Hommes et Livres, Avant-propos, Lecène, Oudin et Cie, 1896.

texte 65 Contre la critique « scientifique »[1]

Quand nous ne connaissons pas le nom d'un auteur, nous commençons par nous méfier ; et par nous affoler ; nous nous inquiétons ; nous courons aux renseignements ; nous nous trouvons ignorants ; nous sommes inquiets ; nous demandons à droite et à gauche ; nous perdons notre temps ; nous courons aux dictionnaires, aux manuels, ou à ces hommes qui sont eux-mêmes des dictionnaires et des manuels, ambulants ; et nous ne retrouvons la paix de l'âme qu'après que nous avons établi de l'auteur, dans le. plus grand détail, une bonne biographie cataloguée analytique sommaire.

C'est là une idée moderne ; c'est là une méthode toute contemporaine, toute récente ; elle ne peut nous paraître ancienne, et acquise, et déjà traditionnelle, à nous normaliens et universitaires du temps présent, que parce que nous avons contracté la mauvaise habitude scolaire, de ne pas considérer un assez vaste espace de temps quand nous réfléchissons sur l'histoire de l'humanité.

Beaucoup plus que nous ne le voulons, beaucoup plus que nous ne le croyons, beaucoup plus que nous ne le disons tous formés par des habitudes scolaires, tous limités par des limitations et des commodités scolaires, nous

---

1. Cf. p. 145.

croyons tous plus ou moins obscurément que l'humanité commence au monde moderne, que l'intelligence de l'humanité commence aux méthodes modernes ; heureux quand nous ne croyons pas, avec tous les laïques, avec tous les primaires, que la France commence exactement le premier janvier dix-sept-cent-quatre-vingt-neuf, à six heures du matin.

Or l'idée moderne, la méthode moderne revient essentiellement à ceci : étant donnée une œuvre, étant donné un texte, comment le connaissons-nous ; commençons par ne point saisir le texte ; surtout gardons-nous bien de porter la main sur le texte ; et d'y jeter les yeux ; cela c'est la fin ; si jamais on y arrive ; commençons par le commencement, ou plutôt, car il faut être complet, commençons par le commencement du commencement ; le commencement du commencement, c'est, dans l'immense, dans la mouvante, dans l'universelle, dans la totale réalité très exactement le point de connaissance ayant quelque rapport au texte qui est le plus éloigné du texte ; que si même on peut commencer par un point de connaissance totalement étranger au texte, absolument incommunicable, pour de là passer par le chemin le plus long possible au point de connaissance ayant quelque rapport au texte qui est le plus éloigné du texte, alors nous obtenons le couronnement même de la méthode scientifique, nous fabriquons un chef-d'œuvre de l'esprit moderne ; et tant plus le point de départ du commencement du travail sera éloigné, si possible étranger, tant plus l'acheminement sera venu de loin, et bizarre, — de tant plus nous serons des scientifiques, des historiens, et des savants modernes.

Avons-nous à étudier, nous proposons-nous d'étudier La Fontaine ; au lieu de commencer par la première fable venue, nous commençons par l'esprit gaulois ; le ciel ; le sol ; le climat ; les aliments ; la race ; la littérature primitive ; puis l'homme ; ses mœurs ; ses goûts ; sa dépendance ; son indépendance ; sa bonté ; ses enfances ; son génie ; puis l'écrivain ; ses tâtonnements classiques ; ses escapades gauloises ; son épopée ; sa morale ; puis l'écrivain, suite ; opposition en France de la culture et de la nature ; conciliation en La Fontaine de la culture et de la nature ; comment la faculté poétique sert d'intermédiaire ; tout cela pour faire la première partie, l'artiste ; pour faire la deuxième partie, les personnages, que nous ne confondons point avec la première, d'abord les hommes ; la société française au dix-septième siècle et dans La Fontaine ; le roi ; la cour ; la noblesse ; le clergé ; la bourgeoisie ; l'artisan ; le paysan ; des caractères poétiques ; puis les bêtes ; le sentiment de la nature au dix-septième siècle et dans La Fontaine ; du procédé poétique ; puis les dieux ; le sentiment religieux au dix-septième siècle et dans La Fontaine ; de la faculté poétique ; enfin troisième partie, l'art, qui ne se confond ni avec les deux premières ensemble, ni avec chacune des deux premières séparément ; l'action, les détails ; comparaison de La Fontaine et de ses originaux, Ésope et Phèdre ; le système ; comparaison de La Fontaine et de ses originaux, Ésope, Rabelais, Pilpay, Cassandre ; l'expression ; du style pittoresque ; les mots propres ; les mots familiers ; les mots risqués ; les mots négligés ; le mètre cassé ; le mètre varié ; le mètre imitatif ; du style lié ; l'unité logique ; l'unité grammaticale ; l'unité musicale ; enfin théorie de la fable poétique ; nature de la poésie ; opposition de la fable philosophique à la fable poétique ; opposition de la fable primitive à la fable poétique ; c'est tout ; je me demande avec effroi où résidera dans tout cela la fable elle-même ; où se cachera, dans tout ce magnifique palais géométrique, la petite fable, où je la trouverai, la fable de La Fontaine ; elle n'y trouvera point asile, car l'auteur, dans tout cet appareil, n'y reconnaîtrait pas ses enfants.

Ou plutôt ce n'est pas tout, car depuis cinquante ans nous avons fait des progrès ; — le progrès n'est-il pas la grande loi de la société moderne ? — ce n'est pas le tout d'aujourd'hui ; aujourd'hui qui oserait commencer La Fontaine autrement que par une leçon générale d'anthropogéographie.

« Zangwill », *Cahiers de la quinzaine*,
repris dans *Œuvres*, Gallimard, 1904.

Albert *THIBAUDET* *(1874-1936)*

| texte 66 | # Les trois critiques[1] |

On sait que Brunetière, étant parti pour l'exécution d'un grand ouvrage en quatre volumes sur l'*Évolution des genres*, s'est arrêté net après le premier, qui porte sur l'évolution de la critique. Brunetière jugea-t-il que la critique présentait le tableau le plus démonstratif de cette fameuse évolution ? En tout cas, et sans méconnaître l'importance d'une question générale engagée à faux, mais qui portait bien sur un problème réel et central et qui devra être reprise un jour, sans méjuger non plus les morceaux solides du livre, on le voit, pour sa plus grande partie crouler de deux côtés. Tout d'abord des lois d'évolution de la critique, d'évolution d'un genre, sont tirées par Brunetière de considérations qui portent uniquement sur la critique française. Or, presque toutes les autres littératures modernes ont comporté leur critique, et il suffit de lire la grande *History of criticism* de Saintsbury pour voir à quel point le genre, si genre il y a, a évolué diversement dans les divers pays. En second lieu, dans l'espace même de cette critique française à laquelle Brunetière restreint son étude, on est frappé d'une lacune ou d'un parti pris analogues : la critique française, pour lui, est surtout une critique de professeurs en acte ou en puissance, qui va de La Harpe à Brunetière lui-même, et où par exemple Villemain est investi d'une grande importance.

---

1. Cf. p. 153.

Mme de Staël, à laquelle Brunetière fait avec raison une place considérable, n'a évidemment rien d'un professeur, et Sainte-Beuve ne le fut qu'accidentellement. Au surplus, il est tout naturel que l'enseignement soit le second et même le premier métier d'un critique professionnel. Je n'ai aucune raison de dénigrer la critique universitaire. Mais, comme tout ce qui existe, elle a ses limites. Elle n'est pas la seule critique. Elle est bornée de deux côtés. Il y a deux autres critiques qui commencent sinon là où elle finit, tout au moins là où elle faiblit, où elle devient gauche et dépaysée, et qui au surplus sont ses aînées. J'appellerais l'une la critique parlée et l'autre la critique d'artiste. En se bornant à la critique française du xixe siècle, on écrirait sur chacune d'elles un livre aussi considérable et aussi intéressant que celui que Brunetière a consacré à un seul des trois secteurs, qui lui paraît la critique entière. Prenons un peu d'esprit géographique. La géographie, dit Voltaire, permet d'opposer l'univers à la rue Saint-Jacques et de ne pas croire que les orgues de Saint-Séverin donnent le ton au reste du monde...

[Thibaudet caractérise alors « la critique parlée » puis en vient à la « critique d'artistes »]

Malgré les Sévigné, les Grimm, les Rivarol et les Joubert, ce que nous possédons de la critique parlée du passé ne représente qu'une part infime de *scripta manent* à côté de tout le *verba volant*. Aussi bien cela n'a-t-il pas grande importance, étant donné que, pour les œuvres anciennes, la critique parlée a passé dans la critique écrite, didactique, et que ce qui nous intéresse aujourd'hui en elle, c'est ce que ne peut guère remplacer la critique aux doigts d'encre, je veux dire l'impression fraîche et sincère de la littérature qui vient de naître, le vin bourru au sortir du pressoir. Il n'en est pas de même de la critique des artistes, c'est-à-dire de celle qui est faite par les écrivains eux-mêmes. Celle-là comprend, surtout en France, d'abondantes manifestations. Il est peu de grands écrivains qui n'aient exposé leurs vues sur leur genre et sur leur art, qui n'aient défendu leur façon d'écrire et attaqué celle des autres. C'est là une tradition classique que les romantiques se sont gardés de laisser perdre.

La critique professionnelle, ou critique de professeur, qui n'est que l'une des trois critiques, et qui tend naturellement à faire croire qu'elle est la seule, à jeter le discrédit sur les deux concurrentes (qui le lui rendent) est tout de même arrivée à obscurcir ce mérite des grands romantiques, qui est d'avoir fondé et enraciné vigoureusement la tradition d'une critique d'artiste. Chateaubriand, Hugo, Lamartine, Gautier, Baudelaire, Paul de Saint-Victor, Barbey d'Aurevilly, voilà une chaîne critique qu'on peut fort bien comparer à la chaîne La Harpe — Villemain — Saint-Marc-Girardin — Sainte-Beuve — Taine — Brunetière — Faguet : l'une et l'autre offrant des qualités et des défauts opposés, l'une et l'autre se méconnaissant et s'injuriant comme il est naturel. Cette critique, qu'on peut faire remonter à Diderot, a été baptisée par Chateaubriand d'un nom assez juste. Il l'appelle la critique des beautés. Plus précisément, nous dirons que l'honneur des grands romantiques, à la suite de Diderot, a été de faire entrer dans la

critique ces deux puissances royales, que les écoles en bannissaient :
l'enthousiasme et les images.

Faguet remarque que « la critique des défauts a été inventée par les
critiques et la critique des beautés par les auteurs ». S'il en est vraiment
ainsi, la part de ce que Faguet appelle les critiques, c'est-à-dire les seuls
professionnels et les professeurs, serait bien misérable. Ils ont apporté
heureusement autre chose. Mais les auteurs, c'est-à-dire la critique des grands
artistes, laissant les professionnels travailler pendant les six jours ouvrables,
nous ont vraiment donné, le septième jour, nos vêtements de fête devant
la beauté, les orgues et les chants, les corbeilles pleines de fleurs avec
lesquelles nous célébrons son culte. Le génie n'a pas touché à la critique
sans y avoir laissé ses traces d'or, sans lui avoir formé son épaule d'ivoire.
Les lecteurs de Chateaubriand savent quelle lueur divinatrice les phrases
et des images du *Génie du christianisme* jettent sur les grands écrivains du
passé. Sans demander à William Shakespeare des services critiques qu'il
ne saurait rendre, nous voyons les traces de gloire ineffaçable qu'a laissées
en passant dans le champ de la critique ce grand oiseau de musique et d'or.
Tous ceux qui écriront sur Mistral seront tributaires des deux articles de
Lamartine, et ne pourront que monnayer cette médaille d'images souveraines.

La critique, par un certain côté, c'est l'art des comparaisons. Mais les
comparaisons, quand elles deviennent œuvres d'art s'appellent des images,
et les romantiques ont eu ce mérite de tremper la critique dans un bain
d'images. Évidemment il peut y avoir de l'excès. Quand je lis Saint-Victor,
disait Lamartine, je mets des lunettes bleues. Mais le besoin heureux de
belles images est aujourd'hui incorporé à la critique, où elles ne servent pas
seulement à illuminer, mais à éclairer.

Je sais bien qu'on ne saurait nier les limites et les lacunes de la critique
d'artiste. Elle est presque toujours partiale et partielle. En général, un grand
poète voit dans les autres grands poètes des reflets de lui-même, salue en
eux les formes du génie qui l'habite. Victor Hugo dans *William Shakespeare*,
se place entre deux glaces, aperçoit une douzaine de Hugos, les appelle
Eschyle, Lucrèce, Rabelais, Shakespeare…, etc… Dans ce qu'il écrit là-dessus
d'admirable, il nous suffit de faire la part de ce point de vue plutôt spécial.

La critique d'artiste porte sur les artistes et les éclaire. Elle porte aussi
sur la nature de l'art, du génie, qu'elle nous rend sensible par l'exemple-
même. Mais elle portera rarement sur des suites, des chaînes, sur des arts,
des littératures, vues synthétiquement, comme des ensembles et comme
des êtres. Sainte-Beuve, parlant de la fonction que lui-même chercha à
remplir en 1830, écrit : « Lamartine, Victor Hugo, de Vigny, sans le
désapprouver, et en le regardant faire avec indulgence, ne sont jamais
beaucoup entrés dans toutes ces considérations de rapports, de filiations,
et de ressemblances qu'ils s'efforçaient d'établir autour d'eux. » Ce devait
être en effet, pour ces poètes, de l'hébreu.

Enfin n'oublions pas que la critique d'artiste est aussi, ou devient
facilement, une critique d'atelier, ou de chapelle, avec toutes les camara-

deries, les jalousies, les haines, les histoires d'institut, de journaux, d'alcôve, tous les champignons qui poussent sous la table et sur la plume de l'homme de lettres...

Réflexions sur la critique, 1ᵉʳ décembre 1922, Gallimard.

André SUARÈS (1866-1948)

texte 67 Réflexions sur la critique[1]

La critique n'est pas plus facile que l'art.

Le mauvais art est aisé, la bonne critique est difficile.

. . . .

L'honneur du critique n'est pas de louer, l'honneur du critique n'est pas de blâmer : l'honneur du critique est de comprendre. Mais il ne comprend pas assez s'il ne comprend que ses propres idées. Pour comprendre il faut être libre. Et d'abord, être libre de soi. Néron n'est pas si tyran que l'amour-propre.

. . . .

L'honneur du critique est de comprendre, et son talent de faire comprendre ce qu'il a compris. Dans le parfait critique, ceux qui aiment un ouvrage devraient trouver une raison décisive de le préférer ; et ceux qui le détestent une raison non moins décisive de le haïr.

. . . .

L'opinion propre du critique ne lui doit servir qu'à préférer. On ne

---

1. Cf. p. 156.

juge pas quand on préfère. On exprime un sentiment et l'on donne les raisons qu'on a de sentir comme on sent.

. . . .

Le vrai critique ne juge pas un procès. Il n'est point partie dans l'affaire. Il décrit des espèces et les expose avec tant d'intelligence que les parties contraires puissent conclure contrairement d'après lui. Et jamais il ne condamne. Il laisse le poète et l'œuvre se condamner eux-mêmes, s'il y a lieu.

La liberté du critique est fonction de sa sympathie pour l'objet critiqué. N'être pas, d'abord, contre le livre qu'on lit, contre l'œuvre qu'on regarde, c'est la meilleure garantie pour ne pas se tromper, et le seul garde-fou contre la négation, ce danger perpétuel et ce vice de toute critique.

L'œuvre appartient au critique et non l'auteur. La honte du critique est de viser l'écrivain à travers le livre ; ou pour se défaire du livre, quand on s'en prend à l'auteur, soit qu'on s'en moque, soit qu'on en médise.

Deux signes du grand critique, entre beaucoup d'autres : qu'il puisse admirer une œuvre d'un esprit contraire au sien et dont tout le sépare, *moins la forme ;* et, par suite, qu'il soit plus sensible aux œuvres de son temps qu'aux œuvres du passé. Car les grandes œuvres du passé n'ont pas besoin de nous : étant immortelles plus ou moins, elles n'ont pas besoin de vivre par nous, en quelque sorte. Mais les œuvres vivantes peuvent mourir, et elles réclament qu'on les défende. Il n'y a qu'elles que l'on puisse aider à la vie ; elles sont d'ailleurs les seules que l'on puisse admirer contre soi-même et son propre penchant. Il n'est pas difficile d'être juste pour les chefs-d'œuvre consacrés par les siècles. On y met plus ou moins d'amour et tout est dit.

Ne pas se servir des morts contre les vivants.

. . . .

Certes, le sens de l'histoire importe beaucoup au talent du critique. Il ne fera rien de bon, s'il n'est pas capable de vivre un peu en esprit au temps de ses héros, qu'ils soient des saints et des poètes ou de petites gens. Mais le sens du passé compte bien moins que le don d'imaginer d'autre vies que la sienne. La connaissance des hommes importe plus que toute autre connaissance. L'imagination des caractères est la plus créatrice. Elle est la plus générale aussi. Elle s'exerce sur tous les temps et sur tous les objets. Elle n'est pas moins nécessaire pour comprendre l'artiste vivant que les poètes de la Grèce ou les apôtres de Jésus-Christ. Avec un peu d'imagination que de sottises on se fût épargnées sur la personne de Shakespeare !

On ne se représente bien les siècles passés qu'à la mesure où l'on peut imaginer des vies diverses. De toutes parts, on aboutit à la même conclusion : il faut avant tout s'effacer. Pour faire œuvre qui vaille, la même loi gouverne le talent du critique et le génie du poète tragique : le premier point est de se retirer de soi-même et de laisser la place à l'objet.

. . . .

Le sentiment n'est pas la règle de l'art, mais la source. Que le critique ait donc égard à la pureté des sources, et qu'il ne les souille pas : car, lui-même, il y boit.

. . . .

Ce qu'il y a de pis dans le critique : son injustice force le poète à se défendre, et, pour la polémique, à quitter la poésie.

Le meilleur critique est celui qui nous donne le plus d'occasions d'admirer.

. . . .

Assurément, le critique n'est pas un miroir inerte. Il a sa courbe, comme tout miroir ; et il donne fatalement aux objets le reflet de son esprit. Mais il ne les déforme pas à plaisir. Il ne travaille pas sans cesse à outrer sa propre courbure pour infléchir les formes selon elle et en briser toutes les lignes. Il connaît son équation personnelle, non pas pour s'y complaire, mais pour en corriger le plus possible les incidences involontaires et les temps. Il se défie de lui-même, plus qu'il n'est en perpétuel soupçon des autres. Il ne met pas tous ses soins à devenir convexe si l'objet est concave, et concave s'il est convexe. Il ne cherche pas le trait sensible dans une théorie des nombres, et la logique du géomètre dans un rêve de poésie. Enfin, et d'un seul mot, il tâche en tout à rencontrer la décence. S'il est assez riche d'imagination ou assez souple, il a plus d'un miroir dans l'esprit ; il ne fait pas tout passer par un foyer unique ; surtout il n'en prétend pas faire le foyer virtuel où tous les rayons doivent coïncider, quels qu'ils soient et d'où qu'ils arrivent.

Un bon critique a bien le droit d'avoir sa philosophie, son système, sa morale, ses goûts, ses passions même et ses caprices, tout ce qui fait de lui l'homme qu'il est et non pas un autre. Mais à la condition qu'il n'y compare pas la philosophie et les passions d'autrui. Dès qu'il y faut faire appel, l'équité du critique est en déroute. Ce genre de guerre ne va pas sans désir de nuire et sans injustice...

. . . .

Le bon critique ne se connaît même pas le droit de chercher si les idées d'un homme sont sincères ou non. Il les prend comme on les lui donne. Il n'a pas qualité pour sonder les cœurs. Cette inquisition sent toujours son inquisiteur.

. . . .

Quant au principe de la critique, si elle est une science ou ne l'est pas, je n'en veux trop rien dire cette fois. Entre Sainte-Beuve et Taine, il n'est pas nécessaire de prendre parti. Sainte-Beuve, qui se donne bien moins les apparences et la méthode du savant, touche l'objet de bien plus près que Taine. Une suite de portraits pleins d'esprit, et qu'on peut croire ressemblants, fait naître plus d'idées générales que la thèse la plus rigoureuse...

Le fait est qu'on se défie de Taine, à mesure qu'on s'étonne davantage de sa science et de sa méthode ; et qu'on a plus confiance à Sainte-Beuve, tandis qu'on le suit dans les méandres, voire les caprices de sa pénétrante curiosité et d'une indiscrétion subtile. Pour connaître les caractères, rien ne vaut la pointe d'un esprit aigu et lumineux que dirige une curiosité infinie. D'ailleurs, toute méthode a son prix que le talent conduit. L'outil compte moins que l'ouvrier, et le talent importe plus que la méthode...

. . . .

Xénies, Émile Paul, 1923.

Marcel *PROUST (1871-1922)*

---

texte 68   # Comment redécouvrir
la " physionomie morale " d'un écrivain[1]

Si, au cours de cette étude, j'ai cité tant de passages de Ruskin tirés d'autres ouvrages de lui que *La Bible d'Amiens*, en voici la raison : ne lire qu'un livre d'un auteur, c'est n'avoir avec cet auteur qu'une rencontre. Or, en causant une fois avec une personne on peut discerner en elle des traits singuliers. Mais c'est seulement par leur répétition dans des circonstances variées qu'on peut les reconnaître pour caractéristiques et essentiels. Pour un écrivain, comme pour un musicien ou un peintre, cette variation des circonstances qui permet de discerner par une sorte d'expérimentation, les traits permanents du caractère, c'est la variété des œuvres. Nous retrouvons dans un second livre, dans un autre tableau, les particularités dont la première fois nous aurions pu croire qu'elles appartenaient au sujet traité autant qu'à l'écrivain ou au peintre. Et du rapprochement des œuvres différentes nous dégageons les traits communs dont l'assemblage compose la physionomie morale de l'artiste. En mettant une note au bas des passages cités de *La Bible d'Amiens*, chaque fois que le texte éveillait par des analogies, même lointaines, le souvenir d'autres ouvrages de Ruskin, et en

---

1. Cf. p. 157.

traduisant dans la note le passage qui m'était ainsi revenu à l'esprit, j'ai tâché de permettre au lecteur de se placer dans la situation de quelqu'un qui ne se trouverait pas en présence de Ruskin pour la première fois, mais qui, ayant déjà eu avec lui des entretiens antérieurs, pourrait, dans ses paroles, reconnaître ce qui est, chez lui, permanent et fondamental. Ainsi j'ai essayé de pourvoir le lecteur comme d'une mémoire improvisée où j'ai disposé des souvenirs des autres livres de Ruskin, — sorte de caisse de résonance, où les paroles de *La Bible d'Amiens* pourront prendre quelque retentissement en y éveillant des échos fraternels. Mais aux paroles de *La Bible d'Amiens* ces échos ne répondront pas sans doute, ainsi qu'il arrive dans une mémoire qui s'est faite elle-même, de ces horizons inégalement lointains, habituellement cachés à nos regards et dont notre vie elle-même a mesuré jour par jour les distances variées. Ils n'auront pas, pour venir rejoindre la parole présente dont la ressemblance les a attirés, à traverser la résistante douceur de cette atmosphère interposée qui a l'étendue même de notre vie et qui est toute la poésie de la mémoire.

Au fond, aider le lecteur à être impressionné par ces traits singuliers, placer sous ses yeux des traits similaires qui lui permettent de les tenir pour les traits essentiels du génie d'un écrivain devrait être la première partie de la tâche de tout critique.

S'il a senti cela, et aidé les autres à le sentir, son office est à peu près rempli. Et, s'il ne l'a pas senti, il pourra écrire tous les livres du monde sur Ruskin : « L'homme, l'écrivain, le prophète, l'artiste, la portée de son action, les erreurs de sa doctrine », toutes ces constructions s'élèveront peut-être très haut, mais à côté du sujet ; elles pourront porter aux nues la situation littéraire du critique, mais ne vaudront pas, pour l'intelligence de l'œuvre, la perception exacte d'une nuance juste, si légère semble-t-elle.

Je conçois pourtant que le critique devrait ensuite aller plus loin. Il essayerait de reconstituer ce que pouvait être la singulière vie spirituelle d'un écrivain hanté de réalités si spéciales, son inspiration étant la mesure dans laquelle il avait la vision de ces réalités, son talent la mesure dans laquelle il pouvait les recréer dans son œuvre, sa moralité enfin, l'instinct qui les lui faisant considérer sous un aspect d'éternité (quelque particulières que ces réalités nous paraissent) le poussait à sacrifier au besoin de les apercevoir et à la nécessité de les reproduire pour en assurer une vision durable et claire, tous ses plaisirs, tous ses devoirs et jusqu'à sa propre vie, laquelle n'avait de raison d'être que comme étant la seule manière possible d'entrer en contact avec ces réalités, de valeur que celle que peut avoir pour un physicien un instrument indispensable à ses expériences. Je n'ai pas besoin de dire que cette seconde partie de l'office du critique, je n'ai même pas essayé de la remplir dans cette petite préface qui aura comblé mes ambitions si elle donne le désir de lire Ruskin et de revoir quelques cathédrales.

Préface de *La Bible d'Amiens* de **Ruskin**, 1900, recueillie dans *Pastiches et Mélanges*, **Gallimard**.

texte 69 Insuffisance de l'intelligence en critique[1]

Dès que l'intelligence raisonneuse veut se mettre à juger des œuvres d'art, il n'y a rien de fixe, de certain : on peut démontrer tout ce qu'on veut. Alors que la réalité du talent est un bien, une acquisition universels, dont on doit avant tout constater la présence sous les modes apparentes de la pensée et du style, c'est sur ces dernières que la critique s'arrête pour classer les auteurs. Elle sacre prophète à cause de son ton péremptoire, de son mépris affiché pour l'école qui l'a précédé, un écrivain qui n'apporte nul message nouveau. Cette constante aberration de la critique est telle qu'un écrivain devrait presque préférer être jugé par le grand public (si celui-ci n'était incapable de se rendre compte même de ce qu'un artiste a tenté dans un ordre de recherches qui lui est inconnu). Car il y a plus d'analogie entre la vie instinctive du public et le talent d'un grand écrivain, qui n'est qu'un instinct religieusement écouté au milieu du silence imposé à tout le reste, un instinct perfectionné et compris, qu'avec le verbiage superficiel et les critères changeants des juges attitrés. Leur logomachie se renouvelle de dix ans en dix ans (car le kaléidoscope n'est pas composé seulement par les groupes mondains, mais par les idées sociales, politiques, religieuses, qui prennent une ampleur momentanée grâce à leur réfraction dans des masses étendues, mais restent limitées malgré cela à la courte vie des idées dont la nouveauté n'a pu séduire que des esprits peu exigeants en fait de preuves).

. . . .

La vraie vie, la vie enfin découverte et éclaircie, la seule vie par conséquent réellement vécue, c'est la littérature ; cette vie qui, en un sens, habite à chaque instant chez tous les hommes aussi bien que chez l'artiste. Mais ils ne la voient pas, parce qu'ils ne cherchent pas à l'éclaircir. Et ainsi leur passé est encombré d'innombrables clichés qui restent inutiles parce que l'intelligence ne les a pas « développés ». Notre vie, et aussi la vie des autres ; car le style, pour l'écrivain, aussi bien que la couleur pour le peintre, est une question non de technique mais de vision. Il est la révélation, qui serait impossible par des moyens directs et conscients, de la différence qualitative qui, s'il n'y avait pas l'art, resterait le secret éternel de chacun. Par l'art seulement nous pouvons sortir de nous, savoir ce que voit un autre de cet univers qui n'est pas le même que le nôtre, et dont les paysages nous seraient restés aussi inconnus que ceux qu'il peut y avoir dans la lune. Grâce à l'art, au lieu de voir un seul monde, le nôtre, nous le voyons se multiplier, et, autant qu'il y a d'artistes originaux, autant nous avons de mondes à notre disposition, plus différents les uns des autres que ceux qui roulent dans l'infini et, bien des siècles après qu'est éteint le foyer dont il émanait, qu'il s'appelât Rembrandt ou Ver Meer, nous envoient encore leur rayon spécial.

Le Temps retrouvé, Gallimard, 1927.

---

1. Cf. p. 158.

Paul VALÉRY (1871-1945)

texte 70 **Insuffisance de l'histoire littéraire**[1]

L'histoire littéraire est tissue comme l'autre de légendes diversement dorées. Les plus fallacieuses sont nécessairement dues aux témoins les plus fidèles. Quoi de plus trompeur que ces hommes véridiques qui se réduisent à nous dire ce qu'ils ont vu, comme nous l'eussions vu nous-mêmes ? Mais que me fait ce qui se voit ? Un des plus sérieux hommes que j'aie connus, et du plus de suite dans les pensées, ne paraissait ordinairement que la légèreté même : une seconde nature le revêtait de balivernes. Il en est de notre esprit comme de notre chair : ce qu'ils se sentent de plus important, ils l'enveloppent de mystère, ils se le cachent à eux-mêmes ; ils le désignent et le défendent par cette profondeur où ils le placent. Tout ce qui compte est bien voilé ; les témoins et les documents l'obscurcissent ; les actes et les œuvres sont faits expressément pour le travestir.

Racine savait-il lui-même où il prenait cette voix inimitable, ce dessin délicat de l'inflexion, ce mode transparent de discourir, qui le font Racine, et sans lesquels il se réduit à ce personnage peu considérable duquel les biographies nous apprennent un assez grand nombre de choses qu'il avait de communes avec dix mille autres Français ? Les prétendus renseignements de l'histoire littéraire ne touchent donc presque pas à l'arcane de la génération des poèmes. Tout se passe dans l'intime de l'artiste comme si les événements

---

1. Cf. p. 160.

observables de son existence n'avaient sur ses ouvrages qu'une influence superficielle. Ce qu'il y a de plus important — l'acte même des Muses — est indépendant des aventures, du genre de vie, des incidents, et de tout ce qui peut figurer dans une biographie. Tout ce que l'histoire peut observer est insignifiant.

Mais ce sont des circonstances indéfinissables, des rencontres occultes, des faits qui ne sont visibles que pour un seul, d'autres qui sont à ce seul si familiers ou si aisés qu'il les ignore, qui font l'essentiel du travail. On trouve facilement par soi-même que ces événements incessants et impalpables sont la matière dense de notre véritable personnage.

Chacun de ces êtres qui créent, à demi certain, à demi incertain de ses forces, se sent un connu et un inconnu dont les rapports incessants et les échanges inattendus donnent enfin naissance à quelque produit. Je ne sais ce que je ferai ; et pourtant mon esprit croit se connaître ; et je bâtis sur cette connaissance, je compte sur elle, que j'appelle MOI. Mais *je me ferai une surprise ;* si j'en doutais, je ne serais rien. Je sais que je m'étonnerai de telle pensée qui me viendra tout à l'heure — et pourtant je me demande cette surprise, je bâtis et je compte sur elle, comme je compte sur ma certitude. J'ai l'espoir de quelque imprévu que je désigne, j'ai besoin de mon connu et de mon inconnu.

Qu'est-ce donc qui nous fera concevoir le véritable ouvrier d'un bel ouvrage ? Mais il n'est positivement *personne*. Qu'est-ce que le Même, si je le vois à ce point changer d'avis et de parti, dans le cours de mon travail, qu'il le défigure sous mes doigts ; si chaque repentir peut apporter des modifications immenses ; et si mille accidents de mémoire, d'attention, ou de sensation, qui surviennent à mon esprit, apparaissent enfin, dans mon œuvre achevée, comme les idées essentielles et les objets originels de mes efforts ? Et cependant cela est bien de moi-même, puisque mes faiblesses, mes forces, mes redites, mes manies, mes ombres et mes lumières, seront toujours reconnaissables dans ce qui tombe de mes mains.

Désespérons de la vision nette en ces matières. Il faut se bercer d'une image. J'imagine ce poète[1] un esprit plein de ressources et de ruses, faussement endormi au centre imaginaire de son œuvre encore incréée, pour mieux attendre cet instant de sa propre puissance qui est sa proie. Dans la vague profondeur de ses yeux, toutes les forces de son désir, tous les ressorts de son instinct se tendent. Là, attentive aux hasards entre lesquels elle choisit sa nourriture ; là, très obscure au milieu des réseaux et des secrètes harpes qu'elle s'est faites du langage, dont les trames s'entretissent et toujours vibrent vaguement, une mystérieuse Arachné, muse chasseresse, guette.

Au sujet d'Adonis, Gallimard, 1921.

---

1. La Fontaine.

Ramon FERNANDEZ (1894-1944)

texte 71 **Pour une critique philosophique**[1]

Dans un essai intitulé *De la Critique philosophique*, R. Fernandez définit une quatrième forme de critique qui s'ajouterait aux trois formes distinguées par Thibaudet. Selon lui, une « critique philosophique » serait « aussi utile au développement de la philosophie qu'à celui de la littérature et de l'art ».

La critique classique est essentiellement descriptive ; elle voit et raconte ce qu'elle a vu, elle associe l'œuvre à une série d'œuvres plus ou moins semblables, composant des figures abstraites et des paysages historiques : il est bien rare qu'elle étudie la substructure philosophique de l'œuvre qu'elle considère. Que faut-il entendre au juste par substructure philophique ? Rien que de très simple et de tout à fait essentiel. Prenons l'exemple de Balzac ...... Sur Balzac les opinions varieront à l'infini tant qu'on s'en tiendra à un point de vue purement littéraire. L'un exaltera son génie tandis que l'autre vilipendera son style ; un troisième en fera le poète de l'argent, l'aède de l'arrivisme, alors qu'un quatrième le distinguera mal de ses collègues feuilletonistes et qu'un cinquième adoptera respectueusement l'opinion universitaire admirative et injuste tout à la fois. A vrai dire tous ces jugements sont loin d'épuiser l'intelligence de l'œuvre balzacienne, et en tous cas ne l'expliquent point. Comme toute opération descriptive, ils

---

1. Cf. p. 167.

laissent la pensée dans un désordre pénible sans lui donner les moyens de regrouper les impressions de lecture, de les construire suivant des directives intellectuelles satisfaisantes. Les analogies historiques assoient notre jugement sans l'éclairer ; quant aux hypothèses psychologiques, elles ont le grave défaut de substituer une discipline à une autre en tournant le problème proprement esthétique. Je n'ai certes pas la prétention d'avoir fourni de la méthode de Balzac une interprétation définitive ; mais je crois que la distinction, chez Balzac, du plan conceptuel et du plan dramatique, les remarques sur la substitution d'une mosaïque de faits à la synthèse vivante des individus, l'analyse des conditions du mouvement romanesque, fournissent du moins, en attendant mieux, une explication provisoire de la création balzacienne qui essaie de grouper et de rendre intelligibles les traits qui nous frappent à la lecture de *La Comédie Humaine.* La substructure philosophique d'une œuvre, *c'est le corps d'idées, organisé par une hypothèse, qui fournit une explication des caractères essentiels de cette œuvre en les rapportant aux problèmes de philosophie générale qu'ils peuvent impliquer.*

Une critique philosophique ne saurait être rigoureusement positive parce qu'elle est fondée sur des intuitions qui ne présentent d'autre garantie que leur évidence propre. Sa tâche consistant à traduire ces intuitions en idées, elle relève à la fois du registre esthétique — intuition librement formée et cependant nécessaire — et du registre philosophique — cohésion interne des idées. Pour faire la liaison entre le plan idéal et le plan intuitif, le critique philosophe dispose de moyens qui ne se peuvent traduire en formules, et nous sommes bien obligés de nous en rapporter à sa bonne foi, à la concentration et à la discipline de sa pensée. Un savant peut se permettre des hypothèses aventureuses pourvu qu'il ait fait d'abord son métier de savant ; un métaphysicien peut poursuivre son rêve logique jusque dans ses plus extravagants caprices, mais le critique philosophe, précisément parce qu'il doit baser son hypothèse sur une expérience qui échappe à tout contrôle positif, ne saurait trop mesurer, trop freiner sa pensée. Il doit nous inspirer confiance en deux sortes d'affirmations différentes quoique conjuguées, car il doit nous convaincre, dans un même acte mental, de la réalité de ses rapports avec les choses et de la vérité des interprétations qu'il nous en propose.

Messages, Gallimard, 1926.

Louis ARAGON (né en 1897)

texte 72   La critique vue par un surréaliste[1]

On sait que nous n'avons guère de raisons, la critique et moi, d'être extrêmement tendres l'un envers l'autre, ou réciproquement. Ceci me met à l'abri des soupçons prêts à fondre du sourcil du lecteur comme les milans, à l'heure où le pâtre étonné par le soir relâche un peu sa surveillance et songe aux caresses de l'ombre, sur les troupeaux — sur moi. Je ne m'abaisserai pas jusqu'à discuter avec le voyou qui, sans égard pour les nuits de scrupules, les transes du jugement, les sanglots, les alternatives, les dilemmes, les déchirements cornéliens du critique, prétendit dans une phrase insolemment balancée que si d'une part le travail de cet honorable magistrat de la renommée était facile, d'autre part et par contre l'art, que dans sa simplicité ce faiseur de proverbes croit pouvoir opposer à la critique, alors qu'elle est comme vous et moi un art, et que partant le syllogisme ainsi amorcé, quelle qu'en soit la conclusion, est faux, car le sujet de la seconde prémisse est un genre de l'espèce sujet de la première, et tout se révolte en nous si l'on nous présente d'une façon logique dans la conclusion un prédicat lié par la négative au sujet de la seconde prémisse qui l'est par l'affirmative avec celui de la première — était difficile. Prononcez à brûle-pourpoint la proposition : l'art est difficile, au moment où vous passez devant un miroir. D'abord

---

1. Cf. p. 173.

vous hocherez la tête, ensuite vous rirez. C'était fatal. Il y a dans les phrases qui présentent un vice de construction je ne sais quel élément qui agit sur la rate humaine... Dire que l'art est difficile suppose chez l'auteur de la phrase l'ignorance totale des mots dont il se sert. Qu'est-ce qui est difficile ? Un chemin, un chant, un problème. Puis-je m'exprimer ainsi : le ciel est difficile... ? Oui, si je consens à mettre une majuscule au firmament, ce qui est un moyen de le personnaliser. Car difficile est une épithète qui ne peut se joindre qu'au défini. C'est pourquoi l'art n'est pas difficile. Il n'est pas facile non plus. Mais difficile et art ne peuvent être réduits au commun diviseur du verbe être. On voit par l'exemple qui précède quel labeur surhumain est celui de l'homme qui armé d'une lanterne, s'avance au milieu des livres pour y dépister les baraliptons. La critique, c'est le bagne à perpétuité. Pas de repos pour un critique. Et un nom comme un cri de perroquet.

Cependant il faut reconnaître que ces pauvres gens alourdis par le poids des chaînes de montres ne font pas toujours le nécessaire pour maintenir leur rang d'archanges foudroyés. Le mal que ces maudits ont pour mission de répandre dans les cœurs sans méfiance, loin d'être assis comme il devrait sur leurs fronts ténébreux, splendide, déployant ses grandes ailes noires, se dissimule parfois dans un petit ruban violet à leur boutonnière. Ils manquent d'allure, ils n'ont plus confiance en leur autorité. Ils ont écouté ce que les apôtres mal intentionnés de l'Art, ce Christ des temps modernes, vont partout réclamant contre eux. Ils rougissent d'être pris pour des pions. Ils n'osent plus dire ce qu'ils pensent, prêtres démoralisés d'un culte agonisant. Eh bien, qu'ils m'en croient, il est temps, il est grand temps de ressaisir les rênes flottantes de l'ascendant moral. Et c'est faisable. Mais il faut bannir toute honte. Reprenez l'habitude ancienne, quittez ce ton trop général. Étudiez la loupe à la main, les textes qui vous sont soumis. Pesez les mots. Analysez les phrases. Développez séparément les images. N'hésitez pas à ricaner métaphoriquement. Revenez à la tradition scientifique des annotateurs d'autrefois. Marquez les vulgarités à l'encre rouge, et si vous en trouvez par chance, expliquez longuement, lourdement, les beautés. Avec les marteaux de l'insistance laminez sans fin les propositions écrites de vos incompréhensibles contemporains. Ainsi vous retrouverez dans l'univers votre rôle grandiose, agents superbes de la destinée, qui toute sentimentalité pendue au vestiaire éternel travaillerez inlassablement à la mort et à l'usure de toute chose orgueilleuse et disproportionnée.

Traité du style, Gallimard, 1926.

LES TENDANCES MODERNES

Jean PAULHAN

| texte 73 | ## Les torts de la critique[1] |

Le XIXe siècle s'est volontiers appelé le siècle critique. De vrai se
préoccupait-il extrêmement — et le XXe à sa suite, jusqu'à nous, de la
critique — Et des critiques : c'est qu'il nourrissait à leur endroit des opinions
violentes et contradictoires ; il les trouvait à la fois détestables et nécessaires
il les méprisait et cependant les. multipliait.

Il les méprisait. Les Romantiques et leurs successeurs tiennent en effet
que la littérature, et l'art en général, se partagent entre créateurs et
critiques. Le créateur est un homme libre et joyeux, qui s'abandonne à son
imagination et forge un monde, dont il est en quelque sorte le spécialiste ;
c'est un monde meilleur que le nôtre, et plus émouvant en tous cas, où
meurent Marceline et Ligeia, et la petite Catherine saute par la fenêtre au
départ du comte, et Vénus blesse Diomède qui l'a blessée. Là-dessus arrive
le critique armé de raisons, qui décide suivant le cas que Marceline a bien
fait de mourir, que la petite Catherine s'est jetée de trop haut, et que Ligeia
trahit, dans l'esprit de l'auteur, une hantise maternelle. Bref, si le créateur
est un homme libre et joyeux, le critique est un esclave appliqué et plutôt
malveillant. Nécessaire pourtant, s'il est seul capable de conduire jusqu'à

---

1. Cf. p. 170.

nous le monde des créateurs : de le vulgariser. Après quoi, il ne lui reste qu'à se faire oublier.

Je crois qu'il y aurait à dire là-contre. L'on voit chaque jour que la pure imagination, laissée à elle-même, imite et ressasse bien plus qu'elle n'invente : Eugène Sue et Richepin sont pleins d'imagination. L'on peut douter à l'inverse si l'œuvre des grands écrivains ne procéderait pas plutôt d'une longue réflexion sur leur art, d'une suite d'inventions critiques. Joyce ou Proust, Gide ou Valéry, semblent bien avoir commencé par l'analyse et la méthode, non par l'inspiration. Dans le camp opposé, l'on a vu le surréalisme, qui a si curieusement marqué notre temps, sortir tout armé, non des médiocres poèmes, des excellents essais d'André Breton. A quoi j'ajouterais volontiers cette autre preuve : c'est que la littérature d'une époque ressemble à l'idée (critique) qu'on s'en fait. Et précisément les créateurs du xixe siècle ont été des créateurs presque monstrueux ; les critiques ont été de pâles esclaves — aussi faibles et divers qu'on les attendait. Même, ils étaient trop divers pour que cela eût l'air très sérieux.

Car il y avait des critiques dogmatiques (comme Veuillot) et des critiques dilettantes (comme Alphonse Karr). Il y a même eu des critiques dogmatiques qui sont devenus dilettantes (comme Lasserre) et des dilettantes qui sont devenus dogmatiques (comme Lemaitre). Il y avait des critiques érudits (comme Faguet) et des critiques ignorants (comme Larroumet) ; il y a même eu des ignorants (comme Souday) qui sont devenus érudits, et des érudits (comme Deschamps) qui sont devenus ignorants. Il y avait des critiques qui lisaient pour leur plaisir (comme Sarcey) et d'autres pour leur ennui (comme Barrès). Des critiques qui jugeaient par lois et par règles (comme Hennequin) et des critiques qui tranchaient à bâtons rompus (comme Léon Daudet) ; il y avait aussi — c'étaient les plus impitoyables — ceux qui prétendaient ne pas juger du tout (comme Anatole France). Il y avait des critiques qui se prenaient pour des botanistes (comme Sainte-Beuve) d'autres pour des chimistes (comme Taine) et d'autres encore pour des historiens (comme Renan). Il y avait des critiques qui portaient la politique en littérature (comme Proudhon), et d'autres qui portaient la littérature en politique (comme Maurras) ; il y en avait aussi qui brouillaient si bien toutes choses que l'on n'y distinguait plus la politique de la littérature, ni la prière de la poésie (comme Bremond). Des critiques qui recherchaient obstinément un homme (comme Gourmont) et d'autres qui se contentaient d'un auteur (comme Brunetière). Il y a eu des critiques esthètes et des savants, des moralistes et des immoralistes, des voluptueux et des froids, des pesants et des volages, des solennels et des vadrouilleurs, des professeurs et des hommes du monde. Mais ils se ressemblaient tous en un point. Mais ils avaient un trait commun, qui passait de loin ces légères différences.

C'est qu'ils avaient tort.

. . . .

Tout ce qu'il faut dire des critiques français, c'est que, pour divers qu'ils fussent, ils manquaient singulièrement de poigne. Ou bien ils empoignaient à tort et à travers. Il n'en est pas un qui ait dit un mot de

Lautréamont — Gourmont excepté, qui aurait ce jour-là mieux fait de se taire. Pas un de Rimbaud — Anatole France excepté, qui le prend pour un fumiste. Pas un de Mallarmé — sinon Maurras, qui l'appelle jongleur de mots. S'agit-il de Baudelaire, Sainte-Beuve le juge anormal, Faguet plat, Lanson insensible et Maurras malfaisant. De Zola ? Brunetière le dit ordurier, France stupide et Faguet voué à l'oubli. On prend communément Nerval pour un plaisantin, Renard pour un humoriste, Jarry pour un alcoolique et Marcel Schwob pour un vague érudit. Cependant, France tient que les poèmes de François Coppée ont illuminé son âge. Faguet s'émerveille de Richepin ; Barrès donne du génie à René Maizeroy. Maurras écrit sans rire : « Notre plus grand poète est Ponchon. » Tant d'efforts et de soins pour en arriver là ! comme si les critiques avaient du moins un trait commun avec les créateurs : d'autant plus décourageants que plus on les encourage.

F. F. ou le critique, Gallimard, 1945.

Maurice BLANCHOT

texte 74 Ambiguïté de l'entreprise littéraire[1]

Supposons l'œuvre écrite : avec elle est né l'écrivain. Avant, il n'y avait personne pour l'écrire ; à partir du livre existe un auteur qui se confond avec son livre. Quand Kafka écrit au hasard la phrase : « Il regardait par la fenêtre », il se trouve, dit-il, dans un genre d'inspiration tel que cette phrase est déjà parfaite. C'est qu'il en est l'auteur — ou, plus exactement, grâce à elle, il est auteur : c'est d'elle qu'il tire son existence, il l'a faite et elle le fait, elle est lui-même et il est tout entier ce qu'elle est. De là sa joie, joie sans mélange, sans défaut. Quoi qu'il puisse écrire, « la phrase est déjà parfaite ». Telle est la certitude profonde et étrange dont l'art se fait un but. Ce qui est écrit n'est ni bien ni mal écrit, ni important, ni vain, ni mémorable ni digne d'oubli : c'est le mouvement parfait par lequel ce qui au-dedans n'était rien est venu dans la réalité monumentale du dehors comme quelque chose de nécessairement vrai, comme une traduction nécessairement fidèle, puisque celui qu'elle traduit n'existe que par elle et qu'en elle. On peut dire que cette certitude est comme le paradis intérieur de l'écrivain et que *l'écriture automatique* n'a été qu'un moyen pour rendre réel cet âge d'or, ce que Hegel appelle le pur bonheur de passer de la nuit de la possibilité au jour de la présence, ou encore la certitude que ce qui surgit dans la lumière n'est pas autre chose que ce qui dormait dans la nuit.

---

1. Cf. p. 180.

Mais qu'en résulte-t-il ? A l'écrivain qui tout entier se rassemble et se renferme dans la phrase, « Il regardait par la fenêtre », en apparence nulle justification ne peut être demandée sur cette phrase, puisque pour lui rien n'existe qu'elle. Mais elle, du moins, existe, et si elle existe vraiment au point de faire de celui qui l'a écrite un écrivain, c'est qu'elle n'est pas seulement sa phrase, mais la phrase d'autres hommes, capables de la lire, une phrase universelle.

C'est alors que commence une épreuve déconcertante. L'auteur voit les autres s'intéresser à son œuvre, mais l'intérêt qu'ils y portent est un intérêt autre que celui qui avait fait d'elle la pure traduction de lui-même, et cet intérêt autre change l'œuvre, la transforme en quelque chose d'autre où il ne reconnaît pas la perfection première. L'œuvre pour lui a disparu, elle devient l'œuvre des autres, l'œuvre où ils sont et où il n'est pas, un livre qui prend sa valeur d'autres livres, qui est original s'il ne leur ressemble pas, qui est compris parce qu'il est leur reflet. Or, cette nouvelle étape, l'écrivain ne peut la négliger. Nous l'avons vu, il n'existe que dans son œuvre, mais l'œuvre n'existe que lorsqu'elle est devenue cette réalité publique, étrangère, faite et défaite par le contrechoc des réalités. Ainsi, il se trouve bien dans l'œuvre, mais l'œuvre elle-même disparaît. Ce moment de l'expérience est particulièrement critique. Pour le surmonter, toutes sortes d'interprétations entrent en jeu. L'écrivain, par exemple, voudrait protéger la perfection de la chose écrite en la tenant aussi éloignée que possible de la vie extérieure. L'œuvre, c'est ce qu'il a fait, ce n'est pas ce livre acheté, lu, trituré, exalté ou écrasé par le cours du monde. Mais alors, où commence, où finit l'œuvre ? A quel moment existe-t-elle ? Pourquoi la rendre publique ? Pourquoi, s'il faut préserver en elle la splendeur du pur moi, la faire passer à l'extérieur, la réaliser dans des mots qui sont ceux de tous ? Pourquoi ne pas se retirer dans une intimité fermée et secrète, sans rien produire d'autre qu'un objet vide et un écho mourant ? Autre solution, l'écrivain accepte de se supprimer lui-même : seul compte dans l'œuvre celui qui la lit. Le lecteur fait l'œuvre ; en la lisant, il la crée ; il en est l'auteur véritable, il est la conscience et la substance vivante de la chose écrite ; aussi l'auteur n'a-t-il plus qu'un but, écrire pour ce lecteur et se confondre avec lui. Tentative qui reste sans espoir. Car le lecteur ne veut pas d'une œuvre écrite pour lui, il veut justement une œuvre étrangère où il découvre quelque chose d'inconnu, une réalité différente, un esprit séparé qui puisse le transformer et qu'il puisse transformer en soi. L'auteur qui écrit précisément pour un public, à la vérité n'écrit pas : c'est ce public qui écrit et, pour cette raison, ce public ne peut plus être lecteur ; la lecture n'est que d'apparence, en réalité elle est nulle. De là, l'insignifiance des œuvres faites pour être lues, personne ne les lit. De là le danger d'écrire pour les autres, pour éveiller la parole des autres et les découvrir à eux-mêmes : c'est que les autres ne veulent pas entendre leur propre voix, mais la voix d'un autre, une voix réelle, profonde, gênante, comme la vérité.

Revue *Critique*, novembre 1947, « *Le règne animal.* »

Jean POMMIER

texte 75   Utilité de la recherche des sources
pour la compréhension des œuvres littéraires

Lorsqu'on rencontre, sous la plume (de Valéry), quelque boutade, par exemple contre la recherche des sources, il ne faut pas trop s'émouvoir. Valéry prétend que signaler chez Lamartine « un hémistiche qui existe chez Thomas, c'est une opération purement matérielle, c'est une manière de superposition à quelque modèle ». Mais enfin, qui donc, quand l'occasion s'en est présentée, a admis, ou presque, que Dickens avait volé tel détail à la *Notre-Dame* de Hugo ? qui s'est penché sur les livres pour leur demander des forces ? « La nature propre y puisera des formes de parler ou de penser... Il faut bien nous accroître de ce que les autres ont vu. » De qui encore cette frappante maxime ? « Rien de plus *soi* que de se nourrir des autres. Mais il faut les digérer. » Et si nous cherchons enfin le pourquoi de ces emprunts, quelle meilleure explication que celle-ci (elle justifierait jusqu'au plagiat) : « Nous trouvons « justes » ou « bonnes » les idées qui étaient en puissance dans notre être et que nous recevons d'autrui. C'est notre bien. Un hasard seul a fait qu'un autre les eut avant nous, hasard comme celui d'une date de naissance... Nous les reconnaissons en nous. » Je voudrais qu'on me permît d'ajouter à cette analyse cette autre pensée profonde de Valéry : « Le mystère du choix n'est pas un moindre mystère que celui de l'invention, en admettant qu'il en soit bien distinct. »

Nous voilà donc à l'aise pour rechercher, dans une œuvre, ce qui lui vient d'autrui. Ce n'est pas une comparaison spatiale de superposition qui convient en la circonstance, mais une image musicale. Il nous plaît de distinguer dans une œuvre toutes les voix qui la composent, comme la part de chaque instrument dans un orchestre : a-t-on jamais vu que cette analyse ait nui à la jouissance du connaisseur ? Osons le dire : sans l'étude des sources, la critique va dans la nuit, ne sachant jamais à quoi elle a affaire ou à qui. Que n'a-t-on pas écrit sur les *Chimères* de Nerval, jusqu'au jour où l'on découvre qu'elles ne sont ni poésie pure, ni poésie automatique, ni poésie de rêve, ou de folie, mais qu'elles sortent d'un dictionnaire alchimique que l'auteur avait sur sa table ! On croit avoir affaire à Clément Marot, et c'est Jean Lemaire qui parle ; à Stendhal, et c'est Lanzi ; à Musset, et c'est Mme de Girardin. Personne ne supporterait, dans la vie courante, cette continuelle méprise. Le fameux « C'est toi qui l'as nommé » de Phèdre à Œnone, Racine n'a pas eu même à l'adapter d'Euripide, un autre l'avait fait pour lui : Gabriel Gilbert, à qui l'on doit cet hémistiche. En vérité n'est-il pas temps que justice se fasse envers ces exploités, ces absorbés ? Valéry terminait ainsi sa phrase sur la digestion intellectuelle : « Le lion est fait de moutons assimilés. » Eh bien, nous nommons les moutons. Ce n'est pas un attentat.

Prenons les choses de plus haut. Qu'une beauté soit sortie de ce cerveau ou de cet autre, qu'importe après tout, puisque c'est toujours d'un cerveau d'homme ? Je ne suis pas sûr que telle parole de la Bible ait été dite par le personnage à qui on l'attribue : qu'importe après tout, si c'est un homme, un homme de bonne volonté, qui l'a trouvée dans la sincérité de son cœur ou la soudaine élévation de son âme ? Non, ces transferts ne sont point impies : il y a quelque chose de plus grand que les grands hommes, c'est l'esprit humain.

Paul Valéry et la création littéraire, leçon d'ouverture prononcée au Collège de France le 7 mai 1946, éditions de l'Encyclopédie française, 1946.

Marie-Jeanne DURRY

texte 76   Intérêt de l'étude
des notes de travail de Flaubert

Présentant une édition commentée de trois carnets de notes de Flaubert qui contiennent des projets et des scénarios, Mme Durry souligne l'importance d'une telle publication, qui doit conduire la critique à reviser certains jugements hâtifs :

De ces trois carnets je reproduirai tout, si bien qu'outre les scénarios on y rencontrera telle remarque isolée, telle réflexion, telle anecdote glanée dans une conversation et enregistrée à toutes fins utiles, telle indication bibliographique. Chaque morceau sera suivi, et quelquefois précédé, de commentaires où je me suis efforcée de réunir tout ce qui peut éclairer ces fragments et en mieux montrer la valeur.

Travail d'insecte, travail de myope, auquel on s'est astreint par respect envers les vestiges d'une pensée et qui n'empêche pas toujours, espère-t-on, les vues d'ensemble. Qui poursuit une tâche d'ensemble risque de s'engluer dans le réseau, ou de prendre pour des rayons les fils poussiéreux d'une toile d'araignée. Parce qu'on a peiné, déchiffré, analysé, cherché devant chaque ligne quel est son rapport avec les œuvres définitives, il ne faut pas perdre le sens des hiérarchies, et vaticiner devant un tronçon informe, sous prétexte qu'il est inédit. Je sais bien que tout n'est pas égal dans ces pages de carnet. Elles sont le germe d'œuvres, elles en sont aussi le résidu ; elles sont la

350

possibilité de livres que Flaubert a emportés avec lui, elles sont aussi les déchets d'avortements.

Mais peut-on avouer que, sans aveuglement, on les a scrutées pourtant avec une passion continue ? Thibaudet disait que Flaubert ayant dressé le plan de l'*Education* et de *Bouvard* aussitôt après *Salambô*, et *la Tentation de Saint-Antoine* n'étant que la révision d'une œuvre ancienne, « tout le travail de sa vie est donc réglé dès 1862 ». Nos carnets, qui commencent en 1862, sont là pour prouver que, moins draconien envers lui-même, Flaubert eût enfreint la règle, qu'il en avait le moyen, qu'il aurait su être l'auteur d'autres ouvrages.

« On ne choisit pas ses sujets, ils s'imposent », a-t-il prononcé à propos de l'*Education* et, à propos de *Bouvard* : on n'écrit pas les livres qu'on veut. Il a voulu beaucoup plus de livres qu'il n'en a écrit. Les carnets nous donnent, avec des notations éparses, les premiers scénarios de chefs d'œuvre, les essais pour réaliser certaines œuvres dont on savait seulement que Flaubert avait eu le projet, et des projets inconnus. Ils nous le montrent posant les fondations de romans insignes, dessinant leur architecture, à la fois infaillible et tâtonnant encore dans sa pré-construction, se saisissant plus d'une fois de détails assurés aussitôt de la pérennité, mais d'ordinaire laissant à l'arrière-plan tout ce qui est secondaire, pour rester un lucide bâtisseur d'ensembles ; d'ailleurs, ses linéaments jetés, se reprenant à plusieurs fois, revenant sur son ébauche, la complétant, l'amendant, avançant à travers son propre esprit vers la signification véritable de son sujet, de ses héros. Ils nous le montrent aussi s'acharnant au contraire sur des sujets qui se défont avant qu'ils soient traités et à mesure que les détails et les personnages s'y multiplient, ou lançant sur le papier des esquisses sans lendemain.

Sur la genèse de *L'Éducation sentimentale*, et, à un moindre degré, de *Bouvard et Pécuchet*, ils apportent des enseignements irremplaçables. A beaucoup de ses pensées chères, ils fournissent des confirmations : mépris du bourgeois, mépris, avec une sorte d'attirance, de la bêtise, mépris des auteurs ravis de servir au public leurs biographies..., mépris pour les lieux communs et les idées reçues, pour les conformismes officiels, pour *la blague*, pour *la peur* de se compromettre. Mépris...

Sur plus d'un problème, ils disent le dernier mot de Flaubert....
. . . .
S'ils ne sont en rien le journal d'une vie ou un recueil de confidences, nous devons pourtant à nos carnets la pensée intime de Flaubert sur l'amitié, et non pas peut-être des révélations sur le grand amour de Flaubert pour Mᵐᵉ Schlésinger, mais une interrogation nouvelle sur les réalités de cet amour et une lueur assez tragique sur le destin de celle qui fut Marie Arnoux.

A mainte reprise, ils pourraient servir à reprendre les discussions sur l'esthétique de Flaubert, sur son affirmation que l'art doit seulement représenter, sur l'impersonnalité ou non de son œuvre, sur sa condamnation réitérée de la morale dans l'art. Autrefois Lamartine frissonnait devant la fin de Madame Bovary : « Vous m'avez fait mal, vous m'avez fait littéralement souffrir ! L'expiation est hors de proportion avec le crime ;

vous avez créé une mort affreuse, effroyable ! Assurément, la femme qui souille le lit conjugal doit s'attendre à une expiation, mais celle-ci est horrible, c'est un supplice comme on n'en a jamais vu. Vous avez été trop loin, vous m'avez fait mal aux nerfs. » Dans nos scénarios un mot revient avec insistance : « Ils sont punis. » Car le romancier de l'Art pour l'Art, s'il avait vécu au XVIIᵉ siècle, aurait pu être un moraliste — un La Bruyère mêlé de Bossuet ! — un Père de l'Église, un janséniste !

Flaubert et ses projets inédits, Nizet, 1950.

Lucien GOLDMANN

texte 77 Comment comprendre la fonction de l'individu dans la création littéraire

Dans cet article, L. Goldmann montre « le danger de surestimer la biographie dans l'explication sociologique de l'œuvre » et le danger de surestimer l'importance des intentions avouées et de la pensée consciente de l'écrivain pour la compréhension de ses œuvres.

La biographie de l'auteur n'est pas un élément essentiel pour l'*explication* de l'œuvre, la connaissance de sa pensée et de ses intentions n'est pas un élément essentiel pour la *compréhension* de celle-ci. Plus l'œuvre est importante, plus elle vit et se comprend par elle-même, et plus elle peut s'expliquer directement par l'analyse de la pensée des différentes classes sociales.

Cela revient-il à nier la fonction de l'individu dans la création littéraire ou philosophique ? Certes non. Seulement cette fonction, comme toute réalité, est dialectique, et il faut s'efforcer de la comprendre comme telle.

Personne ne songe à nier que les productions littéraires et philosophiques soient l'œuvre de leur auteur ; seulement *elles ont leur logique propre* et ne sont pas des créations arbitraires. Il y a une *cohérence interne* d'un système conceptuel, aussi bien que d'un ensemble d'êtres vivants, dans un ouvrage

353

littéraire ; cette cohérence fait qu'ils constituent des totalités dont les parties peuvent se comprendre l'une à partir de l'autre et surtout à partir de leur essence centrale.

Ainsi, d'une part, *plus l'œuvre est grande, plus elle est personnelle*, car seule une individualité exceptionnellement riche et puissante peut penser ou vivre jusqu'aux dernières conséquences une vision de l'univers qui, par ailleurs, est encore en train de se constituer et s'est à peine dégagée dans la conscience du groupe social. Mais, d'autre part, *plus l'œuvre est l'expression d'un penseur ou d'un écrivain de génie, et plus elle se comprend par elle-même*, sans que l'historien ait besoin de recourir à la biographie ou aux intentions de son créateur. La personnalité la plus puissante est celle qui s'identifie le mieux avec la vie de l'esprit, c'est-à-dire avec les forces essentielles de la conscience sociale dans ce qu'elle a d'actif et de créateur. C'est au contraire lorsqu'il s'agit de comprendre et d'expliquer les inconséquences et les faiblesses d'une œuvre qu'on est le plus souvent obligé de recourir à l'individualité de l'écrivain et aux circonstances extérieures de sa vie.

Ainsi toute une série de jeux allégoriques de Gœthe sans grande valeur littéraire, et même certaines parties les plus faibles du second Faust, s'expliquent par ses obligations mondaines à la cour de Weimar. Mais c'est lorsque Gœthe n'est plus à sa propre hauteur que le ministre de Weimar se fait sentir dans son œuvre.

Loin d'opposer donc individu et société, valeurs spirituelles et vie sociale, la réalité est exactement opposée. C'est dans leurs formes les plus hautes, lorsque la vie sociale atteint son maximum d'intensité et de force créatrice, lorsque l'individu atteint le sommet du génie créateur, que l'une et l'autre se confondent, et cela aussi bien dans le domaine littéraire que dans le domaine philosophique, religieux ou politique. Comment séparer Racine ou Pascal de Port-Royal, Munzer de la guerre des paysans, Luther de la réforme des princes, Napoléon de l'Empire et de la lutte entre la révolution française et l'Ancien Régime ? C'est au contraire dans leurs formes inférieures, lorsque la communauté devient collectivité, la ferveur, institution, lorsque l'individu s'appauvrit et se singularise, que l'opposition s'approfondit. Mais dans l'histoire de la création littéraire on a alors de plus en plus affaire à des écrits qui peuvent encore intéresser au plus haut point les érudits, mais de moins en moins l'historien philosophique de la littérature.

« Matérialisme dialectique et histoire de la littérature »,
Revue de Métaphysique et de morale, 1950.

Auguste CORNU

texte 78 # Principes généraux de critique marxiste

A la différence de la critique marxiste, la critique bourgeoise se place dans ses analyses du développement spirituel, sur le plan d'une humanité indifférenciée, en dehors du mouvement historique réel, déterminé par la lutte de classes.

Elle est, d'une manière générale, partagée entre deux tendances : l'une, de caractère subjectif, portée à surestimer le caractère original et créateur d'un penseur, d'un écrivain, d'un artiste, qu'elle étudie en eux-mêmes et non dans leurs relations avec la société de leur temps ; l'autre, de caractère déterministe, qui se rattache aux conceptions du matérialisme mécaniste, tend, par un excès contraire, à sous-estimer l'originalité et l'activité créatrice des écrivains, artistes et penseurs, en expliquant leurs œuvres uniquement par leur époque.

La première tendance tient essentiellement compte dans son analyse d'une œuvre de la personnalité de l'auteur et du milieu, dont il a subi directement et immédiatement l'influence : famille, études, voyages, profession.

En limitant ainsi son étude à l'individu et au milieu conçu au sens étroit du mot, cette critique n'arrive qu'à donner une explication subjective de l'œuvre, explication qui peut varier à l'infini, et qui s'avère impuissante à montrer en quoi et dans quelle mesure cette œuvre est l'expression de son temps.

L'autre tendance, qui s'inspire plus ou moins de Taine, a un caractère opposé. Elle distingue bien différents courants philosophiques, littéraires ou esthétiques à une époque déterminée, et dans la succession des époques, mais comme, à la manière du matérialisme mécaniste, elle ne tient pas compte de la réaction de l'homme sur son milieu, qu'elle considère comme secondaire la division de la société en classes et s'applique ainsi à un milieu indifférencié, elle ne peut pas expliquer l'originalité, le génie particulier des penseurs, écrivains et artistes qu'elle n'arrive pas à différencier suffisamment de leur milieu et reste, d'autre part, trop vague dans son explication du rôle du milieu dans la détermination de l'œuvre et dans l'évolution générale de la pensée et de l'art.

Au lieu de se limiter, comme la critique bourgeoise, à l'étude du penseur, de l'écrivain, de l'artiste considéré en soi et du milieu, au sens étroit du mot, dont il a subi l'influence, ou de se placer, dans l'analyse d'une œuvre ou d'une idéologie, sur le plan d'une société indifférenciée, la critique marxiste s'efforce de les situer dans leur milieu social différencié par les luttes de classe. Elle montre que toute œuvre même lorsqu'elle est le plus éloigné en apparence de ces luttes, trouve, en dernière analyse, son explication dans celles-ci, et que ce sont ces luttes qui déterminent l'évolution divergente des idées, des sentiments, des croyances qui n'en constituent que l'expression idéologique.

Cette conception, qui subordonne ainsi tout mouvement idéologique au développement économique et social et aux luttes de classes, se heurte à l'objection capitale, en apparence, qui a trait à la nature spécifique de la pensée et de l'art et au caractère irréductible de ce qui constitue l'originalité et la personnalité d'un penseur, d'un écrivain, d'un artiste.

En fait, si le marxisme, comme nous l'avons vu, rattache tout mouvement spirituel au développement des forces de production et des rapports sociaux déterminés par celles-ci, il ne prétend pas les ramener strictement à ce développement et établir entre ces deux mouvements un parallélisme absolu.

Il montre en effet que l'évolution idéologique d'une société, le développement de ses conceptions religieuses, philosophiques, esthétiques et morales ne se fait ni au même rythme, ni de la même manière que son développement économique et social et que, si la transformation des forces de production détermine une transformation nécessaire des rapports sociaux exigée par la mise en œuvre de celles-ci, leur influence se fait sentir de façon plus lente et moins directe sur la transformation des idées, des sentiments et des croyances qui ont avec elles des liens moins étroits.

S'il ne peut être ainsi question de ramener, de manière mécaniste et stricte, un courant d'idées, un ensemble de conceptions, un certain mode de sentiments et de croyances, au développement économique et social, auquel ils répondent, il n'en est pas moins vrai cependant que seul ce développement peut en expliquer le caractère et les raisons profondes.

Seul, en effet, un rapprochement très étroit avec son époque, considérée dans ses traits essentiels, par où se marquent les intérêts divergents, les tendances opposées des grandes classes antagonistes, peut donner une explication véritable de l'œuvre d'un penseur, d'un écrivain ou d'un artiste, en montrant quelle en est la source d'inspiration et la portée.

Aux problèmes fondamentaux que pose l'adaptation de la conception générale du monde au développement économique et social, toute époque donne, en effet, des solutions divergentes, qui traduisent les oppositions d'intérêts et de tendances des grandes classes antagonistes. Elle impose de ce fait aux penseurs, aux artistes, aux écrivains, des thèmes généraux, des « leit-motiv » antithétiques, qui expriment l'évolution divergente de ces classes : thèmes d'opposition au réel par un acte arbitraire de volonté, ou par le renoncement, l'évasion ou la mort, qui sont propres aux classes décadentes ; thèmes de justification et d'apologie du présent, qui sont ceux des classes dominantes ; thèmes de renouveau, d'espérance et de foi dans la vie, qui expriment la montée des classes ascendantes.

Ce sont ces thèmes généraux, traduisant par leur coexistence et leurs divergences, les luttes de classes d'une époque déterminée, qui donnent à l'œuvre d'un penseur, d'un écrivain, d'un artiste, son caractère spécifique permettant de la classer dans un grand courant à la fois idéologique et social.

A ces thèmes généraux chacun d'eux confère selon son tempérament, son talent, son génie et selon les influences immédiates qu'il a subies, une expression qui lui est propre.

Ainsi la critique marxiste, au lieu de se placer comme la critique bourgeoise sur le plan d'une humanité socialement indifférenciée, s'attache avant tout à souligner les traits caractéristiques de l'époque où à vécu le penseur, l'écrivain, l'artiste et, dans cette époque, de la classe dont il a traduit les besoins et les luttes. C'est sur la base de cette étude sociale, qu'elle analyse ensuite le milieu, au sens étroit du mot, où il a vécu, les influences qu'il a subies, et tous les éléments particuliers de sa personnalité, de son tempérament, de son talent qui lui permettent de donner aux thèmes généraux qu'il traite et qui lui sont inspirés par le courant social auquel il appartient, une expression originale.

Orientée essentiellement vers l'action, la critique marxiste ne s'en tient pas à ce mode d'analyse exacte des œuvres du passé, car ce serait réduire la pensée révolutionnaire à un effort de compréhension sans portée pratique, à un exercice contemplatif sans influence sur le processus de création artistique et littéraire. S'intégrant dans l'ensemble de la pensée révolutionnaire, la critique marxiste se pose comme objet non seulement l'appréciation du contenu d'une œuvre par référence constante aux rapports de classes qui la déterminent, mais aussi et surtout la contribution à l'élaboration d'œuvres nouvelles tournées vers l'avenir, par la mise en relief de l'apport des grands écrivains, artistes et penseurs révolutionnaires, tels que Descartes, Diderot, Hegel, Balzac, Gorki, et par la lutte contre toutes les tendances idéalistes et contre-révolutionnaires.

Essai de critique marxiste, Éditions Sociales, 1951.

Charles MAURON

texte 79 La psychocritique et sa méthode

Ce que j'ai nommé la psychocritique m'apparaît comme une science en formation, et qui recherche sa méthode. Disons-le d'ailleurs clairement : un phénomène aussi complexe et aussi obscur que la création littéraire exige plusieurs modes d'approche. Loin de s'exclure, ils se complètent. Toute méthode me semble valable, pourvu qu'elle s'appuie sur des faits et des textes et nous renseigne davantage sur l'auteur que sur le critique. La psychocritique vise à discerner, dans la création, la part des sources inconscientes ; mais, comme on va le voir, sa méthode même l'entraîne à chercher une synthèse où les résultats acquis par ailleurs s'intègrent naturellement.

... Je partirai d'abord d'une définition empirique. En bref, une étude psychocritique comporte quatre opérations :

1º Diverses œuvres d'un auteur (et dans le meilleur cas, toutes ses œuvres) sont superposées comme des photographies de Galton, de façon à en accuser les traits structurels obsédants.

2º Ce qui est ainsi révélé (et accepté tel quel) fait l'objet d'une étude qu'on pourrait dire « musicale » : étude des thèmes, de leurs groupements et de leurs métamorphoses.

3º Le matériel ainsi ordonné est interprété sous l'angle de la pensée psychanalytique : on aboutit ainsi à une certaine image de la personnalité inconsciente, avec sa structure et ses dynamismes.

4º A titre de contre-épreuve, on vérifie, dans la biographie de l'écrivain, l'exactitude de cette image (la personnalité inconsciente étant évidemment commune à l'homme et à l'écrivain).

Notons aussitôt que, dans cette méthode, la primauté est nettement donnée à l'œuvre sur la vie. Résolument littéraire, la psychocritique se distingue ainsi d'une investigation médicale. Elle adopte, par fidélité expérimentale, l'attitude du créateur lui-même, qui voit dans l'œuvre un but, non un symptôme. Par là se trouvent écartées certaines objections de principe : par exemple on ne peut parler de bonne foi d'une explication réductrice, ignorant les valeurs ou les niant. Philosophiquement fondées, au moins à premier examen, ces objections ont, il faut le dire, souvent servi de simple couverture à des résistances irrationnelles. Ces dernières sont en partie levées si l'on se place d'abord sur le terrain familier de l'œuvre. C'est ce que fait la première opération ci-dessus. L'analyse musicale qui la suit — les thèmes et leurs métamorphoses — surprend nos habitudes plus qu'elle ne les heurte. Accoutumée à penser en formes définies, notre intelligence se méfie d'une fluidité qui est pourtant bien celle de la réalité psychologique. Elle voudrait que les images d'Agrippine et de Roxane fussent aussi distinctes dans Racine que leurs originaux dans la réalité historique ; elle s'étonnera, criera peut-être au coup de pouce si, les superposant, nous les confondons presque comme variations d'un thème unique. Pourtant, lorsque ces glissements s'autorisent des textes, l'accord doit se faire assez aisément sur des ressemblances objectives ; les rapprochements à l'intérieur d'une œuvre ne soulèvent pas plus de problèmes qu'entre une œuvre et ses sources.

Voilà pourquoi, si notre méthode se limitait à ces deux premières opérations, et s'abstenait de toute terminologie psychanalytique, elle gagnerait en audience. Par contre, elle perdrait, à mon avis, presque toutes ses chances de nous mener à une vérité de quelque poids. L'observation clinique nous a appris trop de choses sur la vie affective et imaginative des hommes (normaux ou anormaux) pour qu'on puisse négliger ses résultats dans n'importe quel problème psychologique, fût-ce celui de la création littéraire. Même si la liberté créatrice échappait à des déterminations inférieures, elle n'en serait pas moins circonscrite par elles, comme une eau prend la forme de l'ouverture d'où elle jaillit. La structure inconsciente révélée dans l'œuvre pourrait fort bien être la fatalité d'où elle cherche à s'évader. Une fois achevée l'analyse des thèmes obsédants, une interprétation s'impose donc. La biographie de l'écrivain doit la confirmer, ou apparaître au moins compatible avec elle.

Article paru dans *Théories et problèmes*,
Contributions à la méthodologie littéraire,
Librairie Munksgaard, Copenhague, 1958.

Jean STAROBINSKI

texte 80 # Le regard critique

Le critique est celui qui, tout en consentant à la fascination que le texte lui impose, entend pourtant conserver *droit de regard*. Il désire pénétrer plus loin encore : par delà le sens manifeste qui se découvre à lui, il pressent une signification latente. Une vigilance supplémentaire lui devient nécessaire, à partir de la première « lecture à vue », pour s'avancer à la rencontre d'un *sens second*. Qu'on ne se méprenne pourtant pas sur ce terme : il ne s'agit pas, comme pour l'exégèse médiévale, du déchiffrage de quelque équivalent allégorique ou symbolique, mais de la vie plus vaste ou de la mort transfigurée dont le texte est l'annonciateur. Souvent il arrivera que cette recherche du plus lointain ramène au plus proche : aux évidences du premier regard, aux rythmes qui, de prime abord, semblaient n'être que la promesse d'un message secret. Un long détour nous renvoie aux mots eux-mêmes, où le sens élit sa demeure, et où brille le trésor mystérieux que l'on croyait devoir chercher dans la « dimension profonde ».

A la vérité, l'exigence du regard critique tend vers deux possibilités opposées, dont aucune n'est pleinement réalisable. La première l'invite à se perdre dans l'intimité de cette conscience originale que l'œuvre lui fait entrevoir : la compréhension serait alors la poursuite progressive d'une complicité totale avec la subjectivité créatrice, la participation passionnée à l'expérience sensible et intellectuelle qui se déploie à travers l'œuvre. Mais si loin qu'il aille dans cette direction, le critique ne parviendra pas à étouffer en lui-même la conviction de son identité séparée, la certitude tenace et banale de n'être pas la conscience avec laquelle il souhaite se confondre. A supposer toutefois qu'il réussisse véritablement à s'y absorber, alors, paradoxalement, sa propre parole lui serait dérobée, il ne pourrait que se taire, et le parfait discours critique, à force de sympathie et de mimétisme, donnerait l'impression du plus parfait silence. A moins de rompre en quelque façon le pacte de solidarité qui le lie à l'œuvre, le critique n'est capable que de paraphraser ou de pasticher : on doit *trahir* l'idéal d'identification pour acquérir le pouvoir de parler de cette expérience et de décrire, dans un langage qui n'est pas celui de l'œuvre, la vie commune qu'on a connue avec elle, en elle. Ainsi, malgré notre désir de nous abîmer dans la profondeur vivante de l'œuvre, nous sommes contraints de nous distancer d'elle pour pouvoir en parler. Pourquoi alors ne pas établir délibérément une distance qui nous révélerait, dans une perspective panoramique, les *alentours* avec lesquels l'œuvre est organiquement liée ? Nous chercherions à percevoir certaines correspondances significatives qui n'ont pas été aperçues par l'écrivain ; à interpréter ses mobiles inconscients ; à lire les relations complexes qui unissent une destinée et une œuvre à leur milieu historique et social. Cette seconde possibilité de la lecture critique peut être définie comme celle du *regard surplombant*; l'œil ne veut rien laisser échapper de toutes les configurations que la mise à distance permet d'apercevoir. Dans l'espace élargi que le regard parcourt l'œuvre est certes un objet privilégié, mais elle n'est pas le seul objet qui s'impose à la vue. Elle se définit par ce qui l'avoisine, elle n'a de sens que par rapport à l'ensemble de son contexte. Or voici l'écueil : le contexte est si vaste, les relations si nombreuses que le regard se sent saisi d'un secret désespoir ; jamais il ne rassemblera tous les éléments de cette totalité qui s'annonce à lui. Au surplus, dès l'instant où l'on s'oblige à situer une œuvre dans ses coordonnées historiques, seule une décision arbitraire nous autorise à limiter l'enquête. Celle-ci, par principe, pourrait aller jusqu'au point où l'œuvre littéraire, cessant d'être l'objet privilégié qu'elle était d'abord, n'est plus que l'une des innombrables manifestations d'une époque, d'une culture, d'une « vision du monde ». L'œuvre s'évanouit à mesure que le regard prétend embrasser, dans le monde social ou dans la vie de l'auteur, davantage de faits corrélatifs.

La critique complète n'est peut-être ni celle qui vise à la totalité (comme fait le regard surplombant), ni celle qui vise à l'intimité (comme fait l'intuition identifiante) ; c'est un regard qui sait exiger tour à tour le surplomb et l'intimité, sachant par avance que la vérité n'est ni dans l'une ni dans l'autre tentative, mais dans le mouvement qui va inlassablement de l'une à l'autre. Il ne faut refuser ni le vertige de la distance, ni celui de la proximité : il faut désirer ce double excès où le regard est à chaque fois près de perdre tout pouvoir.

Mais peut-être aussi la critique a-t-elle tort de vouloir à ce point régler l'exercice de son propre regard. Mieux vaut, en mainte circonstance, s'oublier soi-même et se laisser surprendre. En récompense je sentirai, dans l'œuvre, naître un regard qui se dirige vers moi : ce regard n'est pas un reflet de mon interrogation. C'est une conscience étrangère, radicalement autre, qui me cherche, qui me fixe, et qui me demande de répondre. Je me sens *exposé* à cette question qui vient ainsi à ma rencontre. L'œuvre m'interroge. Avant de parler pour mon compte, je dois prêter ma propre voix à cette étrange puissance qui m'interpelle, et, si docile que je sois, je risque toujours de lui préférer les musiques rassurantes que j'invente. Il n'est pas facile de garder les yeux ouverts pour accueillir le regard qui nous cherche.

Sans doute n'est-ce pas seulement pour la critique, mais pour toute entreprise de connaissance qu'il faut affirmer : « Regarde, afin que tu sois regardé. »

L'Œil vivant, Introduction, Gallimard, 1961.

Jean ROUSSET

texte 81   La critique comme recherche des structures

L'auteur rappelle d'abord que « l'image de l'œuvre n'est pas antérieure à l'œuvre » et que « l'œuvre est pour l'artiste un instrument privilégié de découverte ».

Si l'œuvre est principe d'exploration et agent d'organisation, elle pourra utiliser et recomposer toute espèce d'éléments empruntés à la réalité ou au souvenir, elle le fera toujours en fonction de ses exigences et de sa vie propre ; elle est cause avant d'être effet, produit ou reflet, ainsi que Valéry aimait à le rappeler ; aussi l'analyse portera-t-elle sur l'œuvre seule, dans sa solitude incomparable, telle qu'elle est issue des « espaces intérieurs où l'artiste s'est abstrait pour créer » (Proust). Et s'il n'y a d'œuvres que dans la symbiose d'une forme et d'un songe, notre lecture s'appliquera à les lire conjointement en saisissant le songe à travers la forme.

Mais comment saisir la forme ? A quoi la reconnaître ? Tenons tout d'abord pour assuré qu'elle n'est pas toujours où on s'imagine la voir, qu'étant jaillissement des profondeurs et révélation sensible de l'œuvre à elle-même, elle ne sera ni une surface, ni un moulage, ni un contenant, qu'elle n'est pas plus la technique que l'art de composer et qu'elle ne se confond pas nécessairement avec la recherche de la forme, ni avec l'équilibre voulu des parties ni avec la beauté des éléments. Principe actif et imprévu de révélation et d'apparition, elle déborde les règles et les artifices, elle ne saurait se réduire ni à un plan ou à un schéma, ni à un corps de procédés et de moyens. Toute œuvre est forme, dans la mesure où elle est œuvre. La forme en ce sens est partout, même chez les poètes qui se moquent de la forme ou visent à la détruire. Il y a une forme de Montaigne et une forme de Breton, il y a une forme de l'informe ou de la volonté iconoclaste, comme il y a une forme de la rêverie intime ou de l'explosion lyrique. Et l'artiste qui prétend aller au-delà des formes le fera par les formes, — s'il est artiste. « A chaque œuvre sa forme », le mot de Balzac prend ici tout son sens.

Mais il n'y a de formes saisissables que là où se dessine un accord ou un rapport, une ligne de forces, une figure obsédante, une trame de présences ou d'échos, un réseau de convergences ; j'appellerai « structure » ces constantes formelles, ces liaisons qui trahissent un univers mental et que chaque artiste réinvente selon ses besoins.

Convergences, liaisons, ordonnances ; mais on évitera de tout ramener aux seules vertus de proportion et d'harmonie. C'est une habitude ancienne, une habitude « classique » et qui survit chez un Valéry, de définir la forme comme relation des parties au tout. Sans doute il en est souvent ainsi et je recourrai à ce principe dans mon analyse du roman de Proust ; l'auteur lui-même m'y invitait. Ce n'est pourtant qu'un critère parmi d'autres. Balzac a raison : « A chaque œuvre sa forme. » Ni l'auteur ni le critique ne savent à l'avance ce qu'ils trouveront au terme de l'opération. L'instrument critique ne doit pas préexister à l'analyse. Le lecteur demeurera disponible, mais toujours sensible et aux aguets, jusqu'au moment où surgira le signal stylistique, le fait de structure imprévu et révélateur......

Il n'en reste pas moins vrai que, même si elle se manifeste de façon très variable, la tendance à l'unité, à ce que Proust nomme la « complexité ordonnée », marque la plupart des œuvres ; il arrivera souvent que l'un des faits de composition à retenir soit un fait de relation interne. L'œuvre est une totalité et elle gagne toujours à être éprouvée comme telle. La lecture féconde devrait être une lecture globale, sensible aux identités et aux correspondances, aux similitudes et aux oppositions, aux reprises et aux variations, ainsi qu'à ces nœuds et à ces carrefours où la texture se concentre ou se déploie.

. . . .

Ce lecteur complet que j'imagine, tout en antennes et en regards, lira donc l'œuvre en tous sens, adoptera des perspectives variables mais toujours liées entre elles, discernera des parcours formels et spirituels, des tracés privilégiés, des trames de motifs ou de thèmes qu'il suivra dans leurs reprises et leurs métamorphoses, explorant les surfaces et creusant les dessous jusqu'à ce que lui apparaissent le centre ou les centres de la convergence, le foyer d'où rayonnent toutes les structures et toutes les significations, ce que Claudel nomme le « patron dynamique ». Mais il sera particulièrement alerté lorsqu'il découvrira, entre ces structures formelles et ces significations des zones de coïncidences, des points de suture. Car les « thèmes » insistants qui signalent une piste de la rêverie peuvent être en même temps des « schèmes » formels pour la fonction qui leur est assignée dans l'organisation générale, leur situation dans le développement, leurs phases d'affleurement ou d'immersion, de condensation ou d'alternance, leur contribution au rythme d'ensemble, leurs relations respectives. Aux structures de l'imagination correspondent de toute nécessité des structures formelles. Les mêmes principes secrets qui fondent et organisent la vie sous-jacente d'une création organisent aussi la composition. Principes secrets : la composition, l'action sur les formes, les parties de présentation, les choix techniques eux-mêmes sont commandés par les forces et les suggestions implicites qui gouvernent obscurément l'artiste au travail. On a vu la part qu'il fallait faire à la réaction de l'œuvre sur le créateur. Ce que palpent nos antennes de lecteur, ce sont les intentions de l'œuvre plutôt que les intentions de l'auteur.

Forme et signification. Essai sur les structures littéraires, José Corti, 1962.

Roland BARTHES

texte 82 La critique comme interprétation des signes et les contradictions de la critique érudite

Dans cet article (repris dans *Sur Racine* en 1963), R. Barthes montre que la littérature doit faire l'objet de deux sortes d'études trop souvent confondues : une « étude historique s'attachant à l'institution littéraire » et « une étude psychologique s'attachant à la création littéraire ».

Il est à peu près impossible de toucher à la création littéraire sans postuler l'existence d'un rapport entre l'œuvre et autre chose que l'œuvre. Pendant longtemps on a cru que ce rapport était causal, que l'œuvre était un *produit* : d'où les notions critiques de *source*, de *genèse*, de *reflet*, etc... Cette représentation du rapport créateur apparaît de moins en moins soutenable : ou bien l'explication ne touche qu'une partie infime de l'œuvre, elle est dérisoire ; ou bien elle propose un rapport massif, dont la grossièreté soulève mille objections... L'idée de produit a donc fait place peu à peu à l'idée de signe : l'œuvre serait le signe d'un au-delà d'elle-même ; la critique consiste alors à déchiffrer la signification, à en découvrir les termes et principalement le terme caché, le signifié.

[Mais cette enquête ne va pas sans difficultés, car « pour un signe, combien de signifiés ! » et « la critique érudite » traditionnelle hésite à pousser très loin ses interprétations : elle propose « un recensement des faits très soigneux, souvent très fin, mais dont on coupe prudemment l'interprétation au moment même où elle deviendrait éclairante ».]

En fait, le coup d'arrêt imposé par la critique à la signification n'est jamais innocent. Il révèle la situation du critique, introduit fatalement à une critique des critiques. Toute lecture de Racine, si impersonnelle qu'elle s'oblige à être, est un test projectif. Certains déclarent leurs références : Mauron est psychanalyste, Goldmann est marxiste. Ce sont les autres que l'on voudrait interroger. Et puisqu'ils sont historiens de la création littéraire, comment se représentent-ils cette création ? Qu'est exactement une *œuvre* à leurs yeux ?

D'abord et essentiellement une alchimie ; il y a d'un côté les matériaux, historiques, biographiques, traditionnels (sources) ; et puis, d'un autre côté (car il est bien évident qu'il reste un abîme entre ces matériaux et l'œuvre) il y a un *je ne sais quoi* aux noms nobles et vagues, c'est *l'élan générateur*, le *mystère de l'âme*, la *synthèse*, bref *la Vie ;* de cette part-là, on ne s'occupe guère, sinon pour pudiquement la respecter, mais en même temps on interdit qu'on y touche : ce serait abandonner la science pour le système. Ainsi l'on voit les mêmes esprits s'épuiser en rigueur scientifique sur un détail accessoire (combien de foudres lancées pour une date ou une virgule !) et s'en remettre pour l'essentiel, sans combattre, à une conception purement magique de l'œuvre : ici toutes les méfiances du positivisme le plus exigeant, là le recours complaisant à l'éternelle tautologie des explications scolastiques ; de même que l'opium fait dormir par une vertu dormitive, de même Racine crée par une vertu créative : curieuse conception du mystère qui sans cesse s'ingénie à lui trouver des causes infimes ; et curieuse conception de la science, qui en fait la gardienne jalouse de l'inconnaissable. Le piquant, c'est que le mythe romantique de l'inspiration (car en somme, *l'élan générateur* de Racine, ce n'est rien autre que le nom profane de la Muse) s'allie ici à tout un appareil scientiste ; ainsi de deux idéologies contradictoires naît un système bâtard, et peut-être un tourniquet commode ; l'œuvre est rationnelle ou irrationnelle selon les besoins de la cause :

Je suis oiseau ; voyez mes ailes...
Je suis souris ; vivent les rats !

Je suis raison ; voyez mes preuves. Je suis mystère ; défense d'approcher.

[Mais R. Barthes constate en conclusion :]

En fait, la connaissance du moi profond est illusoire ; il n'y a que des façons différentes de parler. Racine se prête à plusieurs langages : psychanalytique, existentiel, tragique, psychologique (on peut en inventer d'autres ; on en inventera d'autres) ; aucun n'est innocent. Mais reconnaître cette impuissance à dire vrai sur Racine, c'est précisément reconnaître enfin le statut spécial de la littérature. Il tient dans un paradoxe : la littérature est cet ensemble d'objets et de règles, de techniques et d'œuvres, dont la fonction dans l'économie générale de la société est précisément d'*institution-naliser la subjectivité*. Pour suivre ce mouvement, le critique doit lui-même se faire paradoxal, afficher ce pari fatal qui lui fait parler de Racine d'une façon et non d'une autre : lui aussi fait partie de la littérature. La première règle objective est ici d'annoncer le système de lecture, étant entendu qu'il n'en existe pas de neutre. De tous les travaux que j'ai cités, je n'en conteste aucun, je puis même dire qu'à des titres divers je les admire tous. Je regrette seulement que tant de soin soit apporté au service d'une cause confuse : car si l'on veut faire de l'histoire littéraire, il faut renoncer à l'individu Racine, se porter délibérément au niveau des techniques, des règles, des rites et des mentalités collectives ; et si l'on veut s'installer dans Racine, à quelque titre que ce soit, si l'on veut dire, ne serait-ce qu'un mot, du *moi* racinien, il faut bien accepter de voir le plus humble des savoirs devenir tout d'un coup systématique, et le plus prudent des critiques se révéler lui-même un être pleinement subjectif, pleinement historique.

« Histoire ou littérature ? », article repris dans *Sur Racine*, Éditions du Seuil, 1963.

J.-P. SARTRE

texte 83 Existentialisme et critique littéraire

Valéry est un intellectuel petit-bourgeois, cela ne fait pas de doute. Mais tout intellectuel petit-bourgeois n'est pas Valéry. L'insuffisance euristique du marxisme contemporain tient dans ces deux phrases. Pour saisir le processus qui produit la personne et son produit à l'intérieur d'une société donnée à un moment historique donné, il manque au marxisme une hiérarchie de médiations. Qualifiant Valéry de petit-bourgeois et son œuvre d'idéaliste, il ne retrouvera, dans l'un comme dans l'autre que ce qu'il y a mis. C'est en raison de cette carence qu'il finit par se débarrasser du particulier en le définissant comme le simple reflet du hasard : « Qu'un pareil homme, écrit Engels, et précisément celui-là, s'élève à une époque déterminée et dans tel pays donné, c'est naturellement par pur hasard. Mais à défaut de Napoléon, un autre eût rempli sa place... Il en est ainsi de tous les hasards ou de tout ce qui paraît hasard dans l'histoire. Plus le domaine que nous explorons s'éloigne de l'économie et revêt un caractère idéologique abstrait, plus nous trouvons de hasard dans son développement ... Mais tracez l'axe moyen de la courbe ... Cet axe tend à devenir parallèle à celui du développement économique. » Autrement dit, le caractère concret de *cet* homme est pour Engels un « caractère idéologique abstrait ». Il n'y a de réel et d'intelligible que l'axe moyen de la courbe (d'une vie, d'une histoire, d'un parti ou d'un groupe social) et ce moment d'universalité correspond à une autre universalité (l'économique proprement dit). Mais l'existentialisme considère cette déclaration comme une limitation arbitraire du mouvement dialectique, comme un arrêt de pensée, comme un refus de comprendre. Il refuse d'abandonner la vie réelle aux hasards impensables de la naissance pour contempler une universalité qui se borne à se refléter indéfiniment en elle-même. Il entend sans être infidèle aux thèses marxistes, trouver les médiations, qui permettent d'engendrer le concret singulier, la vie, la lutte réelle et datée, la personne à partir des contradictions *générales* des forces productives et des rapports de production. Le marxisme contemporain montre, par exemple, que le réalisme de Flaubert est en rapport de symbolisation réciproque avec l'évolution sociale et politique de la petite bourgeoisie du Second Empire. Mais il ne montre jamais la genèse de cette réciprocité de perspective. Nous ne savons ni pourquoi Flaubert a préféré la littérature à tout ni pourquoi il a vécu comme un anachorète, ni pourquoi il a écrit *ces* livres plutôt que ceux de Duranty ou des Goncourt. Le marxisme situe mais ne fait plus jamais rien découvrir : il laisse d'autres disciplines sans principes établir les circonstances exactes de la vie et de la personne et il vient ensuite pour démontrer que ses schémas se sont une fois de plus vérifiés : les choses étant ce qu'elles sont, la lutte de classes ayant pris telle ou telle forme, Flaubert, qui appartenait à la bourgeoisie, devait vivre comme il a vécu et écrire ce qu'il a écrit. Mais justement, ce qu'on passe sous silence c'est la signification de ces quatre mots « appartenir à la bourgeoisie ». Car ce n'est d'abord ni la rente foncière, ni la nature strictement intellectuelle de son travail qui font de Flaubert un bourgeois. *Il appartient* à la bourgeoisie parce qu'il est *né en elle*, c'est-à-dire parce qu'il est apparu au milieu d'une famille *déjà bourgeoise* et dont le chef, chirurgien à Rouen, était emporté par le mouvement ascensionnel de sa classe. Et s'il raisonne, s'il sent en bourgeois, c'est qu'on l'a fait tel à une époque où il ne pouvait pas même comprendre le sens des gestes et des rôles qu'on lui imposait... Le mélange explosif de scientisme naïf et de religion sans Dieu qui constitue Flaubert et qu'il tente de surmonter par l'amour de l'art formel, nous pourrons l'expliquer si nous comprenons bien que tout s'est passé *dans l'enfance*, c'est-à-dire dans une condition radicalement distincte de la condition adulte : c'est l'enfance qui façonne des préjugés indépassables, c'est elle qui fait ressentir, dans les violences du dressage et l'égarement de la bête dressée, l'appartenance au milieu *comme un événement singulier*. Seule, aujourd'hui, la psychanalyse permet d'étudier à fond la démarche par laquelle un enfant, dans le noir, à tâtons, va tenter de jouer sans le comprendre le personnage social que les adultes lui imposent, c'est elle seule qui nous montrera s'il étouffe dans son rôle, s'il cherche à s'en évader ou s'il s'y assimile entièrement. Seule, elle permet de retrouver l'homme entier dans l'adulte, c'est-à-dire non seulement ses déterminations présentes mais aussi le poids de son histoire. Et l'on aurait tort de s'imaginer que cette discipline s'oppose au matérialisme dialectique.

Critique de la raison dialectique. Questions de méthode, Gallimard, 1960.

ANNEXES

I. Chronologie

ŒUVRES THÉORIQUES (Manifestes, préfaces, théorie des genres...)	POLÉMIQUE ET SATIRE	ŒUVRES DIVERSES MÉLANGES	POINTS DE REPÈRE A L'ÉTRANGER
vers 1511 Jean Lemaire de Belges, *La Concorde des deux langages*			
1516 Jean Bouchet, *Tabernacle des arts et sciences et des inventeurs et amateurs divers d'icelles*			
1521 Pierre Fabri, *Grand et Vrai Art de pleine rhétorique*			
1526 Guillaume Michel de Tours (?), préface du *Roman de la Rose*			
			1527 Vida *Poetica* (Rome)
			1528 Erasme, *Ciceronianus* (Bâle)
1533 Préface de Marot aux *Œuvres* de Villon			1529 à 1563 Trissino, *Poetica* (Vérone)
			1535 Dolce, traduction italienne de *L'Art poétique* d'Horace
			1536 Pazzi, traduction italienne de *La Poétique* d'Aristote
1545 Jacques Peletier du Mans, préface et traduction de *L'Art poétique* d'Horace			

ŒUVRES THÉORIQUES (Manifestes, préfaces, théorie des genres...)	POLÉMIQUE ET SATIRE	ŒUVRES DIVERSES MÉLANGES	POINTS DE REPÈRE A L'ÉTRANGER
1548 Thomas Sebilet, *Art poétique français*			
1549 Du Bellay, *Défense et illustration de la langue française*			
	Thomas Sebilet, préface de sa traduction de l'*Iphigénie* d'Euripide		
1550 Ronsard, préface des quatre premiers livres des *Odes*	Th. de Bèze, préface de l'*Abraham sacrifiant* [contre la poésie païenne et courtisanesque] Du Bellay, seconde préface de l'*Olive*		1550 ? Giraldus, *De poetis nostrorum temporum*
			1553 Wilson, *Art of Rhetoric* (Londres)
1555 Jacques Peletier du Mans, *Art poétique*			
1559 Amyot, préface des *Vies* de Plutarque			1559 Minturno, *De poeta*
		1560 E. Pasquier, premier livre des *Recherches de la France* (→1621)	
			1561 Scaliger, *Poetices libri Septem*
			1563 Minturno, *Arte poetica*
1565 Ronsard, *Abrégé de l'Art poétique français* H. Estienne, *Conformité du langage français avec le grec*			
			1570 Castelvetro, *Poétique d'Aristote* (Vienne)

ŒUVRES THÉORIQUES (Manifestes, préfaces, théorie des genres...)	POLÉMIQUE ET SATIRE	ŒUVRES DIVERSES, MÉLANGES	POINTS DE REPÈRE A L'ÉTRANGER
1572 Ronsard, *première préface de la Franciade*			
1579 H. Estienne, *Projet du livre intitulé de la Précellence du langage français*			
		1580 Montaigne, première édition des *Essais* (I-II)	1580 Sidney, *Apology for Poetry*
		1581 Claude Fauchet, *Recueil de l'origine de la langue et poésie française...*	
		1584 La Croix du Maine, *Bibliothèque française*	
1585 Ronsard, deuxième préface de *La Franciade*		1585 Du Verdier, *Bibliographie contenant le catalogue de tous ceux qui ont écrit ou traduit en français...*	
1587 Ronsard, troisième préface de *La Franciade*			
		1588 Montaigne, deuxième édition des *Essais*	
			1589 Webbe, *The Art of English Poetry*

375

ŒUVRES THÉORIQUES (Préfaces, arts poétiques, théorie des genres...)	POLÉMIQUE ET SATIRE	CRITIQUE HISTORIQUE
1597 Pierre Delaudun, *Art poétique français*		
1605 Vauquelin de la Fresnaye, *Art poétique*		
	1606 Régnier, *Satire IX*	
après 1606 ? Malherbe, *Commentaire de Desportes*		
1610 Deimier, *L'Académie de l'Art poétique*		
1623 Chapelain, préface de *L'Adonis*	Garasse, *Doctrine curieuse des beaux esprits de ce temps ou prétendus tels...*	
	Th. de Viau : *Élégie à une Dame*	
1628 François Ogier, préface de *Tyr et Sidon*		
	1637 G. de Scudéry, *Observations sur le Cid*	
	Corneille, *Épître dédicatoire de La Suivante*	
1637-1638 Chapelain, *Sentiments de l'Académie française sur le Cid*		
		1644 Colletet, *Éloge des hommes illustres qui depuis un siècle ont fleuri en France dans la profession des lettres*

MÉLANGES ŒUVRES DIVERSES,	JOURNAUX ET PÉRIODIQUES LITTÉRAIRES	POINTS DE REPÈRE A L'ÉTRANGER
1595 Montaigne, 3e édition des *Essais*		1592 Rengifo, *Arte poetica Española*
		1597-1612 Bacon, *Essais.*
		1611 Heinsius, *De Tragoediae Constitutione*
		1612-1613 Boccalini, *Ragguagli di Parnasso*
1624 à 1637 Balzac, *Lettres*		1624 Opitz, *Buch von der Deutschen Poeterei*
		1641 Ben Jonson, *Discoveries*

ŒUVRES THÉORIQUES (Préfaces, arts poétiques, théorie des genres...)	POLÉMIQUE ET SATIRE	CRITIQUE HISTORIQUE
1646 Chapelain, *Dialogue de la lecture des vieux romans*		
1647 Vaugelas, *Remarques sur la langue française*		
1650 Ménage, *Les origines de la langue française*		
	1653 Costar, *Défense des ouvrages de M. Voiture*	Pellisson, *Relations contenant l'histoire de l'Académie française*
1657 d'Aubignac, *La Pratique du théâtre*		
1660 Corneille, *Examens, discours*		
	1663 Molière, *Critique de l'École des Femmes*	
1666 Saint-Évremond, sur l'*Alexandre* de Racine		
Ménage, *Observations sur les Poésies de Malherbe*		
1667 Prince de Conti, *Traité de la comédie et des spectacles selon la tradition de l'Église*	1667 Cotin, *La Critique désintéressée des satires du temps*	
	Boileau, *Satire IX*	
1668 à 1681 Rapin, *Les Comparaisons des grands hommes de l'Antiquité qui ont le plus excellé dans les Belles-Lettres*		
1669 Boileau, *Dissertation sur Joconde*		

MÉLANGES ŒUVRES DIVERSES,	JOURNAUX ET PÉRIODIQUES LITTÉRAIRES	POINTS DE REPÈRE A L'ÉTRANGER
		1646 Tassoni, *Pensieri diversi*
		1647 Voss, *De Artis Poeticae Natura ac Constitutione*
	1650-1665 *La Muse historique* de J. Loret	1650 Davenant, *Prefatory matter of Gondibert*
1654-1660 Mlle de Scudéry, *Clélie*		
1664 Charles Sorel, *Bibliothèque française*	1665 fondation du *Journal des Savants*	
		1668 Dryden, *Essay of Dramatic Poetry*
1669 Méré, *Conversations*		

ŒUVRES THÉORIQUES (Préfaces, arts poétiques, théorie des genres...)	POLÉMIQUE ET SATIRE	CRITIQUE HISTORIQUE
1671 préface du *Recueil des Poésies chrétiennes et diverses* Bouhours, *Entretiens d'Ariste et d'Eugène* Charles Sorel, *De la connaissance des bons livres* ou *Examen de plusieurs auteurs*		
1674 Rapin, *Réflexions sur la poétique d'Aristote et sur les ouvrages des poètes anciens et modernes* Boileau, *L'Art poétique*		
1675 B. Lamy, *La Rhétorique ou l'art de parler*	1675 Desmarets de Saint-Sorlin, *Défense de la poésie et de la langue française*	
	1677 Boileau, *Épître VII* (à Racine)	
1684 Fénelon, *Dialogues sur l'éloquence*	1684 Mlle de Scudéry, *Conversations nouvelles sur divers sujets* (contient une réponse à Boileau sur l'*Art poétique*)	
1685 Saint-Évremond, *Sur les poèmes des Anciens*		
1687 Bouhours, *Manière de bien penser sur les ouvrages de l'esprit*		
	1688 Perrault, *Parallèles des Anciens et des Modernes* Fontenelle, *Digression sur les Anciens et les Modernes* Ménage, *L'anti-Baillet*	

MÉLANGES ŒUVRES DIVERSES,	JOURNAUX ET PÉRIODIQUES LITTÉRAIRES	POINTS DE REPÈRE A L'ÉTRANGER
1671-1677 Méré, *Discours*		
	1672 ↓ 1723 *Le Mercure galant*	
1682 Méré, *Lettres*	1684 Bayle, *Nouvelles de la ↓ République des Lettres* 1718	
1685-86 Baillet, *Jugements des savants sur les princi- paux ouvrages des au- teurs*		
	1686 Leclerc, *Bibliothèque uni- ↓ verselle et historique* 1693	
	1687 Basnage, *Histoire des ou- ↓ vrages des savants* 1709	
1688 La Bruyère, *Les Carac- tères*		

ŒUVRES THÉORIQUES (Préfaces, arts poétiques, théorie des genres...)	POLÉMIQUE ET SATIRE	CRITIQUE HISTORIQUE
1694 Boileau, *Réflexions sur quelques passages du rhéteur Longin*	1694 Bossuet, *Maximes et réflexions sur la comédie* Boileau, *Satire X*	
	1696 Perrault, *Des hommes illustres qui ont paru en France pendant le XVIIe siècle*	
		1697 Bayle, *Dictionnaire historique et critique*
	1700 Boileau, *Lettres à Perrault*	
1707 La Motte-Houdar, *Discours sur la poésie en général et sur l'ode en particulier*		
1710 Boileau, trois nouvelles *Réflexions sur Longin*		
1713 Fénelon, *Lettre sur les occupations de l'Académie française*		

MÉLANGES ŒUVRES DIVERSES,	JOURNAUX ET PÉRIODIQUES LITTÉRAIRES	POINTS DE REPÈRE A L'ÉTRANGER
1693 Ménage, *Menagiana* La Bruyère, *Discours de réception à l'Académie française*		1693 Rymer, *A Short View of Tragedy*
		1698 Collier, *A Short View of the Profaneness and Immorality of the English Stage*
		1699 ↓ 1714 Shaftesbury, *Characteristics of men, manners, opinions, times*
	1701 ↓ 1767 *Mémoires pour servir à l'histoire des sciences et des arts (= le Journal de Trévoux)*	
		1704 Swift, *Tale of a Tub* Gravina, *Della Ragion Poetica*
		1706 Muratori, *Della Perfetta Poesia Italia*
		1711 Pope, *An Essay on Criticism*
		1711 ↓ 1714 Addison, *The Spectator*
	1713 ↓ 1722 *Journal littéraire* (La Haye)	

ŒUVRES THÉORIQUES (Préfaces, arts poétiques, théorie des genres...)	POLÉMIQUE ET SATIRE	CRITIQUE HISTORIQUE
	1714 Madame Dacier, *Des causes de la corruption du goût*	
1715 La Motte-Houdar, *Réflexions sur la critique*	1715 Terrasson, *Dissertation critique sur l'Iliade*	
	1716 Madame Dacier, *Préface à la traduction de l'Odyssée*	
1719 Du Bos, *Réflexions critiques sur la poésie et la peinture*		
1725 Béat de Muralt, *Lettres sur les Anglais et les Français*		
1726 Rollin, *Traité des études*		
1733 Voltaire, *Le Temple du goût*		

MÉLANGES ŒUVRES DIVERSES,	JOURNAUX ET PÉRIODIQUES LITTÉRAIRES	JOURNAUX ET PÉRIODIQUES LITTÉRAIRES
1717 *Mémoires de l'Académie des Inscriptions et Belles-lettres* ↓ 1786	1717 *Bibliothèque anglaise* ou *Histoire littéraire de la Grande-Bretagne* ↓ 1728	
	1718 *L'Europe savante* (La Haye) ↓ 1720	
	1720 *Bibliothèque germanique* ↓ 1741	
1722 *Huetiana* ou *pensées diverses de M. Huet*, publiées par d'Olivet.	1722 Marivaux, *Le Spectateur français*	
	1723 *Bibliothèque française* (Amsterdam) ↓ 1746	
		1725-1730 Vico, *La Scienza nuova*
1726-1730 Voltaire, *Lettres philosophiques*		
	1728 ↓ *Bibliothèque italienne* 1734	
	1730 Desfontaines, *Le Nouvelliste du Parnasse* ↓ 1732	1730 Gottsched, *Versuch einer critischen Dichtkunst*
	1733 Prevost, *Le Pour et le Contre* ↓ 1740	

ŒUVRES THÉORIQUES (Préfaces, arts poétiques, théories des genres…)	POLÉMIQUE ET SATIRE	CRITIQUE HISTORIQUE
1734 Voltaire, *Remarques sur les Pensées de Pascal*		
1737 Voltaire, *Conseils à un journaliste*		
1742 Fontenelle, *Réflexions sur la poétique*		
1746 Vauvenargues, *Introduction à la connaissance de l'esprit humain* Batteux, *Les Beaux-Arts réduits à un seul principe*		
1751 Fontenelle, *Traité sur la poésie en général*		
1753 Buffon, *Discours sur le style*		
1755 ↓ 1765 Jaucourt, nombreux articles de l'*Encyclopédie*		

MÉLANGES ŒUVRES DIVERSES	JOURNAUX ET PÉRIODIQUES LITTÉRAIRES	POINTS DE REPÈRE A L'ÉTRANGER
1735 Trublet, *Essais de morale et de littérature* ↓ 1754	1735 Desfontaines, *Observations sur les écrits modernes* ↓ 1743	
		1739-1752 Quadrio, *Della Storia e della Ragione d'Ogni Poesia*
	1749 Fréron, *Lettres sur quelques écrits de ce temps* ↓ 1754	1750-1752 Samuel Johnson, *The Rambler*
1751 Voltaire, *Le Siècle de Louis XIV*		
1752 Voltaire, *Catalogue de la plupart des écrivains français qui ont paru dans le siècle de Louis XIV*		
	1754 ↓ 1758 *Journal étranger*	
1756 Voltaire, *L'Essai sur les mœurs*	1754 Fréron (puis Clément, Geoffroy), *L'Année littéraire* ↓ 1790	1756 Warton, *Essai sur Pope*
	1754 Grimm, *Correspondance littéraire* ↓ 1773	

ŒUVRES THÉORIQUES (Préfaces, arts poétiques, théorie des genres...)	POLÉMIQUE ET SATIRE	CRITIQUE HISTORIQUE
1757 Montesquieu, *Essai sur le goût*. Article *Goût* de l'*Encyclopédie*. Marmontel, article *Critique* de l'*Encyclopédie* Diderot, *Entretiens sur le fils naturel. Dorval et moi*. Article *Génie* de l'*Encyclopédie*		
1758 Diderot, *Discours sur la poésie dramatique* Helvétius, *De l'Esprit* (IV, 16 : *Influence du climat sur le génie poétique*)	J.-J. Rousseau, *Lettre à d'Alembert*	
1761 Diderot, *Éloge de Richardson*		1761 Irailh, *Les Querelles littéraires depuis Homère jusqu'à nos jours*
1762 Diderot, *Réflexions sur Térence*		
1763 Marmontel, *Poétique française*		
1764 Voltaire, *Théâtre de Corneille avec des commentaires*		
1764-1772, Voltaire, *Dictionnaire philosophique*		
1765 Diderot, *Essai sur la peinture*		
1767 Beaumarchais, *Essai sur le genre dramatique sérieux*		
		1769 La Dixmerie, *Les Deux Âges du goût et du génie français sous Louis XIV et sous Louis XV*

MÉLANGES ŒUVRES DIVERSES,	JOURNAUX ET PÉRIODIQUES LITTÉRAIRES	POINTS DE REPÈRE A L'ÉTRANGER
		1758-1760 Johnson, *The Idler*
1759 D'Alembert, *Mélanges de littérature, d'histoire et de philosophie*		1759 Edward Young, *Conjectures on Original Composition*
1761 J.-J. Rousseau, *La Nouvelle Héloïse*		
1762 J.-J. Rousseau, *Émile.*		1762 Richard Hurd, *Letters on Chivalry and Romance*
	1764 *Gazette littéraire de l'Europe* ↓ 1768	1764 Winckelmann, *Geschichte der Kunst des Alterthums*
1765 Diderot, *Salon de 1765*		1765 Lord Kames, *Elements of criticism*
		1766 Lessing, *Laocoon*
		1767-68, Lessing, *Dramaturgie de Hambourg*
1769 Chamfort, *Éloge de Molière*		

ŒUVRES THÉORIQUES (Préfaces, arts poétiques, théorie des genres...)	POLÉMIQUE ET SATIRE	CRITIQUE HISTORIQUE
		1770 Sabatier de Castres, *Trois Siècles de littérature*
1771 Batteux, *Les Quatre Poétiques d'Aristote, Horace, Vida et Despréaux*		
1773 Diderot, *Paradoxe sur le comédien*		1773 Palissot, *Mémoires pour servir à l'histoire de notre littérature*
1784 Rivarol, *De l'Universalité de la langue française*		
	1787 Cubières, *Lettre sur l'influence de Boileau en littérature*	
1787 Marmontel, *Éléments de littérature*	Daunou, *Influence de Boileau sur la littérature française*	
1795 Mme de Staël, *Essai sur les fictions*		
		1797-1805 La Harpe, *Lycée* ou *Cours de littérature ancienne et moderne*
1800 Villers, *Considérations sur l'état actuel de la littérature allemande* Mme de Staël, *De la littérature*		

MÉLANGES ŒUVRES DIVERSES,	JOURNAUX ET PÉRIODIQUES LITTÉRAIRES	POINTS DE REPÈRE A L'ÉTRANGER
1771 Clément, *Observations critiques*		
1774 Chamfort, *Éloge de La Fontaine*		
1785 Clément, *Essais de critique sur la littérature ancienne et moderne*		
		1783 Blair, *Lectures on Rhetoric and Belles-Lettres*
		1788 Vittorio Alfieri, *Del principe e delle littere*
1788 Mme de Staël, *Lettres sur les écrits et le caractère de J.-J. Rousseau*		
	1794 *La Décade*, « journal ↓ politique, philosophi- 1807 que et littéraire »	1791 Thomas Thorild, *Critique des Critiques* (Stockholm)
		1791-1793 Schiller, *Esthétique*
		1795 Schiller, *Lettres sur l'éducation esthétique de l'homme*
	1800 fondation du *Mercure de France* par Fontanes et La Harpe	1800 Wordsworth, préface de la 2e édition des *Lyrical Ballads*

ŒUVRES THÉORIQUES (Préfaces, arts poétiques, théorie des genres...)	POLÉMIQUE ET SATIRE	CRITIQUE HISTORIQUE
1806 Villers, *Essai d'érotique comparée*		
	1808 S. Mercier, *Satires contre Boileau et Racine*	1808 M. J. Chénier, *Tableau de la littérature française*
1809 B. Constant, préface de *Walstein*		
1810 Fauriel, préface de *La Parthénéide de Baggesen*		
1810-1814 Mme de Staël, *De l'Allemagne*		1811 Ginguené, *Histoire de la littérature italienne*
1813 traduction par Mme Necker de Saussure du *Cours de littérature dramatique* de Schlegel		1813 Sismondi, *Histoire des littératures du Midi de l'Europe*
1814 Villemain, *Discours sur les avantages et les inconvénients de la critique*		
	1816 Saint-Chamans, *L'Antiromantique*	
		1817 Lemercier, *Cours analytique de littérature générale*
		1819 Geoffroy, *Cours de littérature dramatique*
	1823 Stendhal, *Racine et Shakespeare* (1)	
		1821 Guizot, *Essai sur la vie et les œuvres de Shakespeare*
1824 Guiraud, *Nos doctrines* Bonstetten, *L'Homme du Midi et l'Homme du Nord*		1824-1825 Fauriel, *Chants populaires de la Grèce moderne*

MÉLANGES ŒUVRES DIVERSES,	JOURNAUX ET PÉRIODIQUES LITTÉRAIRES	POINTS DE REPÈRE A L'ÉTRANGER
1802 Chateaubriand, *Génie du christianisme*		1802 fondation de l'*Edinburgh Review*
1803-1805 Suard, *Mélanges de littérature*		
		1807 G. Schlegel, *Comparaison entre la Phèdre de Racine et celle d'Euripide*
		1808 G. Schlegel, *Cours de littérature dramatique*
1811 Hoffmann, *Dialogues critiques*		
1812 Nodier, *Questions de littérature légale*		1812 F. Schlegel, *Cours d'histoire de la littérature ancienne et moderne*
		1817 Coleridge, *Biographia literaria*
		1818 Schopenhauer, *Le Monde comme volonté et comme représentation*
1819 Dussault, *Annales littéraires*	1819 *Le Conservateur littéraire* 1821	
1820 Nodier, *Mélanges de littérature et de critique*		1820 Hazlitt, *Conférences sur la littérature démocratique du temps d'Élisabeth*
	[1821 Fondation de la *Société des Bonnes Lettres*]	1820-1833 Ch. Lamb, *Essais d'Elia*
	1823 *Le Mercure du XIXᵉ siècle* à 1830	1821 Shelley, *Défense de la poésie*
	1823 *La Muse française* 1824 ⎫ ⎬ — *Le Globe* 1831 ⎭	1822 De Quincey, *Souvenirs des poètes lakistes anglais*

393

ŒUVRES THÉORIQUES (Préfaces, arts poétiques, théorie des genres...)	POLÉMIQUE ET SATIRE	CRITIQUE HISTORIQUE
	1825 Stendhal, *Racine et Sha-kespeare* (2)	
1827 Cousin, *Discours d'intro-duction à l'histoire de la philosophie* Vigny, **préface** de *Cinq-Mars* Hugo, **préface** de *Crom-well*		1827-1828 Sainte - Beuve, *Ta-bleau historique et critique de la poésie et du théâtre français au XVIe siècle*
1828 E. Deschamps, **préface** des *Études françaises et étrangères*		1828-1829 Villemain, *Cours de littérature française*
	1829 Hugo, **préface** des *Orien-tales* Latouche, *La Camara-derie littéraire*	
1830 Vigny, **préface** du *More de Venise*		1830 J.-J. Ampère, *Cours de littérature à l'Athénée de Marseille*
	1833 Nisard, *Manifeste contre la littérature facile* J. Janin, **préface** des *Contes nouveaux*	
		1834 Nisard, *Étude de mœurs et de critique sur les poètes latins de la déca-dence*
1835	Th. Gautier, **préface** de *Made-moiselle de Maupin*	Ph. Chasles, *Cours d'ouverture à l'Athénée* X. Marmier, *Études sur Gœthe* 1836 Chateaubriand, *Essai sur la littérature anglaise*

MÉLANGES ŒUVRES DIVERSES	JOURNAUX ET PÉRIODIQUES LITTÉRAIRES	POINTS DE REPÈRE A L'ÉTRANGER
1825 Nodier, *Mélanges tirés d'une petite bibliothèque*		1823 Manzoni, *Lettres à M. C. sur l'unité de temps et de lieu dans la tragédie*
1826 Chateaubriand, *Mélanges littéraires*		1826 Hazlitt, *Franc-parler : opinions sur les livres, les hommes et les choses*
	1829 Fondation de la *Revue de Paris*	
1829 Sainte-Beuve, *Vie, poésies et pensées de Joseph Delorme*		
	1831 Buloz transforme la *Revue des Deux Mondes* en revue littéraire Fondation de *L'Artiste*	
1832 Sainte-Beuve, *Critiques et portraits littéraires*		
1833 J.-J. Ampère, *Littérature et voyage*		
1834 Hugo, *Littérature et philosophie mêlées*		1834 Belinski, *Rêveries littéraires*
		1835 Hegel, *Leçons sur l'esthétique* (professées en 1820-1829)
1836 G. Planche, *Portraits littéraires* Musset, *Lettres de Dupuis et Cotonet*	1836 Girardin lance *La Presse* (le roman-feuilleton)	1836 *Conversations de Gœthe avec Eckermann* ↓ 1848
1838 Joubert, *Pensées*		

ŒUVRES THÉORIQUES (Préfaces, arts poétiques, théorie des genres...)	POLÉMIQUE ET SATIRE	CRITIQUE HISTORIQUE
		1840 Michiels, *Histoire des idées littéraires*
		1840 ↓ 1859 Sainte-Beuve, *Port-Royal*
		1841 J.-J. Ampère, *Histoire de la littérature française au Moyen Age comparées aux littératures étrangères*
		1843 ↓ 1863 Saint - Marc - Girardin, *Cours de littérature dramatique*
		1844 ↓ 1861 Nisard, *Histoire de la littérature française*
		1846 Fauriel, *Histoire de la littérature provençale*
		1847 Vinet, *Études sur Pascal*
		1848 Chasles, *Études sur le XVIᵉ siècle*
		1851 Vinet, *Histoire de la littérature française au XIXᵉ siècle*

MÉLANGES ŒUVRES DIVERSES,	JOURNAUX ET PÉRIODIQUES LITTÉRAIRES	POINTS DE REPÈRE A L'ÉTRANGER
1840 Marmier, *Lettres sur le Nord* Balzac, *Lettres sur la littérature*		
		1841-1844 Emerson, *Essais*
1844 Saint - Marc Girardin, *Essais de littérature et de morale* Sainte-Beuve, *Portraits de femmes. Portraits littéraires*		
1846 Baudelaire, *Salon de 1846* Sainte - Beuve, *Portraits contemporains et divers*		1846-1847 James Russell Lowell, *Chroniques de Biglow*
1848 Renan, *L'Avenir de la science* (publié en 1890)		1848 E. Poe, *Le Principe de la poésie*
	1849 Sainte-Beuve commence ses *Lundis* au *Constitutionnel*	
1850 Chasles, *Études sur les hommes et les mœurs au XIXe siècle*		
1851 Barbey d'Aurevilly, *Les Prophètes du passé*, Sainte-Beuve, *Les Lundis* (jusqu'en 1862)		
1852 Cuvillier-Fleury, *Mélanges de critique et d'histoire* (→ 1865) Sainte - Beuve, *Derniers portraits littéraires*		

ŒUVRES THÉORIQUES (Préfaces, arts poétiques, théorie des genres...)	POLÉMIQUE ET SATIRE	CRITIQUE HISTORIQUE
1853 Taine, *Essai sur La Fontaine et ses fables*		1853 Jules Janin, *Histoire de la littérature dramatique* (→ 1858)
		1856 Lamartine, *Cours familier de littérature* Taine, *Essai sur Tite-Live*
		1857 Sainte-Beuve, *Étude sur Virgile* Villemain, *Études de littérature ancienne et étrangère*
		1859 Villemain, *Essai sur le génie de Pindare*
	1860 Pontmartin, *Les Jeudis de Madame Charbonneau*	
		1861 Sainte-Beuve, *Chateaubriand et son groupe littéraire sous l'Empire*
		1864 Taine, *Histoire de la litrature anglaise* (→ 1869)
		1865 J.-J. Weiss, *Essais sur l'histoire de la littérature française*
	1866 Veuillot, *Les Odeurs de Paris* Zola, *Mes Haines*	

MÉLANGES ŒUVRES DIVERSES,	JOURNAUX ET PÉRIODIQUES LITTÉRAIRES	POINTS DE REPÈRE A L'ÉTRANGER
1854 Planche, *Nouveaux Por- traits littéraires* Pontmartin, *Causeries lit- téraires* (→ 1856) 1856 Veuillot, *Mélanges* (→ 1875) 1857 Pontmartin, *Causeries du Samedi* (→ 1880)		1855 Belinski, *Lettre à Gogol* 1855 De Sanctis, *Essais cri- tiques* ↓ 1879
1858 Villemain, *Chateaubriand* Taine, *Essais de critique et d'histoire* (→ 1890) 1859 Renan, *Essais de morale et de critique* Baudelaire, *Notice sur Théophile Gautier* 1860 Barbey d'Aurevilly, *Les Œuvres et les Hommes* (→ 1906)		
1863 Scherer, *Études critiques sur la littérature con- temporaine* (→ 1895) Sainte-Beuve, *Nouveaux Lundis* (→ 1870) 1864 Hugo, *William Shakes- peare* Leconte de Lisle, *Poètes contemporains* 1865 Prevost-Paradol, *Études sur les moralistes fran- çais* 1866 Les Goncourt, *Idées et sensations*	1863 fondation de la *Revue des cours littéraires* (plus tard : *Revue politique et littéraire*) connue sous le nom de *Revue bleue*	1865 à 1888, Matthew Arnold, *Essais critiques*

ŒUVRES THÉORIQUES (Préfaces, arts poétiques, théorie des genres...)	POLÉMIQUE ET SATIRE	CRITIQUE HISTORIQUE
1867 Taine, *De l'Idéal dans l'Art*		
1870 Taine, *De l'Intelligence*		
		1874 Th. Gautier, *Histoire du romantisme*
1880 Zola, *Le Roman expérimental*		
	1883 Brunetière, *Le Roman naturaliste*	
1884 Maupassant, introduction de *Pierre et Jean*		
		1885 Montégut, *Les Écrivains modernes de l'Angleterre* Faguet, *XVIIe siècle*
		1886 Vogüé, *Le Roman russe*
		1887 Faguet, *XIXe siècle*
1888 Hennequin, *La Critique scientifique*		

MÉLANGES ŒUVRES DIVERSES,	JOURNAUX ET PÉRIODIQUES LITTÉRAIRES	POINTS DE REPÈRE A L'ÉTRANGER
1867 Musset, *Mélanges de littérature et de critique* De Saint-Victor, *Hommes et dieux* 1868 Baudelaire, *L'Art romantique*		
		1870 à 1886 J.-R. Lowell, *Parmi mes Livres* 1871 Nietzsche, *La Naissance de la tragédie*
1880 Paul de Saint-Victor, *Les Deux Masques* Brunetière, 1re série d'*Études critiques sur la littérature française* (→ 1925) 1881 Zola, *Documents littéraires. Les romanciers naturalistes*		
	1882 *La Nouvelle rive gauche*	
1883 Bourget, *Essais de psychologie contemporaine.*	1883 *Lutèce*	
1884 Verlaine, *Les Poètes Maudits*	1884 *La Revue indépendante*	1884 Henry James, *L'Art du roman*
1885 Bourget, *Nouveaux Essais de psychologie contemporaine* Lemaitre, *Les Contemporains* (→ 1918)	1885 *Revue wagnérienne*	
	1886 ⎫ 1889 ⎭ *Le Décadent*	
1887 Montégut, *Mélanges critiques* 1888 Bourget, *Études et portraits*		

ŒUVRES THÉORIQUES (Préfaces, arts poétiques, théorie des genres...)	POLÉMIQUE ET SATIRE	CRITIQUE HISTORIQUE
	1888 Barrès, *Huit Jours chez M. Renan*	
1890 Brunetière, *L'Évolution de la critique*	1890 G. Renard, *Les Princes de la critique*	1890 Faguet, *XVIIIe siècle*
		1892 Brunetière, *Les Époques du théâtre français*
		1893 Faguet, *XVIe siècle* Angellier, *Burns*
	1894 G. Renard, *Critique de combat*	1894 Brunetière, *L'Évolution de la poésie lyrique au XIXe siècle* Lanson, *Histoire de la littérature française*
1895 Lanson, préface d'*Hommes et livres*		
1896 Maurras, *Idée de la critique*		
		1898 Lacombe, *Introduction à l'histoire littéraire*
1900 Proust, préface de la traduction de la *Bible d'Amiens*		1900 G. Renard, *Méthode scientifique de l'histoire littéraire*

MÉLANGES ŒUVRES DIVERSES,	JOURNAUX ET PÉRIODIQUES LITTÉRAIRES	POINTS DE REPÈRE A L'ÉTRANGER
1888 A. France, 1re série de *la Vie littéraire* (→ 1892) Lemaitre, 1re série des *Impressions de théâtre* (→ 1898)		
1889 J.-J. Weiss, *Le Théâtre et les mœurs* E. Faguet, *Notes sur le théâtre contemporain* (→ 1895)	1889 *La Plume* (→ 1905) 1889 ↓ *La Revue blanche* 1903	1889 Walter Pater, *Appréciations*
1890 Hennequin, *Études de critique scientifique*	1890 *Le Mercure de France* 1890 ↓ *L'Ermitage* 1906	
1891 Faguet, *Politiques et moralistes du XIXe siècle* (→ 1900)		1891 W. Whitman, *Essai sur la littérature américaine* W.-D. Howells, *Criticism and Fiction*
1892 Brunetière, *Essais sur la littérature contemporaine*		
	1894 *Revue d'histoire littéraire de la France*	
1895 Wyzewa, *Nos maîtres* Lanson, *Hommes et livres*		
1896 Gourmont, le 1er *livre des Masques* Doumic, *Études sur la littérature française* (→ 1908)		1896 George Santayana, *The Sense of Beauty*
1898 Gourmont, le 2e *livre des Masques*		
1900 Sarcey, *Quarante Ans de théâtre*	1900 *Les Cahiers de la Quinzaine*	

403

ŒUVRES THÉORIQUES (Préfaces, arts poétiques, théorie des genres...)	POLÉMIQUE ET SATIRE	CRITIQUE HISTORIQUE
		1901 Giraud, *Essai sur Taine*
		1902 Maurras, *Les Amants de Venise*
		1903 J. Bédier, *Études critiques*
	1904 Péguy, *Zangwill*	1904 Giraud, *Chateaubriand*
1905 Maurras, *L'Avenir de l'intelligence*		
	1907 Lasserre, *Le Romantisme français*	1907 J. Lemaitre, *J.-J. Rousseau* Strowski, *Pascal et son temps*
		1908 Lemaitre, *Racine*
		1908-1913 Bédier, *Recherches sur la formation des chansons de geste*
	1911 Péguy, *Un Nouveau Théologien, M. Laudet*	1911 Lanson, *La Méthode de l'histoire littéraire*
1912 Faguet, *L'Art de lire*	1912 Lasserre, *La Doctrine officielle de l'Université*	1912 Lemaitre, *Chateaubriand* Thibaudet, *Mallarmé* Strowski, *Tableau de la littérature française du XIXe siècle*

MÉLANGES ŒUVRES DIVERSES,	JOURNAUX ET PÉRIODIQUES LITTÉRAIRES	POINTS DE REPÈRE A L'ÉTRANGER
1901 Blum, *Nouvelles Conversations de Gœthe avec Eckermann*		
1903 Gourmont *Épilogues,* (→ 1910)		
1904 Gourmont, *Promenades littéraires* (→ 1913)		
	1905 *Vers et prose*	
1906 Blum, *Au théâtre*		
1908 Gide, *Prétextes*	1908 *La Revue critique des idées et des livres*	
	1909 premier numéro de la *Nouvelle Revue Fran-[çaise*	1909 A.-C. Bradley, *Lectures on Poetry*
1910 Péguy, *Victor - Marie, comte Hugo*		
1911-1914 Giraud, *Les Maîtres de l'heure*		
1912 Rivière, *Études* Souday, *Les Livres du Temps* (1)		
1912 Bourget, *Pages de critique et de doctrine* ↓ 1922		
1913 A. Beaunier, *Les Idées et les hommes*		1913 O. Wilde, *Intentions* B. Croce, *Bréviaire d'esthétique*

ŒUVRES THÉORIQUES (Préfaces, arts poétiques, théorie des genres...)	POLÉMIQUE ET SATIRE	CRITIQUE HISTORIQUE
		1914 Bellessort, *Sur Les Grands Chemins de la poésie classique*
		1916 Henri Bremond, *Histoire littéraire du sentiment* ↓ *religieux en France* 1931
	1918 Benda, *Belphégor*	
	1920 Lasserre, *Les Chapelles littéraires*	
		1920-1926 Thibaudet, *Trente ans de vie française (Barrès, Maurras, Bergson)*
	1921 L. Daudet, *Le Stupide XIX⁰ siècle* M. Blondel, etc..., *Le Procès de l'intelligence*	
1922 Thibaudet, *Physiologie de la critique*		1922 Thibaudet, *Flaubert*
1923 Rudler, *Les Techniques de la critique et de l'histoire littéraire*	1923 Bremond, *Pour Le Romantisme*	1923 J. Pommier, *Renan*
1924 P. Audiat, *Biographie de l'œuvre littéraire* Breton, *Manifeste du surréalisme*		
1925 Bremond, *La Poésie pure*		
1926 Fernandez, *De la Critique philosophique* (dans *Messages*)		1926 Strowski, *La Sagesse française*

MÉLANGES ŒUVRES DIVERSES,	JOURNAUX ET PÉRIODIQUES LITTÉRAIRES	POINTS DE REPÈRE A L'ÉTRANGER
1914 L. Daudet, *Fantômes et vivants* Duhamel, *Les Poètes et la poésie* Souday, *Les Livres du Temps* (II)		
1920 F. Vandérem, *Miroir des Lettres* ↓ 1929		1920 T.-S. Eliot, *The Sacred Wood* Lukacs, *La Théorie du roman*
1921 J. Boulenger, *Mais l'Art est difficile* 1922 Dubos, *Approximations* I (7 séries jusqu'en 1937)		1921 P. Lubbock, *The Craft of Fiction*
1923-1924 Massis, *Jugements* 1923 Suarès, *Xénies* Gide, *Dostoïevski* 1923-1946 E. Jaloux, *L'Esprit des livres* 1924 Gide, *Incidences* B. Crémieux, *XXᵉ siècle* Valéry, *Variété I*	1924 à 1933 dans les *Nouvelles littéraires. Une heure avec...* (interviews par F. Lefèvre)	1924 I.-A. Richards, *Principes de critique littéraire* Panofsky, *Idea* Hulme, *Spéculations*
1926 R. Lalou, *Défense de l'homme (Essai sur la critique)*		

ŒUVRES THÉORIQUES (Préfaces, arts poétiques, théorie des genres...)	POLÉMIQUE ET SATIRE	CRITIQUE HISTORIQUE
1927 Bremond, *Prière et poésie*	1927 Benda, *La Trahison des clercs*	
	1928 Aragon, *Traité du style*	1928 Mauriac, *La Vie de Jean Racine*
		B. Crémieux, *Panorama de la littérature italienne*
1929 Breton, 2e *Manifeste du surréalisme*		
		1930 L. Daudet, *Charles Maurras et son temps*
1931 P. Laforgue, *L'Échec de Baudelaire**		1931 J. Prévost, *Les Épicuriens français*
		1932 J. Pommier, *La Mystique de Baudelaire*
1933 Marie Bonaparte, *Edgar Poe**		1933 M. Raymond, *De Baudelaire au surréalisme*
		M.-J. Durry, *La Vieillesse de Chateaubriand*
		1935 Alain, *Stendhal*
		1936 Thibaudet, *Histoire de la littérature française de 1789 à nos jours*
		A. Adam, *Le vrai Verlaine*
1937 Bachelard, *La Psychanalyse du feu**		1937 Alain, *Avec Balzac*
		Béguin, *L'Ame romantique et le rêve*
1938 Du Bos, *Qu'est-ce que la littérature ?*		1938 Giraudoux, *Les Cinq Tentations de La Fontaine*
		1939 Blin, *Baudelaire*
* Critique psychanalytique		

MÉLANGES ŒUVRES DIVERSES,	JOURNAUX ET PÉRIODIQUES LITTÉRAIRES	POINTS DE REPÈRE A L'ÉTRANGER
1927 Souday, *Proust, Gide, Valéry*		
1928 Proust, *Chroniques* M. Martin du Gard, *Vérités du moment*		
1929 Léon Daudet, *Écrivains et artistes* P. Claudel, *Positions et propositions*		
1930 P. Abraham, *Figures* Valery, *Variété II*		1930 W. Empson, *Seven Types of Ambiguity*
1931 M. Arland, *Essais critiques*		
1932 A. Rousseaux, *Ames et visages du XXᵉ siècle*		1932 Max Eastman, *The Literary Mind* T. - S. Eliot, *Selected Essays*
1933 Mauriac, *Le Romancier et ses personnages* Alain, *Propos de littérature*		
1934 E. Henriot, 1ʳᵉ série de *Causeries littéraires*		
1935 Claudel, *Positions et propositions* (II)		1935 I.-A. Richards, *Practical Criticism*
1936 Valéry, *Variété III* Suarès, *Valeurs*		
1938 Valéry, *Variété IV* A. Rousseaux, *Littérature du XXᵉ siècle*		

ŒUVRES THÉORIQUES (Préfaces, arts poétiques, théorie des genres...)	POLÉMIQUE ET SATIRE	CRITIQUE HISTORIQUE
	1941 J· Paulhan, *Les Fleurs de Tarbes*	
1942 Bachelard, *L'Eau et les rêves** Blanchot, *Comment la littérature est-elle possible ?*		1942 J. Prévost, *La Création chez Stendhal*
1943 Bachelard, *L'Air et les Songes** Baudouin, *Psychanalyse de V. Hugo**		1943 Pintard, *Le Libertinage érudit dans la 1re moitié du XVIIe siècle*
	1945 Benda, *La France byzantine* Paulhan, *F.F. ou le critique*	1945 Nadeau, *Histoire du surréalisme*
1947 Sartre, *Qu'est-ce que la Littérature ?*		1947 Sartre, *Baudelaire*
1948 Bachelard, *La Terre et les rêveries de la volonté. La Terre et les rêveries du repos**		1948 Benichou, *Morales du grand siècle*
		1949 Blanchot, *Lautréamont et Sade*
1950 Mauron, *Introduction à la psychanalyse de Mallarmé**		
	1951 Paulhan, *Petite préface à toute critique*	

* Critique psychanalytique

MÉLANGES ŒUVRES DIVERSES,	JOURNAUX ET PÉRIODIQUES LITTÉRAIRES	POINTS DE REPÈRE A L'ÉTRANGER
1940 Th. Maulnier, *Introduction à la poésie française*		
1941 Giraudoux, *Littérature*		1941 J.-C. Ransom, *The New Criticism*
1943 Blanchot, *Faux pas*		
	1944 *Esprit*	
1945 Valéry, *Variété V* C.-E. Magny, *Les Sandales d'Empédocle*	1945 fondation des *Temps modernes*	1945 Lukacs, *Brève histoire de la littérature allemande*
	1946 *Critique*	1946 Auerbach, *Mimesis*
1947 Sartre, *Situations I* Aragon, *Chronique du Bel Canto*		1947 Lukacs, *Gœthe et son temps*
1948 Sartre, *Situations II*		1948 L. Spitzer, *Linguistics and Literary History*
1949 Sartre, *Situations III* Blanchot, *La Part du feu* C. Roy, *Descriptions critiques*		1949 Warren et Wellek, *Theory of Literature*
1950 G. Poulet, *Études sur le temps humain*		
1951 P.-H. Simon, *Procès des héros*		1951 Empson, *The Structure of Complex Words* Sewell, *The Structure of Poetry*

ŒUVRES THÉORIQUES (Préfaces, arts poétiques, théorie des genres...)	POLÉMIQUE ET SATIRE	CRITIQUE HISTORIQUE
		1952 Mᵐᵉ Durry, *Jules Lafor-gue*
1953 R. Barthes, *Le Degré zéro de l'écriture* [Proust, *contre Sainte-Beuve*]*		1953 [J. Prévost, *Baudelaire*]*
		1954 R. Barthes, *Michelet* Aragon, *La Lumière de Stendhal* J. Rousset, *La Littérature de l'âge baroque en France*
		1955 J. Pommier, *Créations en littérature*
		1955 M. Raymond, *Baroque et renaissance poétique*
		1956 L. Goldmann, *Le Dieu caché* J. Delay, *La Jeunesse d'A. Gide*
1957 Bachelard, *La Poétique de l'espace*		1957 B. Dort, *Corneille dramaturge*
		1958 Starobinski, *J.-J. Rousseau, la transparence et l'obstacle* Jasinski, *Vers le vrai Racine* Blin, *Stendhal*

* Ouvrages posthumes

MÉLANGES ŒUVRES DIVERSES,	JOURNAUX ET PÉRIODIQUES LITTÉRAIRES	POINTS DE REPÈRE A L'ÉTRANGER
1952 G. Poulet, *La Distance intérieure* Sartre, *Saint Genêt, comédien et martyr* Etiemble, *Hygiène des lettres* (→ 1958) Nadeau, *Littérature présente*		1952 Lukacs, *Balzac et le réalisme français*
1953 G. Picon, *L'Écrivain et son ombre* P. Schneider, *La Voix vive*		1953 M.-H. Abrams, *The Mirror and The Lamp*
1954 J.-P. Richard, *Littérature et sensation*		1954 E.-R. Curtius, *Essai sur la littérature européenne*
1955 J.-P. Richard, *Poésie et profondeur*		
1955 Blanchot, *L'Espace littéraire* Aragon, *Littératures soviétiques*		
1956 H. Guillemin, *A vrai dire*		
1958 C. Mauriac, *La Littérature contemporaine*		1958 Lukacs, *Le Réalisme critique*
1959 Blanchot, *Le Livre à venir*		1959 Spitzer, *Romanische Literaturstudien*

ŒUVRES THÉORIQUES (Préfaces, arts poétiques, théorie des genres...)	POLÉMIQUE ET SATIRE	CRITIQUE HISTORIQUE
1960 Bachelard, *La Poétique de la rêverie* J.-P. Weber, *Genèse de l'œuvre poétique*		
1961 M. Butor, *Histoire extra-ordinaire*		
		1962 J.-P. Richard, *L'Univers imaginaire de Mallarmé* F. Germain, *L'Imagination d'A. de Vigny*
1963 Mauron, *Des Métaphores obsédantes au mythe personnel*		1963 G. Poulet, *L'Espace proustien* [Thibaudet, *Montaigne*]*
1964 Goldmann, *Pour une sociologie du roman*		
		1965 R. Picard, *Nouvelle critique, nouvelle imposture*
1966 S. Doubrovsky, *Pourquoi la nouvelle critique* (*) *Théorie de la Littérature* (textes des formalistes russes traduits en français)	1966 R. Barthes, *Critique et vérité*	

* Ouvrage posthume

MÉLANGES ŒUVRES DIVERSES,	JOURNAUX ET PÉRIODIQUES LITTÉRAIRES	POINTS DE REPÈRE A L'ÉTRANGER
1960 M. Butor, *Répertoire* G. Picon, *L'usage de la lecture* (1ʳᵉ série) M. de Diéguez, *L'Écrivain et son langage*		
1961 Starobinski, *L'Œil vivant* G. Poulet, *Les Métamorphoses du cercle*	1961 fondation de *Tel Quel*	1961 C.-S. Lewis, *An Experiment in Criticism*
1962 J. Rousset, *Forme et signification*		
1963 R. Barthes, *Sur Racine*		
		1963 Franz Mehring, *Mélanges**
1964 Barthes, *Essais critiques* Sartre, *Situations IV* Nadal, *A Mesure haute* M. Butor, *Répertoire* (II) M. Raymond, *Vérité et poésie*		
1966 G. Genette, *Figures*		

2. Bibliographie

GÉNÉRALITÉS

Nous n'avons pas en France d'ouvrage équivalent à l'ancienne et monumentale Histoire de la Critique de G. SAINTSBURY (*A History of criticism and literary taste in Europe*, 3 volumes, London, 1904).

Pour prendre une vue d'ensemble du sujet, il faudrait recourir aujourd'hui à : R. WELLEK : *A History of Modern Criticism (1750-1950)* (2 volumes, London, 1955) ; W. K. WIMSATT & Cleanth BROOKS : *Literary Criticism. A short history* (New York, 1957).

Signalons aussi, en italien, la grande *Storia della critica* (opera diretta da Walter Binni, Firenze, 1962), qui pourrait servir de modèle à une entreprise du même genre pour la littérature française.

Faute d'ouvrages plus complets, l'étudiant utilisera avec profit : P. MOREAU : *La Critique littéraire en France* (Colin, 1960) ; et sur les diverses techniques de la critique moderne : CARLONI et FILLOUX : *La Critique littéraire* (« Que sais-je ? », P.U.F., 4ᵉ édition, 1963).

On trouvera encore de précieuses indications dans des ouvrages de la fin du siècle dernier, contemporains du livre de BRUNETIÈRE : *L'Évolution des genres dans l'histoire de la littérature*. Introduction : « L'évolution de la critique depuis la Renaissance jusqu'à nos jours », (Hachette 1890).

Citons : Ernest TISSOT : *Les Évolutions de la critique française* (Genève, 1890) ; A. RICARDOU : *La Critique littéraire, étude philosophique*, préface de Brunetière (Paris, 1896).

Mentionnons un curieux ouvrage, accompagné d'un plan de cours d'histoire de la critique littéraire : W. MARTINS : *Les Théories critiques dans l'histoire de la littérature française* (Curitiba, 1952)

Pour s'initier aux méthodes de la critique érudite, on peut recourir à : G. RUDLER : *Les Techniques de la critique et de l'histoire littéraires* (Oxford, 1923).

Sur un sujet voisin de l'histoire des théories critiques, signalons : Ph. VAN TIEGHEM : *Petite Histoire des grandes doctrines littéraires en France* (P.U.F., 1946).

SUR LE XVIᵉ SIÈCLE

L'ouvrage de base est encore celui de : J. E. SPINGARN : *A History of Literary Criticism in the Renaissance* (New York, 1899).

Plus récemment les titres les plus importants sont encore ceux de livres anglais ou américains : R. J. CLEMENTS : *Critical Theory and Practice of the Pleiade* (Cambridge, 1942) ; M. T. HERRICK : *The Fusion of Horatian and Aristotelian Literary Criticism* (Urbana, 1946).

On trouvera un choix important de textes critiques dans : B. WEINBERG : *Critical Prefaces of the French Renaissance* (Evanston, 1950).

En français, les théories critiques de la Pléiade sont clairement exposées dans : H. CHAMARD : *Histoire de la Pléiade* (4 volumes, Didier, 1939-1940, réédition en 1963).

On utilisera les éditions critiques suivantes : pour la *Défense et illustration de la langue française* : l'édition CHAMARD, publiée par la Société des Textes Français Modernes chez Didier en 1948 ; pour *L'Art poétique* de J. Pelletier du Mans : l'édition BOULANGER publiée en 1930.

Mentionnons enfin quelques études particulières : sur Ronsard : H. FRANCHET : *Le Poète et son œuvre d'après Ronsard* (thèse Paris, 1922) ; sur E. Pasquier : P. BOUTEILLER : *Un Historien du XVIe siècle, Étienne Pasquier* (Paris, 1945).

SUR LE XVIIe SIÈCLE (JUSQU'EN 1660)

Ouvrages généraux : A. ADAM : *Histoire de la littérature française au XVIIe siècle*, tomes I et II (Paris, Domat, 1948-1949) ; R. PINTARD : *Le Libertinage érudit dans la première moitié du XVIIe siècle* (2 volumes, Paris, 1943) ; un important article de N. HEPP : « Esquisse du vocabulaire de la critique littéraire de la querelle du Cid à la querelle d'Homère », *Romanische Forschungen* (Erlangen, 1957).

Malherbe : le *Commentaire sur Desportes* a été publié dans l'édition Lalanne des œuvres de Malherbe (Paris, Hachette, 1862-1869, tome III).

Sur les théories de Malherbe on lira : F. BRUNOT : *La Doctrine de Malherbe d'après son commentaire sur Desportes* (Paris, 1891) ; R. LEBÈGUE : *La Poésie française de 1560 à 1630* (Paris, S.E.D.E.S., 1951).

Th. de Viau : ADAM : *Théophile de Viau et la libre pensée française en 1620* (thèse Lille, Droz, 1935).

Guez de Balzac : GUILLAUME : *J.-L. Guez de Balzac et la prose française* (Paris, Picard, 1927).

Chapelain : édition de ses *Opuscules critiques* par A. C. HUNTER (Société des textes français modernes, Droz, 1936) ; G. COLLAS : *Un Poète protecteur des lettres au XVIIe siècle : Jean Chapelain* (Paris, Perrin, 1912).

Sur la querelle du Cid : A. GASTE : *La Querelle du Cid, pièces et pamphlets publiés d'après les originaux* (Paris, Hachette, 1898) ; un article d'A. ADAM : « A travers la querelle du Cid », *Revue d'Histoire de la philosophie*, 1938, p. 29-52.

Sur d'Aubignac : édition commentée de *la Pratique du Théâtre* par P. MARTINO (Publications de la Faculté des Lettres d'Alger, 1927).

Sur la rhétorique de Pascal : Mme H. WALTZ : « Sur un texte de Pascal », *Revue universitaire*, 1937, p. 430-437 (à propos de la pensée : « Ceux qui jugent d'un ouvrage par (sans) règle... ») ; A. MATIVA : « L'Esthétique de Pascal », *Lettres romanes*, février 1947 (analyse de l' « art de convaincre » et de l' « art d'agréer »).

SUR LE XVIIe SIÈCLE (1660-1715)

Ouvrages généraux : A. ADAM : *Histoire de la littérature française au XVIIe siècle*, tomes III-IV-V (Domat, 1951-1956) ; D. MORNET : *Histoire de la littérature française classique 1660-1700* (Paris, Colin, 1940) ; H. PEYRE : *Le Classicisme français* (éd. revue et augmentée, New York, 1942) ; R. BRAY : *La Formation de la doctrine classique en France* (Paris, 1927, réédité en 1951) ; Elbert B. O. BORGERHOFF : *The Freedom of French Classicism* (Princeton, 1950).

Boileau : on lira les *Œuvres* dans l'édition établie par BOUDHORS pour la collection des Belles-Lettres (1934-1943) et les neuf premières satires dans l'édition critique d'A. ADAM (Lille, 1941).

Une mise au point commode : R. BRAY : *Boileau, l'homme et l'œuvre* (Paris, Boivin, 1942).

Rappelons les articles de J. DEMEURE : « Les Quatre Amis de « Psyché », *Mercure de France*, janvier 1928, et « L'introuvable société des « Quatre Amis », *Revue d'histoire littéraire de la France*, 1929.

Méré : voir l'édition de ses *Œuvres* établie par BOUDHORS pour la collection des Belles-Lettres (3 volumes, 1930) ; E. CHAMAILLARD : *Le Chevalier de Méré* (Niort, 1921).

Bouhours : *Les Entretiens d'Ariste et d'Eugène* présentés par F. BRUNOT (« Le Trésor », Colin, 1962) ; G. DONCIEUX : *Un Jésuite homme de lettres au XVIIe siècle : le Père Bouhours* Paris, 1886).

Saint-Évremond : *Saint-Évremond critique littéraire :* textes choisis avec introduction et notes de M. WILMOTTE (« Chefs-d'œuvre méconnus », Bossard, 1921) ; H. T. BARNWELL : *Les Idées morales et critiques de Saint-Évremond* (Paris, P.U.F., 1957).

Bossuet : deux articles sur les principes littéraires de Bossuet par LONGHAYE : « Bossuet, homme de lettres », dans *Études*, février 1895.

La Bruyère : P. RICHARD : *La Bruyère* (Amiens, Malfère, 1946) ; deux articles d'A. PIZZORUSSO : « La Poetica di la Bruyère », *Studi francesi*, janvier et août 1957.

Fénelon : E. CARCASSONNE : *Fénelon, l'homme et l'œuvre* (Paris, Boivin, 1946) ; un court article d'A. SCHINZ : « Fénelon critique littéraire précurseur », *Revue des Cours et Conférences*, 15 mars 1926.

La querelle des Anciens et des Modernes : H. RIGAULT : *Histoire de la querelle des Anciens et des Modernes* (Paris, 1856) ; H. GILLOT : *La Querelle des Anciens et des Modernes* (Paris, Champion, 1914).

SUR LE XVIIIᵉ SIÈCLE

Ouvrages généraux : on trouvera des extraits des préfaces, traités et autres écrits théoriques dans F. VIAL et L. DENISE : *Idées et doctrines littéraires du XVIIIᵉ siècle* (Paris, 1909) ; Paul HAZARD : *La Crise de la conscience européenne* (3 volumes, Paris, 1934) ; la thèse de R. NAVES : *Le Goût de Voltaire* (1938) contient de nombreuses indications sur la critique littéraire de tout le XVIIIᵉ siècle ; sur les transformations de la critique littéraire au début du XVIIIᵉ siècle : J. C. ROBERTSON : *Studies in the Genesis of Romanic Theory in the XVIIIth century* (Cambridge 1923) ; G. MAY : *Le Dilemme du roman au XVIIIᵉ siècle* (étude sur les rapports du roman et de la critique : 1715-1761). (Yale University Press. P.U.F., 1963).

Bayle : E. LACOSTE : *Bayle, nouvelliste et critique littéraire* (Paris, 1929).

Du Bos : M. BRAUNSCHVICG : *L'Abbé Du Bos, rénovateur de la critique* (Toulouse, 1904), et surtout : A. LOMBARD : *L'Abbé Du Bos* (Paris, 1913).

Fontenelle : L. MAIGRON : *Fontenelle, l'homme, l'œuvre, l'influence* (Paris, Plon, 1906).

La Motte : P. DUPONT : *Un Poète-philosophe au commencement du XVIIIᵉ siècle : Houdar de la Motte* (Paris, 1898).

Marmontel : LENEL : *Un Homme de lettres au XVIIIᵉ siècle : Marmontel* (thèse Paris, 1902).

Diderot : Y. BELAVAL : *L'Esthétique sans paradoxe de Diderot* (Gallimard, 1950) ; un article de J. POMMIER : « Les Salons de Diderot et leur influence au XIXᵉ siècle : Baudelaire » et « Le Salon de 1846 », *Revue des Cours et Conférences*, mai-juin 1936.

L'Encyclopédie : V. ROCAFORT : *Les Doctrines littéraires de l'Encyclopédie* (Paris, 1890).

Rousseau : signalons une série d'articles dans la *Revue d'histoire littéraire de la France* par L. BOURQUIN : « La Controverse sur la comédie au XVIIIᵉ siècle et la Lettre à d'Alembert sur les spectacles » (1921).

Desfontaines et Fréron : Paul VAN TIEGHEM : *L'Année littéraire comme intermédiaire en France des littératures étrangères* (thèse complémentaire, Paris, 1917) ; un plaidoyer pour Fréron par un prêtre catholique : F. CORNOU : *Trente Années de luttes contre Voltaire et les philosophes du XVIIIᵉ siècle : Fréron* (Paris, 1922).

Retenons dans la *Revue d'histoire littéraire de la France* quelques articles sur la critique littéraire au XVIIIᵉ siècle : D. MORNET : « La Question des règles au XVIIIᵉ siècle », 1914 (analyse des diverses théories de critique dramatique) ; P. CHAPONNIÈRE : « La Critique et les poétiques au XVIIIᵉ siècle », 1916 ; R. MERCIER : « La Théorie des climats des Réflexions critiques à l'Esprit des Lois », 1953.

SUR LE XIXᵉ SIÈCLE : LE ROMANTISME

Pour l'ensemble du siècle, signalons deux anthologies commentées : F. BALDENSPERGER : *La Critique et l'histoire littéraire en France au XIXᵉ et au début du XXᵉ siècle* (New York, 1945) ; R. MOLHO : *La Critique littéraire en France au XIXᵉ siècle* (Paris, Buchet-Chastel, 1963).

Ouvrages généraux sur la période romantique : J. MARSAN : *La Bataille romantique* (3 volumes, Paris, 1912) ; R. BRAY : *Chronologie du romantisme (1804-1830)* (Paris, 1932, réédité en 1963) ; E. EGGLI et P. MARTINO : *Le Débat romantique en France : 1813-1830 – Pamphlets, manifestes,* *polémiques de presse* (Publications de la Faculté des Lettres d'Alger, 1933 ; seul est paru le premier tome sur les années 1813-1816).

Geoffroy : Ch.-M. DES GRANGES : *Geoffroy et la critique dramatique sous le Consulat et l'Empire* (Paris, 1897).

Fontanes : A. WILSON : *Fontanes* (Paris, 1928).

Sur l'influence allemande et sur Madame de Staël : I. A. HENNING : *L'Allemagne de Madame de Staël et la polémique romantique* (Paris, 1929) ; J. GIBELIN : *L'Esthétique de Schelling et l'Allemagne de Madame de Staël* (Clermont, 1932) ; Comtesse Jean DE PANGE : *Madame de Staël et la découverte de l'Allemagne* (Paris, 1939).

Stendhal : voir *Racine et Shakespeare* dans l'édition critique établie par P. MARTINO (Œuvres complètes de Stendhal chez Champion en 1925) ; signalons un article de P. MARTINO : « Le « Del Romanticismo nelle arti » de Stendhal » *Revue de littérature comparée*, 1922.

Sismondi : J.-R. DE SALIS : *Sismondi : la vie et l'œuvre d'un cosmopolite philosophe* (Paris, 1932).

Saint-Marc Girardin : Lawrence M. WYLIE : *Saint-Marc Girardin bourgeois* (New York, 1948).

Philarète Chasles : Margaret PHILIPS : *Philarète Chasles et la littérature anglaise* (Columbia, 1933).

Gustave Planche : Maurice REGARD : *Gustave Planche* (Paris, 1955).

Sainte-Beuve : Maurice REGARD : *Sainte-Beuve, l'homme et l'œuvre* (Hatier, 1959) ; l'ouvrage de base reste la thèse de G. MICHAUT : *Sainte-Beuve avant les Lundis* (1903) ; J. BONNEROT : *Bibliographie de l'œuvre de Sainte-Beuve* (3 volumes, 1937-1952).

Balzac : G. DELATTRE : *Les Opinions littéraires de Balzac* (Paris, P.U.F., 1961)

Baudelaire : A. FERRAN : *L'Esthétique de Baudelaire* (Paris, 1933) ; M. GILMAN : *Baudelaire the critic* (New York, 1943).

SUR LE XIXᵉ SIÈCLE : POSITIVISME ET SYMBOLISME

Ouvrages généraux : A. CASSAGNE : *La théorie de l'art pour l'art en France chez les derniers romantiques et les premiers réalistes* (Paris, Hachette, 1906, réédité en 1960) ; P. MARTINO : *Parnasse et symbolisme 1850-1900* (Colin, 1925) ; G. MICHAUD : *Message poétique du symbolisme* (3 volumes, Nizet, 1947).

Taine : V. GIRAUD : *Essai sur Taine* (6ᵉ édition, Paris, 1923).

Renan : J. POMMIER : *Renan, essai de biographie intellectuelle* (Paris, 1923) ; Ph. VAN TIEGHEM : *Renan* (Paris, 1948).

Scherer : N. TREMBLAY : *La Critique littéraire d'E. Scherer* (Paris, Hachette, 1932).

Pontmartin : E. BIRE : *Pontmartin, sa vie et ses œuvres* (Paris, 1904).

Veuillot : FERNESSOLES : *Les Origines littéraires de Louis Veuillot* (Paris, 1923).

Barbey d'Aurevilly : G. CORBIÈRE-GILLE : *Barbey d'Aurevilly, critique littéraire* (Paris, Droz, 1962) ; J. PETIT : *Barbey d'Aurevilly critique* (Annales de l'Université de Besançon, 1963)

Paul de Saint-Victor : C. BEUCHAT : *Paul de Saint-Victor* (Paris, 1937).

Montégut : LABORDE-MILAA : *Un essayiste, Montégut* (Paris, 1922).

Les Goncourt : P. SABATIER : *L'Esthétique des Goncourt* (Paris, 1920) ; R. RICATTE : *La Création romanesque chez les Goncourt* (Paris, Colin, 1953).

Anatole France : Annette ANTONIU : *A. France critique littéraire* (Paris, 1929) ; Amelia BRUZZI : *Aspetti, valori, fortuna di una critica : La vie littéraire* (Bologne, 1953).

Jules Lemaitre : H. MORICE : *Jules Lemaitre* (Paris, 1924).

Paul Bourget : voir dans *Approximations I* de Charles DU BOS : « Réflexions sur l'œuvre critique de Paul Bourget », 1922 ; Henri KLERKX : *Paul Bourget et ses idées littéraires* (Nimègue, 1946).

Brunetière : V. GIRAUD : *Brunetière* (Paris, 1932) ; John CLARK : *La Pensée de F. Brunetière* (Paris, Nizet, 1954).

Zola : F. DOUCET : *L'Esthétique de Zola et son application à la critique* (thèse Groningue, 1923).

SUR LE XXᵉ SIÈCLE

On trouvera des indications générales dans les diverses Histoires de la littérature contemporaine (LALOU, CLOUARD, P.-H. SIMON...). Pour la période contemporaine on pourra consulter plus spécialement : G. PICON : *Panorama de la nouvelle littérature française* (Gallimard, 2ᵉ édition, 1960) ; M. DE DIEGUEZ : *L'Écrivain et son langage* (Gallimard, 1960), série d'études consacrées aux critiques contemporains.

Sur Gourmont : Garnet REES : *Rémy de Gourmont* (thèse, 1940).

Gide : il n'existe pas d'ouvrage entièrement consacré à la critique littéraire chez Gide. Outre certains chapitres des livres de Léon-Pierre QUINT, Germaine BRÉE, etc.., signalons un court article de J. C. DAVIES : « Gide as literary critic », *Modern Languages* (London, 1959).

Rivière : P. BEAULIEU : *Jacques Rivière* (Paris, 1956).

Proust : on se reportera là encore aux ouvrages consacrés à l'œuvre entière de Proust, car il n'existe sur Proust critique qu'une thèse dactylographiée de R. DE CHANTAL : *La critique littéraire de Proust* (Paris, 1960).

Charles Du Bos : Marie-Anne GOUHIER : *Charles Du Bos* (Paris, Vrin, 1951).

Suarès : Gabrielle SAVET : *André Suarès* (Paris, Didier, 1959).

Valéry : M. BEMOL : *La Méthode critique de Paul Valéry* (Paris, Nizet, 1949).

Alain : Un numéro spécial de la Nouvelle N.R.F. (septembre 1952) ; Judith ROBINSON : *Alain, lecteur de Balzac et de Stendhal* (Paris, Corti, 1958).

Bremond : M. MARTIN DU GARD : *De Sainte-Beuve à Fénelon : Henri Bremond* (Paris, 1927).

Thibaudet : A. GLAUSER : *Thibaudet et la critique créatrice* (Paris, Boivin, 1952) ; J. C. DAVIES : *Thibaudet* (Paris, Didier, 1955).

Giraudoux : R. M. ALBERES : *Esthétique et morale chez Giraudoux* (thèse Paris, 1957).

Léautaud : Marie DORMOY : *Léautaud* (Paris, Mercure de France, 1958).

Les critiques de la N.R.F. : A. EUSTIS : *Marcel Arland, Benjamin Crémieux, Ramon Fernandez, trois critiques de la Nouvelle Revue Française* (N.R.F., 1962).

Paulhan : M.-J. LEFEBVRE : *Jean Paulhan* (Gallimard, 1949).

Blanchot : une importante étude de G. PICON : « L'œuvre critique de Blanchot », dans la première série de « L'usage de la lecture », *Mercure de France*, 1960.

Sur la critique contemporaine : on pourra consulter une enquête de la revue *Arguments* (numéro de janvier-mars 1959), et un article de P. DE MAN : « Impasse de la critique formaliste », dans la revue *Critique* (numéro de 1959). Voir un important article de Jean STAROBINSKI : " Les directions nouvelles de la recherche critique ", dans la revue *Preuves* (juin 1965).

SUR LA PRESSE LITTÉRAIRE

Du XVIIᵉ siècle à 1865, voir HATIN : *Bibliographie historique et critique de la presse française* (Paris, 1866).

On trouvera un répertoire commode des principales revues symbolistes dans CORNELL : *The Symbolist Movement* (Yale U.P., 1951).

Citons aussi sur certaines publications : A. PEREIRE : *Le « Journal des Débats politiques et littéraires » de 1814 à 1914* (Paris, 1924) ; un recueil d'articles intitulé : *Cent ans de vie française à la « Revue des Deux-Mondes »* (1929) ; A. B. JACKSON : *La « Revue Blanche » (1889-1903)*, 1960 ; L. MORINO : *La « Nouvelle Revue Française » dans l'histoire des lettres* (Gallimard, 1939).

2. Index des auteurs

Les caractères gras renvoient aux passages de la Première Partie plus spécialement consacrés aux auteurs indiqués, les caractères en *italique* renvoient aux textes cités dans l'anthologie.

TABLE DES MATIÈRES